ミスエデュケーション

エミリー・M・ダンフォース
有澤真庭 訳

The miseducation of Cameron Post

サウザンブックス社

Japanese translation rights arranged with Emily M. Danforth
c/o The Jean V.Naggar Literary Agency, Inc., New York
through Tuttle-Mori Agency, Inc., Tokyo

読者のみなさんへ

わたしの小説『The Miseducation of Cameron Post（邦題：ミスエデュケーション）』がアメリカで最初に出版されてからおよそ八年が過ぎたいま、日本語に翻訳され、美しい新装版となってみなさんのおてもとに届けられると知り、たいへんうれしく、また光栄に思います。『ミスエデュケーション』はわたしのはじめての小説というだけではなく、ひどく個人的な作品でもあります。一九八〇年代／一九九〇年代にアメリカ西部のいなか町でクローゼット・レズビアンとして青春を過ごした自分が、読みたかった本なのです。あれから何十年もたっていますが、新たな読者のみなさんが、いまでもキャムの成長物語にうなずき、思いをめぐらせ、ユーモアをみいだしてくれるよう望みます。

感謝をこめて

二〇二〇年八月　ロードアイランドにて

エミリー

本と物語でわが家を満たしてくれた
わたしの両親、デュエイン＆シルヴィア・ダンフォースへ

第一部　夏　一九八九年

Part One

Summer 1989

第一章

両親が死んだ日の午後、わたしはアイリーン・クロースンといっしょに万引きをしていた。

ママとパパは、毎年夏になるとキャンプに行くクエイク湖に前の日出かけ、代わりにポストおばあちゃんがビリングスからわたしの世話をしにやってきた。アイリーンをひと晩うちに泊める許可を、おばあちゃんからとりつけるのは簡単だった。「こう暑くちゃあ、いたずらする気にもならないよね、キャメロン」いいよといったすぐあとに、おばあちゃんはそうつけたした。「まあでも、女三人で楽しくやろうかね」

マイルズシティはここ数日、摂氏三十五度を越えるうだるような暑さがつづいていたけれど、まだ六月の終わりでしかないことを思えば、モンタナ州東部にしても暑いといえた。あんまり暑くてそよ風ですら、まるでだれかがドライヤーを町に向かって吹きつけているみたいだった。風がほこりを舞いあげ、ハコヤナギの大きな木々から飛ばされた綿毛が真っ青な大空を漂い、近所の庭先にふんわりしたダマをつくる。アイリーンとわたしはそれを「夏の雪」と呼んでいて、ぎらつく日射しに目を細めながら、ときどき舌で受けとめようとした。

わたしの寝室は、ウィボー通りに建つうちの屋根裏を改装したもので、三角にとんがって組まれた垂木《たるき》と変に斜めになった天井があり、夏はオーブンなみに暑くなる。窓には薄汚れた扇風機がはめこまれていたけれど、熱風とほこりを吹きつけるばかりで、それでもほんのときたま、朝早く、刈りたての芝のにおいを運んできた。

アイリーンの両親はブローダスの近くで大きな牧場を営んでおり、そんないなかでさえ——モンタナ州道五十九号線を曲がって、わだちのついた一本道へ入り、灰色のヤマヨモギの茂みと、太陽に焼かれたピンク色の砂岩の丘をいくつも越えたところにあるクロースン家には、エアコンがあった。クロースンさんはいかにも牧場の男然とした、体の大きなひとだ。アイリーンの家に泊まったとき、朝起きて鼻の先を触ると、ひんやりした。それに、冷蔵庫のドアには製氷機がついていたから、クラッシュアイスにオレンジジュースとジンジャーエールを混ぜて、「カクテルタイム」だといってはしょっちゅう飲んでいた。

うちにはエアコンがないため、ひと工夫する必要があった。洗面台の蛇口からひえひえの水を流し、ふたりのTシャツをひたす。そしてしぼる。最後にもういちどひたして、ふるえながら着ると氷のように冷たくて、ぐっしょり濡れた皮をかぶったような感じになり、アイリーンとわたしはそのままベッドに横たわった。夜のあいだにパジャマ代わりのTシャツはぱりぱりになり、暑気とほこりを吸って、おばあちゃんが洗濯のりをちょっぴりつけたときのパパのワイシャツのえりみたいに、乾いてごわついた。

朝の七時にはすでに気温は摂氏二十六度を回っていた。ふたりともひたいに前髪をはりつかせ、赤らんだほおには枕のあとをつくり、目尻には目やにがこびりついていた。朝食に残りもののピーナッツバター・パイを出してくれたあと、ポストおばあちゃんはトランプのひとり遊びをしながら、ときどき分厚い眼鏡ごしに大音量でつけた『ペリー・メイソン』の再放送に目を向けた。おばあちゃんはミステリーファンだ。十一時ちょっと前になると、えび茶色のシボレー・ベルエアを運転して、ふたりをスカンラン湖まで送ってくれた。わたしはいつもなら自転車にのって水泳の練習に行くけれど、アイリーンは町なかに自分の自転車を持っていない。窓を開けっぱなしにしても、ベルエアは車内特有のこもった熱気でむっとした。わたしのママかアイリーンのママの車にのるときは、助手席のとりあいになるのに、ベルエアのときはふたりとも後部座席に座り、粒マスタードの〈グレイ・プポン〉のコマーシャルごっこをして、おばあちゃんをお抱え運転手にみたてた。パーマをかけたばかりのおばあちゃんの真っ黒な髪が、運転席の上からのぞいている。

車は（一時停止の標識と赤信号ふたつをふくめて）だいたい一分半ほどかけて中央通りを走った。〈ウィルコキシン〉のアイスクリームをコーンからこぼれ落ちそうなほどのっけてくれる〈キップス・ミニット・マーケット〉の前を通り、道をはさんで斜めに向かいあう二軒の葬儀屋を通りすぎ、線路の下をくぐる。親が給料を引き出しているあいだ、棒つきキャンディの〈ダムダムポップス〉をくれる銀行や、図書館や映画館、飲み屋街、公園を通りすぎる――たぶん、ちいさな町のどこにでもあるような通りなのかもしれない。けれどこの通りは自分たちのなわばりで、慣れ親しんだ感覚が、あのころは好きだった。

「終わったら、すぐに帰っておいで」コンクリート製のがっしりした監視員《ライフガード》控え室と脱衣所のある、わたしたちが「バスハウス」と呼んでいる建物の前あたりに車をとめ、おばあちゃんがいった。「ダウンタウンをほっつき歩くんじゃないよ。帰ったらスイカを切ってあげる。リッツ・クラッカーとチェダーチーズでお昼にしましょ」

パッ、パッ、パーとわたしたちにクラクションを鳴らすと、えんえんと編んでいるかぎ針編み用の糸を買いたしに、おばあちゃんは〈ベン・フランクリン〉の店に向かって走り去った。前によく、クラクションを鳴らしては「元気のもと」だからといっていたのを思い出す。こんなにごきげんなおばあちゃんをみるのは久しぶりだ。

「キャメロンのおばあさんって、頭おかしーんじゃないの」アイリーンが「おかしい」の語尾を引きのばして発音し、こげ茶色の目をぐりんと回してみせた。

「おかしいってなんでさ?」ときいたけれど、アイリーンに返事をするすきを与えない。「朝食のときはおかまいなしにおばあちゃんの出したパイを食べてたじゃない。ふたきれ食べてた」

「だからって、おばあさんがイカレてないってことにはならないね」そういいながら、アイリーンはわたしが肩にかけたビーチタオルのはしをぐいっと引っぱる。タオルはわたしのむきだしの足をはらい、コンクリートに落ちた。

「ふたきれも」わたしはくり返して、タオルをつかんだ。アイリーンが笑う。「食いしん坊のくーちゃん」

アイリーンはくすくす笑いつづけ、踊りながらわたしの手のとどかない距離まで離れた。「おばあさんは完ぺきに頭おかしい、正真正銘《しょうしんしょうめい》イカレてる――お医者さんに診てもらいなよ」

これが、アイリーンとわたしのいつものパターンだ。親友か目のかたきのどちらかで、手かげんはなし。一年生から六年生まで、ふたりでいちばんをはりあった。体力テストではけんすいと走り幅とびでアイリーンが勝ち、わたしは腕立てふせと腹筋と五十メートル走で負かした。スペリング競争はアイリーンの勝ち。科学フェアはわたし。

アイリーンがわたしに、古いミルウォーキー鉄橋から飛びおりてみろと〝挑戦〟をふっかけてきたことがある。わたしは飛びおりて、川底に沈んでいた車のエンジンで頭を切った。泥でにごった水のせいで沈んでいるのがみえなかったのだ。十四針縫った――大ケガだ。わたしがアイリーンにふっかけた〝挑戦〟は、町に残った最後の木柱標識――ストレベル通りに立つ〝相手側優先〟の交通標識――を、のこぎりで切り倒すこと。アイリーンは〝挑戦〟を受けて立った。切ったあとで牧場まで持って帰るのに困り、わたしに預けてよこしたけれど。

「おばあちゃんは年とってるだけだもん」わたしは手首をぐるぐる回し、足もとのタオルを投げなわにした。しっかり巻きついたらそれでひっぱたいてやろうと思ったのに、アイリーンに勘づかれた。

アイリーンがうしろに飛びのいてよけたとたん、男の子にぶつかった。その子は水泳の練習を終えたばかりで、まだゴーグルをつけていた。ぶつかったひょうしに、アイリーンのサンダルが片方脱げかけた。前にすべったサンダルが、つま先にぶらさがる。「ごめんね」水をしたたらせた子どもとその母親には目もくれず、アイリーンはサンダルを前に蹴り飛ばしてわたしから遠ざかった。

「あんたたち、ちいさい子もいるんだから気をつけなさいよ」母親がわたしに注意した。手近にいてタオルで投げなわをつくっていたのもあるけれど、アイリーンといっしょにいるときだれかに話しかけられるのは、いつもわたしのほうだからだ。まるでひどいケガでもしたかのように、ゴーグルをした男の子の手を、母親がぎゅっとつかんだ。「駐車場は遊び場じゃないのよ、いっておくけど」息子の手を引き、サンダルばきのちいさな歩幅でその子がついていくのに苦労するほど足早に歩いていく。

わたしはタオルを肩にかけ、戻ってきたアイリーンといっしょに、水泳教室通いのわが子をミニバンにのせる母親をみまもった。「いじわるばばあ」アイリーンがいった。「走っていって、車をバックで出すときひかれたふりしなよ、キャム」

「それって、〝挑戦〟?」わたしがきくと、アイリーンはめずらしくなにもいい返さない。わたしがいいだしたくせに、ことばを投げかけたとたん気まずくなり、つぎになにをいえばいいのかとまどった。きのう、ママとパパがクエイク湖に出発したすぐあとに起きたことを、ふたりとも覚えていた。朝じゅうずっとそわそわしながら、どちらもひとことも口に出さずにいたけれど。

アイリーンがわたしに、キスの〝挑戦〟をした。ふたりで牧場の干し草置き場にいたときだ。クロースンさんを手伝って柵の修理をしたため、汗だくになり、炭酸飲料のルートビアのびんを分けあって飲んだ。一日じゅう競争ばかりしていた。アイリーンがわたしより遠くへつばを飛ばせば、わたしはロフトから下の干し草に飛びおり、するとアイリーンは積みあげた木箱の上から宙返りをしてみせ、そのあとわたしが四十五秒間逆立ちをした。そのひょうしに顔と肩までTシャツのすそが落ちてきて、お腹がまるみえになった。ローラースケート場のネックレス――半分に割れたハートに自分のイニシャルが入っていて、アイリーンとのおそろい――が顔の前にぶらさがり、やすっぽい金属が肌に当たってちくちくした。ネックレスは首のまわりのこすれたところに緑色のあとをつけたけれど、日焼けでほとんど目立たない。

もっと長く逆立ちしていられたのに、アイリーンにおへそをつつかれた、けっこう強く。

「やめてよ」というが早いか、アイリーンの上にくずれ落ちた。

アイリーンが笑った。「水着で隠れてる部分がぜんぶ真っ白だ」間近にせまった顔の、ぽっかり開いた口がさも干し草を突っこんでほしそうだったので、かなえてやる。

三十秒ばかりアイリーンはせきこんだり、草をはき出したりしていた。いつだっておおげさなのだ。紫とピンクのバンドをはめたばかりの歯列矯正器《ブレース》から、草を二本ばかりつまみ出す。それから背筋をのばして座り直し、真顔でいった。「水着のあとをもう一回みせてよ」

「どうして?」ときいたものの、わたしはすでにシャツを引っぱって、首と肩のあいだに走る白い線をみせていた。

「ブラのひもみたい」アイリーンが線に沿って、ゆっくり指を走らせる。腕と足に、鳥肌が立った。アイリーンがわたしをみて笑う。「学校がはじまったら、ブラをつける？」

「たぶんね」ほとんどつける必要がないところをみられたばかりなのに、そういった。「そっちは？」

「するよ」線をくり返しなぞる。「中学にあがるんだし」

「べつに、校門前で検査されるわけじゃないでしょ」指の感触が気持ちよかったけれど、その意味するところがこわかった。干し草をつかみ、アイリーンが着ているオーストラリアのチャリティ団体〈いのちのなわとび〉のロゴがついた、紫色のTシャツの胸もとに押しこんだ。悲鳴をあげてやり返そうとするアイリーンととっくみあい、二分もすると、ロフトにたまるよどんだ熱気でふたりとも汗まみれになった。

木箱によりかかり、ぬるくなったルートビアをふたりで順番に飲む。「だけど、おとなにならなきゃ」アイリーンがいった。「つまり、おとなっぽくふるまうってこと。中学生になるんだから」それからルートビアをごくごく飲んだ。真剣な口ぶりが、教育目的のテレビ番組『アフタースクール・スペシャル』を連想させた。

「どうしてしつこくいうの？」

「だってもうすぐ十三歳だし、それってティーンエイジャーってことだよ」アイリーンの声が尻すぼみになり、片足を干し草に突っこんだ。それから、びんに向かってぼそぼそつぶやく。「ティーンエイジャーになるのに、キャムはキスのしかたも知らないじゃない」ルートビアをすすりながらくすくす笑ってみせようとして、口から少し液がたれた。

「アイリーンだってそうでしょ。自分が〝セクシー・レクシー〟だとでも思ってるの？」これは、けなしことばだ。ボードゲームの『クルー』で遊ぶときは――ちなみにしょっちゅうやっていた――アイリーンもわたしも、ミス・スカーレットのコマを箱から出そうとさえしなかった。家にあった『クルー』は、表紙におかしなむかしふうの服を着た人物の写真がのっていて、それぞれゲームの登場人物になりきり、アンティーク調の内装の部屋でポーズをとっていた。その版では、巨乳のミス・スカーレットが赤いドレスを着たヒョウみたいに色あせたカウチに寝そべり、黒い長ギセルでたばこを吸っていた。わたしたちは写真の女性に〝セクシー・レクシー〟とあだ名をつけて、太鼓腹のミスター・グリーン、オタクのマスタード大佐と、三角関係に陥っているという設定を考えた。

「レクシーにならなきゃキスできないわけじゃないもん、おばかさん」

「キスする相手がいるの？　だいいち」答えを承知でききき、息を殺して返事を待つ。なにもいい返してこない。アイリーンは、代わりにルートビアをひとくちで飲みほすと、びんをわきに置き、それからそっと、足で押して前に転がした。干し草の山を通りすぎて床を転がっていくガラスびんをいっしょにみまもり、やわらかなバーンウッドの床にひびく規則正しい、うつろな音に耳を傾ける。ロフトはやや斜めに傾いていた。はしに届いたびんが視界から消え、真下の干し草に落ちる音がかすかにきこえた。

　わたしはアイリーンをみた。「おじさんにみつかったら、怒られるよ」

　アイリーンがじっとみつめ返す。もういちど顔が接近する。「わたしにキスできやしないでしょ」一秒も目をそらさない。

「それ、本気で〝挑戦〟してる?」

「もちろん」というときの顔つきをして、アイリーンがうなずく。

それで、わたしはすぐさまやった。それ以上話したり、アイリーンのママが「手を洗いなさい、夕食ですよ」とわたしたちを呼びに来る前に。キスは、やってみないとなにもわからない。作用と反作用がすべてだ。アイリーンのくちびるはしょっぱくて、ルートビアの味がした。キスのあいだじゅう、目まいに似た感覚を覚えた。あのキスいちどだけなら、ただの〝挑戦〟で終わり、それ以前の〝挑戦〟となんのちがいもなかったはずだ。けれど、キスのあとふたりで木箱にもたれていたら、スズメバチが一匹舞いおりてきて、こぼれたルートビアの上に弧を描き、そのときアイリーンがもういちどキスをした。わたしは〝挑戦〟なんかしていないのに、でもうれしかった。

それから夕食に呼ぶおばさんの声がして、わたしたちはたがいに照れながら、うらのポーチの大きな洗面台で手を洗い、ホットドッグを好みの方法（焼いてからケチャップを死ぬほどかける）で食べ、ストロベリー・プレッツェルのサラダを二杯たいらげたあと、おじさんが町まで送ってくれた。トラックのベンチシートに三人並んで座り、話はしなかったけれどAMラジオのKATL局がついていて、マイルズシティの町外れを走るセメタリー・ロードへ向かう道すがら、ずっと雑音を立てていた。

うちでポストおばあちゃんとテレビドラマの『マトロック』を少しみたあと、アイリーンとわたしは裏庭の、スプリンクラーの水でまだ湿っている芝生に出た。キササゲの木が白い釣りがね型の花をたわわに咲かせ、むせ返るような甘いにおいで熱い空気を満たしている。〝ビッグスカイ（モンタナ州の愛称）〟の名にし負う雄大な夕焼けを、ふたりで眺めた。濃いピンクやあざやかな紫が、インクを流したようなブルー・ブラックの宵闇にとって代わられる。

いちばん星がまたたき、ダウンタウンにある映画館の看板を照らす照明を思わせた。アイリーンがわたしにきいた。「もしだれかにみつかったら、わたしたち困ったことになるかな?」

「うん」即答する。女の子にキスしてはいけないと、はっきりといわれたことはないけれど、それはいう必要がないからだ。キスをするのは男と女——わたしたちの年ごろでも、テレビのなかでも、映画のなかでも、世界じゅうのどこででも。そういう決まりだ。男と女。それ以外は規格外。同じ年ごろの女の子同士が手をつないだり、腕を組んで歩いている姿ならみかけるし、たぶん、たがいをキスの練習台にしている子だってなかにはいると思うけれど、わたしたちが納屋でしたのは、そういうのとはちがうとわかっていた。もっと真剣な、おとなびた行為だ。アイリーンがいったような。キスをしたのは、練習のためだけじゃない。ほんとうはちがった。少なくともわたしはそう思った。でも、アイリーンにはなにもいっていない。アイリーンだってわかっている。

「わたしたち、秘密を守るのは得意だよね」考えたすえ、そう答えた。「だれかに教える必要があるわけじゃないし」アイリーンは返事をせず、暗闇のなかでどんな表情をしているのかわからない。暑く、甘いにおいが満ちるなか、すべてが宙づりになり、わたしはアイリーンの返事を待ちうけた。

「うん。でも——」アイリーンがいいかけたとき、裏口の明かりが点滅してともり、ポストおばあちゃんのずんぐりしたシルエットが網戸に映った。

「もうなかに入りなさい。アイスを食べて、それから寝ましょう」

シルエットがドアを離れ、キッチンへ向かっていくのをふたりでみまもる。

「〝でも〟なに? アイリーン」声をひそめてきいた。たとえ裏庭に立っていたとしても、おばあちゃんにはきこえないとわかっていたけれど。

アイリーンが息を吸った。かすかに音を立てて。「でも、もう一回できると思う？　キャム」

「注意すればね」あたりはすごく暗かったけれど、わたしがほおを赤らめるのを、アイリーンにはみえたはずだ。いわなくてもわかる。アイリーンはお見通しだ。いつだって。

・・・

スカンラン湖は一種の人工湖で、マイルズシティの市営プールとしては、いちばんとんがっていた。木製のドック（桟橋）がふたつ、五十メートルの間隔をあけてのびており、それは水泳連盟のルールにのっとっている。湖の周囲半分を茶色い砂利のビーチが囲み、それと同じざらつく砂利を、湖底の、少なくともひとが出入りするあたりには敷きつめてあるため、泥に足をすくわれる心配はなかった。毎年五月になると、市は湖にチューブ式のコースロープを張り、からっぽの湖にイエローストーン川から引いた水――および、金属の格子を通り抜けてくるものをなんでもかんでもそそぎ入れる。ナマズの稚魚、カレイ、ミノウ、ヘビ、それからアヒルの糞をエサにする、ちっちゃくて玉虫色のカタツムリ。このカタツムリは〝スイマーのかゆみ〟と呼ばれている発疹を引き起こし、わたしの両足も発疹だらけになり、とりわけひざうらの、やわらかいところが焼けつくみたいにかゆかった。

　アイリーンはビーチに座って練習を見学した。駐車場でのひともんちゃくのあと、テッドコーチが姿を現したため、悪さをしかけるひまがなくなり、ふたりともたぶん少しほっとした。ウォームアップのあいだ、わたしはドックにしがみついてアイリーンを目で追った。あの子は泳がない。かなづちだった。二、三回水をかいて進むことすらできず、そのためディープウォーター・テストを受けて、右側のドックの先にある飛びこみ台から飛びこめる資格をとるなんて、無理な話だった。わたしが水泳を習うかたわら、アイリーンは柵をつくり、牛を追い、焼き印を押し、牧場や家のご近所の手伝いをして夏じゅう過ごした。けれどふたりのあいだではすべてが競争で、勝敗のはっきりつかないことがたびたびあったため、わたしは泳ぎが得意なのを幸いに、スカンランにアイリーンが来たときはいつも、これみよがしにバタフライで往復したり、飛びこみ台からヘッドファースト・ダイブをして、自分のほうが上だと何度も飽きずに証明してみせた。

けれどきょうの練習は、ただひけらかしたいだけではなかった。ビーチに目をさまよわせ、アイリーンがいるのがみえるとなんだか安心した。白い野球帽のつばで顔がかげになったアイリーンは、両手をせわしなく動かして、ざらついた砂でなにかをつくっていた。わたしがドックにひっかかっているのに気がついて、二度ばかり手をふり、わたしがふり返す。ふたりの秘密にどきどきした。

手をふったところを、テッドコーチにみられた。コーチは虫のいどころが悪く、ドックを行ったり来たりしたかと思うと低いほうの飛びこみ台にあがり、そうかと思えば監視台のまわりをうろつき、レバーソーセージとタマネギのサンドイッチをほおばって、笛を鳴らすと同時にすばやくスタートにつかない生徒のお尻を黄色いキックボードではたいた。夏休みでモンタナ大から帰省中のコーチは、真っ黒に日焼けした体にボディオイルをぬりたくり、バニラ・エクストラクトとタマネギのにおいをさせていた。スカンランのライフガードたちはブヨよけに、ピュアバニラをふりかける。

チームの女の子は大半がテッドに夢中だった。わたしは、テッドみたいになりたかった。競技のあとに冷えたビールを飲み、はしごを使わずに監視台にのぼり、ロールバーなしのジープをのりまわす、すきっ歯の、ライフガードの親分格に。

「友だちを連れてきて、練習はそっちのけか?」クロールで百メートル泳いだあと、ストップウォッチで計ったわたしのタイムに、テッドが眉をしかめる。「いまの折り返しをお前がなんと呼ぶのか知らないが、フリップターンじゃないのだけは確かだな。ドルフィンキックは頭の上で足をしならせ、ストロークを三回するまで息つぎをするな。三回だぞ」

わたしは七歳のときから水泳を習っていたけれど、泳ぎのコツをつかんだのは去年の夏になってだった。とうとう息つぎがちゃんとできるようになり——水中で息をぜんぶはき出し、頭を適切な角度で水面に出す——ストロークのたびに、水をばしゃばしゃはたかなくなった。リズムをつかんだな、とテッドがいった。州の競技会でいつも入賞し、コーチに目をかけられるようになると、少しこわくなった。期待が重い。練習後、テッドコーチがドックからビーチまでついてきた。湖水で冷えきった体に回されたコーチの腕は、暑苦しくて重たく、むきだしの肩にわき毛が当たり、動物の毛皮みたいな感触で気持ち悪かった。あとで、アイリーンと笑いのタネにした。

「あしたは友だち抜きだぞ、いいな?」アイリーンにきこえるようにコーチが大声でいう。「一日二時間は水泳に集中しろ」

「わかりました」お説教されるところを、たとえちょっとした注意でも、アイリーンにみられて、気まずかった。

テッドコーチが、テッド・スマイルをする。ちいさくて抜け目なさそうな、シリアルの箱に描かれたカートゥーンのキツネみたいな笑いかただ。それから重たい腕でわたしをつかみ、前後にちょっと揺する。「わかったって、なにをだ？」

「あしたは水泳だけをやる」

「いい子だ」一瞬わたしをぎゅっと抱きしめてコーチのハグをしてから、テッドはバスハウスのほうへ、のしのし歩いていった。

そのときは簡単な約束に思えた。夏の日中、二時間は水泳に集中する――フリップターン、クロールのプル、バタフライのあご引き。楽勝だ。

＊＊＊

昼食のあと、おばあちゃんは『ジェシカおばさんの事件簿』の再放送をつけたけれど、いつものように途中でこっくりしはじめた。アイリーンとわたしは前にみていたから、リクライナーで寝ているおばあちゃんを起こさないように静かに部屋を出た。息を吸うとき、おばあちゃんは〈スクリーミング・ジェニー〉の爆竹みたいな音を、ちいさくピーッとたてた。

外に出ると、わたしたちは車庫のわきに立つハコヤナギの木にのぼり、それから屋根に飛び移った。両親にやっちゃだめだと念を押されていた行為だ。黒いタールを引いた屋根の表面は、ねばついて、とけやすくなっている。歩くとサンダルがめりこんだ。アイリーンが足をとられて前につんのめり、とけた屋根に手をついてやけどした。

地面に戻ったあとは、サンダルの底をタールでべとつかせながら庭を回って蜂の巣を観察し、ポーチの階段から飛びおり、井戸水をホースで飲んだ。きのう納屋で起きたことを話す以外、なんでもやった。もういちどしたいと思っているのはおたがいにわかっていた。わたしはアイリーンがなにかいうか、行動を起こすのを待っていた。アイリーンも、やっぱりわたしを待っていた。

わたしたちはこのゲームが得意だ。何日だってつづけられる。

「おばさんのクエイク湖のお話、またやってよ」アイリーンがローンチェアにどさっと腰をおろした。長い足をプラスチックのアームにだらんとかけて、タールがべっとりついたサンダルをつま先からぶらさげる。

アイリーンと向かいあわせにあぐらをかいて地べたに座ろうとしたら、レンガ敷きの床が日射しで死ぬほど熱くなっていて、むきだしの足をやけどした。体勢を変え、胸もとにひざを引き寄せて腕で抱きかかえる。アイリーンをみるには目を細めなければならず、それでもぼやけた暗いりんかくがみえるだけで、太陽が白いかたまりとなって頭のうしろでぎらついた。「ママは、一九五九年の地震で死ぬはずだったの」わたしはてのひらをレンガの上の、クロアリが荷物を運んでいる通り道に置いた。

「そんなはじまりかたじゃない」アイリーンが足からぶらさげたサンダルを、パティオに落とした。もう片方も落とすと、おどろいたアリが、ちがうルートをとりはじめる。

「なら、アイリーンが話しなよ」アリに指をはわせようとしたけれど、レンガの上でとまったきり固まった。それからのろのろと指を迂回しはじめた。

「もう。気むずかしいな。いいからいつもどおりに話して」

「八月のあるひー、ママはウィントンのおばあちゃんとーおじいちゃんとールースおばさんといっしょにーキャンプに行きましたー」わたしはできるだけ一本調子に、五年生のとき担任だった大きらいなオーベン先生をまねて、ひとことずつ引きのばすように話した。

「まじめにゃんないんなら、もういい」アイリーンは床に沿ってつま先を動かし、サンダルをひっかけようとした。

わたしは左右両方のサンダルを押しやって、アイリーンの足もとから遠ざけた。「わかったよ、だだっ子め。話す、話すよ。みんなはイエローストーン国立公園の近くで一週間キャンプをして、そのあとロック・クリークに行くことにしたの。午後にはそこに着いてた」

「いつの午後?」

「八月。何日だったか覚えてるはずなのに、思い出せない。ウィントンおばあちゃんがお昼の用意をはじめて、ママとルースおばさんがお手伝いをして、おじいちゃんは魚釣りに出かけたの」

「釣りの話をして」

「これから話すところ、邪魔されなきゃね。ママがいつもいってるけど、おじいちゃんがいったん釣り糸をたらしたら、家族はそこにいつづけるしかないんだって。おじいちゃんはてこでも動かないの。一回竿をふったら、もう終わり」

「そこのとこ、きくたびに鳥肌が立っちゃう」アイリーンが証拠に腕を差し出した。みようと手を握ったとたん、電気がぴりっと走るのをふたりとも感じた。話すのを避けていたことを思い出して、すぐさま手を離す。

「うん、でもおじいちゃんが小川に着く前に、ビリングスに住む知りあいがやってきたんだ。ママはそこのおうちのマーゴットとすごい仲よしでさ。いまでも友だち。すてきなひとだよ。それで、いっしょにお昼を食べようってなって、そうしたらマーゴットの両親が、バージニアシティまで足をのばしてひと晩キャンプしたらいいよ、っておばあちゃんとおじいちゃんにすすめたの。むかしふうの劇場にバラエティ・ショーがかかってて、おばさんたちはみてきたところなんだって」

「それと、ビュッフェで食べるため」アイリーンがいった。

「スモーガスボード（バイキング料理）だよ。そう、ママの話だと、おじいちゃんが行くことにしたのは、スモーガスボードのパイとかスイスミートボールとかを食べられるってきいたからなんだって。ウィントンおじいちゃんは大の甘党だからなあって、パパもいってた」

「お昼をいっしょに食べた家族で、だれか死んだひとがいなかったっけ？」アイリーンが少しだけ声をひそめてきいた。

「マーゴットのお兄ちゃん。あとはみんな無事」そのことを思うと、ふるえが走る。毎回そうだった。

「いつ起きたの？」アイリーンは両足をアームの上でくるっと回して、それから地面に足をつき、上半身をわたしのほうへ突き出した。

「その日の真夜中近く。ロック・クリークのキャンプ場にヘブゲン湖の水が流れこんで、そのあと水が引いていかなかったの。山のてっぺんが崩れ落ちてせきとめられたからなんだって」

「そして、クエイク（地震）湖になった」アイリーンがわたしの代わりに結末をいう。

わたしはうなずいた。「たくさんのひとが湖の底に沈んじゃった。いまでもまだそこにいる。それから車とか、キャンプ客とか、キャンプ場にあったのもぜんぶ」

「すごい不気味。ぜったい呪われてるね。なんでキャムの親が毎年そこに行くのか、わかんない」

「そういう習慣なの。いまでもおおぜいがあのへんでキャンプしてるよ」どうして行くのか、わたしにもわからなかった。けれどふたりは毎年夏になると行っていた。わたしが生まれてからこのかたずっと。「ママはいくつだったの？」サンダルを突っかけて立ちあがったアイリーンが、腕をあげてのびをしたひょうしに、お腹が少しだけのぞいた。

アイリーンといっしょにいるという感覚が、思いがけないときに襲ってきて、そのたびにわたしは熱気球にのっているように舞いあがり、顔をそむけた。「十二歳。わたしたちと同じ年」

＊＊＊

いつの間にか家を出て、ふたりで足の向くまま、いかがわしい界隈をぶらついた。六月も終わり近くだったため、花火の屋台がもう店を開けていて、せっかちな子どもが裏庭でものをドカンと吹き飛ばすたび、高い塀のうしろでけむりが巻きあがる。ティペラリー通りの黄色い家の前で、だれかが歩道にまき散らした白い包み紙の爆竹を二個踏んづけてしまった。薄いサンダルの底でちいさな爆発が起き、ろくに悲鳴をあげる前に、ひざ小僧のすりむけた、赤い粉末ジュース〈クールエイド〉のマスコットそっくりなにやけ顔を浮かべた悪ガキたちが、木で組んだ砦《とりで》から飛び出してきた。

「おっぱいをみせなきゃ通さないぞ」片目にプラスチック製の海賊アイパッチをつけた太っちょの子が大声でどなり、仲間がはやしたてて笑った。アイリーンがわたしの手をとり、そのときは気まずい思いを覚えるひまもあらばこそ、走りだす。みんなが叫び、夢中になって二ブロックばかり追いかけっこをするうち、プラスチック製の銃が邪魔なのと、八歳のちいさい歩幅のせいで、悪ガキたちの速度が落ちていった。外は暑かったけれど、走るのは気持ちがよかった――手に手をとって、全速力で、上半身はだかのモンスターたちに追いかけられて。

息を切らして汗をかき、アイリーンとわたしは〈キップス・ミニット・マーケット〉の、地面にひびの入った駐車場にやってきた。セメント製の車どめを飛び石にして遊んでいたら、アイリーンが「いちご味の〈バブリシャス〉風船ガムがほしい」といいだした。

「買えるよ」車どめのブロックを飛びながら、わたしがいった。「パパがキャンプに行く前に十ドルくれた。ママにはないしょだって」

「ただのガム一本だよ。盗めないの？」

それまで十回は〈キップス〉で万引きしたことがあるけれど、いつも前もって計画していた。やると決めてからやり、ときにはアイリーンが盗む商品のリストを書いて、〝挑戦〟にした――たとえば、リコリスのひも型キャンディは長いし、セロハン紙がカサカサいってバレやすい。プリングルズの缶は、どう隠しても体から出っぱってみえる。わたしはバックパックにつめこむ式のやりかたはしなかった。あからさますぎる。キャンディ売り場に大きなリュックを背負った子ども？　ありえない。わたしは服の下、たいていはボトムパンツに商品を隠した。でも夏休みになってからしばらくお店に来ていなかったし、前回はもっと厚着――大きめのトレーナーとジーンズ姿だった。それに、アイリーンがなかまでついてきたことはない。いちども。

「いいよ。でもなにか買わないと。ただお店に入って、歩きまわって出ていくのはだめ。ガムはもともと安いし」普通は〈ラフィー・タフィー〉キャンディか炭酸飲料を買って、盗んだ商品はひと目から隠した。

「じゃあ、ふたりでガムを盗もう」アイリーンがわたしを追いこしてつぎのブロックに飛ぼうとしたとたん、ふたりのむきだしの足がからんでしまい、わたしが完ぺきにじっとしていなければ、ふたりとも落ちしてしまうところだった。

「お金ならあるよ。ふたり分ガムが買える」

「ルートビアを一本買おう」アイリーンが器用にわたしをよけて、前に出た。

「ルートビアなら十本買える」わたしがピントはずれな返事をする。

「きのうは一本をふたりで飲んだじゃない」それで納得した。まわりのすべてがもういちど、ふたりの距離の近さに反応してシュワッと泡だつ。線香花火がはじけるみたいに。なんて返事をしたらいいかわからなかった。アイリーンはつま先をしげしげみて、なんにも大事なことなんかいっていないふりをした。

「やるなら急いでやろう。おばあちゃんはわたしたちが家を出たのさえ知らないよ」

＊　＊　＊

駐車場のコンクリートに焼かれたあとでは、〈キップス〉の店内は肌寒いほどだった。たっぷりした茶色の前髪と長い爪をしたアンジーが、カウンターのうしろでタバコの箱を仕分けている。

「お嬢ちゃんたち、アイスクリームがほしいの?」〈ポールモール〉のカートンを棚にすべらせ、アンジーがきいた。

「ううん」ふたりで同時に答える。

「ふたごなの?」アンジーが伝票になにかの印をつけた。

アイリーンとわたしはどちらもTシャツで、商品を隠すには向かない服装だ。アイリーンが〈アイダホ・スパッド〉のキャンディバーのラベルにみいるふりをするあいだ、わたしは〈バブリシャス〉を二本つかんで、ショートパンツのゴムひもの内側にたくしこんだ。ガムのパラフィン紙が肌に触れてひやっとする。キャンディバーを戻し、アイリーンがわたしをみた。

「ルートビアを買ってよ、キャム」わざとらしく、大声できく。

「わかった」わたしはアイリーンにぐりっと目を回してみせ、声を出さずに「黙ってやるの」と伝えてから、奥の壁際にある冷蔵庫に向かった。

店の隅にとりつけられた大きな丸鏡に、アンジーが映っている。まだタバコを並べたり仕分けたりに忙しく、こっちには見向きもしない。わたしがルートビアをつかむと同時にドアのブザーが鳴り、両親の知りあいが入ってきた。スーツとネクタイ姿のところをみると仕事帰りのようだけれど、帰宅時間にはまだ早い。

男はアンジーにあいさつをして、ビール売り場の大型冷蔵庫にまっすぐ向かってくる。わたしの立っている場所のとなりだ。わたしはチップス売り場のところですれちがおうとした。

「やあ、キャメロン・ポスト」男が声をかけた。「夏休み中、めんどうを起こしてないだろうな?」

「気をつけてます」ガムが一本、ちょっぴりずり落ちるのを感じた。ずり落ちすぎればショートパンツから飛び出して、スーツ男の靴にはね返るかもしれない。すれちがってやりすごしたいのに、男は会話をつづけながら背中を向け、ビールパックの並ぶガラスドアのなかに上半身を突っこんだ。

「ご両親はクエイク湖に行ってるんだろ?」六本入りのパックをつかんだひょうしに、びんが音を立てた。スーツの背中には、椅子に座りつづけてついたしわがよっている。

「はい、きのう行きました」アイリーンがこっちの売り場にやってきて、特大の笑みを浮かべた。「ガムとったよ」歯のすきまから声を出すが、それでもまだ大きい。きこうと思えば男にもきこえるぐらいだった。わたしはアイリーンにしかめっ面をした。

「きみは置いてけぼりかい？　足手まといだって？」スーツ男は冷蔵庫から頭を出して向きを変え、トルティアチップスをつまむとビールのパックといっしょに持った。それからわたしにウィンクをした。

「そうみたいです」話をおしまいにして男を追いはらいたくて、つくり笑いをする。

「きみのママに、キャムはルートビアを買ってほんものには手を出さなかったって伝えとくよ」ビールのパックを持ちあげ、もういちどニッと歯をむき出して笑うと、店の手前に歩いていった。わたしたちはスーツ男のうしろを歩き、あっちやこっちで数秒間立ちどまっては、はなから買う気のない商品を調べるふりをした。

男が財布からお札をとり出すころ、カウンターに着いた。「ふたりでそれしか買わないのかい？」わたしの握る汗をかいたルートビアのびんを、男があごでしゃくる。

わたしはうなずいた。

「ふたりで一本だけ？」

「そう。半分こするんです」

「おごるよ」男はアンジーにいって、お釣りでもらったばかりのお札を一枚返した。「ルートビア一本で夏休みに乾杯か。目いっぱい夏をまんきつしてるって、この子たちはこれっぽっちもわかってないんだろうな」

「まったくね」アンジーがわたしたちに渋い顔を向け、アイリーンがわたしのうしろへ隠れた。

スーツ男は「茶色の眼をした女の子」を口笛で吹きながら、ビールのパックをがちゃがちゃいわせて出ていった。

「どうも」男の背中に呼びかけたけれど、たぶんタイミングが遅すぎて届かなかったと思う。

〈キップス〉の裏手で、わたしたちはガムをつぎつぎ口に押しこんではかんだ。はじめはかたく、砂糖たっぷりの分厚いガムにあごがくたびれたけれど、薄くやわらかくなるまでかんで、風船をふくらませようとした。ひんやりした店から出たばかりの体に日射しが心地よく、ふたりとも万引きの余韻でまだ興奮していた。

「あいつがルートビアをおごってくれたなんて、信じられない」アイリーンはけんめいにかんで風船にしようとしたけれど、まだ早すぎて、二十五セント玉大にふくらませるのがやっとだった。「ぜんぶただだよ」

「目いっぱい夏をまんきつしてるからね」わたしは男の低い声をまねようとした。帰る道すがら、ふたりでずっとスーツ男のまねをしあい、笑ったり風船をふくらませたりした。わたしたちは男が正しいのを知っていた。思いっきり夏をまんきつしていた。

＊＊＊

アイリーンの大きなベッドにふたりいっしょに入り、カバーの下に潜りこむ。部屋はひんやりして暗く、シーツはあたたかくて気持ちよかった。とっくに寝ている時間だった。一時間前にはぐっすり寝ているはずだったのに、まんじりともしない。ふたりできょうのできごとを反すうした。未来のつくり話をした。電話の鳴る音がきこえ、かかってくるには遅い時間だったけれど、ここはクロースンさんの家だ。牧場を営み、夏ともなればときどき遅い時間に電話がかかってくることもある。

「たぶん火事だよ」アイリーンがいった。「去年の夏ひどい火事があったの覚えてる？　ハンプネルさんち、四十エーカーも焼けちゃったんだよ。それからアーネストも。黒いラブラドール犬の」

わたしはおばあちゃんといっしょに自分の家にいるはずだった。でもきょうの午後、〈キップス〉とガムのあと、アイリーンを迎えに来たおばさんにうちの私道であいさつしたとき、車の窓がおりきるのも待てずに、アイリーンがわたしを泊めたいとせがんだ。おばさんはいつも笑顔のすごくおうようなひとで、黒い巻き毛をちいさな手ですきながら「べつにいいんじゃない」といった。ポストおばあちゃんに話をつけてくれさえした。おばあちゃんはツナサラダのトーストを夕食にしようと考えて、もうデザートの仕込みもすませてあった。ピスタチオのプディングをサンデーグラスに盛り、冷蔵庫に寝かせてある。クールホイップ、砂糖漬けチェリー、それにくだいたクルミがのったプディングは、おばあちゃんの持っている古い『ベティ・クロッカーのお料理読本』の表紙そっくりだった。

「キャムの水泳教室には、わたしが送りますよ」クロースンさんが玄関先で立ち話をしているあいだ、わたしは早くも階段をのぼりかけ、頭のなかでバッグに荷物をつめこんでいた。歯ブラシ、パジャマ、万引きした〈バブリシャス〉の残り。「迷惑なんてとんでもない。キャムが遊びに来るのは大歓迎です」おばあちゃんの返事は待たなかった。行けるに決まっていた。

前のとき同様、完ぺきな夏の宵だった。納屋のロフトにあがり、ふたりの場所で、星を眺める。万引きしたピンク色の風船ガムを、頭よりも大きくふくらませた。またキスをした。アイリーンが体を傾けてきたとき、なにをしようとしているのか正確にわかり、ことばを交わす必要さえなかった。ひと息つくたび、アイリーンがそっとうながしてつづけさせる。つづけたかった。前はくちびるだけ。こんどは手の存在を思い出した。けれど、それをどうすればいいのか、どちらもわからなかった。夜の残りはアイリーンの部屋へ行き、いっしょに過ごしたきょうという日、ふたりの秘密に乾杯した。ないしょ話をしていたら、アイリーンの両親の話し声がキッチンからもれてきた。電話が鳴ってから十分ばかりたつ。おばさんが泣き、おじさんが落ちついた口調で何度も声をかけていたけれど、ききとれなかった。

「しーっ」とアイリーンがいったものの、カバーのすれる音以外はたてていない。「なにがあったのかきこえないよ」

するとキッチンにいるおばさんが、それまできいたことのない、ひび割れた、おばさんのじゃないみたいな声を出した。ことばの意味がつかめなかった。「朝に連れていく、そのときに話す」といったようにきこえた。

廊下で重い足音がした。おじさんのブーツ。こんどはふたりとも、クロースンさんの返事をすっかりききとれた。「おばあさんが家に戻してほしがってるんだ。ぼくたちの決めることじゃない」

「なにかすごく、悪い知らせだ」アイリーンが、ささやき声とは呼べない声でいった。

なんて返せばいいかわからない。それで、なにもいわなかった。

ドアがノックされるのを、ふたりとも知っていた。部屋の前で足音がとまり、けれど、足音とおじさんの大きな握りこぶしがたてるノックのあいだに間《ま》があいた。無の時間。クロースンさんはそこに立ちつくし、待ち、おそらく息をつめている、わたしと同じように。ドアの向こう側に立つおじさんのことをよく考える。いまでもまだ。ノックの前、わたしには親がいて、ノックのあと、いなくなった。クロースンさんにもわかっていた。いかつい手を持ちあげ、わたしから両親をとりあげねばならないと。六月の終わりの暑い夜、午後十一時——夏休み、ルートビアと万引きした風船ガム、交わしたキス——十二歳の満ちたりた日々、まだたいていのことは理解でき、わからないことは、待ってさえいればそのうちわかるように思え、なんであろうとアイリーンがいつもそばにいて、いっしょに待っていた。

第二章

ルースおばさんはママの唯一の身内で、ポストおばあちゃんをのぞけば、わたしのたったひとりの近親者だ。おばさんが華麗に登場したのは、クエイク湖に面した渓谷をのぼる細い車道から、両親がガードレールを突き破って転落したつぎの日だった。おばあちゃんとわたしはブラインドをおろしたリビングルームに座り、ふたりのあいだには甘すぎる水出し紅茶のサンティーを入れたピッチャーが置かれ、『キャグニー&レイシー』の再放送が発砲音とへらず口でわたしたちの沈黙を埋めあわせていた。

わたしが座っていたのは、パパがいつも新聞を読んでいた大きな革張りのクラブチェアだ。胸もとまで引き寄せた足を腕で抱え、日に焼けてかさつくむきだしのひざにあごをのせた。同じ姿勢のまま、ドラマが順ぐりに再放送されるのを何時間も眺める。ふくらはぎとふともも に爪を押しつけて、半月をいくつもつくった。指一本につき白いへこみをひとつ、刻み目が消えたら、新らしくもう十個。

正面玄関のドアが開いて閉まると、おばあちゃんが飛びあがった。できるだけ足早に玄関まで歩いていき、だれだか知らないけれど、入ってくるのを押しとどめに向かう。町のひとが一日じゅう、差しいれを持って訪ねてきた。だれもが呼び鈴を鳴らし、そのたびにおばあちゃんがフロントポーチで応対して、同級生の親だろうとなんだろうとわたしには会わせなかった。それがありがたかった。ふたことみこと、訪問者に同じ文句を伝える――「そりゃあもう、ひどいショックでね。キャメロンはわたしがみてますよ。いまはなかで休んでる。ジョアニーの妹のルースがこっちに向かっているところ。ああ、もうなんといえばいいか。ことばもないよ」

それから来てくれた礼を述べ、ブロッコリーとチーズのキャセロールをもう一品、ストロベリー・ルバーブパイをもう一品、タッパーウェアのボウルに入った〈クールホイップ〉たっぷりのフルーツサラダをもう一品、わたしたちのどちらも手をつけない食べものをもう一品、キッチンに持って戻る。たとえ手をつけなくても、おばあちゃんは皿に山ほどよそってコーヒーテーブルにびっしり並べ、太ったクロバエがそのまわりを飛びまわってはたかり、またたかり、ふたたび飛びまわった。

こんどはキッチンになにを持ってくるのだろうと待っていたけれど、玄関にいる相手を追いはらっている気配がいっこうにしない。ふたりの話し声が、テレビの音声と混じってきこえ——おばあちゃんが「事故」というと、キャグニーが「二重殺人」といい、玄関口のもうひとりの声が「あの子はどこ」といい——わたしは混じるにまかせ、分けようとしなかった。キャグニーが刑事に向かって、レイシーは「カラテの黒帯級の舌鋒《ぜっぽう》」を持っていたと話しているさいちゅう、ルースおばさんが部屋に入ってきた。

「ああ、キャメロン」とルース。「かわいそうに」

ルースはウィナーズ航空のスチュワーデスだ。一攫千金狙いのご隠居をのせ、オーランドとラスベガスを毎日往復する七五七型機に乗務している。制服姿はいちども見たことがないけれど、ふだん着のおばさんはいつもすきがなく、それがルースのイメージだった。部屋の入り口で、涙ながらにわたしを「かわいそう」呼ばわりするこの人物は、〝悲しいルース〟のメイクアップをした道化師のようだった。制服のスカートとシャツ——カジノにあるポーカーテーブルのフェルトとそっくり同じ色合いの緑色——は、移動でよれてしわがよっている。下えりに刺した飾りピンは、散らばったポーカーチップの絵柄の上に〝ウィナーズ〟のロゴがアーチ型にあしらわれ、金色に輝いていたけれど、傾いてついている。ブロンドの巻き毛は乱れ、片側がつぶれ、真っ赤な目は、マスカラじみがあるマシュマロみたいにはれぼったい。

ルースおばさんをよくは知らなかった。ポストおばあちゃんのようには知らない。年に一、二度会うかどうかで、いつもそこそこいい感じだった。そでを通さずに終わるだろう服をくれ、困った乗客の話をおもしろおかしく家族に語ってきかせた。フロリダに住んでいるママの妹というだけのひとで、最近「信仰を新たにした」ときいている。わたしのおぼろげな理解では、独特なやりかたでキリストの教えを守るとかで、両親があきれ顔で話していた――でももちろん、本人の前でそんなそぶりはみせなかった。クロースンのおばさんよりも遠い存在にせよ、まぎれもなく血縁で、こうして来てくれてうれしかった、と思う。おばさんの顔をみて、うれしく思ったはずだ。というより、少なくともそのときには、正しいことに思えた。正しいできごとだった、部屋におばが入ってきたのは。

おばさんは座っている椅子の背もたれごとわたしをきつく抱きしめ、〈シャネルの五番〉でわたしの肺をいっぱいにした。記憶にある限り、おばさんはいつも必ず〈シャネルの五番〉をつけていて、実のところその香水の名前と、ぴりっとくる独特な香りは、ルースを通じてしか知らない。

「なんてことでしょう、キャミー」ちいさな声でそういったおばさんの涙が、わたしの顔と首をぬらす。

おばさんに「キャミー」と呼ばれるのが前からいやだったけれど、このときばかりはおばさんをきらってもいいようには思えなかった。

「かわいそうに。なんてかわいそうな、ふびんな子なの。神さまにおすがりしなくては。神さまを信じるのよ、キャミー。神の御心《みこころ》を理解できますようにってお願いするの。それ以外に道はない。みんなで祈りましょう。いまできるのはそれしかないわ」おばさんは何度も何度もそういった。わたしは抱きしめ返そうとしたけれど、涙の量でとてもかなわず、それに、おばさんのいうことを信じられなかった。ただのひとことも。わたしがどんなに罪深い人間なのか、おばさんは知らない。

＊　＊　＊

クロースンのおじさんがアイリーンの寝室のドアをノックしたあと、自分の娘とわたしの最後のお泊まりをお開きにして、わたしの荷物と枕を拾いあげ、家に帰りなさいといい、それからわたしの手をとって外へ連れていく途中、茶色いコンロのわきにたたずんで泣いているおばさんの前を通りすぎ、アイリーンが答えの返ってこない「なんで帰らなきゃいけないの？　ねえなんでなの、パパ」と叫びかける声をききながら——悟ったのは、このすべてが意味するのは、たぶんこれまでに経験したなによりもひどいということだった。なによりも。

最初のうちはおばあちゃんが転んだか、それとももしかして万引きがバレたのかと思った。でもそれから、まだパジャマ姿のわたしを家に送る六十キロの道すがら、おじさんにきかされたのは「おばあちゃんから話がある」ということと、おばあちゃんといっしょにいる必要があるということだけで、それでわたしはアイリーンとわたしの秘密がバレたんだと確信した。

果てしない帰り道のあいだ、かたくなに守られたクロースンさんの沈黙——ひび割れた幹線道路の上を太いタイヤが転がる音と、ときおりわたしに向かってもらす、おじさんのため息のみに満たされた沈黙、加えて頭をふってみせるようすから、それは決定的だった。おじさんは、わたしに愛想をつかせた。アイリーンとわたしの秘密をどうしてか知ってしまい、もう一秒だって家にいてほしくないのだ。わたしはトラックの硬質なドアにずっともたれつづけ、ちいさくなっておじさんからできるだけ離れようとした。おばあちゃんはなんというだろう。両親が帰ってきたらなんていうだろうと、頭を悩ませた。ふたりは予定を切りあげて、帰ってきているかもしれない。パークレンジャーがふたりのいどころをみつけだして、変人の娘の話を伝えたかも。頭のなかでいろんな場面を想像してみたけれど、どれも楽しいものではなかった。「キスを二回しただけだよ」と、親にいいわけをするわたし。「練習してただけ。ふざけてただけだってば」

だから、紫色の部屋着を着たおばあちゃんが玄関先の階段でわたしたちを出迎え、ポーチについたオレンジ色の明かりの下でしゃちほこばったおじさんを抱きしめて、ぎこちなく抱擁しあうまわりを蛾が飛びまわり、それからわたしはカウチに座らされ、おばあちゃんが飲んでいて生ぬるくなった甘すぎる紅茶のマグを持たされ、両手で両手をくるまれ、きかされたのが、おあばあちゃんが座ってテレビをみていたら呼び鈴が鳴り、出てみるとそれは州警察のひとで、事故が起き、ママとパパが、わたしのママとパパが死んだという話だったとき、最初に思ったのは、まず最初に思ったのは、「おばあちゃんはアイリーンとわたしのことをぜんぜん知らない。だれも知らない」ということ。おばあちゃんが話してすぐ、両親が死んだと理解したはずの、少なくともそうきかされた直後でさえ、まだちゃんと頭に入ってこなかった。つまり、この一大事、わたしの世界がひっくり返る大ニュースをすっかり飲みこんだはずなのに、ただひたすら、「ママとパパはわたしたちのことを知らない」と考えつづけた。「ふたりとも知らない、だからわたしたちは安全だ」——ママとパパがなにかを知ることは、もはやありえないというのに。

ピックアップにのっているあいだじゅう、おばあちゃんがどんなにわたしを情けなく思っているかをきかされる覚悟をしていたら、予想に反してポストおばあちゃんは泣いていた。これまでこんなふうに泣いているおばあちゃんは、こんなふうに泣いている人間をみたのははじめてだった。そして、わけのわからないことを話す。遠くで車の事故があり、ニュースが流れ、わたしの両親が死んだといい、勇敢な子だね、とわたしを呼んで髪をなで、やわらかい胸に抱き寄せ、タルカムパウダーとヘアスプレーの〈アクアネット〉のにおいをさせた。体じゅうにぴりぴりと熱が広がるのを感じ、そうしたらはきけがして、猛烈な、ひと息ごとにこみあげるような、まるで、正常に働かない頭の代わりに体が反応しているかのようにむかついた。いったいなぜ、両親が死んだというのなら、みつからずにすんだことにどこかでほっとしている自分がいるんだろう？

おばあちゃんはわたしをきつく抱きしめてむせび泣き、わたしは甘いにおいとフランネルの部屋着の暑苦しさに思わず顔をそむけ、腕をふりほどくと手を口に当ててバスルームのトイレに駆けこんだものの、便器のふたを持ちあげている余裕はなかった。シンクのなかとカウンターの上にはき、それから床にくずおれると、青と白のタイルでほおを冷やした。

そのときはわからなかったけれど、はきけも、焼けつくようなほてりも、想像すらできない暗闇を泳ぐような感覚も、まわりで動きまわっている両親を最後にみてからしたことのすべての、暗がりのなかで輝くもの――キス、ガム、アイリーン、アイリーン、アイリーン――そのすべてに対する罪の意識ゆえだった。ほんものの、押しつぶされそうになるうしろめたさ。わたしはタイルの床へ沈みこみ、ずぶずぶと、ダイビング台の下の深い水底に沈むときのように、肺が焼けつくまで下へ落ちていった。

おばあちゃんがわたしを助け起こしてベッドへ連れていこうとしたけれど、わたしはぴくりとも動かない。「ああ、キャメロン」シンクのありさまを目にしておばあちゃんがいった。「ベッドで寝なきゃだめ、いい子だから。寝たら気分がよくなる。水を持ってきてやろうね」

返事を返すつもりはなく、じっと横たわったまま、放っておいてくれればいいのにと願った。水を入れたガラスのコップを持って戻ったおばあちゃんは、わたしが飲もうとしないので、床に置いた。それからまた向こうへ行き、こんどは〈コメット〉クレンザーの缶とぞうきんを持ってきた。あんな思いをしたあとでおばあちゃんはシンクを流し、わたしが汚したあと始末をし、よけいな汚れ仕事をしている。このとき、おばあちゃんの話がすとんとふに落ちた。クレンザーの緑色の缶を持ってバスルームの戸口に立ち、目を赤くして、部屋着の下からナイトガウンのすそをのぞかせたおばあちゃんが黄色いぞうきんの上にかがみこみ、クレンザーの粉末をまき、人工的なミントのにおいをあたりに漂わせ、息子が死に義理の娘が死に、たったひとりの孫は親なしの万引き少女に、女の子にキスをする女の子になったことを知りもせず、こんなふうにわたしのはいたものを掃除して、わたしのせいでさらにいやな思いをしている。それを思うと、涙が出た。

わたしの泣き声をきいたとき、涙を流すわたしをみたとき、おばあちゃんは床に座りこみ、ひざが悪いせいでその姿勢が痛いのをわたしは知っていたけれど、わたしの頭をひざにのせていっしょに泣き、わたしの髪をなで、そんなにいたわってもらう価値はこれっぽっちもないというには、わたしは弱りきっていた。

＊
＊
＊

葬式の数日前、アイリーンがおばさんといっしょにうちを訪ね、そのあと何度かわたしと話そうと電話してきたけれど、いつもルースおばさんに頼んで寝ているといってもらった。みんながいろんなものを送りつけてくるため、アイリーンを無視しつづけたとしてもそのうちなにか送ってくるのはわかっていた。届いたのは、ひまわりの大きな花束とチョコレートの箱が、水泳チームのみんなで署名したカードを添えて送られてきたのと同じ日だった。カードはテッドコーチが練習後に回したにちがいなく、生徒たちが触った部分のインクが、水滴でにじんでいた。たいていの子は、自分の名前を書いただけだった。「ご愁傷さまです」と書いた子もいた。もし自分が水のしたたるスイマーのひとりだったら、なんて書いただろうと想像する。練習を終え、腰にタオルを巻きつけ、グラノーラバーをかじりながら、両親を亡くしたチームメイトに送るカードに書きこむ順番を待つわたし。たぶん、名前を書くだけのくちだろうと結論づけた。

贈りものはすべてルースおばさんがダイニングルームのテーブルに並べたけれど、左右のたれ板をあげても手ぜまになり、あいている空間があればどこにでも置きはじめた。一階の部屋じゅうが花屋のように香り、外の暑さ対策でぜんぶのブラインドをおろしてあるため、バラやユリ、カーネーションその他もろもろのにおいでむせ返り、かすみかガスみたいにたちこめた。息がつまった。ピンク色のベイビーローズの花束と「キャムへ」と書かれた封筒は、パパが再仕上げしたオーク材の食器棚にのっているのをみつけた。カードを開ける前から、アイリーンからなのがわかった。ただわかった。それで、花びんからカードをはがし、部屋に持っていった。ドアを閉じてひとりになり、ベッドに腰をおろし、むっとする熱気にすっぽり包まれ、重さなんていくらもないはずの、ひざに置いたカードがずしりと重たく、まるでアイリーン本人といっしょにいるのと同じぐらいうしろめたく感じた。

カードの表紙は何十もの星をちりばめた夜空のもようで、開くと「星々は悲しみの闇にまたたく思い出のよう」というような文章が印刷されている。アイリーンのママが選んだのだとすぐにわかった。でもその下に、字間のつまったアイリーンの筆跡で、こう書いてあった。

キャム、直接会えるか電話に出るかしてほしかったです。カードに書くんじゃなくて話したかった。そもそも、カードを送る理由がなければよかったのに。おくやみをいいます。愛してる。

署名はないけれど、それがよかった。

アイリーンの字を読んで顔がほてるのを感じ、それから何度も何度も読み返し、しまいにはめまいがしてきた。指でくり返しボールペンの「愛してる」をなぞり、そのあいだずっとうしろめたさを覚え、親が死んだというのに改心できない異常者だと思った。うら通りまで出て、収集用のゴミバケツの、腐ったキャセロールの山の下のほうにカードを埋めた。埋めるという行為で気が楽になり、なにか意味があるようなふりをしたけれど、そのころにはすでにアイリーンがわたし宛てに書いた内容をひとこと残らず覚えてしまっていた。

おばあちゃんとルースは、すませてしまわなくてはならない手配をしに葬儀場や教会に出かけ、家をあけていた。いっしょに来るかときかれて行かないと答えたけれど、午後いっぱいを使って自分なりのとむらいの準備にかかる。まずは、テレビとビデオデッキを、いまはルースが使っている両親の寝室から運び出し、抱えあげて急な階段をのぼり、自分の部屋に移動した。だれにも断っていない。どうせだめといわれるだろうし、それとも、むしろ許されるだろうか？　テレビの移動はここ何日かでやったどんなことより骨が折れ、いちどは危うく落としかけた。汗じみた指がほこりの膜ですべり、とがった角にお腹を腰骨まで突きさしながらバランスをとると、よろめきつつ一段あがっては休み、またあがった。

テレビとデッキをドレッサーの上に置いて配線をすませ、電源を入れてから、両親の寝室にとって返してまっすぐ鏡台に向かい、いちばん下の引き出しを開ける。パパの白いコットンのブリーフと、つま先が金色の黒い靴下が、きちんと並べて収納されていた。パパは奥のほうに十ドルと二十ドル札をまるめた束をしのばせていて、それをとり出す。家にはわたししかいないのに、ショートパンツのウエストゴムにはさんで隠した。それからもうひとつ、あるものを手にとった。大事なものだ。鏡台の上にところせましと並んだわたしのスナップ写真に混じり、しろめの写真立てが飾ってある。

写真のなかのママは十二歳で、髪をスタイリッシュなページボーイ（内巻きにしたボブカット）にして、歯をみせてにっこり笑っている。ショートパンツからのぞいたひざ小僧は骨ばり、まわりを樹木に囲まれ、木漏れ日のスポットライトに照らされていた。写真が撮られたときの状況は、前にきいたことがある。ウィントンのおばあちゃんが一九五九年八月十七日に撮ったもので、撮影場所のロック・クリークキャンプ場はそれから二十四時間のうちにモンタナ史上最悪の地震に見舞われ、地面が裂け、川上のダムから氾濫した水がそそぎこみ、のちのクエイク湖となった。

テレビの上に写真立てを置き、いつでも目にとまるようにした。つぎに、札束をぜんぶ、夏の水泳地区大会で優勝して贈られたハイポイント・トロフィーの空洞にしまう。十ドル札一枚だけは、うんとむかしから持っている汗じみのついた〈マイルズシティ・マーベリックス〉の野球帽に隠し、ゴムの内側にはさんだ。

パパとわたしは〈マーベリックス〉の試合をみにいくのが好きで、球場でポーリッシュ・ソーセージを食べ、年輩の男たちが審判に浴びせる悪態にふたりして笑った。帽子を手にとり、乾いた汗じみが目立つダークブルーのつばをみつめているうち、一瞬はきそうになったけれど、ぐっとこらえた。汚れた髪を押しつぶすようにかぶり、おもてに出る。

ゴミ箱にカードを埋葬したときをのぞいて、クロースンのおじさんに連れ戻されたあと、ずっと家にこもっていた。ぎらつく太陽が心地いい。ほぼ一瞬で不快になりはしたけれど。わたしにはふさわしいと思えた。何日間も車庫に立てかけてあった自転車が日に当たって熱を持ち、金属にこすれて足がひりついた。できるだけ早くペダルを漕ぐうちにひたいを流れる汗が目に入ってしみ、数秒間視界がぼやける。うら道を通り、砂利を飛ばして走るタイヤの音とギアチェーンの音に意識を集中した。ヘインズ・アベニューに出て、〈ビデオ&ゴー〉の駐車場に入る。

その日は七月二日だったため、駐車場の片隅に花火売りの屋台〈ゴールデン・ドラゴン〉が出ていて、車と自転車の群れができていた。屋台は〈ジ・エルクス〉クラブの運営で、パパは毎年、一、二回店番をつとめた。だれが代わりに立つんだろうと考えながら、群れのすきまを縫ってビデオ店に向かう。帽子で目立たないことを願った――どっちみち幽霊になったみたいな気分だったけれど。

めあてのビデオはわかっていた。新作コーナーに並んでいる『フォエバー・フレンズ』。去年ママと〈モンタナ・シアター〉でみた映画だ。ふたりともボロ泣きだった。つぎの日にサウンドトラックを買った。それからもういちど、アイリーンといっしょにみにいった。ふたりのうちどっちがベット・ミドラーで、どっちがバーバラ・ハーシーかでけんかした。どっちもベットになりたがった。

バーバラ・ハーシーの役は、映画の終わり近くで死ぬ。あとには娘のヴィクトリアが残される。わたしみたいに。葬式のあいだ、黒いビロードのワンピースと白いタイツ姿のヴィクトリアは、ベット・ミドラーと手をつないでいる。わたしよりたぶん四つほど年下で、厳密には片親しか亡くしておらず（父親はそばにいないとはいえ、少なくとも存命だった）、役者が役を演じているにすぎないのはわかっていた。それでもやっぱり、参考にはなる。こんなとき、どう感じるべきなのか、どうふるまえばいいのか、なんというべきか、正式に教えてくれるヒントが必要だった――たとえ、ただのばからしい映画にすぎず、正式でもなんでもなくても。

教師のミセス・カーヴェル、もとミス・ハウザーがレジ係をしていた。学期中は四年生を教え、夏休みはこのビデオ店で働いている。店のオーナーは実のご両親だ。わたしは先生がはじめて受け持ったクラスにいたけれど、お気にいりの生徒ではなかった。それは、先生が放課後体育館で教えているタップダンスのクラスを受けなかったのと、たぶん、当時は婚約者だったミスター・カーヴェルを春学期に教室に連れてきて、つまらない科学実験を生徒の前で実演させたときに、結婚式やデートに関するくだらない質問をして、くすくす笑わなかったから。年度末の通信簿には、「キャメロンはとても優秀な生徒です。前途有望」と書かれていた。両親はお祭り騒ぎだった。

ケースを受けとり、中身のビデオをさがして入れるあいだ、ミセス・カーヴェルはろくにこちらをみなかったけれど、会員名簿の確認のためわたしが「ポスト」と名のると、改めて目をあげ、帽子のつばの下に目をこらしてたじろいだ。

「まあ、この子ったら」ミセス・カーヴェルはぽかんとした顔つきになり、ビデオを持った手をとめた。「ここでなにをしてるの？　なんて不幸な……」

ミセス・カーヴェルの代わりに、頭のなかでつづける——両親が山道から落ちて、そもそも存在するはずのなかった、あるべきですらなかった湖に沈み、そのあいだあなたは家の近所で女の子にキスをしてガムを盗んでいたなんて。

「おくやみをいわせて——その、こんどのこと、ほんとうに」ミセス・カーヴェルがしめくくる。背の高いカウンターがふたりを隔てていたため、すぐさま寄ってきて抱きしめられないのは助かった。

「だいじょうぶです」もごもごと返事をする。「どうしてもそれを借りないといけないだけなんです。すぐ家に戻ります」

タイトルを注意深くみたミセス・カーヴェルは、大きな顔に心なしかしわを寄せ、戸惑ったようすで、理解しようとつとめ、理にかなった理由がなにかみつかると思っているようだった。「そうなの。じゃあいいから、このまま持っていきなさい。ね?」レジを打たず、ビデオを手渡す。「それと、見終わったら電話してくれればとりに行く。好きなだけ持ってていいから」

「ほんとですか?」これが、そののち受けるたくさんの、遺児特典の栄えあるひとつ目だとは知るよしもなかった。こんなのはいやだった。ミセス・カーヴェルに「気をつかって」などほしくない。

「もちろんよ、キャメロン。ぜんぜん気にしないで」特大の笑みをわたしに向ける。わたし個人に向けられたことは過去になかったけれど、先生がときたまクラス全体を得意に思うとき——校内プルトップ集め競争に勝ったときとかに、みた覚えがあった。

「でも、お金なら持ってます」いまにも泣きそうになり、目をそらしつづける。「それに、すぐつぎのを借りたいですし」

「好きなだけ借りていいのよ」とミセス。「会いに来て。夏じゅういるから」

そんな親切を受けてはたまらない。はらわたがちぎれそうだ。「これ置いてくので、こんどまた借りに来ます」うつむいたまま小声でいい、カウンターに十ドル札を置くと、できるだけ足早に、走るまではいかない速度でドアに向かう。

「キャメロン、これじゃ多すぎるわ」ミセス・カーヴェルが呼びとめたが、そのころにはわたしは店の外に出て歩道に戻り、先生のほどこしだか哀れみだか親切だか、そのすべてから解放された。

・・・

わたしの部屋で、ルースおばさんが待っていた。ドアを背にして、新品の服――喪服をやすっぽいハンガーにきちんとかけて、左右の手からさげている。部屋にじっと立って、わたしのできたてAVセンターをみつめ、わたしが入ってもふり返らない。わたしは映画のビデオカセットをお尻の上あたりのショートパンツのゴムに突っこんだ。そうしながら、顔を赤らめる。一瞬脳裏をかすめたのは、バブルガム、アイリーン。

「あの、服ならもう持ってるけど」

おばさんがふり返り、疲れた笑みを浮かべた。「どんなのが好みかわからなくて。いっしょに来なかったでしょ。〈J・C・ペニー〉で二着ほどみつくろってきたの。着ないほうのは返品すればいいし。サイズが合うといいんだけど――当てずっぽうだったから」服を二着ともベッドにのせる。そっと、おむつを替えるために赤ちゃんを寝かせるみたいに。

「ありがとう」と返事をした。そう返すべきだと知っていたから。「夜に着てみる。涼しくなったあとで」おばさんをみなかった。代わりに紺色のワンピースと、黒の上下をみつめた。ベッドに並べられた服は、これまでその上に置かれたどんな服にも似ていない。少なくとも、自分で着替えができるようになってからの服とは。

「これを持ってくるの、すごくたいへんだったんじゃない」ルースおばさんはテレビを、ときどきわたしにするみたいに、ぽん、とたたいた。「いってくれれば手伝ってあげたのに」

「ひとりでできたから。でもありがと」開いたドアに、背中を押しつけつづける。

「ねえ、だいじょうぶ?」おばさんが近づいて、決まりごとのように片腕を回し、得意の抱擁をした。「ちょっとお祈りでもする? それとも、わたしがよく反すうしてる聖書の一節をいくつか読みましょうか。少しは気が休まるかもよ」

「ひとりになりたいだけ」可能なら、ミニカセット式の小型テープレコーダーにこのセリフを吹きこんで、チェーンかなにかで首にぶらさげて、一日に八回か九回〈再生〉ボタンを押してすませたい。

「そうなの、わかった。お安いご用よ。したくなったときにお話ししましょう、いつでも構わない。いつでも——ここにいるから」ほおにキスをして、階段を二段おりたところでふり向いた。「それに、神さまとはふたりきりで話すのがいちばんなのよ。目を閉じたら神さまがそこにいらっしゃるわ、キャミー——なんでもお祈りしなさい」

わたしはうなずいたけど、それは、おばさんが返事を待っているみたいだったからだ。

「わたしたちのいる世界より、もっと大きな世界がある」おばさんがいった。「ときどきそう思い出すだけでなぐさめられる。わたしは何度もなぐさめられたわ」

階段をおりきるまで、わたしはドアにもたれていた。おばさんがビデオのりんかくに気がつくか、カセットがウエストからすり抜けて、幅の広い床板に大きな音をたてて落ちはしないかとびくびくした。映画を借りた理由をきかれでもしたら、返事にこまる。自分でもよくわからないのに。

部屋のドアを閉め、テープをビデオデッキにセットしてから、ベッドの、新しい服が置かれた上にあおむけに寝そべった。十二歳のママが、べつの世界から笑いかけている。マツとヒマラヤスギの木かげの下で、なんのくったくもなく、数時間後にすんでのところでまぬがれる災難など、つゆほども知らず——そして、結局は人生の幕切れに、その災難に追いつかれることを。

濃紺のワンピースが首の下でしわになっていた。体をずらし、またずらす。くつろげない。神さまに話しかけろというルースのアドバイスが耳にこびりついていた。ききたくないのにきこえる。それまでお祈りをしたことがないわけではない。したことならある。前に、金魚が四匹ぜんぶつぎつぎに死んでしまったときに〈長老派教会〉で祈ったりとか、ほかにも何度か。そういうとき、なにか大きなものに、天のどこかにいるわたしよりも大きな存在に話しかけようとした。けれど毎回、どんな機会であれ、しまいにはうそっぽい感じがしてきて、神さまと交流があるふりをしているみたいな、幼児がままごと遊びか買い物ごっこでもしているみたいな、ほんとうじゃないみたいな気がしただけだった。いまこそ信仰の出番なのはわかっていたし、信仰心は、ほんものの信仰心というのは、単なる信じるふりとはまったくちがうはずだとも理解していた。けれど信仰心なんて少しも持ちあわせないし、どこでどうしたら持てるのか、それどころかこのとき持ちたかったかどうかすらわからない。ひょっとしたらこれは神さまのしわざで、両親を殺したのはわたしがあんまり道をはずれた生きかたをしていたために、罰を与えて、心を入れ替えるべきだとわからせるのが目的で、ルースは正しく、神さまを通してわたしは変わらなければならないようにも感じた。けれどまったく同時にもうひとつ思ったのは、このすべてが、つまりは神さまなんていなくて、あるのは運命とできごとの連なりのみで、わたしたちそれぞれの運命が前もって決められていて——三十年後にクエイク湖でママがおぼれたのには、なんらかの教訓があるのかもしれない。けれど、それは神さまからの教訓ではない。なにかほかの、もっとパズルをはめこむみたいな、ピースをつなげてひとつの絵をかたちづくるようなものだ。そういう考えがいっぺんに、とぎれなく、始終よぎるのがわずらわしかった。わたしがしたいのは、そういうことのすべてから身を隠し、ちっちゃくなって他人の目に触れず、ただ日々をやりすごすこと。ルースは神さまと話すとなぐさめを得るのかもしれないけれど、わたしは息苦しくなる。おぼれるように、飛びこみ台の底にもういちど沈むように。

リモコンを持ちあげて〈再生〉ボタンを押し、ビデオをかけはじめた。そのとき、わたしは〝みなしごキャメロン〟としての新たなる人生を歩みはじめたのだと思う。ルースはある意味正しかったと、あとになって学んだ。高次の存在との交流は、ひとりでやるのがたいていはいちばんいい。わたしにとって、それは一時間半か二時間つづき、必要ならば一時停止できた。わたしの選んだ宗教が、ＶＨＳテープのレンタルになったといっても、テクニカラーと、ミュージカルのモンタージュと、フェードイン・フェードアウトと、ジャンプカットと、銀幕の大スターと、Ｂ級映画の無名俳優と、応援したくなる悪役と、いやみな正義の味方から啓示を受けているといっても、いいすぎにはならないと思う。けれど、ルースはまちがってもいた。この世界以外の世界が、ひとつとは限らない。数限りなくあり、そのすべてを一本九十九セントで借りられた。

第三章

七年生の第一学期は、一日一時間をカウンセリングセンターで過ごすようにいわれた——孤児の在校生というわけだ。時間割には便宜上「自習時間」と記載されたけれど、わたしの法的後見人になったルースおばさんが学校と相談して、その時間わたしはセンターで青緑色のビニール張りカウチに座り、カウンセラーのナンシーと、「十代と悲嘆」とか「ひとりきりで問題を抱えて」とか「死への理解と受容」とかの、喪失感について書かれた各種パンフレットをたたき台に話しあうのが最善だと、わたしを差しおき両者のあいだでとり決められた。

カウンセリングセンターにいるあいだは、たいてい宿題に手をつけるかペーパーバックの小説を読むかした。事務員が職員用ラウンジからこっそりいただいてきたあれこれ——ナプキンに包んだブラウニー一個、手づくりのセブンレイヤーディップがのった〈トリスケット〉クラッカーの皿——を分けてくれて、食べることもあった。やさしい笑顔でわたしの肩をぽんとたたき、差し出されるおくりもの。事務員のくれるそういうちょっとした食べもの、「この子を気づかってます」というささやかなおすそわけが、頭数に入れるのをすっかり忘れられたときよりも、なぜだかいっそう孤独を感じさせた。

わたしは〈ビデオ&ゴー〉に入りびたった。学校がはじまったため、ミセス・カーヴェルは店から消え、いまレジについているのはほとんどいつもネイト・ボーヴィエで、借りたい映画をなんでも貸してくれた——あれこれ詮索をせず、まばらに生やすのが関の山のヤギひげの上に、にんまり笑いをウィンクといっしょにただ浮かべるだけで。あとは、ルースおばさんの目からケースを隠し、音量を低めにおさえるよう気をつければいい。

「きょうはなにを借りるんだい？」青灰色の目をすがめ、ネイトは店内をうろつくわたしを油断なく監視した。わたしはいつも新作を二本選び、そのあと旧作の棚に移る。

「まだ決めてません」と答え、レジからいちばん離れた棚でぐずぐずするけれど、あまり意味はない。奥の部屋に通じるドアの上には大型の万引き防止ミラーがかかり、店内がまるみえだった。放課後に学校からまっすぐ立ち寄ると、ふだんはわたしとネイトしかいない。〈ビデオ&ゴー〉は、店で使っているカーペットクリーナーのきついにおいがいつも鼻についた。バラに似せた薬品のにおいを、そのうちネイトと結びつけるようになった——まるで、においのもとが彼だというみたいに。

ネイトを好きになろうと努力した。R指定のビデオを貸してくれたし、ときどき店先のクーラーに入ったソーダアイスをただでくれた。けれどネイトはわたしが店で借りた映画をぜんぶ知っていて、わたしを見張り、ビデオを選んでレジへ持ってくるまで、ずっと監視されるのは好きじゃなかった。借りたビデオを知っていることで、だれよりも当時のわたしを見透かしているような気がした。カウンセラーのナンシーよりは確実に知っていたし、ルースおばさんよりも知っていた。

＊＊＊

九月後半のある日、アイリーン・クロースンがピーナッツバターのコマーシャルに出てくる子どもそこのけの笑みを浮かべて登校した。アイリーンとおじさんは、牧場で柵囲いと焼き印押し用地の拡張作業をしていた。アイリーンがいうには、最初にみつけたとき、シャベルを入れていたのはアイリーンだった。骨。化石。大きいやつ。

「パパはとっくに、モンタナ州立大の知りあいの教授に連絡してあるの」わたしともう二、三人が、アイリーンのロッカーのまわりに集まって話をきいた。「チームを組んでやってくるって」

何週間もしないうちに、科学者——もとい「古生物学者」だと、アイリーンが理科のくそ教科書みたいな調子で訂正し、その一団が、クロースン牧場一帯に群がった。新聞は「標本採集の温床」とか「金脈」とか「宝の山」とか書きたてた。

六月に挙げた両親のお葬式で、ロボット同士みたいにぎこちなく抱きあってから、アイリーンとわたしはあまり会っていない。クロースンのおばさんが泊まりに誘ってくれたり、ビリングスのショッピングモールやグレンダイブのロデオ大会へ行こうとひんぱんに声をかけてくれたけれど、わたしはぎりぎりになって断った。

「わたしたちなら気にしないで」電話ごしにおばさんがいう。「わたしたち」にはアイリーンがふくまれていると思うけれど、おじさんのことかもしれない。「またこりずに誘うね、キャム」

八月の後半、とうとうカスター郡のお祭りにいっしょに行くと返事をし、当日の夜じゅう後悔しっぱなしだった。前にアイリーンと来たときは、遊びまわった——心ゆくまで。のりもののり放題のリストバンドを買った。ライムとグレープとチェリー、三色の〝墓場スノーコーン〟を食べ、レストラン〈クリスタル・ピストル〉の出店で〝パコス〟——あつあつの揚げパンでくるんだ味つきビーフ——をぱくついたときは、ほっぺたのなかでオレンジ色の肉汁がしみ出して、やけどした。そのあと、スズメバチのたかる屋台でレモネードを買い、口のなかをぜんぶ洗い流した。ブルーリボン工芸作品展をひやかして、ださい出演バンドにあわせてめちゃくちゃなジルバを踊った。何年か前のふたりは、お祭りのプロ気分でいた。

けれどもその年の八月は、会場を幽霊みたいにうろついた——最初は〈ティルト・ア・ウィール〉の前、つぎにはフィッシュボウルゲームの前で立ちどまり、みるべきほどのことはみたのに、その場を離れられないといったようすで眺めた。わたしの両親の話、事故の話はしなかった。どんな話もろくにしなかった。すべてが鳴りひびく雑音と明滅する明かり、叫び声と悲鳴、狂ったような笑い声、子どもの泣き声、空気にとけこんだポップコーンと揚げパンと綿あめのにおいに彩られてはいても、そのどれもがけむりのように、わたしのまわりを漂っているだけ。アイリーンが観覧車のチケットをふたり分買った。去年はたいくつすぎてのらなかったけれど、なにかしなきゃいけないような気がした。

金属製のゴンドラに座ると、むきだしのひざが触れあった。急いで離しても、少しすると結局またくっついてしまう。こんなに近づいたのは、アイリーンのパパが、娘の寝室のドアをノックした夜以来だ。暮れなずむモンタナの熱い空のなかへ、ふたりがポンと投げあげられる。祭りの照明が、蛍光灯の光でわたしたちを洗い流し、車軸のどこか奥のほうではカランコロンと金属的なラグタイムが鳴っている。てっぺんからは会場全体をみわたせた。トラクター牽引競争、ダンス場のテント、駐車場にたむろするラングラージーンズのカウボーイたち。カウボーイたちは、ピックアップ・トラックに背中を預けた、板ガムみたいな体型のカウガールズたちにもたれかかっている。てっぺんに来ると、空気中の油と砂糖のにおいは薄れ、梱包《ロール》したての干し草と、イエローストーン川から会場のほうへたなびいてくる泥水のにおいが強まった。てっぺんは静かで、すべてがわたしたちの下でひしゃげ、風がゴンドラを揺らしてたてるボルトのきしみ音ばかりがやけに耳につく。それからそのぜんぶのなかへふわりと戻り、会場全体がふたたびふくらんで広がり、てっぺんに戻るまでわたしは息をつめる。

三周目にてっぺんに来たとき、アイリーンがわたしの手を握った。一周まるまる握ったまま、なにもいわず、指をからめ、だから四十秒かそれぐらい、わたしはこれまでとなにも変わっていないふりをした。わたしとアイリーンとお祭り。

てっぺんに戻ると、アイリーンが泣いていた。「ほんとに悲しいよ、キャム。悲しい。ほかになんていったらいいかわかんない」

アイリーンの顔が暗い夜空を背景に輝き、瞳はきらきらと濡れ、ポニーテールのほつれ毛が風に吹かれている。きれいだった。わたしのすべてがアイリーンにキスしたがり、同時にわたしのすべてがはきけを覚えた。手を離し、ゴンドラのわたし側の景色に目を向けたけれど、気持ちが悪くて目まいがした。目を閉じてはきけをこらえ、それでもにが味を感じた。すぐとなりでアイリーンがわたしの名前を呼ぶのがきこえても、砂山の下から出ている声のようだった。観覧車がとまり、わたしたちの下の乗客をのりおりさせる。風がふたりを揺らした。もういちど上昇しはじめ、数席分動いてからとまった。いまはもう、騒がしい地上に戻りたかった。アイリーンはまだとなりで泣いている。

「前みたいな友だちにはなれないよ、アイリーン」視線を駐車場のからみあうカップルに向けつづけた。

「なんで？」

観覧車がふたたび動きはじめる。ゴンドラが揺れて、数席分さがった。そしてとまった。こんどは半分夜空、半分お祭り会場のまんなか——ゲームコーナーのテントの屋根と同じ高さでとまっている。わたしはなにもいわなかった。音楽がカランコロン鳴くのにまかせた。あの日、干し草置き場で重ねたアイリーンのくちびるの感触を思い出す。ガムと、ふたりで分けあって飲んだルートビアの味。アイリーンがキスの〝挑戦〟をした日。そしてその翌日、両親の車がガードレールを突き破った。

わたしはなにもいわなかった。アイリーンが自分で点と点を結びつけていないからといって、わたしが代わりにやってあげる立場にはない。ものごとには理由があるのを、だれもが知っているのだから、自分たちが理由をつくったために、とてもひどい、おぞましいことが起きたのだと説明するまでもなかった。

「どうして、もとどおりに仲よくできないの？」

「もうそんな年じゃないからだよ」いったはしから、口のなかにうその味が綿あめのようにねっとりまといついたけれど、砂糖の結晶にしてとかすようには、すぐに消えてくれなかった。

アイリーンは簡単に引かない。「どうそんな年じゃないのよ？」

「ただおとなになったの」とわたし。「そういうのはもうぜんぶ、卒業したの」

観覧車が再度動き、下にはだれものっていなかったので、そのまま地面におりた。たったいま起きたことすべてをてっぺんに残したまま。

そのすぐあと、〈ジッパー〉のそばにいるわたしたちをクロースンさんがみつけた。おじさんとおばさんは厚焼きパイと焼きトウモロコシをおごってくれ、バルーンの帽子をかぶったスモーキー・ベアといっしょにポラロイド写真を撮った。ふたりはかなりちゃんと遊んだと思う。

学校がはじまってからも、わたしたちはいっしょに遊んだ。世界史のクラスでは、となりあって座った。ときどき〈ベン・フランクリン〉の軽食コーナーに行って、チョコレートミルクとグリルチーズ・サンドイッチを注文した。だけどわたしたちはもう、前のわたしたちではなくなった。アイリーンはステフ・シュレットやエイミー・ファイノーとつきあうようになった。わたしはさらにたくさんの時間をビデオデッキと過ごすようになった。レスリングの試合後、アイリーンがマイケル〝ボーゾー〟フィッツにキスするのを、体育館の応援席からみていた。『マイ・ライバル』のマリエル・ヘミングウェイがパトリス・ドネリーにキスするのをみた。キス以上のことをするのをみた。テープを巻き戻してそのシーンを何度もみなおし、そのうちテープが切れるんじゃないかと心配になった。破損したビデオをネイト・ボーヴィエに手渡して、薄笑いを浮かべる相手にいいわけを並べるなんてはめになったら耐えられない。借りるときすでに、不愉快な思いをした。

「きょうはこれを借りるのかい?」ネイトがきいた。「なんの映画かわかってるの?」

「知ってます。主人公の女のひとがランナーなんでしょ?」べつにとぼけたわけじゃない。ビデオケースにはこんなあおり文句が書かれていた。「自分に走りついたとき、それまで知らなかった感情のテープを切る」うら表紙では、マリエルとパトリスが薄明かりのなかに並んで立っている。あらすじには「友情以上」ということばが出てきた。これを選んだおもな理由はランナーの話だからで、わたしは陸上部に入るつもりだった。頭のどこか片隅では、こういった符丁を同性愛《ゲイ》のほのめかしとして読みとっていたのだと思うけれど、これだと名指しはできなかった。

ネイトはわたしに渡す前に長いあいだビデオを手に持ち、カバー写真にあしらわれたほつれ髪のマリエル・ヘミングウェイをためつすがめつした。「あとで感想を教えてくれるかい？　このギャルたちが並んで走るのはぜったいだな」それからヒューッと口笛を吹いて、上下のくちびるをなめた。

ビデオは閉店後の返却用ボックスに返した。つぎのビデオを借りに行ったとき、ネイトはなにもいわなかったから、その件はたぶん忘れたんだと思うことにした。思いはしたものの、もういちど借りるほど無謀じゃなかった。借りたいのはやまやまだったけれど。ときどき、映画のシーンをアイリーンとわたしに置きかえて、夢にみた。けれど、夢の実現は決してかなわなかった。夢は夢にすぎない、夢なのだから。

＊＊＊

おばあちゃんとルースは、いろんなことをほとんどわたし抜きで決めた——だれがわたしのめんどうをみて、どこに住み、生活費はどうするかといったことだ。わたしはもっと質問をぶつけてもよかった。そういうことすべてに重要な質問をすることもできたけれど、そうしたらみんなに、自分もふくめ、後見人が必要なのは孤児になったからなのを思い起こさせ、そうなると孤児になった原因をわたしは考えるはずで、それについて考えるきっかけを、ひとつだって増やしたくはない。だからわたしは学校に通い、自分の部屋にこもって、ありとあらゆる映画を手当たり次第にみた——『リトルショップ・オブ・ホラーズ』『ナインハーフ』『ティーン・ウルフ』『監獄アマゾネス／美女の絶叫』——ふつうは音量を低くして、リモコンを手に、ルースが階段をのぼってきたらすばやく〈停止〉ボタンを押せるようにして。そして、キッチンテーブルの上で決められていくものごとを、スノーボウルのプラスチックでできた雪のように降り積もらせ、わたしはボウルのなかでやっぱり固まって風景の一部となり、邪魔をしないようにしていた。たいていの場合、それでうまくいくようだった。

　おばあちゃんは正式に、ビリングスの自宅からうちの地下室に引っ越してきた。地下室は、パパがバスルームをつくりかけたまま、完成させる時間をとれずじまいだった。それで、パパに雇われていたひとたちが、ひと月ばかりでテキパキ仕上げてくれ——乾式壁の仕切りを入れて、寝室とリビングルームをしつらえ、青いじゅうたんと、新品の〈レイジーボーイ〉リクライナーを置くと、とても快適な部屋になった。

　モンタナ州マイルズシッティ（しけたマイルズ市といったような意味）でルースがウィナーズ航空のスチュワーデスをつづけるのは無理だった。マイルズシティには幅がトレーラーハウス二台ぶんの空港があるにはあるけれど、飛んでいるのは自家用機とビッグスカイ航空——通称〝ビッグスケア《ぶるぶる》〟、あんまりフライトが揺れるためにエチケット袋がもう一個いるのが請けあいだから——のみで、マイルズシティとモンタナ州内の都市を結ぶ路線しかない。ちっぽけな機体に、数えるほどの乗客。ジンジャーエールとピーナッツのパックをくばる制服姿の女性に、出番はなかった。

「これは、人生のつぎなるステップよ」事故のあと、最初の数カ月間ルースはしょっちゅうそう口にした。「フライトアテンダントをいつまでもつづけるつもりは、もうとうなかったし。これはつぎなるステップなの」

　つぎなるステップには、パパの建築請け負い会社で秘書をすることもふくまれた。それまで簿記関係はあらかたママが無料で引きうけ、タン・リバー博物館の仕事を終えて帰宅後、夜のうちにやっつけていた。パパの名前を残したまま会社を引き継いだグレッグ・コムストックさんが、正式にルースを〈ソリッド・ポスト・プロジェクツ〉に雇い入れ、机とネームプレートと月二回の給料を支給した。

その秋、フロリダに飛んで帰ったルースはマンションを売りはらって荷物をまとめ、人生の「つぎなるステップ」に向けて身辺整理をした。手術も受けないといけなかった。

「おおげさなものじゃないの。NFの定期的な処理ってだけ。切りとって、きれいにしてもらうのよ」

〝NF〟は、神経線維腫症（neurofibromatosis）の略称だ。ルースには生まれつきNFがあって、ウィントンのおばあちゃんとおじいちゃんが娘の背中のまんなかにピーナッツ大のこぶと、肩とふとももに平らな、こげ茶色のミルクコーヒーがはねたようなほくろ（適切かつ正式にはカフェオレ斑《スポット》という）があるのをみつけた。医師たちは心配無用というものの、成長するにつれて大きくなり、クルミ大のもの、赤ちゃんの握りこぶし大のもの、それにルースみたいなかわいい女の子にとっては、ビキニの季節やプロムの時期にあってほしくない場所にできたものもあった。そのため診察を受けて良性腫瘍は切除したけれど、ほとんど変化のない背中のこぶは残した。こころもち大きくなったあと、成長はとまり、外科医は脊髄に近い場所にあるのをおそれてようすをみることにした。

まばゆく、完ぺきな、きらきらのあのルースが、腫瘍をいくつも神経から切除した（今回はふとももと、それからひざのうらにあった腫瘍らしい）ことをべらべらしゃべるのを変に思ったけれど、そのころには単に、五年にいちど程度の決まりきった処置でしかなくなっていた。美容によい習慣を、もうひと手間かけましょう。手術その他の雑事でルースはひと月以上戻らず、おばあちゃんとわたしはふたたび家でふたりきりになった。水いらずだ。ルースの不在中に起きた大きなできごとは、ママの友だち、マーゴット・キーナンの来訪だった。正確には、わたしを訪ねてきた。マーゴット・キーナンはのっぽで手足が長く、カレッジ卒業後はしばらくセミプロのテニス選手として活躍し、その後大手スポーツウェア会社に就職した。ママたちの生前、何度か家に遊びに来たのを覚えている。テニスを教わって、高価なラケットを握らせてくれ、いちど、夏にはスカンラン湖まで行っていっしょに泳いだこともあり、いつもスペインや中国などからすてきな外国みやげを持ってきた。両親はマーゴットのためにジン・トニックをストックしておき、ライムを買って好みの方法で飲んでもらえるようにした。ママとは小学校時代からの友だちだ。それより重要なのは、ふたりには、クエイク湖という共通項があった。マーゴットの家族にすすめられて、わたしの祖父母がバージニアシティに足をのばしたその日に地震が起き、マーゴットの家族はその地にとどまったために、息子、つまりマーゴットのお兄さんを亡くしている。

いまはドイツに住んでいるマーゴットがママたちのことを知ったのは、事故から一カ月あとで、わたしに巨大な花束を送ってきた。ポスト家宛てではない。わたしひとりに宛てられていた。ばかでっかい花束で、名前も知らないようなめずらしい花に添えられたカードには、アメリカに戻り次第うちを訪ねるとあった。それから数週間たったころ、わたしが学校に行っているあいだにマーゴットから電話があり、おばあちゃんに到着予定時刻を伝え、わたしを夕食に連れ出してもいいかとたずねた。おばあちゃんは「もちろん」と返事をしたけれど、わたしが電話を受けたとしても、どっちみちそう返事していた。

金曜の晩、ほこりにおおわれた青いレンタカーにのって、マーゴットがビリングス空港から到着した。玄関の階段をのぼるマーゴットを窓からのぞいた。記憶よりももっと背が高く、アシンメトリーにカットしたショートのつややかな黒髪を、片方の耳のうしろにかけている。おばあちゃんがドアを開け、わたしはマーゴットをそれほど知らなかったけれど、そばにいたわたしを抱きしめようとかがんでも、ここ何カ月もやっていたように肩をいからせはしなかった。わたしは抱きしめ返し、ふたりともおどろいたみたいだった。マーゴットの香水は、香水だとしたらだけれど、グレープフルーツとペパーミントのさわやかで清潔なにおいがした。

三人はリビングルームでコーラを飲み、マーゴットはベルリンや、アメリカに戻ってから携わっている仕事の話を少しした。それから、上質なシルバーの腕時計――青い文字盤の大きな時計で、男性用なのかもしれない――に目を落とした。もう出ないと〈キャトルマン〉の予約に遅れるという。それがなんだかおもしろかった。たとえ、〈キャトルマン〉がバーの並ぶ通りにあり、内装にはダークウッドの羽目板をふんだんに使い、はくせいの動物をいくつも飾ったマイルズシティでいちばん上等なステーキハウスであろうと、予約が必要なたぐいのレストランではない。けれどマーゴットにはちがいはなかったらしい。

そわそわしたようすでマーゴットが車のドアを開けてくれ、中央通りに出るまでの六十秒間、好きなラジオ局をかけていいという。わたしがダイヤルに触らずにいると、代わって回し、三局ほど切り替えてからしかめ面をして結局切ってしまった。わたしもそわそわして、そのためなんだかデートをしているような気がしたけれど、ある意味そうだといえた、たぶん。〈キャトルマン〉のバーコーナーに会計をしにやってきた牧場主ふうの身なりのカップルが、ふたりのわきを通ってボックス席に向かうマーゴットを横目で追う。黒のスラックス、黒のブーツに、およそマイルズシティらしからぬ髪型。けれど飲みものがやってくると、ふたりとも、ほっとひとごこちついた。マーゴットにはお気にいりのジン・トニック、わたしには氷にチェリーをふたつのせたシャーリー・テンプル。

「まあ、正直、ちょっと変な感じだよね。しっくりしないというか」マーゴットは時間をかけてのどをうるおし、カットしたライムに氷がぶつかった。「でもふたりで夕食に来られて、とてもうれしい」

「ふたり」といったのが気にいった。この外食はふたりでやっていることで、マーゴットが単にわたしのためだけにお膳立てしたことではなくしてくれたから。おとなになった気がした。

「わたしもです」ノンアルコールのカクテルを飲みながら、わたしの目に映るマーゴットのように、自分も洗練されてみえますようにと願った。

マーゴットがほほえみ、わたしはぜったいに顔を赤らめたにちがいない。

「写真を持ってきた」そういって、マーゴットは一見パースというよりは小型の学生カバン《サッチェル》に近い、すてきな茶色の革製バッグをあさった。「前にみたことがあるのも混じってるかもしれないけど、好きなのを持ってって」封筒を差し出す。

わたしはナプキンで手をぬぐい、写真を封筒からとり出した。しごくまじめに扱っていると気づいてほしい。どれも、ほとんどみたことのない写真ばかりだ。最初の十数枚は両親の結婚式。ふつうならルースおばさんが花嫁付き添い人になりそうなのに、マーゴットがつとめている。きれいだけれどガウンと長い手袋できゅうくつそうにみえ、仮に自分だったとしても、きっとそうみえただろうと想像した。

「ああ、あなたのママと、桃色のデカブツね」マーゴットはテーブルごしに手をのばし、わたしの手にした写真を自分に向けてかぶりをふる。「レセプションの前にブルージーンズに着替えるつもり満々だったのに、あなたのママにシャンパンで買収されたの」

「買収は成功したみたいだね」シャンパンボトルからぐい飲みしているマーゴットの写真が現れ、フレームのはしでウィントンおじいちゃんが大笑いしていた。マーゴットにみせるとうなずいた。

「ママのご両親に会ったことはないんだっけ？」

「ポストおばあちゃん以外、祖父母には会ったことないです」

「ウィントンさんに会ったらきっと好きになったと思う。おじいさんはあなたを気にいったでしょうね。とんだ食わせ者だったから」

マーゴットがわたしを「知った」少ない時間を総計して、わたしがおじいちゃんの眼鏡にかなうと判断したのがうれしかった。ママも以前そういっていたけれど、マーゴットにいわれるのとはちがう。

「〝食わせ者〟ってわかる？」マーゴットがたずね、ウェイトレスに飲みもののお代わりを頼んだ。

「うん。ペテン師ってことでしょ」

「それ、いいわ」マーゴットが笑う。「うまいこという――ペテン師ね」

下のほうの写真はむかしの、ママの高校時代や、それより前のものだった。ピクニック、フットボールの試合、クリスマスの催し。どの写真に写るマーゴットも女の子の集団のなかで抜きんでており、マーゴットとママが写真ごとに若くなるにつれ、男の子たちより頭が飛び出していた。

「むかしからすごく背が高いんだね」いってしまってから、生意気なものいいだったのでは、と気をもんだ。

「学校じゃずっと〝MoM〟て呼ばれてた――マイルズ・オブ・マーゴットの略」わたしではなく、席を立ってサラダバーまで歩いていく客のテーブルをみながらいった。

「しゃれたあだ名だね」

マーゴットが笑う。「そうかも。まあ、いまになってみればね。当時はそうは思わなかったけど」

注文をとりに戻ってきたウェイトレスが、マーゴットにお代わりを出した。金色のタッセルがついたえび茶色のメニューフォルダーには目を通してさえいなかったけれど、わたしはチキンフライ・ステーキとハッシュブラウンを頼むつもりだったし、マーゴットはプライムリブに決めていたらしく、それとベイクドポテトを頼み、わたし用にシャーリー・テンプルのお代わりを注文した。こちらの意向をききもせずに。そこがよかった。

わたしは束から三枚の写真をとった——ママとパパが結婚式で踊っている写真、前歯の欠けた、わたしの知らない男の子にママがかつがれてる写真、それから九歳か十歳ごろのママとマーゴットが、ショートパンツ、Tシャツ姿でたがいの腰に腕を回し、頭にハンカチをのせた——アイリーンといっしょに撮った写真を思い出させる写真。選んだ写真をマーゴットにみせ、肩をすくめる。

「じゃあ、それで決まりね」マーゴットが写真にうなずきかけた。「ふたりで写ってるやつは〈キャンプファイヤー・ガールズ〉のイベントで撮ったの。このあいださがしものをしてたら、むかしのハンドブックが出てきたんだった。あなたに送るのを覚えておくようにしないと。きっと興味を持つよ」

「わかった」

そのあとはたがいをみあったり、テーブルや塩こしょうの入れものをみつめたりと、ふたりとも所在なかった。わたしはチェリーの柄《え》を舌で結ぶ作業に意識を集中した。

口の動きに気がつき、マーゴットがいった。「兄貴のデイヴィッドもそれをやってた。ひとつの柄に二個の結び目をつくれたよ。すごくキスがうまい証拠なんだぞ、っていってた」

いつもどおり、わたしは赤面した。「いくつだったの?」亡くなったのは、といい終える前に、マーゴットが勘を働かせる。

「地震の一週間前に、十四歳になったばかりだった」ジン・トニックをみすえて答える。「死ぬ前に女の子にキスした経験なんて、ほとんどないと思う。あなたのママ以外、ないんじゃないかな」

「お兄さんがママにキスしたの?」

「そう。〈長老派教会〉の食料庫で」

「ぜんぜんロマンチックじゃないね」

マーゴットが笑った。「ごく無邪気だったのよ」塩のびんをとって、テーブルクロスにガラスの底を数回打ちつける。「ロック・クリークにはあれから行ってないけど、あしたマイルズシティをたったらまっすぐ寄ってみるつもり。そうしなきゃいけない気がする」

どう返事をしたらいいのかわからなかった。

「どっちにしろいちど帰りたかったしね、ここ数年」

「あそこに行きたいなんて、ぜったい思わない」

「そう思ってもぜんぜん不思議じゃないよ」テーブルの向こうからマーゴットの手がのびて、わたしの手を握るか触ろうとしたようだったけれど、わたしはすばやくひざの上に引っこめた。

マーゴットはこわばった笑みを浮かべていった。「率直にいうね、キャメロン。対処できるぐらいあなたはじゅうぶんおとなだと思うから。故人を悼むというのは得意じゃないけど、あなたに会っていいたかったのは、もしなにかわたしにできることがあったら、いつでもいいからいってほしい。ベストをつくす」それで終わりかと思うと、こうつけ加えた。「はじめて会ったときから、あなたのママが大好きだった」

マーゴットは泣いていなかったし、そんな気配はみせなかったけれど、もし彼女をみつめつづけていたらわたしはぜったいにべそべそ泣くに決まっていたし、しまいにはわたしとアイリーンのこと、ふたりのやったこと、やりたかったこと、いまでもまだやりたいことをうちあけてしまっていたかもしれない。そして、なぜだかわからないけれど、マーゴットならわたしの気持ちをほぐしてくれたと思う。わたしのしたことが事故の原因ではないときっと請けあい、ほかのだれが同じことをいったとしても信じないけど、マーゴットにいわれたら信じただろう。けれど、そのときは信じたくなくて、マーゴットの顔をみつづける代わりにシャーリー・テンプルを飲みほした。数度に分けて、甘いピンク・レッドの炭酸を最後の一滴まで、歯に氷がぶつかるまですっかり。

それからいった。「ありがとう、マーゴット。来てくれてほんとにうれしいです」

「わたしも」そういったあと、ナプキンをテーブルに置いた。「サラダバーに行こうかな。あなたは?」

うなずくと、マーゴットがドイツ語で「トイレ」をなんていうか知っているかときき、知らないと答えると「ダス・バッド」だと教え、おかしかったのでふたりでにっこり笑い、それからマーゴットが立ちあがると、食事の前に「ダス・バッドに行ってくる」といった。そのあいだ、わたしは封筒から写真を出して、マーゴットがシャンパン・ボトルをらっぱ飲みしている結婚式の一枚をみつけ、シャツの下にたくしこんでウエストのゴムで押さえ、表面の冷たさとべとつきをお腹に感じた。

＊＊＊

ルースがうちに戻った直後、引っ越し用のバンがとまった。荷物を運び入れるための場所をあけなくてはならない。つまり、ガレージ、クローゼット、裏庭の物置をかたづける。かたづけのさいちゅう、五歳の誕生日にパパがつくってくれたドールハウスが出てきた。ドールハウスのつくりは、それはみごとなものだった。正確な縮尺で、サンフランシスコのビクトリア朝様式の古いお屋敷を再現してある――パパによれば、有名な通りに建てられた有名な家らしい。

わたしのためにつくってくれたそのドールハウスは、高さ九十センチ、幅六十センチあった。ルースとわたしのふたりがかりでせま苦しい物置の、ちいさなすきまから運び出す。

「車にのせて〈セント・ビンセント〉に持っていく?」クモの巣の張る戸口まで運んだあと汗だくで芝生に並んで立ち、ルースがきいた。「ちいさい女の子がすごく喜ぶんじゃないかしら」

荷物を車に積んでは、何度もその中古品店に寄付しに行った。「このドールハウスはわたしのだよ」そう口をついたものの、いまのいままでとっておくつもりなんてなかった。「パパがわたしにつくってくれたんだもん、知らない子にあげたりするもんか」とがった屋根の部分を持って家のなかに入り、階段をのぼって自分の部屋に引っこむとドアを閉めた。

パパはドールハウスをセルリアンという色あいの青でぬり、すごくきれいな名前だと思ったわたしは、最初に住まわせる人形をサラ・セルリアンと名づけた。窓は白い枠にほんもののガラス板をはめこみ、フラワーボックスにはちいさな造花が植えてある。凝った装飾の錬鉄《れんてつ》に似せた垣根で囲ってつくったちいさな庭は、ビリングスの屋内サッカー場に敷いた人工芝のあまりものを流用した。パパがどうやって手に入れたのかはわからない。ほんものの屋根板のいらない分をカットして、屋根を葺《ふ》いた。外装は細かいところまで完ぺきに仕あがっているけれど、内装となると話がちがう。

ドールハウス全体に蝶番《ちょうつがい》がついていて、閉じることもできれば、四方から眺めたり、開いてジオラマみたいにどの部屋にも手を届かせたりできた。ひと部屋ごとに仕切りを入れ、階段と暖炉をつくりつけたもののそこどまりで、それ以上の飾りつけも仕上げもしていない。パパは誕生日までに間にあわせたくて、あとでわたしといっしょに仕上げをすると約束したのに、結局しなかった。とくに気にしたわけじゃない。完成していなくても、それまでにみたどんなドールハウスよりも凝っていた。

ママと〈ベン・フランクリン〉の手工芸品陳列コーナーで家具を何個か選んだ。アイリーンとわたしはドールハウスで何時間も遊んだけれど、十歳の誕生日が過ぎたある日、もうお人形遊びをする年ではなくなったと思いたち、それでドールハウスにも手をつけなくなった。

ルースがかたづけに精を出す一方、わたしはすでにとっちらかっている自分の部屋の隅にドールハウスを持っていき、机の上に置いた。机がまた傑作な――場所ふさぎの――パパのお手製で、棚や、さまざまな大きさの引き出しがつき、美術の課題ができるように天板は幅を広くとってある。けれどドールハウスもばかでかく、置いてしまうとあいているのは片隅のちいさな一角だけになった。それでも、かさばっても、数週間、のっているのがドールハウスだけでも満足した。そこにどっしり構え、じっと待っている。

＊ ＊ ＊

クロースンさんの家は、恐竜農場でひと山当てた。「恐竜の飼育は牛の飼育より、ずっともうかるぞ」クロースンのおじさんがそういうのを、なんどとなく耳にした。モンタナはもう秋だというのに、おじさんは薄い青緑色《ティール》の流線型のオープンカーを買った。アイリーンはなにかしら新しいことをいろいろと学校に持ちこんだ。ハロウィーンまでに、話は固まっていた。アイリーンは、コネチカット州のメイブルック・アカデミーに編入する。寄宿学校だ。何本もの映画に出てきた。どんなところかよく知っている。格子柄のスカート、波うつ緑の芝生、週末には海辺の町への小旅行。

「男の子はいないの?」ステフ・シュレットが、アイリーンにきいた。女の子たちは〈ベン・フランクリン〉の軽食コーナーに集まり、光沢紙刷りのパンフレットをめくって「ふー」とか「はー」とかため息をついている。

「メイブルックは女子校なの」アイリーンは自分のペリエを時間をかけて飲んだ。〈ベン・フランクリン〉のカウンターでも、マイルズシティのどこの店でもペリエは買えない。クロースンのおばさんがビリングスへ行ってどっさり買いこみ、アイリーンは事実上どこへでもボトルを持って歩いた。

「つまんなそー」ステフお得意の、いななくような高笑いをする。

「その反対だよ」アイリーンは注意深く、わたしと目をあわせないようにしていった。「兄弟校のリバー・ベール男子校が湖の向かいに建ってて、懇親会やダンス会やいろんなのをしょっちゅうやってるんだから。二週間にいっぺんぐらい」

ステフがフライドポテトをケチャップにひたし、つぎに大きなプラスチックの容器に移し、〈ベン・フランクリン〉が何ガロンもつくり置きした絶品のランチドレッシングをつけてから口に放りこみ、二本目をつまむ。それをくり返すのを眺めた。「だけど、なんでいま行くの?」矯正装置《ブレース》をした歯でぱさぱさのポテトをせわしなくかみながらたずねた。「来年の秋まで待つとか、せめて春学期まで待てばいいじゃない」

　わたしも同じ質問をしたかったけれど、ステフが代わりにきいてくれてほっとした。どんなにうらやんでいるか、アイリーンに気づかれたくはない。わたしの座る席からパンフの一部がみえた。ぴちぴちした顔の女の子たちがラクロスをしたり、革表紙の本に囲まれた部屋で厚手のウールのカーディガンにくるまり、ココアをすすっている。まさしく映画の世界だ。

　アイリーンはペリエのびんからもうひとくち飲んだ。キャップをもったいぶって閉め、いかにもステフの質問がひどく深遠だとでもいうように考えこんでみせる。とうとう「うちの親ができるだけ早くメイブルックに入ったほうがいいって考えたから。悪くとらないでほしいんだけど」といい、まっすぐわたしをみた。

「マイルズシティの教育システムは、優秀なので有名ってわけじゃないから」

　まわりにいた子の大半が、うなずいて同意する。まるで、今後五年間の自分たちの教育がけなされたのではなく、どこかよそのことみたいに。

「学校がわたしの成績を調べて、こっちで受けてた授業の個別授業枠を設けて、秋学期《ターム》を修了できるようにしてくれるんだ」〝ターム〟を強調して発音し、いかにもお高くとまってきこえる。マイルズシティでのいいかたとはかけ離れていた。「セメスター」ではなく「ターム」（どちらも「学期」を表す。アメリカではあまり「ターム」は使われない）ということばを使う住民なんて、ひとりもいない。まあ、これまでは。

・・・

つぎの週末、アイリーンがわたしを牧場に招いた。月曜日になればアイリーンは出ていく。十一月のモンタナにしては、月はじめとはいえずいぶんあたたかい。ふたりともコートなしで並んで歩いた。マツと土の、牧場のにおいを味わおうとしたけれど、前とはさま変わりしていた。白いテントがそこらじゅうに張られ、科学者、それに俗っぽい、薄汚れた長髪タイプのせわしない一団が溝を掘り、土壌をまるでこわれもののように、アイリーンとわたしがけっとばし、つばをはき、納屋のうらでおしっこをしていた土壌とは、ちがうもののように扱っていた。

いまではアイリーンも映画の登場人物みたいな口ぶりで話した。「このあたりでハドロサウルスがみつかったことはいちどもないの」という。「こんなに完全にはね」

「へえ」この前の観覧車のことを、あれからたくさん考えたとアイリーンに伝えたかった。もしかしたら、あの晩に自分がいったことはまちがいだったかもしれないといいたかった。けれどいわなかった。

「パパたちはビジターセンターと博物館を建ててる。それからギフトショップも」アイリーンは実際に発掘現場に向けて手をはらってみせた。「信じられる？　あのひとたち、わたしからとった名前をつけるかもしれないいんだよ」

「アイリーンザウルスとか？」

アイリーンが目をぐりっと回した。「もっと学術的なひびきの名前だよ。ほんとに無知なんだから」

「ママは博物館の館主をしてた。わかるもん」

「ぜんぜんちがう。そっちは郷土史博物館で、ずっと前からあるじゃない。うちのはできたてなんだよ。いっしょにしないで」アイリーンは背を向けると、納屋のほうへ早足に歩いていく。

わたしを干し草置き場まで連れていくのかと思った。はしごをのぼりだしたらついていくつもりだった。けれどちがった。戸口の前でとまる。そこにはテーブルが置かれ、あんまり油じみているため、ほぼ、ただの粘土と化したさび色の泥の雑多なかたまりがずらりと並んでいた。かたまりから突き出している物体の一部は化石だった。アイリーンは化石をじっくり観察するふりをしたけれど、わたしには通用しない——ふりをしているだけだ。

「ルームメイトがだれだかわかったの?」

「アリソン・コールドウェル」アイリーンは標本をのぞきこむように頭をたらしている。「ボストンの子」例の新しくはじめた口調でつけ加えた。

わたしは精いっぱい、『マイ・フェア・レディ』のヘンリー・ヒギンズ教授ばりのイギリスなまりでいった。「ああ、ボストンのコールドウェル家ですな。それは幸いでしたな」

アイリーンは笑顔になり、半秒間、自分がいまではどれほど重要人物としてふるまうべきか、忘れたようだった。「馬にのれてよかったと思ってさ。最低でもみんなと同じぐらいにはのれるから」

「きっと、みんなよりじょうずだよ」本気でいった。

「でもちがってるよ——ボストンはアメリカ、イギリスじゃなくて」化石からくるりと背を向けて、わたしににっこり笑いかける。「メイブルックには奨学金制度があるんだ。来年度の申しこみをしたらいいよ。ぜったいもらえる、だって——」つづきをいいよどむ。

「親が死んでるから」思ったより、きついいいかたになった。

アイリーンが一歩近づいてわたしの腕に手を置き、油じみた泥が少しシャツについた。「うん。でもそれだけじゃない。キャムはすごく利口だし、住んでるところがモンタナのどいなかだから」

「わたしはモンタナのどいなかで生まれたの。アイリーンだってそうじゃない」

「生まれたところにずっといなきゃいけないなんて決まりはないよ。新しいことをやってみるからって、悪い人間になるわけじゃない」

「知ってる」わたしは光沢紙のパンフレットに掲載された、自分の写真を想像しようとした。色あざやかな落ち葉のじゅうたんが敷きつめられた芝生の上に腰をおろすわたし、談話室で革表紙の本を読むパジャマ姿のわたし。けれどわたしにみえたのは、ふたりで写っているバージョンだ。アイリーンとわたしがボートハウスに、チャペルに、かたい芝生に敷いたフランネルの毛布の上に、いっしょに、ルームメイトとして……。

アイリーンはわたしの考えを見透かした、むかしみたいに。腕から手をどかし、わたしの手を握る。「そうなったら超最高だよ、キャム。わたしが先に行って学校にすっかり慣れておくから、つぎの年に来ればいい」アイリーンの声が、たがいに〝挑戦〟しあったときみたいに、もうはるかむかしのような気がするあのときみたいにうわずった。

「かもね」やけに簡単にきこえるなと思いながら答える。その瞬間記憶に刻んだのは、ふたりの頭に照りつける、ほぼ冬日の太陽、考古学者の発掘現場からひびく道具類の音、アイリーンの手がわたしのなかにある感触。

「なんで〝かもね〟なのさ? 決まりでしょ。ママに頼んで申しこみ書をとってもらおうよ」アイリーンが母家《おもや》のほうへ引っぱっていく。おばさんは計画をきいてほほえみ、すべてがなんなく進んだ。いつもどおり。おばさんはメイブルックに、きっと申しこみ書を送らせると請けあった。そのすぐあと、町まで送ってくれた。もちろん車の屋根をおろし、アイリーンとわたしは両側から風のヘビになって、空気の流れに合わせ、腕をあげたりおろしたりした。幹線道路沿いの雑草は、夜間に降る霜で死の金箔を施され——金色と黄土色に乾燥し、まるまっている部分もあるけれど残りはまだ青く、生きのびて、育ちつづけようとしていた。目を細めると、風のヘビが雑草のあいだを泳いでいるみたいだった。幹線道路をおりて一般道路に出るまで、ふたりは何キロもヘビをやりつづけた。それから、おばさんが家の前でわたしをおろした。そしてアイリーンは行ってしまった。

第四章

わたしの両親は、長老派の落ちこぼれ信者だった。うちはイースターとクリスマスイブにだけ教会に顔を出すタイプの家庭で、わたしはおまけのように二、三年ほど日曜学校に通わされた。ポストおばあちゃんは、教会に通うには自分は年をとりすぎたし、通わなくても天国に行けるという。ルースおばさんはどちらのタイプのクリスチャンでもない。お葬式以来、わたしたちはほぼ日曜日ごとに〈第一長老派教会〉に通っている。ポスト家「行きつけの教会」だったからだけれど、家に戻る途中、ルースは信徒が高齢者ばかりで、味気ない説教も好みじゃないと切りすてた。わたしはそのどちらもふつうに好きだった。少なくとも、会衆席に座るひとたちみんなと顔見知りで、立ったり座ったりするタイミングをつかんでいて、賛美歌の順番も知ってるところは気にいっていた。礼拝堂のステンドグラスも好きだったけれど、はりつけのイエスさまがずいぶんと血まみれで、日光が射しこむと赤とマゼンタに染まり、ステンドグラスにしては血なまぐさすぎるという気はした。〈第一長老派〉で神さまを身近に感じたことはないものの、ときには教会に、この場所に、両親といっしょにいたときの記憶を、とても身近に感じる日曜日もあった。その感覚が好きだった。

クリスマスのあいだルースはがまんしていたけれど、ツリーのかたづけ中に〈第一長老派〉は「もうわたしたちには合わない」とずっと考えていたと表明した。春学期中は、べたべたに甘いカウンセラーのナンシーに会う時間がないからといって、わたしがしかるべき相手に相談する必要がなくなったわけではないという話のときに、ここぞとばかりに持ち出した。

「ほら、グレッグ・コムストックさんはご家族で〈讃美の門〉教会に行ってらっしゃるし、マーテンスンさんやホフステダーさんのところも通ってるでしょ」とルース。「みなさん満足されてるみたい。〈第一長老派〉には、いまのわたしたちに必要な信徒仲間がいないわ。青年部すらないじゃない」

「青年部って、一体なんのことだい?」カウチに座るおばあちゃんが、読んでいた雑誌『アウトレイジャス・ディテクティブ・ストーリーズ』のかげからきいた。「子どもが日曜学校に行くのは礼拝でおとなしくできるようになるまでだと思ったけどね。おとなしくできないのかい、キャメロン?」

ルースはおばあちゃんがからかっているのかまじめなのか、判断しかねるときの笑いかたをした。「〈讃美の門〉にはティーンエイジャーだけのグループがあるのよ、エレノア。グレッグ・コムストックさんがおっしゃるには、いろんな社会奉仕活動をしてるんですって。クリスチャンのティーンとつきあうのは、キャミーにとっても、いいんじゃないかしら」

わたしにわかる範囲では、わたしが「つきあって」いるのは全員クリスチャンのティーンだし、もしたいして信心深くない子がいたとしても、信仰に疑問をはさむ発言をする子はひとりもいなかった。けれどルースの思惑ならわかっている。教室から教室へ聖書を持ち歩くような子たちとつきあわせたいのだ。クリスチャンのロックバンドのTシャツを着てサマーキャンプや集会に行き、教えを有言実行する子どもにしたいのだ。

ルースはリビングルームの堅木《かたぎ》の床にひざまずき、ツリースカートからマツの葉をつぎからつぎへ引き抜いていた。アンティークのレース製で、ママのお気にいりのスカートだ。右手で抜いた葉を、おわんのかたちにした左手に一本ずつ、ブルーベリーつみでもしているかのようにのせる。ブロンドの巻き毛——朝、たっぷり時間をかけて特別なクリームをもみこんでから慎重に乾かす——が顔の前にたれさがり、若々しく、天使めいてさえみえた。

「なんでそんなことするの？　前は毎年ツリースカートを外に出してぱたぱたやってたよ」

ルースはわたしの問いを無視して抜きつづける。「学校のお友だちで、あそこの教会に通ってる子がたくさんいるんじゃない？　キャミー」

こんどはわたしが無視した。退役軍人クラブの即売所から買ってきたほんものの、生木のクリスマスツリーについてはルースが譲歩した。ママは熱烈な生クリスマスツリー派だった。毎年何本かをタン・リバー博物館に、もちろんテーマを決めて飾りつけ、うちにも必ず一本飾った。買い出しはママとふたりだけで行き、いちどですませてパパのピックアップの荷台にぜんぶのせ、それから〈キップス・ミニット・マーケット〉にたち寄ってアイスクリームを買うのがいつもの習慣だった。ママは冬のソフトアイスクリーム愛好家でもあった。

「だって、とける心配がないでしょ」そういって、ママはエレガントな革の手袋をした手でコーンを持ち、白い息をはきながらひとなめした。

クリスマスツリー問題は、感謝祭のときに持ちあがった。新聞の折りこみ広告ですごくいい模造ツリーをみつけたとルースが話し、感謝祭の席でかんしゃくを起こしたわたしに、おばあちゃんが全面的に味方した。

「ふたりのいないはじめてのクリスマスなんだよ、ルース。いつもどおりに過ごさせてやっておくれ」それで、おばさんはいつもどおりにさせてくれた。それどころか無理をして、クリスマスの夕食に食べたい料理のレシピや、どこになにを飾りつけたいかをわたしにたずね、クリスマス一色のダウンタウンを連れだってそぞろ歩いた。シュガークッキーとピーナッツバター・ブロッサムを何皿も何皿も焼き、クリスマス的なことはすべて、両親がやってみせたどんなときより完ぺきにこなした。こっちの気分を盛りあげるどころか、ポスト家のクリスマスを完ぺきに模倣され、かえって気が滅入った。

このところずっと「気むずかしい」とおばあちゃんに何週間もぐちられたところへ、ルースのマツの葉抜きが加わり、わたしは爆発寸前だった。「ツリーを外に出すときにどうせもっと落ちるだけじゃない、ルース」十二月のあるときを境に、ルースに〝おばさん〟をつけるのをやめるようになった。おもに、ルースへのいやがらせが理由だ。「手で拾うなんてばかみたい。掃除機はそのために発明されたのに」

ルースの手がとまる。床に正座し、マツの葉を持っていないほうの手で髪を整えながら、「模造ツリーはそのために発明されたのかもね」お得意の、さくさくした甘い声でいった。「だから、来年はそっちを買いましょう」ルースの甘ったるさはほぼ難攻不落だったけれど、それで引きさがるわたしではない。

「好きにすれば」カウチのおばあちゃんのとなりにどさっと腰をおろし、コーヒーテーブルの隅に置かれた電飾とティンセルの箱をわざとけり落とした。「いっそなにも買わなきゃいいよ。クリスマスをすっとばせば？」

おばあちゃんが雑誌に手をはさんでしおり代わりにし、それでわたしの腕をはたいた。ぱしっと音がした――でっかいクモを退治するときみたいな。「キャメロン、それを拾いなさい」ルースに向きなおる。「この子があんたのいう青年部に入る用意ができているとは思えないよ。まずはティーンエイジャーらしくふるまうことを覚えて、二歳児みたいなまねをやめさせないと」

おばあちゃんは正しい、まったくもって。でも、ルースの肩を持たれ、わたしはへこんだ。

「ごめん」からんだティンセルをほどいて、ふたりのほうはみないようにする。

「じゃあ、こんどの日曜に〈讃美の門〉へ行ってみましょうか」ルースがルースらしい、すべて順調という口調でいった。「新しいことに挑戦ね。楽しいかもよ」

＊＊＊

〈讃美の門〉はマンモス教会で、教会というよりは巨大なえさ箱みたいだった。メタル建築の一階建てで、市境にある丘の上に建ち、三方をセメントの駐車場が囲み、残りの一方にはもうしわけ程度の芝地が、ほぼ正方形に区切ってある。

ステンドグラスと色あせたマホガニーの会衆席が並ぶ〈第一長老派〉と比べると、〈讃美の門〉はオフィスビル、むしろ工場のような印象さえした。実際、ある意味工場だった。大礼拝堂はとりわけそうで、四百名以上の信徒を余裕で収容できた。かさのある黒いスピーカーがあちこちで反響し、高い天井には蛍光灯がつるされ、オフィスビルでよくみかけるタイプの青いじゅうたんが、一エーカーにわたる床に敷かれていた。

礼拝は、十時から正午までの二時間たらず。ルースおばさんとわたしは日曜ごとに通った。ルースはコーラス部に参加し、そのあとは女性だけの聖書研究会へ。約束どおりルースはわたしをティーンの集まり〈ファイヤーパワー〉に連れていった。

通っていた〈第一長老派〉の日曜学校で覚えているのは、優しいミセス・ネスが教えてくれた賛美歌「主われを愛す」、ミセスのまとめ髪にした白髪、ひざにのせたギター。それから、教会がくれた子ども用の聖書にのっていた明るい色のさし絵。箱船にのった動物のつがいや、紅海をふたつに割るモーゼ、そして腕を大きく広げて海の上を歩く長髪のイエスさまが、なんとなく『スクービー・ドゥー』のシャギーを連想させたこと。覚えているのは、席を埋めるお年寄りたちがくり返し唱える節、へたなオルガン音楽、ついていくのがたいへんな、長ったらしいお説教。〈讃美の門〉はのっけからちがった。

イエスさまがわたしの犯した罪のために死んだことを受け入れ、十戒をひとつたりとも破らない努力をし、ひとに親切にするだけでは足りなかった。〈讃美の門〉の教えはそれよりかなり具体的だ。悪はわたしの周囲のどこにでも存在し、絶えずそれと闘わなくてはいけないと教えられた。真の信徒とは、ほかのひとびとを助け、たくさんのひとをわたしのような信徒にする者だった。「世界に福音を説く神の代理人たれ」。この一派の教えに感化される代わり、正しさを信じる代わり、わたしはさらなる疑問と疑念を抱いた。両親は世界を、神さまをそんなふうには思っていなかったのを知っていた。そのことについてことさら何度も話しあったりはしなかったけれど、それはふたりの信じる道とはちがった。

〈ファイヤーパワー〉のアドバイザーで、気味の悪いほどキャシー・ベイツにそっくりなモーリーン・ベーコンが、初参加のわたしに『エクストリーム・ティーン・バイブル』をくれた。教会の裏手にある大きな集会所に集まり、わたしと同い年か、年上の子どもたちが何十人も、オレンジジュースの〈サニー・デライト〉を入れたプラカップ片手に、スナックの用意されたテーブルのまわりに群がってぶどうの房から粒をもいではたがいに投げつけあっている。全員がそれぞれ聖書を持っていた。『エクストリーム・ティーン・バイブル』の表紙は黒地にライトブルーの文字で、ネオンの光線がそこらじゅうに走り、けれどそれがなんの象徴なのかはわからない。はじめて出た集会で話しあったテーマは忘れた――クリスチャンのティーンと拒食症だったか、クリスチャンのティーンとテレビ鑑賞だったか。ともあれどんな話題であろうと、にきびからデートまで、『エクストリーム・ティーン・バイブル』はすべてを網羅していた。

アイリーンに抱く思い、ほかの女の子に対して覚えることもできるとわかっている感情を、聖書が正確にはどういっているのか、いちども読んだためしはなかった。あんまり好意的ではないだろうとぼんやり思っていたけれど、はっきり確かめたことはない。はじめて〈ファイヤーパワー〉に参加した日の晩、家に戻ってから自分の部屋に行き、『危険な情事』をバックグラウンド映画にかけて、表紙のみかえしにある便利な「考えるべきトピック」一覧で、同性愛の項目をさがした。「ローマ人《びと》への手紙」と「コリント人《びと》への手紙」に出てくる節に下線を引く。ソドムとゴモラの部分はぜんぶ読み、硫黄の性質を疑問に思った。でもずばり名指しで断罪しているのは「レビ記」の第一八章二二節で、男同士の同性愛にしか触れていない（「あなたは女と寝るように男と寝てはならない。これは憎むべきことである。」）けれど、だからといっていい気分はしない。『エクストリーム・ティーン・バイブル』の柱には、はっきり注釈がついていた。「〝男と男〟とは、性別のいかんを問わず、同性への性的関心および同性相手の性行為を明確に指す」。少なくとも十回は読んだ。これが、ひとまずの答えらしい。

わたしはうつぶせになって寝そべり、足を枕にのせ、頭をテレビ画面に近づけすぎたために静電気で髪の毛が引っぱられるのを感じた。閉じた聖書がマットレスからすべり落ち、どすんと音を立てて床に着地する。十二歳のママが、相も変わらずクエイク湖の写真のなかからわたしをみていた。「無視なんてさせない！」グレン・クローズが、マイケル・ダグラスに迫っている。髪はほどけ、乱れっぷりがこのあとのこわれ具合を物語っていた。わたしは両手をジーンズのポケットに突っこんで、腕を体の下に敷き、一本の長い物体になった。右手のげんこつがなにかに当たる。すっかり忘れていた。鉱物を調べる実習の時間、地学室からごつごつした明るい紫のホタル石をくすねてきたんだった。

とり出して、手の上で転がしてみる。ポケットのなかであたたまり、ガラスのなめらかさの面と、紙やすりのざらざらした面があった。しばらく口にふくんで舌に重みを感じ、歯に当たってたてる音をきいた。地学室のにおいのような味がする——金属と泥の。口蓋の上側で押さえたまま、映画をみるともなしにみた。ふとドールハウスに目をやると、じっとうずくまり、機をうかがっている、いつものように。ホタル石の使い道を決めた。図書室を割り当てた部屋の暖炉の上にどうにかしてつるしたら、きっと映えるはず。あつらえてさえみえるだろう。それで、それ以上待ったり考えたり、どうしようか迷う代わりに起きあがり、机のなかをかきまわして瞬間接着剤のちっちゃなチューブをみつけ、石をその場所、暖炉の真上にのりづけした。グレン・クローズがうさぎを煮ている場面をバックグラウンドに。

いろんな場所からとってきたものを、少しずつ集めておいた。机の引き出しの奥のほうにしまってある。キルトの上にそのぜんぶをぶちまけ、ベッドわきにひざまずいて戦利品を眺めわたした。たいしたことのない、こまごました品物たち。ハットンさんのコルクボードにとめてあったほんもののニクソンの選挙キャンペーン用缶バッジ。〈讃美の門〉のキッチンの冷蔵庫に貼りつけられていた祈るイエスさまの温度計マグネット。カウンセラーのナンシー・ハントレーの机に置いてあったちいさなガラス製のカエル。ボウリング場のアルミ製灰皿は使い捨てタイプで、赤い色で〝ボウリング&ファン〟と描いてある。世界史の同級生がバックパックにぶらさげていたスイス・アーミーナイフのキーチェーン。日本人の交換留学生がつくった七色の折り紙の花。一、二回ベビーシッターをしたことのある子どもの学校アルバムから、切り離せるタイプの肖像写真。マーゴットが「ダス・バッド」に行っているあいだに抜き出したシャンパンの写真。ママの事務所をかたづけたときにみつけたウォッカのミニボトル。最後に、〈キップス・ミニット・マーケット〉でアイリーンを思いながら万引きしたバブルガムのパック。

つつましいわたしの宝物を、ドールハウスにのりづけしていく。ガムの包みで、キッチンに敷くラグをつくった。ニクソンの缶バッジは、長男の部屋にみたてた部屋の壁に。庭にはカエルを配し、むかしのドールハウス用家具のランプシェードをはずしてウォッカボトルにかぶせ、フロアランプに仕たてたのをリビングルームに置いた。再生していた映画が終わってクレジットが流れ、真っ暗になり、停止して、巻き戻ると自動的にもういちど再生がはじまった。わたしはのりづけをつづけた。なんの意味もないことをするのは、最高にいい気分だった。

第二部　高校　一九九一—一九九二年

Part Two

High School

1991–1992

第五章

高校にあがる前の夏休み、水泳の練習から戻ると、ダイニングルームにルースおばさんがいた。テーブルや床の上にはピンク色の段ボール箱が何箱も広げられ、ピンク色のピーナッツ型梱包材がそこらじゅうに散らばっていた。おばさんは背中をこちらに向けて、鼻歌を、たぶんレスリー・ゴアか、ちがうかもしれないけれど、ぜったいおばさんの高校時代にはやった曲を、ふんふん口ずさんでいた。

バックパックを床にどさりと落としたのは、おばさんがびっくりするとわかっていて、かつわたしと高校進学のあいだには、夏の日が五十日分しか横たわっていなくても、まだその手の子どもっぽさが抜けきれていなかったためだ。

おおげさに「ああびっくりした」ジャンプをしてみせ、おばさんがふりむくと、ピンク色の持ち手をした金づちを握っている。「キャメロンたら、びっくりするでしょ」まるで、他人の机をあさっているところを押さえられたソープオペラの登場人物みたいないいかただ。

わたしは金づちにうなずいてみせた。「そのピンクの金づち、なに?」はじめてたいた発煙弾の、きな臭さと熱に興奮したときのように、おばさんの目がきらりと光った。「〈サリーQ〉のビジーレディ・ハンマー。〈サリーQ〉工具のマイルズシティおろし業者第一号とは、なにを隠そうこのわたし」そういって、美人コンテスト向けのスマイルを浮かべる。過去にみたことのあるテレビショッピングのすべてをおばさんが体現し、わたしはさしずめ、スタジオのサクラ役だ。

手近にある段ボール箱のピーナッツをかきわけて、おばさんはちいさなピンク色のコードレスドリルをとり出すと、スイッチを入れた。まさしくドリルのたてるべき音をたてる。もうし分のない、機械じかけのハチドリがたてそうな音。高いピッチで高速で回転するのに、存在感がない。

「というより、東部モンタナ唯一の〈サリーQ〉工具販売員ね。ここが販売拠点ってわけ！」ドリルをもう数秒鳴らしてから切る。

リビングルームで開かれる〈サリーQ〉パーティのようすが、早くもありありと思い浮かんだ。ホウレン草のミニキッシュ、ミントの葉っぱを浮かべたレモネード、そのあとには売りこみ文句がついてくる。「〝実用品だって美しく〟よ。これは殿方の使うソケット・レンチとはわけがちがうの」

感心させようと、ドリルをわたしに手渡す。「オハイオ製」とルース。「リサーチをして、テストもすませてある。女性用にあつらえてつくられた工具なの」わたしの顔には〝ほかの工具が男性専用につくられているとは知らなかった〟と描いてある。「柄の部分をちいさくして、握りをせまくしてある。あなただって手はちいさいでしょ、キャミー。指は長くても、手はきゃしゃだもの」

「骨ばってるよ」ドリルを返す。

「わたしの手と同じ」わたしがおばさんの完ぺきなマニキュアをけなす前に、こうつけ加えた。「それからあなたのママの手とも」

ふたりが同じ手をしていたのを覚えている。ママとわたし。てのひらをママのに合わせては、早く指がのびて追いつくのが待ち遠しかったのを覚えているし、ママがチェリー・アーモンドのローションを両手でわたしの手にぬってくれたこと、ママの肌のあたたかさ、ローションの冷たさを覚えている。

「そうだね」ルースとわたしのあいだに、気持ちの通じる時間が流れた。ママの記憶、おばさんにとっての姉の記憶。けれどピンク色の箱に囲まれ、もの悲しいピンク色のピーナッツのお菓子がそこらじゅうに散らばるただなかで、わたしは余韻にひたるのをこばんだ。

キッチンに行ってグラノーラバーをつかむ。ルースは荷解きをつづけ、目録と注文票を見比べて、ふたたび例の歌、もしくはべつの、似たような曲を口ずさみだした。わたしは部屋の入り口でバーをかじりながら、工具類をみわたした。すごくたくさんある。こっけいではあるけれど、ルースにやることができたのは歓迎だ。これで忙しくなるし、わたしはおばさんに忙しくしてほしかったからだ。夏休みの計画をたて、どうやって過ごすか決めていた。というか、決めたと思ってはいた。ルースがほかのことに熱中してくれると助かる。わたしのたてた計画は、ぜったい気にいらないはずだから。

＊＊＊

五月、かつての放牧地に建設された大規模医療センターの工事が終わり、以前の病院は町の中心地に放置された。マイルズシティの子どもはほぼ全員そこで生まれ、病院の小児科医デイヴィース先生に診てもらった。折れた骨をピンク色や緑色のギプスで固定され、耳に鼓膜チューブを入れられ、頭の傷を縫ってもらった。それなのに、廃院になったとたん〈聖ロザリオ〉病院は巨大な廃墟特有の、不気味で抗しがたい魅力のオーラをまとった。

九階建てのからっぽな部屋部屋――診察室、手術室、リハビリ室、事務室、それにいまだにぴかぴかしたステンレス製のカウンターや棚を備えたカフェテリアとキッチン、そのすべてをつないで果てしなくつづくかにみえる廊下の迷宮——は、少しでも冒険心があり、遊び仲間の二、三人もいる子どもを惹きつけるには、じゅうぶんすぎた。

けれどそれは病院の古い一角に限られ、一九二〇年代と一九五〇年代に増築した部分以外の、一八〇〇年代に建てられたくすんだレンガ造りの建物こそが、究極のきもだめしの舞台となった。外観だけでもじゅうぶん不気味だ。スペインふうの建築は長い歳月で崩れかけ、窓は割れ、屋上に建てられた石の十字架は風化して、クラシック映画に出てくる〝嵐の闇夜〟的な要素をぜんぶ備えていた。ティーンエイジャーならだれだって、ああいう場所は屋内がもっとおそろしいのを知っている。

いちど目の侵入は、簡単だった。ジェイミー・ラウリーが、学校の用務員室からボルトカッターをちゃっかりくすねてきた。ついでにミントリキュール〈ドクター・マクギルカディのペパーミント・シュナップス〉の特大プラスチックボトルと、細身の懐中電灯も盗み出し、両方を陸上練習用バッグの汗くさいショートパンツと局部サポーターの下にたくしいれてきた。いつもどおり、声をかけられた女子はわたしだけだったから、汗くさい局部サポーターといっしょくたに二、三時間揺られる前からすでに、〈シュナップス〉がどれだけ気色悪い飲みものであるかはいわずにおいた。

わたしたち五人は年度末のピザ・パーティを早めに切りあげ、厚紙の箱に残ったあまりものの、オレンジ色の油のプールにさびしく浮かぶピザスライスおよびクラストを一気食いするホッブスの宴会芸はパスした。ぜんぶほおばってから〈マウンテンデュー〉で流しこみ、そのあとジャンピング・ジャックをして、最後にゲロをはくまでがお約束だ。どうせ、わたしは去年みていた。

ジェイミーは〈聖ロザリオ〉にお兄さんと忍びこんだことがあり、さらにボルトカッターの功績により仲間うちで優位に立ち、それを楽しんだ。「あんまり奥には行ってない」道すがら、ジェイミーが話した。「なかに入ったら真っ暗闇でさ、はじめたときはもう宵の口で——日が暮れてた。だけどみえただけでも——現実ばなれしてたぜ」

「でも、どう現実ばなれしてたんだよ」だれかがきいた。たぶんマイケルだ。マイケルはほんとうはこの手のことは気が進まないのに、来るなとはいわれなかったというだけの理由で、たまについてくる。

「まあ待てって」とジェイミー。「まじな話。はんぱないから」ゾンビ映画から両親のけんかから〈タコ・ジョン〉の新メニューのエンチラーダまで、ジェイミーは「まじではんぱない」と形容するため、あまり参考にはならない。

旧病院の中庭に入り、のび放題のツタとうっそうとした木立ちでひと目につかなくなり次第、〈シュナップス〉を代わる代わる、できるだけたくさん回し飲んだ。生ぬるくなった酒とやすっぽいピザをつめこんだあとにしては、上等だった。

「やるぞ」ジェイミーがカッターをとり出す。「兄貴とおれは反対側の窓をこわして入ったけど、あそこはもう板でふさがれてた」地面から数十センチ上についた昇降口までみんなを引きつれていく。「配達用に使われてたんだ。地下室に直接出られる」

おどろくほどたやすく、南京錠が切れた。ジェイミーが取っ手のひとつを握り、マイケルがもう片方を握る。けれど板木がもちあがり、せまい階段がみえたところで、役目を果たしたマイケルがもう帰るといいだした。

「腰抜けめ」ジェイミーがいい、それから〈シュナップス〉を大まじめに、タフなジョン・ウェインばりの、西部のおきてでは「ひとを呪わば酒をひとくち」やるのさ、みたいな調子で飲んだ。けれどそう毒づいたのは、マイケルが、たぶんワルとしてのつとめに満足しつつ、とっくに中庭を出たあとだった。

ボトルがもういちど回ってきたけれど、わたしはパスした。

「お前も帰りたいのかい、キャメロンちゃん？」ジェイミーの口調に、わたしはカチンときた。男の子にはそんなききかたをしないくせに。赤ちゃんに話しかけるときの、しまりのない声。ジェイミー・ラウリーなりに親身にきいているのだ。もし帰りたいなら構わない、ただの女の子のわたしがおじけづくのは当然だから、というように。

「そいつをもう飲みたくないってだけだよ。ゲロまず。さっさと入ろう」

「レディーのおおせだ」ジェイミーが階段をおりはじめる。

例の懐中電灯は、冗談同然のしろものだった。明かりがついたときでさえうっすらした線がのびるぐらいで、しかも侵入後四分で切れた。五月に雨降りがつづいて、地下室はいかにもじめついている。ドアの枠に張ったクモの巣が顔にまといつき、土と腐食とよどんだ空気のにおいがたちこめ、暗かった。真っ暗だ。奥のほうの窓から明かりがひと射し、四角いかたちに落ちているけれど、こっちまではとても届かない。首もとに〈シュナップス〉の熱い息を感じた。たぶんマーフィーの、ポールかもしれなかったが、それほど間近にかかっても気にならなかった。いいにおいでさえある。ペパーミントの、でもなんとなく腐ったような。けれど、すぐうしろにだれかがいるとわかると気がやすまった。

わたしたち四人は中学陸上部の花形選手だというのに、いちどに二、三歩ずつ、おっかなびっくり地下室を進んだ。ピザがぜんぶ吸いとってしまってはいたが、リキュールが腕や足にしみわたり、感覚のすべてが高まると同時に鈍った。頭のなかではそれまでレンタルでみたあらゆるスラッシャー映画が再生しっぱなしだ。

ポールがわたしたちのぼやき担当だった。「おれは尼さんなんてきらいだね。好きだったこともない。尼僧なんて超気味悪いぜ。気色の悪いやつらだ。神さまと結婚したって？　なんだそりゃ？　サイコかっての」わたしたちに話しかけていたのかもしれないが、だれも返事をしなかった。

わたしの手が、前を行くジェイミーをときたまかすめ、ほとんど無意識に、まるでてのひらがトゥーレット症候群になったみたいに、しめったコットンのTシャツを片手でつかんでしぼり、どんどん引っぱるために、ジェイミーの体から離された布地がぴんとのびた。駐車場で催されるカーニバルののりものにのったとき、自分のボトムパンツに同じことをした。ジェイミーはなにもいわず、あざ笑いもしない代わりにつかまらせてくれ、みんなはよろけたり突っかかえたりしながらここをさっさとあとにできるドアを目指した。

古い階段が足もとでたわんだけれど、上の階に出る開いた出入り口からの明かりが、ぼんやりと吹き抜けに射しこんでいる。階段をのぼりきるとジェイミーが「やったぜ！」と声をあげ、ポールとマーフィーも似たようなことを口走り、地下室を脱出して、全員が有頂天になった。

病院が閉鎖されてまもないため、建物の電気系統がいくらかまだ生きていた（上の階のだけれど）。まわりに比べて現代的すぎるとはいえ、廊下の終わりで〈非常口〉の表示がクリスマスの照明そっくりに、ふさわしくも赤く輝いているという事実に、多少なりとも日常を感じてほっとなる。ほかにはなにひとつ、この病院に日常的なところはなかったからだ。

その日は旧棟しか足を踏み入れる時間がなく、それでもうたくさんだった。高いアーチ型の通路と金属箔の壁紙は退廃的すぎて、診察のときにみなれた殺風景な病室とは似ても似つかなかい。緑色のカウチはアンティークにちがいなく、片隅にはピアノまである。小型グランドピアノ。ピアノを目にしたとたん、マーフィーが椅子へ突進して「ハート&ソウル」を突っかえ突っかえ弾き、ジェイミーとポールは男の子たちが興奮したときにやりがちな、おとなしくすべき場所——というか、少なくともかつてはおとなしくしているべきだった場所で、タックルをかけあって床に転がった。頭の上ではおごそかな純白の尼僧が、金粉のフレームに収まる巨大な油絵のなかから、わたしたちの不敬をみまもっていた。

ジェイミーが「神の女たち」に乾杯しようといいだしたとき、わたしはボトルを油絵に向かって掲げ、男の子たちと同じく一気飲みした。今回は〈シュナップス〉が口のなかとのどの奥でひりひりし、せきこんで少しこぼしてしまい、ばつが悪かった。

そのあとレスリングが再開し、こんどはマーフィーも参加して、わたしはカウチのそでにもたれて眺めながら、目の前の光景をどう感じたらいいのか考えあぐねた。わたしにみせつけるためではない。オスのトラがメスに、男らしい腕力とふざけあいをひけらかして求愛するのと同様のことを、アンドレア・ハーリッツやスー・ノックスの前でこの子たちがやるのをみたことならある。連中がここでやっているのは、みんなで集まるといつもやることだった。男子のあいだで許されている一種のじゃれあいで、わたしはそのたびに嫉妬した。女子グループといっしょのどんなときよりも騒がしくて荒っぽい。わたしはほんとうには彼らの仲間ではなかった。男の子たちにとってこれはごく自然な流れで、わたしはただ、かなり近くまで寄れるというにすぎなかった。

「よお、キャムスター」下敷きになったジェイミーが叫んだ。「助けてくれよ」

「やなこった《ファック・オフ》」わたしは叫び返した。

「抜いてくれる《ジャーク・オフ》っていったの？」

「そのとおり。そういったの」

ジェイミーのママは〈讃美の門〉に通っている。パパはみたことがない。ジェイミーはしょっちゅうママにつきあわされていた。わたしたちは一年前から、陸上練習のウォームアップやクールダウンのあいだに組むようになった。わたしのほうが映画をたくさんみていて、ジェイミーよりも優位に立てた。残りの連中は、ジェイミーについてきた。

「そうだ、キャメロン」ジェイミーが仕切り直し、スクラムから抜け出して小型グランドピアノまで走っていく。「『プリティ・ウーマン』のピアノシーンをやろうぜ」

マーフィーとポールがこれに受けて、大笑いした。

「いいよ」とわたし。「ポールをジュリア役にする？ それともマーフィー？ 赤毛だし」

だれかがいいかげんに窓にくぎづけた安物の板材のせいで、外からの明かりが奇妙な縞《しま》模様をつくり、おかしな角度で射しこんでくる。明かりの縞に照らされ、男の子たちが暴れてかきまわした濃密なほこりがゆっくり、ラメみたいに、雪片みたいに地面に落ち、すべてを少しだけ幻想的に、非現実的にみせた。それと、〈シュナップス〉効果もある。こんなふうには本来みつかるはずのない世界に、迷いこんだみたいだった。それが気にいった。

・・・

その夏、リンジー・ロイドとわたしは東モンタナ水泳連盟中等女子の部で、競技会ごとに順位を争った。リンジーは百メートルフリーで半ストローク分わたしを負かし、個人メドレーではわたしが抜き、それ以降は百メートルバタフライを泳ぐたび、たがいのストップウォッチのタイマーを見比べた。リンジーは、夏のあいだ毎年ラウンドアップ近くの工事現場で働く父親と過ごし、学期がはじまるとシアトルにいる母親と義理の父親のもとで過ごす。わたしたちふたりは、わたしの両親が死ぬ前からのライバルで、ずっとリンジーに分《ぶ》があった。シアトルの学校には室内プールがあるのに、わたしは六月と七月と八月にスカンラン湖で泳ぐだけだったからだ。

リンジーとははじめから馬が合った。招集席に座っているあいだおしゃべりをしたし、ときにはスナックの売店にいっしょに並び、競泳会名物の〝ヘイスタック〟、つまり、ハンバーガーのパティ、チーズ、サワークリーム、トマト、オリーブ、それに〈フリートス〉のコーンチップ一人前サイズを添えて、フォークをてっぺんに突き刺した料理を注文した。リンジーはその手の食べものに目がない。競技の二十分ほど前に食べても一着になり、ばかみたいな「泳ぐ前の二時間は食べるべからず」の決まりに「くそくらえ」してみせた。

リンジー・ロイドはいつだっていて、夏の水泳競技会の一部になっていた。両親の葬式がすんだあとの最初の試合で、ほかの競争相手の子がしたおかしな抱擁を、リンジーはしようとしなかったのを覚えている。その代わり、音の割れた国歌が流れるあいだ、目があったときに「ご愁傷さま」と口のかたちをつくってわたしに伝えた。試合の前は毎回、拡声器で国歌を流すのが義務づけられていて、ウォームアップのしずくをまだしたたらせた選手が全員プールサイドに集まり胸もとに手を当ててるけれど、プールのどこに旗が掲げられているのかはだれも把握していなかった。あの「ご愁傷さま」は、ふさわしい対応に思えた。

けれどこの夏、リンジーは背がぐんとのび、ほかにも変わって戻ってきた。水泳帽にたくしこんでいたポニーテールをばっさり切り、残った髪を真っ白に脱色していた。試合の前にはコンディショナーにひたして塩素で緑色に変色するのを防いだ。それに、眉にちいさな銀色のリングをはめていて、泳法審判員が競技前にはずさせた。テッドコーチによれば、リンジーはバタフライ向きの肩を持ち、そうじゃないわたしはどうしようもないが、ひたすら練習あるのみだ、といわれた。

レースの合間、リンジーとわたしはビーチタオルの上に座って、カードゲームのウノをして遊び、ルースおばさんが早々に熱心な勤務態度を評価されて会社から贈られたピンク色の〈サリーQ〉クーラーの底から、冷たいグレープをとり出して食べた。リンジーの話すシアトルは、すべてにおいて流行の先端を行くクールな都会にきこえる。リンジーが行ったコンサートやパーティ、友だちだというクレイジーなひとびと。わたしは病院の話をした。こっそり入りこんで発見した、秘密の世界。東部モンタナのビーチタオルの上で、きいたことのないバンドのミックステープをきいた。頭を寄せあい、リンジーの黒いヘッドホンを、片方ずつ耳につけて。

週末に二度、リンジーの夏の拠点であるラウンドアップで競技会が開かれ、わたしはリンジーの背中と例のバタフライ向きの肩に、日焼けローションをぬってやった。太陽に照らされてあたたまった、やわらかい肌。リンジーは油っぽいローションを愛用していて、テッドコーチみたいにココナッツに似たにおいがしたけれど、わたしたちみんなと同じぐらい、すでにこんがり焼けていた。「ちいさな先住民」、おばあちゃんはわたしたちをよくそう呼んでいた。だれもが夏の日射しの下で一日に何時間も練習し、たがいにローションをぬりあうのはなにも特別じゃないのに、リンジーにやったときにはちがった。落ちつかず、気もそぞろになり、競技会ごとに毎回頼まれるのが待ちきれなかった。

　両手をローションでべたべたにし、水着のひもの下にぬろうとすると、リンジーがいった。「もしシアトルにいたら、週末の〝プライド〟に参加してたよ。いまごろ盛りあがってるだろうなあ。知ってるわけじゃないけど」終始さりげなく話そうとしたけれど、とりつくろっているのに気がついた。

　リンジーはいつも、わたしがきいたことのないシアトルの催しものやコンサートの話をしていたから、なんの〝プライド〟なのか知らなくても、そのときのわたしにはたいした意味はなかった。

　ローションをぬりつづける。腰のやわらかい部分や、規定の競泳用水着で許されている、背骨のこぶ二、三個分肌の露出したところ。「『知ってるわけじゃないけど』ってどういう意味？」

「だって、毎年六月が〝プライド〟月間で、わたしは六月はモンタナにいるから」ぬりやすいようにリンジーが肩ひもをずらす。「モンタナ州―くそったれ―ラウンドアップで〝プライド〟はやらないし」

「うん、そうだね」まだローションをぬりながらいった。

　すると、リンジーは体をずらしてわたしをみながらつくり笑いを浮かべ、あまり成功しているとはいえないけれど口もとを広げまいと努力した。「なんの話かわかってないでしょ、ぜんぜん」

　リンジーの顔と口調で、なにか大事なことをみすごして、いっしょにいるとしばしば感じる無知ないなか者としての自分をまたもやさらけ出したのに気づく。わたしの対抗策は〝無関心を装え〟だ。「わたし、ばかじゃないからね。毎年リンジーが行きそこねるお祭りの話でしょ」

「まあね、でもどんな種類の？」リンジーが顔を近寄せ、くっつきそうになる。

「知らない」そう答え、でもそのとき、そう答えた一方で、ある意味ピンとひらめいて理解した。自分が愚かしくも赤面するのさえ感じ、知っていると体で答えていた。とはいえ声に出していうのはありえない。それで、口をついて出たのが「ジャーマン・プライド？」

「あんたかわいいわ、キャム」いまだに顔を寄せたまま、フルーツパンチ味の〈ゲータレード〉のにおいがまじったリンジーの息がかかる。

リンジーのいう意味で、かわいくなんかなりたくなかった。「そんなに毎回必死にならなくても、リンジーがクールなのはもう知ってるよ」ゴーグルと帽子をつかんで立ちあがる。「わかったって。リンジーはとってもとってもとってもクール。わたしの知っているなかで、いちばんクールだよ」

チームメイトが何人か通りすぎがてら、百メートル自由形の呼び出しがあったと教えてくれた。その子たちのあとについていき、リンジーを待たない。リンジーもいつもどおり泳ぐのだけれど。

売店のうらで、リンジーが追いついた。サンティーをつくるのに使った一ガロンのピッチャーが並んでいる――十五個ばかりが一列になり、なかの水はいろんな濃さの茶色に変わっていた。ふたりはそろってピッチャーをまたぎ、リンジーがわたしのひじの上をつかんで自分のほうへ引っぱると、耳もとに口を寄せた。

「怒らないで」いつものリンジーよりひそめた声でいう。「〝ゲイ・プライド〟、そのことだよ」

ちがうのに、公言しているかのように感じた。少なくとも完全にはちがう。「なんとなく知ってた。つまり、そうだろうって」家族や水泳選手のグループのあいだを、いっしょに縫って歩く。芝生は混みあい、にぎやかだった。ふたりはそのなかに紛れていたけれど、ここから話がどこに行くのか気をもんだ。つぎにリンジーがなんていうのか、わたしがうっかり、なんていうのか。

「もし〝プライド〟に連れていけたら、この世が完ぺきな世界で、シアトルまで自家用飛行機で飛んで行けるとしたら、いっしょに来る？」リンジーがきいた、まだ腕をきつくつかんだまま。

「ええと、会場で綿あめ売ってる？」そうきいたのは、わたしたちがいるのが招集席で、はぐらかすのがそのときは正解だと感じたからだ。

けれどそれは、リンジーの求める答えではなかった。「もういいよ」というと、ラウンドアップの試合ではいつもタイムカードの担当で、ふたつに分けたポニーテールの赤毛に白いサファリ帽をかぶりっぱなしの女性から、カードを受けとる。「この話は忘れて」

招集席は緊張した選手たちで混みあい、ストレッチする子もいれば、こんもりした髪にシリコンの水泳帽を無理やり引きおろし、ネオンパープルやメタリックシルバーに包まれた腫瘍みたいな突起を頭のてっぺんやうしろにつくる子もいた。女の子のグループが、わたしたちに手をふる。もう何年も、ずっと前からたがいに競いあってきた子たちだ。リンジーの出るレースはわたしより前で、それでも、たぶんまだ五つは先だった。

うしろのほうにあいているベンチをみつけ、この手のベンチに座るときはどうしてもそうなるのだけれど、くっついて座った。むきだしのひざが触ったとき、きちんと腰かけても触ってしまう状況に、アイリーンと観覧車のことを思い出さずにはいられなかった。アレルギー反応みたいに。急いで離し、代わりにもう片方のひざを反対側に座る女の子にぶつけた。

リンジーが気づかないわけがない。「なによ——そんなにあわてなくてもいいでしょ」この場にそぐわないような大声を出す。

「あわててない。ただ試合の二分前に話したくないだけ」わたしは声を落としてまわりをみまわしたけれど、そんな必要はなかった。みんなが自分たちの会話に没頭するか、試合前の精神集中をしていた。

「でも、あとで話す?」リンジーが再度くっつきそうなほど顔を近づけ、やっぱり〈ゲータレード〉となにかほかの、たぶんシナモンの香りの息がかかった。ガムのにおいだ。

「レース前にはガムをはき出しなよ」アイリーンのことをふたたび考えながらいった。

「ミス・ロイド、いま、ガムをかんでるっていいましたか?」常に注意をおこたらないサファリ帽がこっちに数歩歩いてくると、てのひらを突き出して上に向け、おわんをつくる。

「その手にはき出せってことですか?」リンジーがきいたものの、答えがイエスなのは、火をみるより明らかだった。

「そうしなけりゃ、ベンチをかたづけるときにうらにくっついてるのを発見するに決まってます。さあ」サファリ帽は指を鳴らしてから、もういちどちいさなおわんをつくった。「あなたがなにをかんでようと、それで死ぬわけじゃありません」

「わかりませんよ」わたしがいうと同時にリンジーがはき出した。

「チャンスに賭けるわ」サファリ帽はかみあとのついた赤いちいさなかたまりに目を落とすときびすを返し、ゴミ箱をさがしに行った。

「わたしがなにか病気でも移すっていうの?」リンジーが問いつめる。怒った顔をしようとしたけれど、わたしがウィンクすると噴き出した。

「いくつか病名を挙げてみせようか」とわたし。

リンジーはしばらく黙っていたけれど、もういちど、真顔できき直した。「でも、いっしょに〝プライド〟に行くよね？　行きたいでしょ。イエスっていいな」

答えればただのことば以上の意味を持つとわかっていたけれど、わたしはうなずいた。「うん、行くよ。いっしょに行く」

リンジーはにっこり笑って、それ以上はなにもきかなかった。そのすぐあとにリンジーが呼ばれ、わたしはベンチに残って、自分の番を待った。

＊ ＊ ＊

改めてたがいを知りあうには、土曜日の予選と日曜日の決勝戦の二日までしか余裕がなく、しかも会場にいるのは競技のためという現実があった。わたしは急いでリンジーに追いつかないといけなかった。リンジーは五人の女の子にキスしたことがあり、そのうちの三人とはさらに、謎めかした「本格的なこと」を経験ずみだった。リンジーのママの知りあいに、チャックという男のひとがいて、そのひとは〝チャスティティ・セント・クレア〟という名前のドラァグクイーンで、リンジーはチャリティでそのひとのパフォーマンスをみたことがあった。リンジーは高校のＧＬＢＵ《ゲイ・レズビアン・バイ・アンデサイデッド》グループに加わるつもりでいる。Ｕは「未定」を表すundecidedの略だ。リンジーに教わるまで、それが実際にカテゴリーのひとつだなんて知らなかった。

「『マイ・ライバル』はいい映画だけど、『ビビアンの旅立ち』を借りなきゃ」と、リンジーがいった。

「〈ビデオ&ゴー〉にはぜったい置いてないよ」あらすじを説明してもらったあと、そう返事する。

スカンラン湖で競技会を開く際、参加選手を泊められる家庭向けにテッドコーチが登録用紙を配り、わたしは用紙をバッグにしまいもせず、自転車のハンドルに押しつけて家に帰った。ソファベッドを使えば楽に四人が寝られるとルースはいったけれど、ちいさな白い用紙をテッドに戻したときに印をつけたのは、「一名分の宿泊と夕食を提供可」の項目だった。リンジーは、キャンピングカーで競技会にやってくる父親のところに泊まることがある。五分五分の賭けだ。つぎの週末、招集席でさりげなくリンジーにきこうとしたけれど、なぜか大きな一歩のように感じた。

「うちでやる競技会には来るよね?」わたしはゴーグルのストラップを引っぱりつづけた。もう二回もツバをはきかけて、ひと差し指でこすったけれど、もういちどやった。

「うん。行かない理由がある?」リンジーはわたしが手をせわしなく動かしているのに気がついた。目を合わさないで話をするためなのが、バレバレだ。

「あるかも」まだストラップをいじりながらいった。「湖の水がにごってるから、うちの競技会にはだれも来ないよ」レース・コーディネーターがとなりのベンチにわたしたちを移動させ、わたしはプールサイドの段差がついたセメントの角につま先をおもいきりぶつけ、あっという間に爪の下に血豆ができるのを眺めた。

身をすくめるわたしをみて、リンジーがわたしのひざがしらに手を置き、一秒ばかり間を置いてからだいじょうぶかきいた。「あそこの湖は好きだよ」とリンジーがいう。「ほかの競技会とちがうもの」

「まあね」そういったあと、つぎにどう話を進めるべきか、またはどうしてこれがこんなにむずかしいのか、正確なところ、わからなくなった。するとリンジーが自分のゴーグルをいじりはじめ、どちらも黙ったままベンチに座りつづけた。どこかのばかが座面をツヤのある青いペンキでぬったせいで車のボンネットなみに熱を持ち、水着で座ったと同時にふとももものうらが焼けてひりついた。

待っていると、スタート位置につく順番がやってきて——テッドはこのタイミングでレースを視覚化しろといった。ストロークの長さ、キックのリズム、ターンとプルアウトを何度も何度も頭のなかで思い描けと——リンジーへの質問を終わらせた。「リンジーのパパは、来ないんだよね?」

リンジーはすでに分厚いシリコン帽をかぶっていて、耳から片側を離し、わたしがなにかしゃべったのがうれしいみたいにこちらを向いたけれど、内容はきこえていない。

「つまり、マイルズシティにってことだけど。競技会に来るの? リンジーは泊まるところがいる?」

「キャメロンちに泊まる。だよね?」あんまり簡単にいうので、わたしは罠にかかったかのように、手に入り次第、持てあますなにかのように感じた。そのあと「位置について」の号令が、たぶん十五秒後にかかり、シーズン最悪の泳ぎをした。

・・・

デイヴ・ハモンドが、テキサス州にいる母親のもとから戻ってきた。デイヴはジェイミーより過激な子だ——なににつけても。夏のあいだは、父親の営むくだもの売り屋台の裏手にとめたキャンピングカーに住み、六月の最後の週と七月の最初の週は、スイカとトウモロコシを並べた長テーブルのとなりに、赤、白、青の国旗色をあしらった〈デイヴの花火〉の販売コーナーを設けた。七月の第一週に、爆発目的の安物花火を店先まるごと自由にできる十四歳の少年以上の人気者にはなりようがない。最高なのは、四日の独立記念日を過ぎたら売るのは違法なのだけれど、ハモンド親子は売れ残りをアイスクリーム店〈デイリークイーン〉の奥にある物置にとっておいた。そんなわけで、わたしたちはまず〈バターフィンガー・ブリザード〉をぱくつき、そののち物置に出向いて打ちあげ花火、ローマ花火、〈ブラック・キャット〉クラッカー、爆竹を仕入れた。おかげで体が何日も火薬くさかった。

リンジーが来たら、この夏の世界を分かちあいたい。ピクニックテーブルいっぱいのパイみたいに目の前に並ぶ、七月のマイルズシティで最高のものすべてを。競技会は形式ばってみえ、地元での試合をそんなふうに感じたのははじめてだった。土曜日の予選ではリンジーのタイムをすべて、自由形すら上まわった。よそのチームは湖水の不透明度に慣れておらず、水草に足をくすぐられ、手づくりのターンボードをおおう藻でつま先をすべらせ、貴重な数秒をむだにした。いちばん恥ずかしくはあるものの、たぶんいちばん効果的なホームの利点は、スターティングブロックだ。スカンランの駐車場の向かいにあるかびくさい物置に九月から五月まで重ねて保管され、そのあいだクモの巣が張り、ときにはネズミやガーターヘビが巣をつくる。スタートブロックはベニヤ板を何枚もつなぎあわせ、背泳のスタート用にはやすりをかけただぼを使い、だれかの家の地下室からはがしてきた黄緑色のじゅうたんを傾斜板のすべりどめ代わりにホチキスでとめてある。うら側は、オレンジ色のスプレーで塗装した。チームの親たちが、わたしのパパもふくめて、とある夏につくったものだ。

自由形リレーの前、ルースがリンジーとわたしに、クッキー型で星のかたちに抜いたライムとオレンジの〈ジェロー〉を差しいれてくれた。冷たくて甘く、いままで食べたなかで最高の〈ジェロー〉だということでふたりの意見は一致し、そのためリンジーが自分のを砂の上に落としたときに残りを分けてあげたけれど、例によってわたしは赤面した。リンジーはけろっとしていた。

おばあちゃんも観戦にやってきて、大きくておかしな日よけ帽をかぶり、日焼けをきらう高齢の女性が眼鏡の側面につける、黒いプラスチックのインサートをはめていた。ホームチームの防水シートの下でローンチェアに座り、シュガーウェハース・クッキーを食べながらミステリー雑誌を読んで待ち、わたしの出るレースになると、ドックのはしまで歩いてきて見届けた。水からあがったとき、濡れるのも構わず抱きしめてくれた。

「キャメロンのおばあちゃんて変わってるよね」リンジーがいった。おばあちゃんが、わたしには人魚の血が流れてる、少なくともグッピーの血がね、というのをきいたあとだ。そのことばで、もういちど思い出したのはアイリーン、いつだってアイリーンで、わたしは競技会が終わったあとのことと、いましがた覚えた感情について、それまで以上に落ちつかない気持ちになった。

大会は三時には終わり、ということは日暮れまでにたぶん六時間はたっぷりあり、夕暮れどきもふくめれば六時間半、けれど病院のなかに入ればもっと暗く感じる。わたしたちは〈ピザ・ピット〉でタコピザを流しこみ、ルースにもっとゆっくりお食べなさい、レディーらしくかんで、指の関節をぽきぽき鳴らさない、ストローをかじらないの、と口うるさく注意された。ルースが顔をそむけるたび、リンジーは目をぐるっと回してあきれてみせ、そのおかげで食事をのりきった。典型的な赤いビニールのボックス席に固まって座り、ふたりともショートパンツだったため、日に焼けてほてるむきだしの足に座面が当たってひんやりした。食事中にたがいの腕とふとももの素肌が触れると、熱い雷みたいな、クロースンさんの牧場で通電柵をかすめたときみたいな、その先のなにかを約束しているみたいな衝撃を感じた。

「デイヴの花火屋であいつと落ちあってアイスクリームを食べて、それから六時半の映画に行く」ルースがふた切れ目のスライスの最後を口のなかに入れると同時に、わたしはいった。自分でもおどろいたことに、リンジーの手を握って席から引っぱりあげた。リンジーもおどろいたと思う。

「なにがかかってるの？　PG-13指定はだめよ。あれは実質R指定のときがあるし、低俗な映画をみてほしくないの」ルースがペーパーナプキンで口もとをぬぐった。上品に、優美に、部屋の向こうでスロットマシンががしゃん、びーっと鳴ってもすずしい風で。

「PG-13じゃないよ」うそをついた。帰り道に映画館の前を通るとき、ルースが看板をチェックできる（実際にした）とわかっていたけれど、でもそのころにはもうわたしたちはなかに入ってまさしくR指定の『テルマ&ルイーズ』を鑑賞中だと思うだろうし、うそをついたわたしにあとでお説教をたれるだろう。それはしかたがない、たぶん。なぜならリンジーとわたしはその晩『テルマ&ルイーズ』をみに行かなかったから。ビデオがレンタルになったあと、何度も何度も何度も借りた。

・・・

発煙弾と花火でいっぱいのバックパックを背負って、デイヴとジェイミーが病院の中庭でわたしたちと落ちあった。デイヴはずいぶん長いことリンジーをみつめ、まるで好みのタイプを知っているか、自分がタイプになりたいとでもいうようだった。デイヴのつけているガイコツのイヤリングは、自分でビーズを編みこんだラットテールともども、わたしにはまぬけに映った――必死に海賊にでもなりたいみたいだ。

男子ふたりは、すでに魔法びんに入れた酒を飲んでいた。デイヴによれば、父親がベトナム戦争で使っていたという魔法びんの中身は、オレンジジュースとビーフィーター・ジンを半々に混ぜたものだ。オレンジ風味にしようとした子ども用の薬の味がした。

わたしはバックパックにパパの大工道具――のこぎりと小型の斧――をいくつか突っこんできてあり、地下室の窓の腐った木枠をそれで破ろうとひとしきり奮闘したけれど、しまいにはあきらめて単純にばんばん叩いてこわし、割れて地下室に落ちたガラスのあとにつづいてひとりずつなかに入った。おりる途中リンジーが肩の上を切り、白いTシャツに血がしみ出して未知の大陸の小地図ができた。

「だいじょうぶ?」つづけるには危険すぎるといいださないか、心配した。みているはずの映画をみにいきたがるんじゃないか、さらに悪いのは、ルースおばさんがまちがいなくポップコーンとボードゲームを用意して待つ家に、帰りたいといいだすんじゃないだろうか。

けれどそんなのはリンジーの流儀ではまったくなかった。「平気。ただのばかくさい切り傷だよ」そういったけれど、押さえていた手を離すと、指先がべとつく赤で濡れている。リンジーは指を口にふくみ、わたしは通路の暗がりで赤面し、赤面しながら恥じいった。

「ジンをそそいどきゃいい。消毒できるぜ」デイヴがわたしたちのあいだに割って入り、魔法びんを差し出した。

「ばかいわないでよ」リンジーが受けとる。「わたしの腕なんかでお酒をむだにできないよ」ごくりとひとくち飲みこんでわたしに回し、わたしもならって飲みながら、リンジーのくちびるがここに触れていたんだと考え、リンジーも同じことを考えているだろうかとちらっと思った。

三十分ばかりかけて、一八〇〇年代の一角をただうろつきまわり、ゲストのリンジーを感心させようとしたけれど、それはむずかしくはなかった。閉鎖され、最初に患者たち——少なくとも集中治療室行きタイプの重篤な患者たち——を移動するのは、突貫作業となった。移送やその他もろもろの子細が『マイルズシティ・スター』紙にのっている。たいへんな作業で、町を横断して病人たちを運んだ。けれど、病室に残されたもの、置いていかれた品々は、そのどれひとつとして目にするはずのなかったティーンエイジャーにしてみれば、意味が通らなかった。

もとは尼僧の宿舎だったと当たりをつけた最上階で、中身が人形でいっぱいのトランクをみつけた。古い、古い人形たち。硬質な肌は、すりきれたか歳月のために破れてしわがよっている。ある人形のつめものは黒い砂のような材料で、持ちあげたらこぼれだした。ひとつひとつに注意深くタグが縫いつけてあり、タグにはエレガントな黒い筆跡で、子どもの名前が書かれていた。むかしふうの名前——ヴィヴィアンやリリアンやマージョリーやユーニス——のわきには子どもの病名も記されている。たいていは単純な、熱とかインフルエンザで、タグの末尾にはそれぞれ日付と、〝天国に召される〟の一行が添えられていた。

「どうかしてる」リンジーが人形のひとつに手をのばし、つかんだとたんに半身がぽろっと崩れた。胴体が割れ、黒い砂状のものがリンジーの手に残る。「やだ!」人形をとり落とした。箱のなかで頭がもげた。

「びびってるのかよ?」デイヴがきき、リンジーの肩をつかんで流し目をくれたつもりらしいけれど、自分がおびえているようにきこえた。

「べつに」リンジーが肩をはらう。「ほかの場所をみようっと」わたしの手を握って引き寄せる。「新館部分をみせてよ、鍵の保管部屋」

一八〇〇年代の一角と、一九五〇年代の高層部分は一種のトンネルでつながっていて、トンネルは目分量でおよそ幅五メートル半、長さはフットボール場の半分ほどもあった。壁も天井も床も、すべてセメントとリノリウム製で、もの音をたてると想像どおりエコーがかかる。反対側に着くと、ジェイミーとデイヴは打ちあげ花火――デイヴが都合良く中庭でわたしたちにみせるのを忘れたロケット花火を、トンネルに向けて打ちあげると表明した。

「音が大きすぎるよ、デイヴ」わたしが抗議した。「警察はいまの時間だと一時間に十回ぐらい巡回してる」

「外からはきこえないさ」細身の花火をデイヴがとり出した。赤い頭部のついた黄色いチューブに、赤で〝ムーンストライカー〟、および〝A-11〟と書いてある。花火を点検し、それからジェイミーに一個渡すとジェイミーがリンズになにかいい、リンズが半笑いを返した。

「警察がやってくるかも」とわたし。「その花火を打ちあげたいんなら外へ出ようよ。建物の外で打ちあげればいいじゃない」

「なかでやるからいいんじゃないか」とデイヴが返す。「お前らはここにいろ、逃げなきゃいけないときに備えて。ふた手に分かれないほうがいい」まるで自分がなにかの権威で、わたしがパーティをぶちこわそうとしてるみたいないいかただ。もう決まったことのように、ロケットをリンジーに差し出した。「やるか?」

「やらない。鍵の部屋をキャムにみせてもらう。ここで待ちあわせるよ」

「別行動は最悪の手だぞ」デイヴがもういちどいった。

けれどリンジーはわたしの手をとり直し、どっちに行くか全然知らないのに進んでいった。わたしは好きにさせた。リンジーが手を離さずにいてうれしかった。男の子たちは六階下にいるのに、ロケットがセメントをこするくぐもった音が反響し、鍵の保管室にいるわたしたちに向かってやってくるようにきこえ、甘ったるい映画の主人公がファースト・キスをするときの効果音——ロケットが打ちあがり星が散らばる音みたいにひびいたときも、離さなかった。

前に、ジェイミーとわたしでこの部屋をみつけてあった。鍵の保管室。大量の箱がおざなりに山と積まれて傾き、なかには崩れているものもある。箱の中身はすべて鍵で、用務員が持ち歩くみたいなリングに鈴なりにつながれているのもあり、ジェイミーが放ってよこしたとき、とんがったちいさな金属のかたまりが当たって痛かった。おびただしい数で、たぶん建物すべての錠をひとつ残らず、指示を受けた医師や看護師や職員全員が退去の前にかけていった鍵。そして、湿った段ボール箱に収められたのち、六階の適当な部屋でくすぶっている。

「ここだよ」部屋に着くとわたしがいった。「異常じゃない?」

「うん」とリンジー。「そうだね」

まだ手をつないだまま、けれどもこのままなにもしなければ、ついに行動を起こさなければ、いまにもこの瞬間がすり抜けてしまいそうな気がした。

リンジーが動いた。「キスしたい」

「うん」わたしがいった。

そのやりとり、それにジンと暗闇が手伝って、夏じゅうずっとふたりのあいだに引っかかっていた行為にのぞんだ。リンジーはエキスパートで、わたしはリードをまかせ、その口は熱く、くちびるにはつやのあるオレンジ味のリップグロスが引かれていた。わたしのタンクトップをぎこちない動作のふたつみっつで脱がせ、自分のTシャツはもっとすばやく脱ぎすてる。わたしに重ねたリンジーの肌は、あたたかくてなめらかだった。両手でわたしを引き寄せ、ふたりのあいだにはすきまが存在しなくなる。壁に押しつけられた背中が電気のスイッチに当たり、リンジーの湿った口が体じゅうを触れ、そのとき体が離れた。

「ここから先はしたことがない」リンジーがいった。

「え？」わたしは荒い息をつき、体はそれまで経験したことのない欲望にほてり、そんな感じかたができるなんて、発見だった。

「つまりその、横たわってやったことはあるけど、ここどまりなの」

「わかった」手をのばしてリンジーを引き寄せる。

「それでもいい？」リンジーがきいた。

「うん」そう答える。それでよかったからだ。じゅうぶんだった。

第六章

『グリース』をくり返しみてなにかを学んだとすれば、いわずもがなの点——スカートをはいた健全なオリビア・ニュートン・ジョンのほうが、変身後のパーマをかけてレザーパンツをはいたオリビア・ニュートン・ジョンの十倍もホット——をのぞいて、学校がはじまれば、ひと夏の恋が、もっとも情熱的なものでさえあっさり終わりになりえるということだ。とりわけ、相手が千六百キロ近く離れた、本人いわく、フランネルのシャツを着てドクター・マーチンの靴をはき、カムアウトをすませ《out and》てプライドに満ち《proud》たレズビアンでいっぱいの、太平洋沿岸都市にある学校にあがるとなれば、なおさらだった。

カットバンクで開かれる州の水泳競技会へ、モンタナを横断する七時間の車旅——ルースがオールディーズのテープをつぎつぎにかけ、ふたりで〈レッドバインズ〉のキャンディを食べ、ほかの州が発行したライセンスプレートを眺める——のあいだ、リンジーとわたしのことを考える時間がたくさんあった。この競技会は、ふたりがさよならをいう日でもあり、高校へあがる前の最後の夏休みが終わる日でもあったので、両方が合わさって、若さに不釣り合いなノスタルジーを覚えた。

最初のうち新鮮に思えたのは、ふたりの増えつづけるいちゃつきレパートリー——マルタのプールわきにある遊び場で、青いトンネルすべり台に身を潜めてたがいのシャツを脱がせあう。スコビーの中等女子選抜でわたしが優勝した五分後には、〈スナック・シャック〉の裏口で、リンジーの舌がわたしの口に差しいれられる。雷雨でグラスゴーの地区大会が中断した一時間のうち、大半をリンジーのパパのキャンピングカーで雨風を避けて過ごすあいだ、水着の上半身を脱いでくっつきあい、おろした肩ひもがおのおののサスペンダーみたいにウエストにたれさがる――にもかかわらず、リンジーへの気持ちは真の恋ではなく、リンジーも同じだったという事実。ふたりともそれでよかったし、たぶんそのためにいっそうたがいを好きになった。

夏じゅうリンジーとしていた行為は、そのときより年下ですらあったアイリーンとわたしが共有したことのようには、なぜだか真剣味を感じなかった。アイリーンといっしょのときは、ふたりでやったり感じたりすることのどれひとつとして、単にふたりだけのものという以上に、大きなものの一部だといえるようなものはなかった。リンジーとのときは、すべてがそうだった。ゲイ用語を教えられた。女の子を好きになることが、「政治的」で「革命的」で「カウンターカルチャー」なのだと、自分が知るべきなのかもわからないいろいろな名前やことば、そのほかほんとうには理解できないことを吹きこまれもした。リンジーだって当時理解していたのかは怪しい――本人は認めなかったけれど。それまでは、そのどれをもちゃんと考えたことはなかった。女の子が好きだったのは、好きにならずにいられなかっただけだ。ある日自分の感情が、同好の女性たちのコミュニティとつながる権利をもたらすかもしれないなんて考えたことは、まちがいなくない。それどころか、〈讃美の門〉の日曜礼拝では、正反対の刷りこみをされた。女性同士のカップルが男とその奥さんのようにいっしょになれて、受け入れられさえするというリンジーの話を、どうして信じられるだろう？　同性愛《ホモセクシュアリティ》のよこしまな背徳行為について、クロフォード牧師がひどくいかめしい調子で説教するのをきいたあとで。といっても牧師が〝セックス〟ということばをきちんといったわけではなく、ほかのことばではさんだうえに、なおかつ〝ホモセクシュアリティ〟といえずに〝ホモ・セシュー・アリティ〟と発音し、それより単に〝病気〟とか〝罪〟といってすませていたけれど。

「神はその件に関し、はっきりと示されています」ゲイの権利向上運動が起き、東西沿岸地帯の片側で着実になにかが動きだしていて、『ビリングス・ガゼット』紙にまでニュースが届いたとある日曜の朝、牧師が説教した。「テレビで目にしたことにだまされてはいけません、この国の一部で病んだ動きが起きています。「レビ記」で、「ローマ人《びと》への手紙」で、聖書はくり返し、厳格に、かつ断固としてホモ・セシュー・アル行為を主へのまぎれもない冒瀆であるとしています」そのあと牧師はつづけて、不健全な生活スタイルに惹かれる人間こそが、キリストの愛をもっとも切実に必要としていると説いた。麻薬常用者、娼婦、心を病む者、それから深夜テレビで流している〈ボーイズ・タウン・ナショナル・ホットライン〉のコマーシャルで、みすぼらしいデニムジャケットと不潔な髪の役者が演じてみせる家出少年少女。ついでに、みなし子も混ぜたらどう？

説教のあいだ、木製の会衆席に座るわたしは灰色のクッションにとけこもうとした。となりにはルースが、敬虔《けん》ではあるがセクシーさも感じさせる日曜礼拝仕様のきらきらルースが、そばかすのある胸もとに繊細な十字架のネックレスを光らせ、マニキュアを完ぺきに仕上げ、ネイビーまたはプラム色の粋な教会用スーツに身を包んで座っている。わたしはおばさんがこちらをみませんようにとひたすら願う。顔はほてり、肌のちくちくするこの瞬間、ルースがふり向いてうなずくか、ビニール袋に入れてパースにしまってある〈ブラクス・アイスブルー〉ミントを差し出したりしませんように。

二度ほど、すでにわたしは教会に来ていて、自分を救う努力をしなきゃいけないらしかったので、しぶしぶながら、背教者のリンジーが、無垢だったわたしを堕落させたのだと想像しようとした。けれど、それで罪悪感がほんの一瞬減りはしても、完全には罪を着せられない。もし隠しごとがあったとしても、神には通用しないのを知っていた。犠牲者のふりなんてできるわけがない。進んで罪を犯したのに。

＊＊＊

バタフライ決勝のあと、リンジーとわたしはカットバンク市営プールの脱衣所で、個室の汚いカーテンのかげに隠れて激しくいちゃついた。塩素のつんとくる湯気とフルーツの香りのシャンプーで、なかはむせ返るようだった。ひと段落すると、リンジーは紫のラメ入りペンで日記の表紙にわたしの住所を書きつけた。「こんな東モンタナなんか、とっとと出なよ」小型の木製ベンチに腰かけ、わたしを引き寄せてタンクトップをたくしあげると、そのペンでキラキラする紫のハートを描いた。「シアトルは女の子が好きな女の子の集う町なんだよ」

「知ってる。六十二回はきいたもん――いっしょに連れてってくれる？」まんざら冗談でもなくきいた。

「連れていけたらよかったのに。でも、たくさん手紙を書くよ」こんどはハートのなかに色をぬりはじめ、ペン先がくすぐったくて気持ちよかった。

「ルースに読まれたくないなら、はがきは送らないでね」新しい、幸いすぐに消えるタトゥーを入れ終えたリンジーが、その真下に署名した。

リンジーは父親にもらったカメラをとり出すと、ふたりの正面にかざし、ベストな構図をさがした。真っ正面を向いたわたしのほおにキスをした写真を二枚ほど、むかしのスピード写真みたいに連続で撮り、でもそれから「キスを返してくれないの？」ときいた。

それでわたしはキスを返し、ふたりの個室でフラッシュが光り、わたしが女の子にキスをしている証拠写真が仕込まれた。リンジーはカメラをダッフルバッグにしまい、わたしはカメラに収められたフィルムについて考えた。ふたりの秘密を宿し、その誕生が約束された写真。

「お店で写真を受けとるとき、どんな気持ちがする？」自分が受けとる図を想像しようとした。〈フィッシュマンのフォト・ハット〉でひげ面のジム・フィッシュマンと向き合い、カウンターごしに封筒を渡され、お釣りをもらい、広いひたいをピンク色に染めたジムが、ふるえる手のなかの四六判の写真、女の子にキスしているわたしの写真なんてみなかったふりをする。

「シ、リ、ア、ルできいてるわけ？　とりに行ったら拍手喝采してくれそうな写真屋なんて十件以上あるよ。『でかした、ベイビー・ダイク（ダイクとはレズビアンのこと）』って」リンジーがでまかせ〝レズ話〟モードに戻る。夏のはじめにはうのみにしたかもしれないけれど、いまではちいさなほころびがみえた（それに加え、リンジーはしばらく前から「シリアス」という代わりに「シリアル」といいはじめ、完全にばからしいのに不思議と伝染した）。

個室から出ると、シニア部門の女の子たちが腕組みをしてシンクわきに固まり、なかにはまだ水をしたたらせた子も混じってわたしたちをみていた。わたしのチームの子はいなかったけれど、リンジーのチームの子がふたりばかりいた。とがめる顔つきで、冷笑を浮かべ、目をすがめている。わたしが最初に思ったのは、ふたりの背後をみているか、むかつく話を共有してくれるつもりなんだと信じようとした。リンズとわたしは上位成績者、しかもトップの選手で、それは常に、ある程度のステータスをもたらした。ちらりとうしろをふり返るだけで、自分のミスを悟る。

「いまここで着替えるなんて、ありえないね」集団のひとり、リンジーのチームメイトで、かしましいメアリー・アン・なんとかかんとかがいった。「ことしの夏はこれ以上視姦されたくないもん」

ほかの子が同意のしるしに鼻を鳴らして目をそむけ、これ以上みるのも耐えられないといわんばかりに、きこえよがしに「ダイク」とか「病気」とかささやきあっていた。

リンジーは彼女たちの前に出て、「ああそうかよ、くそ女」といい返しはじめたけれど、どうしめくくったのかは知らない。わたしはドアに直行してプールサイドに出、サンダルをぴしゃぴしゃいわせながら濡れたコンクリートの床を歩いた。暗い修道院のようなコンクリートの脱衣所から出ると、太陽は白く輝き、前方にみえるぼやけた輪郭に意味を与えようと目を細めながら、恥に似た感覚を覚えた——以前はろくに覚えたことのない感覚。それまでは自分のこと、自分たちのことに気づいた者はだれもいないというふりをするのが、なぜだかたやすかった。おたがい以外のだれかになにもいわなければ、それだけで、自分たちと神とそれから、たぶんその日とわたしの気の持ちようによっては、すべてを見通す両親をのぞいて、みんなから隠しておくにはじゅうぶんだと。

二十秒もすると、リンジーもプールサイドに出てきた。わたしの腕をつかもうとしたその手をふりはらい、だれかにみられていないか周囲をみまわす。だれもいない。プールサイドは競技会後のいつものかたづけでバタついていた。ローションで油ぎったライフガードたちが一般開放に備えてコースロープを巻きとり、コーチの騒々しい一団が表彰席を囲んで九色のリボンを厚いマニラ紙に仕分けている。リボンが九色なのは、その夏に連盟が七、八、九位のリボンを増やしたからだ。順に、パーリー・ピンク、ロイヤル・パープル、それと選手たちが呼ぶところの、うんこ色。

突っ立っているわたしに気がついて、テッドコーチが手をふった。リンジーがわたしの真うしろに来て、声を落とす。

「かっかすることないよ。あんなまぬけなくそ女どもなんか」

「あした飛行機で帰る人間がそういうのは簡単でしょうよ」いじわるになろうとすると同時に相手にすまなく思った。

「へえ、シアトルには同性愛嫌悪《ホモフォーブ》のひとがいないとでも思うの?」

「リンジーからきいた限りじゃ、いないね」

「おとなになんなよ」とリンジー。「サンフランシスコとはちがうんだよ。ここよりましってだけ」

「ほらね」小声で返すと同時に表彰席についた。モンタナを出ていくリンジーに、その瞬間、なにか、もしくはだれかに対してそれまでに抱いたことがないほど強く嫉妬した。

テッドは得意の勝利のにんまり笑いを浮かべていた。ライフガード用ミラーサングラスに、髪を乱し、〝バタフライ決勝を泳いだあとでいちゃついてきた〟わたしが映りこんでいる。コーチがずっしりして毛むくじゃらの腕をわたしたちふたりに回し、汗とビールのにおいがする体に引き寄せると、グッと抱きしめた。ビールは大きなプラスチックのコップから涼しい顔で飲んでいたが、三メートルおきに〝アルコール禁止〟の張り紙がしてある。「茶色のリボンには、お前たちは用がないよな?」

「ありません」まったく同じタイミングで返事する。

「もう少しでこいつを抜くところだったぞ、シアトル娘」コーチが腕の下でリンズを軽く前後に揺すった。

「最後のターンでやっと差がついた。これも、湖でサンショウウオと競争したおかげだな」

「あー、そうですね」コーチの拘束の下で、リンズがあまりあからさますぎないように肩をすくめる動作をした。

「五十メートルだったらリンジーがわたしを負かしてました、百じゃなくて」一種の「ごめん」のつもりでわたしがいった。

テッドが肩をすくめる。「かもな。五十じゃなくて助かったな」

リンジーのコーチがテッドにリレーメンバー表づくりのことをたずね、わたしは重たくて熱いコーチの腕の下で、ある種奇妙な、守られているという感覚を覚えた。あの子たちがいったこと、これから先いうかもしれないことから、テッドがわたしをつかまえていてくれる限り、安全だというような。この場にぐずぐずしていたのは、リンジーとまたふたりきりで帰りたくないのもあった。それは、さよならをいう時間が訪れたことを意味した。

金網の向こうの芝生で、うちのチームの青い防水シートの下にいるルースおばさんがみえた。ルースはうちの水泳チームのくだらないグッズをぜんぶ集めていた——タオル、バックパック、毛布とローンチェア——きちんとコンパクトにまとめてピンク色の〈サリーQ〉クーラーの上に置き、わたしを待つあいだ、がまん強く、スナックのスタンドから買ったレモネードをすすっている。ママは決して、わたしの覚えている限り、がまん強くはなかった。それどころか正反対だった。あそこでシートの下にひとり、プールサイドのにぎわいをにらむようにしてみているルースが、すごく気の毒になった。あらゆる競技会のおともを毎週、夏じゅうつとめ、それなのにわたしはいちどもろくに話もせず、話したときにはぜったいに本音をいわなかった。

「来年の夏は戻ってくるのか、シアトル娘?」テッドがリンジーに訪ねたとき、いまでは着替えをすませたメアリー・アンとその一行が、脱衣所からテーブルのほうへ歩いてきた。

「たぶん。パパが来年の夏はアラスカで過ごすかもしれなくて、だからわかりません」話しながら、リンジーはメアリー・アンが自分のコーチに話があるかのように、さも理由があるふりをして近づくのを目で追った。

「アラスカだと?」テッドが首を横にふる。「アラスカで泳ぐなら、氷山をよけなきゃな」

メアリー・アンがそのことばにふり向き、まるではなから会話の一部だったようにいう。「それほんと、リンジー? あんたとキャメロンにはダメージが大きいんじゃないの。だってふたりは大の親友なんでしょ」

「お前のチームへのダメージのほうがはるかにでかいだろ」テッドが返し、それはリンズかわたしがそのときにいえたどんな文句より効果的で、そばに立つ二、三人のコーチがくすりとした。つづいてテッドはわたしを引き離し、自分に向きあわせる。「でもどうなんだ、キャム。となりのレーンにリンジーがいなくても、スピードを維持できるか?」

リボンのテント全体が、わたしの返答を待っているようだった。テッドとメアリー・アンと、わたしがろくに知らないコーチたち、それに、リンジーですら。たぶんテッドの質問を深読みしたのはわたしだけだろうけれど、緊張した。

「パトリック・スウェイジに教わったことを思い出すようにしています。いざってときまではひとに優しくしろって」

テッドがわたしの肩にパンチをするまねをして、コーチの大半が笑った。「それはダルトンのセリフだ、スウェイジじゃないぞ。ダルトンはワルだ。スウェイジはまぬけさ。『ロードハウス』をみてもいい年齢じゃないはずだぞ、たしか」

「そういうことにしておきます」わたしの返事にメアリー・アンが目をぐりっと回したけれど、自分のリボンをとって離れていった。

＊＊＊

プールの駐車場で、リンジーは父親にバッグを預けると、ルースとわたしに手を貸して〈サリーQ〉製品をぜんぶ、六月のはじめにルースが選んだ白いフォード・ブロンコの荷台に、軽々とのせた。ジェイミーは早速ルースの新車に〝胎児カー（Fetus Mobile）〟、略してFMというあだ名をつけた。ルースが後部バンパーに中絶反対ステッカー二枚（「中絶反対派のもと胎児」と「中絶の権利は命を**奪う権利**」）をそろえて貼ったためだ。ルースはLM（Life Mobile、中絶反対車の意）のほうがより適切だと提案したけれど、それではしゃれにならない。

「バンパーギャラリーに新作が展示されたら教えて」リンジーが耳もとでいい、ルースはクーラーから〈シャスタ〉ジュースを二本とり出してハッチを閉じた。

「じゃあね、リンジー」とルース。「とびきりの学校生活を送れるといいわね。必要ならキャミーにコレクトコールしてちょうだい」

「ちょくちょく電話すると思います」ルースが引き寄せて抱きしめたとき、リンジーが両方の眉をあげてみせた。リンズはスパゲッティ・ストラップのタンクトップを着て肌をほとんど露出させており、背中に冷えた炭酸ジュースを押しつけられると悲鳴をあげた。

「まあ、わたしったら」ルースが体を引いて、ときどきやるように照れ笑いをする。「シアトルにつららを送り返すつもりはなかったのよ」ルースはいちばんいいひとのときが、いつもいちばん恥ずかしい。「あんまりむちゃしないでね、いい？　キャミー、帰りにガソリンスタンドに寄るのを覚えておいて。うっかり通りすぎちゃいそう」運転席のドアを開け、座席と炭酸ジュースと運転中に着る定番セーターの位置を整えると、やっと、とうとう車にのりこんで、わたしたちをふたりきりにした。

ルースおばさんが待ち、おそらくはバックミラーでこちらをみまもり、リンジーのパパが待ち、ピックアップトラックによりかかって短くなったタバコを吸い、そこまででわたしたちは貴重な残り時間をずいぶん消費してしまった。

モンタナにはありがちな八月の午後、重たい灰色の積乱雲が映画みたいな青空をかげらせ、空気の肌触りと日射しの色の変化が土砂降りの到来を告げている。おそらく二十分後には嵐が来ようというただなかにわたしたちはいた。それはまだ兆しというにすぎないのに、進路にあるあらゆるもの――プールの上に掲げられた色とりどりのターンフラッグから、油のにじむ駐車場の水たまりから、角の〈バーガー・ボックス〉から漂ってくる揚げもののにおいまで――がその兆しのうちに、いっそういきいきとなる。

そんな世界にふたりは立ちつくし、長いあいだそうしていたように感じた。なにかいおうとした瞬間にリンジーも同時に口を開き、それでふたりで豪快に笑いあい、もうしばらく立ったままでいた。

「ほんとうに手紙を書いてね」とうとうそういって、わたしはリンジーにすばやくぎこちない抱擁をした。むかし、まだちいさいころ、クラスの最終日に先生たちにしたみたいな抱擁。わたしのうしろにやはり抱きしめてもらう順番を待つ生徒の列ができ、そのあいだずっと、全員がもじもじしていた。

幸い、リンジーはレズビアンの強がり癖《へき》をみせて抱きしめ返し、「家に帰ったら速攻でミックステープをつくるよ」といったあと、わたしを引き寄せてもういちど抱擁を、ほんとうのやつをした。「シアトルに遊びにきなよ。そしたら最高」

「うん。きっと行く」

そしてそれから、リンジーは父親のもとへ走っていった。わたしはリンジーの逆立ったホワイトブロンドの髪が、ぱたぱたいうサンダルに合わせて揺れるのをみまもった。雲は早くも近くに迫り、駐車場は一分前より一、二段階暗くなった。

第七章

〈讃美の門〉主催による労働者の日《レイバーデー》ピクニックが終わるころには、レイ・アイズラーは正式にルースおばさんとデートしていた。気づいたのは、ジェイミー・ラウリーだ。週末を母親のもとで過ごし、そのためピクニックを強制参加させられたジェイミーが、レイの求愛現場を目撃した。わたしたち〈ファイヤーパワー〉の一員はたいてい、折りたたみ椅子を教会に運び入れるか、午後の大半を過ごして散らかしたちいさな四角い芝地から、べとつくプラスチックのカップを拾って回るのに忙しかった。ところがジェイミーはひとりで手伝いをさぼり、代わりにデザート用のテーブルに放置されたままのぼそぼそに乾いたパイから、クラストの厚いかたまりをはがしていた。かたまりをそり返らせ、したたるブルーベリーまたはチェリーまたはリンゴのフィリングで、はがれやすいラードと小麦に多少の甘みを与えたのち、おもむろに口に放りこみ、つぎのにかかる。

十分ばかりそうしていると、大きな電気コーヒーサーバーを抱えたわたしが前を通りがかり、パイのフィリングと、教会の女性陣手づくりのクラストをほおばった口でもごもごと声をかけた。「だれかさんはルースの冷凍庫をいっぱいにしたいらしいぜ」

なにをいってるのか、おぼつかない。「いきなりなんの話?」わたしはコーヒーサーバーをテーブルのはしに押しつけて、バランスをとりながらきいた。

ココナッツクリームパイをほおばり、目はテーブルのパイに向けたまま、終わりかけた〝友愛のたき火〟を囲む減りかけた人垣のほうへ、ジェイミーがぞんざいにあごを突き出した。「レイは午後じゅうずっと

『トップガン』ばりのモーションをルースにかけてた」

キャンプファイヤー独特の明かりがレイとルースを自分たちのシルエットに仕たてていたものの、確かにふたりはそこに、ひとりがけ用の丸太のベンチに並んで座り、たがいに相手に夢中なようすだった。レイは牧場主ではないものの、ときどきジーンズとバックルを身につけるような、マイルズシティによくいるタイプの中年男性だ。短く刈った黒髪、太い眉、上背はなくてカウボーイブーツをはいてもせいぜい百七十五センチ程度の痩せ型。穏やかな声の持ち主で、愛車のピックアップトラックには内も外もしみひとつない。いつもはレイの存在を意識したことはないけれど、青いスラックスと青いシャツと青い野球帽の制服姿のときはべつで、〈讃美の門〉の集まりに職場から直行する場合は、制服のままで来ることもあった。でもきょうはちがった。

「なあ、もしレイがルースと寝るようになったら、オレンジのプッシュ・ポップアイスを調達して来てくれよ。あれはくそうまいからな」とジェイミーがいうと、そばでキャセロールの容器を回収していた母親からけわしい目でにらまれた。

ジェイミーがいっているのはレイの仕事のことで、〈シュワン〉の従業員のレイは、東モンタナじゅうに冷凍食品を配送している。アイリーンの両親は地下室に大きな冷凍庫を備え、〈シュワン〉の食品を大量に保存していた。ピザ、春巻き、チキンナゲットなどの食品が、時間の経過とともに冷凍焼けし、青白くてかたい霜を降らせながら、プラスチックのさやから出されてオーブンに入り、ふたたびほんものの食べものにしてもらうのを待っている。冷凍食品には、ちょっとした思い入れがあった。『ケアベアズ・バトル・ザ・フリーズマシーン』のビデオをレンタルして（小学二年生のころから久しぶりに）みなおしたところだったからだ。コールドハート教授と手下のフロストバイトが町じゅうの子どもたちを凍らせて、ケアベアの二匹を氷のブロックにしてしまうけれど、ベアのあたたかい心でとかし、町には平和が戻ってくる。歩道の敷石なみにかたくて手をやけどするほど冷たい箱に入ったチキンレッグやポットパイから、実際に食べられる夕食をつくり出すなんて、ちょっとした魔法に思えた。

「ルースがレイと話しているところすら、いちどもみた覚えがないけど」とりわけ散らかったストロベリー・ルバーブのひと切れに、ジェイミーがタッパーウェアに入ったホイップクリームの残骸を注意深くのせるのをみまもる。

「まあ、きょうで挽回したんじゃねえの。めろめろみたいだぜ」

最後のケーキをふたくちであらかた食べ、こげのこびりついた皿を母親から受けとると、口をもごもごさせながら「朝の五時半だぞ、ＪＪＫ」とかなんとかわたしに声をかけたあと、車までのし歩いていった。

ジェイミーはわたしを〝ＪＪＫ〟と呼ぶ。有名陸上選手だったジャッキー・ジョイナー＝カーシーの頭文字で、それというのも数週間前にクロスカントリーのシーズンがカスター高校ではじまったせいだ。クロスカントリーのチームに入る気はなかったけれど、ジェイミーに引きいれられた。水泳シーズンが終わり、リンジーとの仲も終わったあとに、〈ファイヤーパワー〉以外の居場所ができ、ついでに学校で感じる疎外感も減った。夏じゅうみっちり走りこんだ部員もいたけれど、ロセットコーチがいうところのわたしの〝水泳肺〟のおかげで、集団についていくのは楽勝だった。

コーヒーサーバーを教会のキッチンに持っていくと、金属製の大きなシンクにためこまれた食器を洗う女たちでにぎわっていた。みんなが満腹し、たわいないことに笑いさざめいている。〈讃美の門〉でいちばん好きな光景だ。礼拝後の、祈りの輪や聖書研究や〈ファイヤーパワー〉の集まりのあと、だれもが活力にあふれ、たぶん少々シュガーハイになり、毎度のように説教でとりざたされる悪意とか罪とか恥とかの、わたしを赤面させるもろもろの行為に関する話はもうおしまいになったこのときが。

サーバーは食料庫の奥にある棚にしまう決まりで、しまい場所をみつけたあとは、しばらくそこに潜んで女たちのたてる音をきいていた。なべとフライパンがぶつかりあい、水がはね、食器ふきが手渡される。この場所で幽霊になり、みえない存在になるのが好きだった。一部には、マーゴットからきいた話――彼女のお兄さんとママが、教会の食料庫でキスをしたむかし話の影響だと思う。でもそれはまた、背の高い棚にきちんと並んだ食器と、〈パインソル〉洗剤のにおいが、不思議と安心感というかあたたかみというか、すべからくなにごともなし、という気持ちを与えてくれるからでもあった。食料庫の手前に行事予定表の貼れたちいさなコルクボードがさがっていて、九月は毎日少なくともひとつ、なんらかの集まりがあった。「ワンランク上の気づかい」「ママたちのサークル」「ソンライトホームスクール」「パパたち集まれ」などなど。だれかがカレンダーのとなりにとめた缶バッジには、パン一斤の写真と〝命の糧《かて》――足りていますか?〟という文言が添えられている。

事故の二カ月前、パパが三百五十ドルするヒタチ製のパン焼き機をとうとう買った。カタログでみかけてずっとほしがったのに、ママは「必要ない」し「ばかみたい」だといって承知しなかった。パン焼き機に大枚をはらうはらわないでひとしきりやりあったあと、パパは独断で買った。それからパンをたくさん、一週間でいっぺんに、さも実際にこいつを使い倒しているぞと証明したいためだけみたいに焼いた。ぱりぱりのサワードウや、もちもちの全粒小麦粉入りパンを焼くと、家じゅうにいいにおいが漂い、パパは鼻高々でバターの容器とはちみつの入ったプラスチックのクマを持ってフロントポーチに座り、わたしといっしょにほかほかのパンを食べたけれど、ママは加わろうとせず、わたしの知る限りではひとつも食べなかった。でもそれからパパがシナモンブレッドを焼いて、これまででいちばんいいにおいをさせ、けれどそれはママのためだけに焼いたもので、たぶん「ごめんね」のしるしに、博物館に持っていった。うまくいった、と思う。パパはそのあと、しょっちゅうパン焼き機を使う必要がなくなって、戸棚に場所をあけてしまいこんだ。わたしはお葬式まで思い出しもしなかったし、お葬式以前に思い出すこともなかったけれど、まだそこにあるはずだ。

手をのばして〈命の糧〉バッジをとると、鋭いピンをホルダーにかけて、ショートジーンズのうしろポケットにすべりこませる。ドールハウスの屋根裏部屋行きだ。わたしはそのとき泣いていて、食料庫のなかで、なぜかはっきりとはわからないまま、両親が恋しくてたまらなかった。ふだんはかなりうまく頭から追いはらっていられたのだけれど。

だれかがキッチンでコップを落とした。ガラスが割れて散乱する音がする。みんなが笑い、「やったね」とか「さすがのドジぶり」とか「聖体拝領のワインをがぶ飲みしてない?」とか、大声で騒いでいる。それを合図に、Tシャツのすそで顔をこすり、気をとり直した。

いまはなにものっていないデザートテーブルのところでルースと会うと、火のそばにずっと座っていたために目が赤くなり、髪の毛が乱れていた。こんなに若々しくみえるルースはずいぶん久しぶり、例の事故以来はじめてだった。

すぐうしろに立つレイは、家からポテトサラダを入れてきた小麦粉色のストーンボウルを抱えている。コロラドに家族旅行に行ったとき、ちいさなギャラリーで両親が買ったものだ。レイが持っているのを奇妙に感じた。とくにいやだったのではなく、ただ妙な、ちぐはぐな感じだった。

約束どおり、早くも中間試験の前に、リンジーは感想やそのとき恋している相手について、毎回ラメ入りペンで書きつらねたノートのページを二十通は送ってきた。それに、ぼろぼろになった『ルビーフルーツ・ジャングル』という小説の本、LGBT雑誌『アドボケート』のバックナンバーを不ぞろいで数冊、曲ごとにちがう色で書いた厚紙のライナーノートを添えたミックステープを十数本。テープ以外はすべてマットレスの下に隠した。ティーンの男子が、ジェイミーをふくめ、ポルノ雑誌をそこへ隠すのを知っている。テープはウォークマンに入れて、クロスカントリーの練習中にすりきれるほどきいた。

* * *

わたしたちは三本のちがうコースを走った。一本目はダウンタウンコースで、バーと銀行と〈長老派教会〉を通りすぎ、それからファストフード店とモーテル、〈讃美の門〉の墓地のあたりを通り、学校に戻る。二本目は催事場と、スポッテッド・イーグルを一周する。いわゆる自然保護区のスポッテッド・イーグルには、にごったボート池があり、血中アルコール濃度の許容範囲を大幅に超えたカップルが、テープデッキで音楽をかけ、カーセックスにいそしむ場所だった。三本目はフォート・キオフ。マイルズシティそのものぐらい古い軍事基地兼農業研究施設で、実際に、ネルソン・A・マイルズ将軍（町名の由来）率いる軍隊が最初に駐屯したのと同じ敷地に建てられている。

いずれのコースも見知らぬ場所ではないけれど、音楽をききながら走るとすべてがちがってみえた。一八〇〇年代に建てられ屋根の陥没した白しっくいの銀行を、ギャングスタ・ラップをききながら走る。〈ＪＣ

ペニー〉や〈アンソニーズ〉のショーウィンドウ——セーターや冬もののジャケットを着て、スカーフやミトンを身につけたマネキンと、床に散らばる模造の葉っぱ——の前を早朝のまだ暗い時間、ライオット・ガールをききながら走る。厳密にいえば、練習中に音楽をきくのは禁止だった。けれどチームに入った当初、わたしは思わぬボーナス扱いされ、それまでに出た競技会はぜんぶトップテン入りしたのに加え、リン・ロセットコーチは女の子が好みだといううわさも、わたしに有利に働いたのではと踏んでいる。

特別扱いについては、大きなトラブルを引き起こす可能性、うわさがわたし自身の〝好み〟に飛び火する危険性を、もっとよく考えるべきだったかもしれない。けれどリンジーがつくってくれたミックステープをききながら走るのは、単純に爽快だった。曲は問わない。プリンスとR.E.M.のときもあれば、4ノン・ブロンズとビキニ・キルだったり、ソルト・ン・ペパーとア・トライブ・コールド・クエストのときもあった。

また、カスター高の休み時間にもヘッドホンをして廊下を歩き、自習時間にはトイレやロッカーに行くときですらしていた。下を向き、曲に耳を傾けながらもの思いにふけり、マイルズシティに存在する高校とどこかべつの世界に、半分ずつ心をさまよわせる。十月のあの日、まさしくそんな状態のまま生徒指導室の角を曲がったとたん、コーデュロイのパンツと高価そうなローファーをはいた女の子にぶつかった。視界に入ったのはそれだけで、顔をあげて「ごめん」とつぶやくと、アイリーン・クロースンをみつめていた。

「うそっ」思わず声が出て、口をあんぐり開けた。ヘッドホンを耳からとって首にかける。音楽はまだ鳴っていて、くぐもった音を発した。

「あら、キャメロン」アイリーンは完全に態勢を立て直したらしく、それともはなから乱したりしていなかったのかもしれない。腕を組んで半笑いを浮かべさえし、余裕の笑みのようにもみえたが、どっちつかずだった。

どうやら抱擁しあうタイミングを逃してしまい、そのためふたりしてたがいに向きあいながら突っ立っていた。アイリーンとは引っ越した最初の年のイースター休みから会っていなくて、そのあとは、まとめて置き去りにされたわたしたち全員で手紙を書き、アイリーン・クロースンになるのはどんなにすてきなのかをたずねると、期待どおりのまぶしい答えが返ってきた。夏には会えると思ったのに、アイリーンはちゃらちゃらしたキャンプの指導員見習いをしに、東海岸へ行ってしまった。手紙のやりとりは二、三度きり、それも、引っ越した直後の、たぶんアイリーンがちょっぴり孤独だった時期だけで、けれど手紙にさびしいと書いてきたことはなかった。

アイリーンは背がのびて、でもそれはわたしもだった。青いポロシャツにセーターを正真正銘胸もとで結び、薄暗い廊下の蛍光灯の下でさえ、ダイヤのスタッドイヤリングがきらめいている。髪はなじみのないやりかたでうしろにまとめていた。わたしは去年の州の競技会でもらった長そでTシャツに、ウォームアップ用のストレッチパンツ、無造作にまとめたポニーテールというかっこうで、二年前に家の前で別れたときの、年をとって背がのびたバージョンでしかない。けれど離れているあいだに、アイリーンはおとなのアイリーンに成長したみたいだった。

「なにしに戻ってきたの?」

「メイブルックは秋休みがあるの。友だちはみんなロンドンに行って、わたしも行くはずだったんだけど、フランク先生が科学の授業に来て発掘の話をわたしにしてほしいって親に頼んだのよ」

「父親をよこしたら、航空券をむだにせずにすんだんじゃないの?」思わずむかしの競争心が戻ってくる。

アイリーンがわたしのうしろのだれかに手をふった。「パパはすごく忙しいし、あんまり人前で話すのがうまくないの。わたしのほうが生徒は親しみを持てるしね」間《ま》をとって、いおうかどうしようか迷っているようだったけれど、結局いった。「そもそもうちは、飛行機代を気にする必要がないし」

「そりゃあいい身分だね」

「うん」とアイリーン。「いい身分だよ」

そこで終わりになる気配を、アイリーンがわたしのうしろの廊下に視線を向けつづけ、磁石が反発するみたいにわたしから体をそり返らせるようすから察し、けれどわたしは行ってほしくなかった。だからたずねた。「発掘のほうはどうなってるの？　そういえば」

アイリーンは質問を無視したか、きこえなかったか答える義務はないと判断した。「ママがいってたけど、新聞のスポーツ欄にいつものってるって」

「うん、まあね。まだ馬にのってる？」

「一週間毎日ね。学校に厩舎《きゅうしゃ》があって、キャンパスから森に抜ける小道がのびてる」アイリーンが髪を手ですき、その動作が彼女の母親を思わせた。「ボーイフレンドのハリソンものるよ。というか、ポロ選手なの。すごく優秀なんだよ」さりげない口調で〝ボーイフレンド〟といおうとしたが、それが通用するにはふたりのあいだにいろいろありすぎた。

「ほんとに彼氏の名前、ハリソン？」わたしは笑ってきいた。

「そう」また構えた姿勢に戻る。「なにがそんなにおかしいの？」

「おかしくないよ。だけどいかにもポロをやる金持ち男の名前みたいにきこえる」

「だから、実際金持ちでポロをやるんだって、いったじゃない。わたしもキャメロンのボーイフレンドの名前をからかってやりたいけど、ほら」――少し近づき――「いないんでしょ？」

「いるよ、実をいえば」わたしは笑顔をつくり、ミスを挽回しようとした。「偶然だけどやっぱりハリソンていうの。それにポロをやってる」受けなかった。

「好きにいってれば」アイリーンはそれ以上わたしをみもせずに、指導室に質問かなにかをしにきた子に興味があるふりをした。「もう行かなきゃ――ママが外の車で待ってる」

「うん、行きなよ」とわたし。「今週のいつか、電話して」

「たぶんね」そう返事をするだろうと思った。「ほんとに忙しいんだ」

それからアイリーンは自分の新しい血筋を思い出したとみえ、ビクトリア朝時代を舞台にした映画に出てくる登場人物がやりとりする形式ばった手紙を読みあげるような口調で、こうつけたした。「会えてよかったわ、キャメロン。おばあさんとおばあさんによろしく伝えて」

「ああ、その、了解」とわたし。「変なの」けれどアイリーンはもう歩きはじめていた。

アイリーンのブーツが歩くたびにたてるカチャカチャという音を、まだ覚えていた。その音は足の運びかたの加減でたち、いつもアイリーンとセットになった独特の音だった。けれどローファーの靴は反射する廊下を歩いても、こつんとも音をたてない。まったく。ほんのかすかにすら。

＊　＊　＊

ルースおばさんが〝シュワン・マン〟ことレイとセックスしているのに気がついたのは、このころだ。とある午後、ふたりの声がきこえてきた。ルースはわたしがジェイミーと外出していると思ったけれど、実際には自分の部屋でドールハウスの飾りつけをしていた。〈ベン・フランクリン〉の店からメタリックのラメの小びんとデコパージュ用ののりを万引きし、一セント銅貨を何枚も肥育場わきの線路に置き、金属のしみになるまでぺしゃんこにしたのちラメですきまを埋め、厚ぼったいじゅうたんをつくって屋根うら部屋の床に敷いていく。ビデオデッキで『イーストウィックの魔女たち』を再生し、音量は落としていた。

ドールハウスを飾りつけているときは自分の世界に入りこむため、ルースはときどき、三回わたしを呼ばないといけないくらいで、そのため最初にうめき声に気づいたときは、シェールかスーザン・サランドンの声だと勘ちがいし、ところがテレビ画面をみたらジャック・ニコルソンが大きな屋敷でひとり、大げさな演技で復讐を誓っている。レイとルースがはめをはずしていたわけではないけれど、でもそれはセックスで、特有の音をたて、ふたりの上の部屋にいるわたしに届いた。ききたくはなかった、でもわたしの存在に気づいてほしくもなかったので、作業を再開し、ともかくできるだけつづけ、ふたりが終わるのを待ち、両親のもと寝室で実際のところなにが起きているのかは想像しないようにした。

レイはいいひとそうだった。モノポリーが好きで、おいしいポップコーンをつくり、〈シュワン〉の製品をせっせとうちに貢いでくれた——高級カニ足のたぐいまで。レイとルースは行商で走る東モンタナのひび割れた幹線道路の情報交換をするのが好きで、わたしはふたりがくそみたいな話を交わせる相手をみいだしてうれしく思った。ときにはキャラバンを組んで、特定の町へくり出しさえした。

ことがおさまり、だいぶたってから下におりていくと、カウチに座るふたりがアフガン織りの毛布をかけて、フットボールの試合をみている。

「あら、キャミー」ルースがいった。「いま帰り?」

そうだと答えることもできたけれど、無意味に思えた。どっちかといえば、セックスをしているとわかったとたん、ルースがより生身の人間らしくなった。この二年、おばさんはだいたいにおいてわたしの人生に圧力をかける両親の肩代わりでしかなく、わたしには決して届かない高い基準の持ち主だった。婚前交渉にのめりこむルースならば、たぶんわたしにも理解のおよぶ人間のはずで、それでわたしは「ううん、部屋で宿題してた」といった。

レイがせきばらいをし、短く息を吸う。テレビから目を離しはしなかったけれど、ビール缶のタブをいじりはじめた。

「上にいるなんて知らなかった」ルースが読みがたい顔つきをした。赤面はしておらず、あまり恥ずかしがってはみえないが、いつものルースともちがう。

「うん。いた」ことばをそこに、宙ぶらりんにしたまま、冷蔵庫に行って〈プッシュエム〉をとった。少しだけ、当然の報酬のような気がした。それからふらりと下におり、おばあちゃんの部屋に行った。おばあちゃんは大きなリクライナーに座り、レイのためにレイが選びそうな色のアフガン織りの毛布を編んでいた。青と黄色のカスター高カラーだ。

「おや、かんしゃく持ちが来たよ」おばあちゃんが顔をあげ、老眼鏡ごしにわたしをみた。「うれしい珍客だね」

わたしはカウチに沈みこんだ。「きのうの晩ごはんのとき、いたじゃない。今朝はキッチンで会った。それから――」

「わかったわかった、おりこうさん」とおばあちゃん。「意味はわかってるだろ」

「うん」わかっていた。ずいぶん長いこと、ほんとうにはいっしょに、ふたりだけでなにかをやっていない。

「それで、話はなんなの？」いつもそうきいてくる。

「なんにも」紙のチューブから、オレンジシャーベットの残りを押し出した。

「たいくつするのはたいくつな人間だけなんだよ」

「わたしはたいくつな人間なのかも」

「いちどもそう思ったことはないけどね。あそこのネイビーをとってくれるかい」わたしの足もとのバスケットに入った編み糸のロールを、おばあちゃんは編み針で指した。「とるときに床にそいつをたらさないで」わたしは〈プッシュエム〉を口に入れたまま、ロールを手渡した。

しばらくふたりはただ座って、ラジオの農業レポートをきいていた。

「レイはまだ上にいるのかい？」そのうち、おばあちゃんがきいた。

わたしはうなずいた。「晩ごはんまでいるんじゃないかな」

「あのひとをどう思う？」

「さあね。いいんじゃない」とわたし。「いいひとそう」

「まさにそのとおりだと思うね」とおばあちゃん。「いいひとそうだ。働き者で。お前の両親が結婚した当時にルースがつきあってた男たちときたら、口ばっかり達者な手合いで、ルースはただのお飾り扱いだった。でもこんどのは長つづきしそうだ」

「早くない？」まだそこまでちゃんと、ルースおばさんの先ゆきなんて考えていなかったと思う。本人はどんな将来設計をしているのかなんて。「まだつきあいはじめたばかりだよ」

「まだじゃないよ、はねっ返り。ルースの年になるとね。お前と同じぐらい生活が一変したって、忘れてるんだろ。あの子にはほんとうによかったと思うね」

「それなら、わたしもうれしい」本心だった。それから、ぽろっと口から出た。「こないだアイリーン・クロースンを学校でみた。おばあちゃんによろしくって」

「こっちでなにしてるんだい？」

「里帰り。秋休みなんだって。もう帰ったんじゃないかな」

「うちに呼べばよかったのに。顔をみたかったよ。お前たちは切っても切れない仲だったじゃないか」

「もうちがう」ふたたびみじめな気持ちになる。ふたりは廊下で会った、あのときに終わったんだ。けれどおばあちゃんが「そうだね、親を亡くしてから、だろ？」といった。

「それだけじゃないよ、おばあちゃん」

「そうだね」とおばあちゃん。「それだけじゃない」

＊＊＊

コーリー・テイラーは、アメリカ学校農業クラブ連盟（FFA）の青いジャケットをいつもはおってファームショップにたむろしている牧場娘たちとはちがう。ファームショップというのは全金属のプレハブ校舎のことで、教職員用の駐車場にひょっこり建っている。そこでは農業実習が行われ、生徒はトラクターを操り、穀物にとりついた菌を特定し、たくさん悪態をついた。ファームショップの女の子のなかには、実際にはわたし同様に牧場には縁のない子も混じっていて、そのためホイールキャップ大のぴかぴか光るバックルをしめた彼女たちが、昼休みにはセスとエリック――〈ナショナル・ファイナルズ・ロデオ〉の未来のチャンピオンにして、わが校の半神《デミゴッド》――のピックアップトラックにのりこみ、フェラチオのサービスをしてハンデを過剰に埋めあわせた。

コーリーに、カウガールをとりつくろう必要はなかった。正真正銘のほんものだった。毎朝家の牧場から町まで六十五キロ超の距離を運転し、放課後また戻る。幼稚園から八年生まではスネークウィードのかたいなかのちいさな学校に通い、十二人中一位の成績だったけれど、その後スネークウィードの高校課程が廃止になり、十二人全員がうちの学校にあがってきた。

一年生の新学期、生物のクラスでコーリーといっしょになった。うしろのテーブルに陣どったFFAの子たちに誘われても、コーリーは応じなかった。教室の手前、真正面のテーブルに座って解剖方法について知的な質問をいくつもし、わたしは学期じゅうコーリーの髪から夏のハイライトが抜けていくのを眺め、自然に少しカールしたその髪からは、シャクヤクとドジョウツナギのにおいがするだろうかと想像して過ごした。コーリー・テイラーの髪の毛のにおいを想像して、たくさんの時間を過ごした。

コーリーが上座に座るテーブルにはふたりの生徒会役員がいて、そのうちのひとりブレット・イートンは、宇宙飛行士の募集広告に出てきそうな、さっそうとした整った容姿の持ち主だった。しかもほんとうにナイスガイで、まずまずのサッカー選手でもある。ハロウィーンまでにふたりはカップルになったけれど、そのときはカーソン先生の目を盗んではかみタバコの〈コペンハーゲン〉のかたまりをはき出す、うしろの席のカウボーイたちほどにはむかつかなかった。

クリスマス前の十二月のある日、コーリーとコーリーのママが〈讃美の門〉に加わった。この時期は、毎年迷い子たち（おばあちゃんもふくめて）が二回か三回ほど日曜礼拝に戻ってきて、クリスマスのつとめを果たした気分になる。混みあった礼拝中はテイラー親子に気がつかなかったけれど、わたしが〝コーヒー聖餐式《せいさんしき》〟と呼ぶ、六十歳以上の信徒、それに新参者は強制参加の親睦会用に、砂糖の粉をふりかけたドーナツを並べていると、テイラー母娘がやってきた。コーリーとママは、おばあちゃんいわく、「すごく目立つ」存在だった。事実、ひと目を引いた。ふたりとも身長百七十七センチぐらい、スリムではあるが痩せぎすではなく、タートルネックセーター――コーリーは黒、ママは赤を着ていた。シンディ・クロフォードがまだ雑誌の表紙を飾り、エクササイズビデオをつくり、MTVでださい番組の司会をしていたころだったけれど、わたしだったらほくろで有名なスーパーモデルより、その朝の集会ホールでみたコーリーに鼻の差で軍配をあげただろう。

ペーパーナプキンを扇状に広げる作業（ばかみたいだった。わたしのつくった半円の風車をルースが実質ぜんぶやり直したから）に移ったころ、コーリーがわたしに気がついた。というよりわたしに気がついたコーリーに、わたしが気がついた。母親のすぐうしろに立ち、特大の笑みでわたしにストロボ光線を浴びせた直後、年のいった牧場雇われ人の独身男がのし歩いてきて、コーリーのほおにキスをした。コーリーの母親に移ったとき、男のフランネルシャツのそでごしにコーリーの顔がのぞき、わたしにウィンクをよこした。ほかの人間、その牧場雇われ人か、残りもののドーナツをコミュニティカレッジの寮へ持って帰ろうとまわりをうろついている男子あたりがウィンクをよこしたとしても、予測がついたし、うざいと思っただろう。

孤児のおてんば娘にしてみせるウィンクだからだ。でもコーリーのやりかたは、わたしたちがすでになにかの秘密を共有しているように感じさせた。

コーヒー聖餐式でなければ、ティーンの同級生がもっとたくさんいたはずだ。もっと、コーリーと親しいとり巻きが。〈ファイヤーパワー〉には当時で九十人強のメンバーがいた。でもあの朝、集会場で目下軽食をとっている二十歳以下の子たち、すなわち、一時間半じっと座っていた礼拝から解放され、喜び勇んで走りまわる小学生の雑多な集団と比べ、わたしのアピール力は抜きん出ていた。クロフォード牧師の増えつづける子どもたち、そのうちのひとりだけが高校の学齢に達していたけれど、当人は礼拝がすむとさっさと出ていった。コンピューターの天才児クレイ・ハーボウは、カスター高のコンピューター室で放課後を過ごす許可を受け、システムを構築して図書館員たちに一目置かれるほどの才能に恵まれたプログラマーだというのに、自分のナイキの靴に向かって早口のモノトーンで話しかけ、甘草《ブラック・リコリス》あめのにおいをぷんぷんさせている。ただし、リコリスを食べているところをみたことはない。

わたしの競争相手を思えば、コーリーがわたしのほうへやってきても、ちっとも不思議ではなかった。それまで交わした会話が「その解剖用メス、使っていい?」だけだったとしても。ところが、長テーブルの反対側のはじでとまって、コーヒーにひたすためのスナックの皿ごしに話しかけてくるかと思ったら、テーブルを回ってわたしの側、サービスする側に来て、となりに立つと、日曜ごとにいつもそこにいたようなそぶりで、ナプキンを扇にする手伝いをはじめた。

「それで、解剖の期末試験ってどんな感じになると思う?」コーリーがオレンジ風味の紅茶のパックを取ろうとわたしの前に体をのり出したひょうしに、セーターのそでがわたしの胸もとをかすめ、一瞬胸がちくりとした。落ち着かない、かゆみが肺の奥深くに潜りこんだみたいな感覚を覚える。

「ぜんぜん見当つかない。たぶん、わたしがピンセットで大腸をつまみ出してるあいだにカイルが『エンター・サンドマン』を小声で歌うってところじゃないかな」ちいさな赤いストローで紅茶をかき混ぜるコーリーの仕草を気にいった。三回行き来させ、それからくるっと回し、またくり返す。

コーリーが笑った。好ましい笑い。

「そうね、あいつってお調子者だよね」ふちの欠けた、〝キリストは主〟と書かれた黄色いマグから安物の紅茶を飲むコーリー・テイラーは品があり、ジュリー・アンドリュースを思わせた。「つきあってるの?」

わたしはぞっとすると同時に少し得意にもなった。実験室のパートナー、カイル・クラークはカスター高が提供できる限りのロック少年で、つきあっているのかという質問は、わたしのことをグルーピーだとコーリーがなぜか勘ちがいしたために出たのであり、それは、そうそうとりちがえるようなことではなかった。

「ううん。ぜったいちがう。むかしから知ってるってだけ。クラスのほかのみんなと同じだよ」

「わたし以外はね」またほほえむ。わずか数センチ離れたところに顔があり、あのむずむずを感じた。

わたしは少し体を引いた。「コーリーはついてたよ、さもなきゃ三年生の遠足のとき、カイルが〈スパゲッティO〉のゲロをわたしにはきかけたってきいてたはずだから」シックな服装で紅茶を飲むコーリーと話していると、りんとしたコーリーのたたずまいに、自分がいまだに三年生みたいな、邪魔な腕をわきにたらした、ひょろ長い子どもに戻った気がしてくる。頭を冷やそうと、ずっしりしたケーキドーナツをすでに山になっている皿の上に、さらにのせていった。ドーナツごとに砂糖のコーティングやアイシングが、指のすきまにくっつく。

「ごめん」とコーリー。「みんなが実験室のペアとデートしてるなんて勘ぐるべきじゃないね」

「まあ、コーリーが前例をつくっちゃったもんね」いまでは塔になったドーナツに集中しつつ、相手にはどうきこえただろうと気をもんだ。いやみにとった？　それとももっと悪く、嫉妬してるって思われた？

けれどコーリーは笑ってわたしの腕を一瞬つかみ、わたしはガチガチに緊張した。「うん。それはそうだね。あなたたちがぜったいいつきあってるって思ったのは、わたしとブレットより、ブタの胎児といっしょのふたりがいつも楽しそうだからよ」

「ハンボーンのこと？」

コーリーはマグに噴き出した。「ブタに名前つけてるの？」

「そっちはつけてないの？　だから盛りあがらないんだよ。ポーキーでもいいけど、まんますぎるな。クッダ＝ビーン・ベーコンは？　でもすごく早口で〝クッダ＝ビーン・ベーコン〟っていわなきゃだめだよ、名前にきこえるように」わたしはお決まりの、ひとり漫才芸を披露していた。きれいな女の子の前ではこれをやり、すぐに好感を持たれはしても、気の利いた孤児キャメロンの役まわり以上の、ほんとうのわたしをあまりせんさくされないようにする。少し相手の気を引くみたいだけれど、予防線でもあった。「あまり近づかないで。わたしは薄っぺらい、ただのお調子者でござい」。コーリーにうまく受けたらしいのでつづけようとしたら、ルースがとつぜん割ってはいり、〈ホワイトダイヤモンド〉（新しいルースの香水で、レイの贈りもの）の雲がテーブルにたちこめた。ドーナツの箱をとりあげられて、わたしの変な腕がふたたびわきにたれさがる。

「これじゃ多すぎるでしょ、キャム」といって、カスタードのフィリングのと、ラズベリーをコーティングしたのをつまみあげて箱に戻す。「コーリー、いまお母さまとお話ししたの。いっしょに礼拝できることになってとてもうれしいわ」ドーナツをしまい終わり、箱を置いてナプキンで手をふいてからコーリーに手を差し出した。「キャメロンのおばのルースです。ふたりとも一年生?」

コーリーがきちんと答えるそばで、クロフォード牧師がメープルバードーナツをとりにやってきた。「そうです。解剖の話をしていたところです」

「あら、日曜の朝にはぴったりの話題ね。やれやれ、若い子がほかに楽しみはないのかしら」ルースおばさんはアネット・ファニセロ笑いをして、両手を腰に当て、フラフープみたいな動きの、プードル・スカートやモルト・ショップがはやった一九五〇年代にでも戻ったみたいな腰つきをした。

クロフォード牧師がのろのろとドーナツを食べ、ルースに笑いかけ、こげ茶色のアイシングを牧師シャツにこぼした。「おお」と牧師。「いま、すばらしい天啓を得たぞ」間をあけて、さらに食べる。クロフォード牧師は天啓を引きのばすタイプだ。おもむろに、わたしのほうをふり向いた。「キャメロン、コーリーはつぎの〈ファイヤーパワー〉から参加するし、ルースがきみを送り迎えしているのは知っている。きみたちでいっしょに通ってはどうかね?」

牧師にすれば、社交的で牧師らしい提案のつもりなんだろうと解釈するしかないけれど、実際にしたのは、わたしをクラスのアイドルのトラックに押しこむことだった。わたしが自分の車を持ってなくて、おばか祖母に送り迎えしてもらう、あわれな子だからだ。

わたしがジャック・オー・ランタンみたいににやついて肩をすくめ、目をぐるっと回し、おせっかいなおとなたちにとりつくろおうとする一方、コーリーは「ああ、それは名案ですね」と答え、ちゅうちょもなにもみせなかったけれど、すごくおとなびた受け答えで、わたしよりもこういう気まずいおしゃべりのいなしかたが単にうまいだけかもしれないと思い、だから彼女の気軽な口調にも、気は休まらなかった。

それに、この話は子どもの遊び相手を勝手に決めるおとなの集団のいないところでしたい。「ほら、うちの生徒の半分は、水曜日にここに来るからさ」と、コーリーにいう。「三月からはトラック競技もはじまるし。『ドライビングMissデイジー』を演じる義務があるなんて思うことないからね」

「ばかいわないで。思わないよ」コーリーのママが、ひどく高齢のひとたちのボックス席から娘に呼びかけ、その声にふり返ったひょうしにコーリーの顔がやけに接近し、すばやくにっこり笑うと「〝フィータル・ピグリー・ウィグリー〟がいいんじゃない、ミス・デイジー?」といった。

わたしの冴えない映画のたとえをもじり、ミス・デイジーがついに運転手の送迎を受け入れる場面の食料品店名を挙げたのは、たぶんたいしたことじゃない。だけどわたしはもうずっと長いあいだ映画の引用をやっていて、もはや考えもせずに口をつき、ジェイミー以外に投げ返してくる相手を期待してなんて、まったくいなかった。ましてや『ドライビングMissデイジー』の食料品店の場面を引きあいに出してくるなんて、ぜったいに想定外だ。しかも、一学期間生物のクラスでただうしろに座っていただけで、もうどんな子だか見切ったと思っていた、コーリーみたいな女の子が。

帰りの〈胎児カー〉のなかで、ルースがおばあちゃんにテイラー家の事情を話した。テイラーさんは二年前に肺がんで亡くなったが、コーリーのお兄さんのタイと母親でまだ牧場を切り盛りしている。タイは陽気な切り札とでもいうべき、ほんもののカウボーイで、かたや夫に先立たれたテイラーさんは身を持ちくずし——酒びたりになり、外泊して「まちがった選択」をし——たけれど、最近、信仰心をとりもどす道をみいだした。

「家族のために軌道修正しているの」とルース。「ほんとうに勇気の要ることだわ」

コーリーが、ルースの理解するところでは、そのあいだ家族をひとつにした。コーリーは、ルースによれば、きれいで賢く〝なかなかのやり手〟で、みんなに好かれる。

「ふたりが親しくなってうれしいわ、キャミー」ルースの好む、バックミラーごしにみるやりかたで、わたしをみすえていった。「すごくしっかりしたお嬢さんのようだし、よく知りあえば、ジェイミーや男の子たちと始終いっしょにいなくてもすむでしょ、ねぇ——」

「ジェイミーは親友だよ」わたしはさえぎってミラーにいい返した。「コーリーのことはあんまり知らないし。ただクラスがいっしょってだけ」

「それなら、これから知りあえるでしょ」

「どうでもいい」そういったのは、もとチアリーダーの頂点にいたルースに、高校におけるカースト制度について説明するよりは簡単だからだ。でも、こんどの水曜に、コーリーは押しつけられた運転手役をわたしに申し出るだろうと考えた。少しぎこちなく、でも優しく。それからさりげなく、来週は〈ファイヤーパワー〉に向かう前に用事があるから「おばさんと行ってくれないか」といい、あとはふたりとも、お膳立てされた友情をきれいさっぱり忘れる。その夜ベッドに入るころには、それがぜったいにいちばん穏便なてまつだと結論づけ、目を閉じ、するとコーリーが紅茶を飲んでいて、開いてもやっぱりコーリーがみえ、もっとみたくてしかたなかった。

第八章

三月が来て、まだ肌寒い陽気のなか、シーズン明けのトラック走の練習がはじまってしばらくたち、ようやくコーリーから用事ができたといわれるのを待つのをやめた。その時点で、コーリーとブレットは同い年のわたしを、うっとうしい年の離れた妹扱いするようになっていた。唯一問題なのは、ふたりといっしょに過ごせば過ごすほど――〈ピザハット〉の角のボックス席からストローの包装紙をいろんな的に当てるコンテストをしたり、〈モンタナ・シアター〉の最上段の席でその週にかかる映画をみながらコーリーのひざにのったバケツ大のポップコーンを三人でつまんだり、ブレットのおんぼろジープでAC／DCをガンガンにかけて、ホンダ・トレイルを疾走したり――コーリー・テイラーへの恋心をつのらせたことだ。けれど変な話だけれど、ブレットのこともひどく好きだった。ブレットがコーリーの手をとって道路を渡ったり、運転中にブレットの後頭部をコーリーがなでたりといった、ささいなことに嫉妬する瞬間もあったものの、最初の数カ月はコーリーの近くにいて彼女を笑わせるだけでほぼ満足した。コーリーを笑わせるのはほかの子よりむずかしく、創意工夫が必要で、それだけにみかえりは大きかった。

＊＊＊

プロムのシーズンには、紙吹雪とサテンのガウンと、ゴッホの『星月夜』のテーマにあわせたきらめく星々に味方する多勢派と、一九九二年度カスター高卒業生のごく一部ながら、お騒がせな遅咲きグランジ集団の、フランネルをまとった無関心派とが激突した。グランジ旋風はわたしの学年にもいくらか吹きつけ、こっちにフットバッグ（バッグを蹴るスポーツ）派、あっちにパチョリ（インド産の香料）派と、局所的に現れたけれど、まともに影響を受けたのは、卒業間近の生徒たちだ。おとな目前で、大半はすでに自室のコルクボードに大学からの合格通知をとめてあり、権威に猛反発《レイジ・アゲインスト・マシーン》してみせ、髪を洗わず、パンチ・ファウンテンにもオーダーメイドのパンプスにも、まもなく〝出身校〟と呼ぶことになる学校の体育館にスポットライトを浴びながら入場行進《グランドマーチ》をすることにも、そっぽを向いた。わたしもおおいに感化されてフランネルのシャツを着た。とはいえ完全にグランジ一色に染まったわけではない。ところが、プロムの参加者には（四年生のグランジカップル数組が『星月夜』プロムにははだし、および麻のみで編んだユニセックスのジャンパーを着て参加する計画だとのうわさがたち、その返礼として）正装を義務づけると学校側が発表したとき、四年生の大半がグランジに同調し、FFAのメンバーと運動部員と生徒会のおたく《ギーク》がひとつになり、共同でプロム完全ボイコットをはじめた。

　チケット販売数の低迷がみこまれ、さらには三年生が資金集めのためにやったカーウォッシュと手づくりパン即売会の売り上げがかんばしくなく、プロムのようなイベントに必要な金額をはるかに下まわったこともあり、その結果カスター高はじまって以来の事態となった。すなわち、正装を条件に、一年生と二年生のプロム参加が、カップルにつき十ドルちょっとという極めて妥当な値段で許可された。

「キャムも行くんだよ」その日最後の授業が終わってすぐのトラック練習に出る直前、コーリーがロッカーのわきに現れた。ともかく、こつぜんと湧いて出たように感じた。もう下校時間で、春の気配がほんのかすかに漂い、廊下へなだれこむだれもが午後三時十五分の解放感にひたりながら、正面玄関へ向かう激流をつかの間離れてはロッカーの前に立ちどまり、ふたたび流れに戻り、そのすべてはふりつけられ、あらゆる動きがリハーサルずみのようでもあり、あらゆる音と光景――金属製のロッカーのドアがたたきつけられて揺れる音、ひび割れた大声の「あとで電話して」と「化学テストのくそったれ」、階段をおりたとたんに火をつけたタバコの強いにおい、生徒用駐車場を出る車の、左右ともにおろした窓からもれ出てくるミックステープの音――はどれも特殊効果でつけられたようでもある。いつもなら練習着に着替えに行く前の一、二分をロッカー前にとどまって、このひとときにひたるのが好きだった。でも、その日はコーリーがいた。

終礼のスピーチのさなか、ヘニッツ教頭が例の気の抜けた、なぜかひとことずつ尾を引くしゃべりかたで、プロムの「新たなとりきめ」を説明したばかりだった。「プロムは礼儀を学ぶ場であり、下級生の諸君は今回与えられた機会を生かしてしかるべくふるまってくれるものと、職員一同ともども確信している」

文字どおり数分前に〝今回与えられた機会〟と吹きこまれたため、コーリーの「キャムも行くんだよ」がなにを指すかは正確にわかったけれど、わからないふりをして、もっと強く押すよう仕向ける。コーリーがわたしになにかを求めてくる感覚を楽しんだ。

「なんの話?」バックパックをあさるふりをしてきく。

「春のファッション・シーズンの、ほんの余興ですのよ」コーリーお得意の、きどった上流階級の口調で答える。それから普通の声に戻って、「わたしとブレットとダブルデートするんなら、実際にデートの相手をさがさなきゃね」というと、髪をうしろにまとめて鉛筆でとめるいつもの仕草をひとつの動作でやり、それをするときのコーリーはなんてすてきに、こともなげにセクシーなのか、そのたびにみとれてしまう。

「おばあちゃんの都合をきいてみるよ。いつの夜だっけ？」ふたりのあいだにロッカーのドアをはさもうとした。たいていコーリーのそばにはブレットがはりついていて、そうじゃないときは、いまでもたまに、〈讃美の門〉のコーヒー聖餐式にはじめてコーリーが来た日のように落ちつかなかった。

「なんでも混ぜっ返すのはよして。まともな話ができないでしょ」とコーリー。「いい記念になるよ——一年生がプロムに出るなんてチャンス、二度とないもの」

「そんなんじゃあ説得力ゼロだ」

ロッカーのドアごしに、コーリーがわたしの腕をやけにおおげさにつかむ。「ルースに電話するよ。してもいいんだね。電話して、キャメロンはひとりぼっちの変わり者に逆戻りしたのでプロムに来られませんん、っていえば、おばさんは放っておかない。ありとあらゆるデート候補をみつくろってくるよ」

「最低だ。コーリーなんてきらい」

「で、だれを誘ってほしい？　トラヴィス・ブレルだったらぜったい行くっていうよ」コーリーは邪魔なロッカーのドアを全開にしてよけ、棚の上に置いておいた〈バブリシャス〉のパックに手をのばした。そのひょうしにわたしをかすったことには気づきもせず、わたしはそれしか気づかない。

わたしは廊下に少しさがって、押しあいにならないようにした。「トラヴィス・ブレルはダンスフロアできわどいダンスができそうな相手なら、だれとでもプロムに行くよ」

「じゃあ、わたしから彼に電話しとく？」コーリーのことばを、ガムが甘いストロベリーで包む。

「うん、よろしく。練習に遅れちゃう」二の腕でコーリーを押しのけ、部活用のバックパックをとろうとした。コーリーはどこうとせず、わたしはもういちど回りこんで手をのばすはめになり、もういちどコーリーをかすめ、もういちど体に軽いふるえが走ってお腹に達するのを意識しながら、ドアの掛けがねをおろして南京錠をかけた。

ひと混みを縫うように廊下を歩きだし、流れに逆らって女子用のロッカールームに向かうわたしのあとを、コーリーがぴたりとついてくる。「いいからジェイミーを誘いなさいよ。どっちみち行くんだから」

自分が運んでいるポスターのかげになってほとんどみえない女の子をよけ、コーリーとわたしはふた手に分かれた。ポスターは第二次大戦が課題の作品らしく、〝ジーク・ハイル〟の敬礼をする口ひげのヒトラーと、強制収容所の痩せこけた犠牲者と、タバコをくわえ、カメラをにらむアメリカ兵の写真の下にそれぞれ、ラメ入りピンクの文字でキャプションが書かれている。もしこれがわたしの人生を映画化した作品で、ティーン向け映画の得意な監督が演出するとすれば、あのポスターに焦点を当てるはずだ。胸に迫る音楽をここぞとかぶせ、わたしたちをスローモーションで映すけれど、周囲の動きは標準スピードのまま、三人――コーリーとポスターボードを抱えた子とわたし――にバックライトを当て、ティーンのあさはかさとプロムシーズンを、戦争のように確固としておそろしい史実と対比させ、なにかを表現しようとするだろう。けれどその手の映画を何本もレンタルして、いかにたやすく映画に入りこんでしまうかという以外になにかを学んだとしたら、目を向けさえすれば、実生活でもこのときのような完ぺきに奥深い、なにげない一瞬を体験することがあり、頭のなかで気の利いた撮影と編集を、たいていは目の前で起きるほんの数秒間で仕上げる。そしてそれをうまくできたとして、その場にいあわせた人間のだれひとり、まったく同じ瞬間を共有はしないし、かといって自分の体験を生《なま》で説明するのは不可能で、そのあいだにもその一瞬は過ぎ去っていく。

「きょうじゅうにジェイミーを誘って。あしたチケットを買うから」コーリーがとなりに戻ってきてつづけ、わたしたち両方の祖父が戦った戦争の残虐行為はきゅっきゅっと靴音を立てて遠ざかり、スクリーンをはけてもといた場所へと戻り、プロムシーズンのふたりをみまもることはない。

「ジェイミーはきっとプロムなんかくそくらえ《ファック》っていうよ。わたしだってプロムなんかくそくらえだ。ボイコットの要点は、全校生徒がプロムにくそくらえすることにあるんだから」

　ヘヴィメタルバンド、パンテラのTシャツを着たぼさぼさ髪の二年生がすれちがいざまにふり返って「プロムでお前をファックしてやるぜ！」とどなり、同じぐらいぼさぼさ頭の仲間とハイタッチを交わし、高校男子か、ある種のカートゥーンに出てくるキャラクター、たとえばバーニー・ラブル（『原始家族フリントストーン』の登場人物）がやる笑いかたをした。

「なによ、野蛮人」コーリーがどなり返す。わたしたちは〝ロッカールーム〟と表示のある青い金属のドアまで来た。コーリーがわたしの二の腕をつかむ。「頼めばジェイミーは来るよ、行きたくなくても」

「コーリー、わたしはほんとに行きたくないんだよ」

「でもわたしは行きたいし、わたしたちは友だちじゃない？　友だちなら協力するでしょ」もしわたしがコーリーに恋していなければ、笑ってしまうような熱っぽさで訴える。

「へえ、そうくるわけ？」ふたりとも、わたしがきょうの午後ジェイミーをプロムに誘うとわかっていた。ジェイミーは悪態をつくだろうけれど、最後にはうんという。ジェイミー・ラウリーはそういうやつだ。

「なら、ほかに友だちは相手になにをしてあげるの？　リストはある？」

「ないよ。でもつくっておく」ほとんどがブレットの友だちで構成されたまぶしい二年生の集団に、コーリーが手をふった。炭酸飲料の自動販売機にたむろして、コーリーを呼んでいる。「とっても、とってもすてきな夜になるよ」

「とっても、とっても大きな貸しだからね」ロッカールームに半分入りかけ、わたしがいい返した。

「一生愛してる」いうが早いか、コーリーはまぶしい午後の日射しを浴びに行くのは確実の、さわやかな顔をしたカップルたちのほうへ〈Jクルー〉の広告さながらに歩いていき、残されたわたしは「友だちがたがいにしてあげること」リストを、着替えのあいだじゅう、コミュニティカレッジのトラックを流すあいだじゅう、ほんのちょっと遅刻した罰として練習後に追加のダッシュをしているあいだじゅう、ずっと考えていた。もしコーリーが実際にリストをつくりでもしたら、わたしはしらみつぶしに実行するとわかっていた。まちがいなくそうする。

・・・

リンジーに宛てた手紙で、手短かに数行にまとめてコーリーに首ったけなのは伝えておいたけれど、プロム前の週末に三時間の長電話をして、悩ましいもろもろを埋めていった。ルースと〝シュワン・マン〟レイは、ララミーでやっているカップル向けの週末聖書研究会に行っていて留守、おばあちゃんはテレビの前でお昼寝のさいちゅうで、コーヒーテーブルにのっているのはシュガーウェハースを包むセロハン紙のみ、中身は消えていた。その月のおばあちゃんの好みはストロベリー味で、ピンク色のきついウェハースの破片と砂糖の粉がシャツのしわに入りこみ、パパが断熱材をはめこんだときにオーバーオールにふりかかったグラスファイバーのちりを思わせた。

電話してきたのはリンジーのほうだったから、電話代は向こうのママ持ちで、ルースではない。前の晩にリンジーが行ったシンガーソングライター、アーニー・ディフランコのコンサートの話が二十分におよんだとき、これは長電話になると悟ったわたしは、レイの〈バドライト〉ビールを冷蔵庫から二本とり出して(ときどきいただいてるのをレイが知ってるのは確実だったけれど、わたしにもルースにもなにもいわなかった)、コードレス電話を自分の部屋に持ちこむと、三時間の大半をドールハウスの客用寝室の床と天井に、リンジーの手紙から切りとった切手をデコパージュして過ごした。リンジーは手紙を何通も、わたしの一通に対してだいたい四通は送ってきたけれど、すべてにはりつけるには切手の数が足りない。せいぜい幸先のいい出だしといったところだ。

わたしがトラックを走り、「レビ記」と「ローマ人への手紙」について考え、カスター高きっての人気カップルにまといつく妹役を演じながら、たとえほのめかすだけでもレズビアン描写のある映画をみるたび、ひそかにコーリーを当てはめて(『羊たちの沈黙』のジョディ・フォスターになるコーリー、マイルズシティにやっとかかった『氷の微笑』のシャロン・ストーンになるコーリー)いるあいだ、リンジーはというと、本人によれば、シアトル周辺にいる十五歳から二十五歳のレズビアン全員と寝ていた。たいていの名前、もしくはあだ名は、わたしには〝クールすぎ〟て、ぞっとしない。ミックス、キャット、ベティ・C(ベティ・クロッカー?　と勘ぐったけれどきくのはやめた)、ブライツ、オーブリー、ヘンナなどなど。

リンジーは細部を話すのがうまく、ものにした子のうち、どの子がくさい白人娘のドレッドヘアをしていて、どの子がつるつるに頭をそりあげ、どの子が革ジャン姿でハーレーにのり、コカインを吸い、拒食症で骨と皮ばかりの体が建築現場の足場みたいだったか、いつもすごく具体的だった。けれどあまりにとっかえひっかえなので、電話を切るか手紙を読み終えたとたんにもうどの子がどうだったかわからなくなり、ふつうはそれでべつだん支障なかった。リンジー自身も相手のことは忘れるらしく、つぎに話すか書いてくるときは、半ダースもの新しい子に話題が移っていたからだ。

「ベティ・Cは舌ピアスをしてるんだ。まあ、正確にはスタッドだけど、クレイジーだよ。だって、ちがうとはきいてたけど、あんなにちがうなんてぜんぜん知らなかった、わかる？」これがリンジーのいつもの会話パターンで、なんでもわたしが彼女に説明を求めるように仕向け、永遠にわたし専用のレズビアン導師《グル》を気どろうとする。

「あんなにちがうって、どうちがうの？」旗の切手を、メーン州の州鳥アメリカゴガラの切手のとなりに貼った。

「まじめにやってよ、キャム。想像力を働かせな——下にしてもらうときだってば。ちっぽけな金属なのに、ほら、使いかたを知ってると——ベティ・Cは知ってるよ、完ぺきに——もううっとりなんだから」

「うん、それはわかってる」オーラルセックスの話だというのはちゃんと理解したけれど、しくみがまだよくわからない。実際の手順が、それぞれどうなるのか、ちっぽけな金属がどう大きなちがいを生むのか。

コーリーとわたしがする場面を空想するときはいつもじっくり時間をかけてファースト・キスまで行きつき、それからもっと熱いキスを、そのあとはシャツを脱ぎすて、たぶんちょっと素肌に触れはするけれど、でもそれ以上には行かない。いちども行かなかった。その先は未知の領域で、わたしの頭ではおよびもつかない。

「ああ、そうか」とリンジー。「すごい達人と話してるのを忘れてた。畜産地方ならではのいろんな相手がいるもんね」

「好きにいえば」分刻みでぬるまっていくビールを飲む。ひとりで飲むのは好きじゃないけれど、リンジーと電話で話すとき、アルコールは必須だった。リンジーがわたしのしない（彼女はする）あれやこれやを話しているあいだ、ひとつにはわたしだってルールを破れると思うと気分がいいからで、もうひとつにはリンジーの手柄話につきあうには少しばかり鈍感になる必要があったからだ。

「いいたいのは、アリスがつぎに町に行ったら、ぜったい舌ピアスをしてやるってこと」

　リンジーはこのごろ母親をただのアリスと呼びすてにしはじめ、たいてい軽蔑をこめて、それがわたしのかんに障った。わたしの知る限りアリスおばさんは根っからの都会人で、もとヒッピータイプのリベラル派、母親としては相当上等な部類に入る。

「おばさんはリンジーがしたいことはなんでもやらせてくれるじゃない、どうせ」たぶん、必要以上に敵意むきだしでいった。「したいんならすぐにやれば？」

「したいことをなんでもやらせてなんてくれないよ」とリンジー。「外出禁止にした、というかしようとしたんだよ、あのとんでもない《ゴッデス》大失態のとき」

（少し前、リンジーは三日月を三つ組みあわせたシンボル――リンジーによれば魔術を意味し、さらに月と女性の人生の三段階を象徴してもいる――のタトゥーを左肩の上に紫色で入れた）

「だから、まじかよアリス？　っていってやった。いつからそんなに品行方正になったわけ？　って。これはわたしの体だよ。自分は〝女性の体、女性の選択権〟って書いたプラカードを掲げて家族計画連盟の前でデモしてたくせに、わたしが深い意味のあるマークを自分で選んで肩につけたらかんかんになるなんて」

「いま、中絶がタトゥーと似たようなものだって本気でいった？」そうきいたのは必ずしもリンジーがまちがっているとと思ったからではなく、リンジーをいらつかせるとわかっていたからだ。

「そう、そういった。一年生なみの理解力なら、そういう意味になる」わたしには教授っぽくきこえる口調で続ける。「重要なのは、体に加えられた行為の重さじゃないんだよ、キャメロン。体の所有権がだれにあるかってこと。たとえわたしが十五歳であろうと、自分の体は自分のものなの」

もうひとくち飲んでから、わたしはなるべく皮肉な学生口調を装った。「それならもういちどうかがいますがね、なぜ舌リングをするのを待つんですか？」

「治りが遅いからだよ。場合によっては四日間まるまるミルクシェイクしか口にできないときもあるし、ピアスをはずしたら一巻の終わり。少なくともアリスがそれだけの日数を留守にするまでは待つ。傷が治っちゃえば、必要なときははずせる。アリスのそばにいるときとか」

「そうなんだ」二本目のビールに手をのばし、ドアまで行って下の階にきき耳をたて、まだ『刑事コロンボ』がきこえるか確かめると、まだきこえた。おばあちゃんがわたしの部屋までわざわざ階段をあがってくるとは考えにくい。

そのあと会話がとぎれ、リンジーとわたしのあいだに二十秒ぐらいの沈黙が流れたけれど、ふたりが話すときに間があくことはほとんどなかったから、ひどく落ちつかなかった。リンジーが沈黙を破ろうとしないので、わたしは会話の接ぎ穂としてだけのために話題をふった。最近、リンジーは少しひとをみくだして尊大なところが鼻につくけれど、やっぱりわたしにとってはいまだに唯一無二の、ほんとうの、生身の、映画のなかの存在ではないレズビアンなのには変わりなく、電話を切りたくなかった。「コーリー・テイラーとプロムに行く」

「え、どういうこと？　なんで黙ってたの？　あんたが夢中のカウガール版シンディ・クロフォードと行くって？　うそでしょ――プロムに行ける年ですらないのに」

「いや、コーリーとカップルでってわけじゃ――デートじゃないよ。それぞれべつの相手と行くんだ。コーリーとブレット、わたしとジェイミーで」リンジーが電話を切るのを防げてよかった、認めるのはしゃくだけど。「ことし、規則が変わったの。上級生にチケットがあまり売れなかったから」

「当然だね。プロムなんて、時代遅れの男女の役割観《ジェンダーロール》と、ブルジョア的なデートのしきたりをありがたがってる古くさいシステムじゃないか。ただの陳腐《ちんぷ》って以上に悪い…」

「あらゆる機会から教訓を得るべしって思い出させてくれてありがとう」

「こっちだっていいたくないけど、見習い中のダイクにとって健全な方向性じゃないね。ストレートの子、それもハンサムなストレートの男の子とうまくいっているストレートの女の子に恋するなんて。聖書片手に銃を持ち歩くような荒くれカウボーイがうじゃうじゃいる町に住んでるってのに」

「それなら、マイルズシティでだれに恋しろっていうの？　想像つく限りのあらゆるレズビアンがこぞって舌ピアスを入れに、地元のタトゥー屋で行列をつくってて、よりどりみどりってわけにはいかないんだよ」

「ピアス屋とタトゥー屋は必ずしも同じじゃないよ」そういって、リンジーは声をやわらげた。「コーリーはキャメロンのこと、知ってるの？」

「わかんない。ときどき、たぶん知ってるかもって」それは、完全には正しくない。正確にはいちど、たったいちど、数学のテスト勉強のためブレットが映画デートをドタキャンしたとき、コーリーとわたしだけでみにいくことにして、わたしはいつもどおりにコーリーとふたりきりだと落ちつかなかったけれど、いちばん奥の席にとなりあって座ったら、そのとき電気が走り、コーリーも同じく電気が走ったようにみえ――視線をあらぬほうに向け、ふたりが同時にひじかけに腕を置いたとき、コーリーが腕を引いた。「でも、ぜったいにゲイじゃない」リンジーにいうのと同時に自分にいいきかせる。

「それならいちばんうまくいったとして、どうなるの?」わたしが答えを返す前にリンジーがたたみかけた。「自分の胸にそうきいてみる必要があるよ。このお膳立てにはとんでもなくやばくなる要素がぜんぶそろってて、いいほうに転がる要素はあんまりない」

「うん、わかってる」ビールの残りを流しこみ、缶をベッド下に置いた。あのころはいったんビール缶をとっておいて、あとでちいさく切り抜いた。羽を広げた鳥やダイヤモンドや十字架のかたちにできるだけちいさく切っては、ちょくちょく指に切り傷をつくった。そのときとりかかっていたドールハウスの子ども部屋に使うつもりだった。「だけどわかってるからって気持ちはとめられない。そうはいかないって知ってるでしょ」

「わかった。でも、どこがそんなにいいわけ? そもそもの話。つまり、ほんとのところ――なんでコーリー・テイラーなの?」

それは、もちろん答えようのない質問だ。「なんでって、コーリーのひととなりかな。わからないよ――話しかたとか、なにに興味があるかとか、それからわたしの知ってるだれよりおとなびた態度をとるとか、あとおもしろいし」どれだけまぬけでヤボにきこえるか気がついて、いいよどむ。

リンジーがあとを引きとった。「それからジーンズにぴったりはまったお尻と――」

「陸上部の男子全員を合わせたより、リンジーのほうが十倍サイテーだ。ほんとに」

リンジーは笑って、それから教授口調に戻った。「ききたまえ、愚かで未熟なひよっこよ。世のなかには、ストレートな子ばかりを狙うダイクがいる。というか昼はストレート、夜は尻軽な女の子を〝レズ〟にしようとしてとかなにかの理由でね。だけどぜったいに一夜かぎりの相手以上にはならないし、必ず怒り悲しむ結果になる。相手の子から、試してみただけとか、酔った勢いで相手になっただけで、ほんとうに好きなのは男であって女じゃないといわれるに決まってるんだ。しかもシアトルには最低でもバーやコンサートやダイクのコミュニティみたいな、自分をさらけ出せる場所がある。モンタナのプロムなんて、およそかけ離れた場所じゃないか」

「どうせそうでしょうよ」いかにも、たったいま〈バドライト〉を二缶あけた人間のはくセリフだ。

「コーリーを妄想して、ジルオフでもなんでもするのはいいけど、そこまでにしときな。まじめな話」

以前の会話で、リンジーから〝ジルオフ〟は女性版のジャックオフ（自慰）の意味だと教わっていたから、意味をきき返さずにすんだ。「でも、やっぱりプロムには行く」とわたし。「チケットも服も買ったし、ぜんぶ用意したもん」

　リンジーが鼻を鳴らした。「さぞルースが有頂天になっただろうね」

「全員を招いてグルメの夕食会をするって。どれだけグルメな夕食会になるかっていいつづけてた。二十回は〝グルメ〟っていったよ」

「ルースらしいね」とリンジー。「ルースの考える高級フレンチを完ぺきに再現した料理が、たくさん出てくるのは請けあいだ。でも実際は、熟練シェフが軽蔑のあまりむせび泣くしろものをね」

「さあね。なんでもいい。ただみんなに、うちに集まる時間を教えるだけ」

「まあみてな」リンジーがいった。

・・・

ルースは〈シュワン〉のチキン・コルドンブルーとサラダ（ドレッシングは〈クラフト〉のフレンチ）、グリーンビーンズのアーモンドあえ（これも〈シュワン〉）、それからすごくおいしいフライドポテトを出し、ポテトのお代わりを頼んだときルースは〝フリット〟と呼ぶようにいい張った。給仕の役を演じたルースは、プロム前の夕食会のほとんどの時間を、おばあちゃんといっしょにキッチンか朝食ヌックに引っこみ、ダイニングルームへ来るのはワイングラスにスパークリング・グレープジュースをつぎたすか、フリットを食べるわたしたちの写真を撮るときだけだった。でもルースは夕食会のあいだじゅう、なんというか感じがよく、四人が家にそろい、わたしがルースの想像する典型的なティーンの少女らしくふるまっているのがほんとうにうれしそうだった。大きなバラの花束を買ってきてテーブルの中央に置き、銀の燭台はどけ、ウィントンのひいおばあちゃんから受けついだレースのテーブルクロスを敷いて、引き出物の食器を出してきた。ママが大型の休日や、ときにはわたしの誕生日にも使っていた食器だ。

　ジェイミーとわたしは、食事をとりわけおいしく感じた。コーリーとブレットがうちに来て夕食を囲む前、部屋で上質の大麻を吸ったせいだ。プロムに出るのと引きかえに、ジェイミーの出した条件のひとつがそれだった。「プロムのあいだはふたりでずっとハイになるぞ」承知したあとでそういった。「おれは黒のタキシードと黒のシャツと黒のタイで行く。ぜんぶ黒、ボンド映画の悪役みたいにな。クールだろ。それとコンバースもだ」

プロムの晩、早めに現れたジェイミーはまさにその組みあわせで、頭はそりあげていた。早めに来たのは手首にはめるコサージュ――母親に選んでもらったという、ちいさなピンクのバラとシュッコンカスミソウ――をわたしに持ってきたから、という表向きの理由をつけた。ルースはわたしの部屋にジェイミーをあげるのをためらい、前に何度も来ているのにいまさら変だったけれど、ともあれすごくすてきにみえるとほめて、それから二階にいるわたしに、ジェイミーがあがっていくよと呼びかけた。わたしはまだショートパンツとTシャツ姿で、コーリーが選んでくれた短すぎる（とわたしには思える）黒いドレスはクローゼットにつりさげてあり、移りやすいマリファナのにおいから避難させた。ジェイミーがジャケットを脱ぐと、そこへかけた。

大麻は二度ほど、いつもつるんでいる連中と吸ったことがあった。仲間入りを許された女の子はまだわたしひとりで、二度とも〈聖ロザリオ〉の鍵保管室で吸った。そのときの経験で、大麻は酒の粗悪な代替品とみなすようになり、のどを焼きながら肺に入っていく感触と、つぎの日までひりつきが残るのは好きじゃなかった。それに、被害妄想になるところも。ほんとうに被害妄想になるのか、それとも大麻がひとを被害妄想にすると耳にしたせいなのかはわからない。でも二度とも、病院に侵入したわたしたちがつかまって、陸上部を追い出されると頭から信じこんだ――信じるあまり、ファイルキャビネットのうらにみんなで潜み、くすくす笑う男子を黙らせて、病院内にひびく奇妙な反響音に何分間も全員の耳をそばだてさせた。

「ハイになってるのがはた目からわかったらだめだからね、ジェイミー」それまで持っているのをみたことのない、青いガラス製のちいさなパイプにジェイミーが大麻をつめる。「夕食会があるし、グランドマーチだってこなさないと」

「こいつは前に吸ったのより上物だぞ」ジェイミーが保証する。黄色い〈ビック〉のライターをとり出して大麻に火をつけ、最初のひとくちを吸う。吸っては息をとめて、ためたけむりをはき出し、そのあいだわたしを待たせた。

「トラヴィス・ブレルの兄貴から手に入れたんだ」

わたしは待った。

「モンタナ州立大学《MSU》ボーズマン校にネイトといっしょにいる」

わたしは待った。

「極上品さ——東海岸からスキー狂のくそったれヒッピーどもが、こいつを目当てにモンタナまでやってくる。やったことのないモンタナ大生はもぐりだぜ」首をのばし、開いた窓から甘ったるいけむりをはき出すと、やっとひとごこちついたのか、パイプをわたしに回した。

「モンタナのほうがよく育つから？」

「まさか、このあたりのは野生の大麻だぜ、お嬢ちゃん。こいつはカナダ産、国境を越えてきたばかりだ。一から水耕栽培してる」

「それ、どういう意味？」ガラスのパイプが手のなかであたたかい。

「土を使わずに育てるんだ、ミネラルとかだけで。まあ、かんじんなのは、もっと質のいい酔いかたができるってこと」ジェイミーお得意の歯をむき出す笑いかたをして、そのひょうしに引きのばされた上くちびるに灰のくずがつき、舌の先でなめとった。

わたしは目をぐりっと回してあきれてみせたけれど、ひとくち吸ってみて、前のやつよりきつくないかも、と思った。「半分だけにして、ようすをみてからもう半分は学校に行く前にこっそりやろうよ」はき出してからそういった。頭にあったのはおもにコーリーのことで、あの子を失望させたくない。牧場の子たちが両親の所有地でやる飲み会でビールを飲んでいるところを二度ばかりみかけたけれど、大麻はコーリー・テイラーがたしなむことではない気がした。ださくて、『ダンジョンズ&ドラゴンズ／マジックセット』をやりながら吸うか、もしくはヒッピー専用だと思っているような。

「どうなってんだよ、ＪＪＫ」ジェイミーはかぶりをふって両腕を組むと、進路指導カウンセラーが生徒に成績低迷か無断欠席でも問いただしているみたいに迫った。「はじめはプロムに連れていけとせがんどいて、こんどは生まれてはじめて吸うような極上の大麻に尻ごみかよ。こんなことになるんじゃないかと思ってたぜ」

わたしはえさに食いついた。「こんなことってどんなことよ?」

ジェイミーは大麻を吸ったあと、やけに長いあいだ息をとめ、再度わたしをじりつかせた。それからけむりをわたしにはきかけていった。「少女から女になること」

「むかつく」ジェイミーが笑い転げる。パイプをとりあげてわたしの吸う番になり、尻ごみなんかしていないと証明するため三回つづけて吸うと、効き目が現れ、いつもの恍惚感が襲ってきた。舌を重たく感じ、目のうら側で砂の流れる感覚を味わい、シーズンいっぱいわずらわしかった左ひざのうら側の痛みが早くもやわらいで、感じなくなる。証明はじゅうぶんしたことにした。

そのあとは、ハイになると経験する感覚で時間が流れ、ジェイミーがもういちど三くちばかり吸ったあと、ドールハウスの話になり、家の裏手にちいさな栽培室をつくってレプリカの加熱ランプをとりつけ、ほんもののマリファナの芽から植木栽培をすべきだといい出し、それでわたしがちいさな〝植木〟をそれだけの量買うには数百ドルはかかり、ドールハウスのテーブルにのりづけするだけなのにひどいむだづかいだと指摘すると、ジェイミーはこういう労作に真実味を持たせるのがクールなのであって、もしどうしてもハイになる必要ができたら、その部屋を燃やせばいいといい張るから、それでわたしはそれは放火であってドールハウス・ポリスがいい顔しない、というかこの計画はぜんぶ、そもそもなにひとつ許可がおりないといったところでコーリーとブレットが到着し、ルースが二階のわたしたちに声をかけ、かくしてプロムの夜が正式にはじまり、わたしはトレーナーとTシャツ姿のままハイになっていた。

「ちょっと待って」ドアごしにわたしが叫び、ジェイミーが〈シナモン・フレッシュネス〉の芳香スプレーをほとんどからになるまで吹きつけると、部屋にはねとつく甘いエアゾールの霧がたちこめて、シナモンの香りまじりの大麻くさくなった。

コーリーは〝ちょっと待って〟くれず、階段をあがってくるなりドアをノックし、部屋の隅に引っこんだジェイミーが両手で持ったスプレー缶を銃みたいに正面に突き出して、くすくす笑った。「入れろよ」そういいつづけ、さらにくすくすくす笑いながらも笑いやめようとする。「入れろってば」

その必要はなかった。コーリーが再度ノックして、歌うように「いい子にしてるかな」といいながらドアを開けた。

するとコーリーがそこに立ち、いつもどおり、でもそれ以上に完ぺきに、ペールイエローのドレスをまとい、髪には極細のひもとちっぽけなひなぎくを編みこみ、おさえめのプロムふうメイクは満点のできでまぶしく輝き、フレッシュかつつややかで、「プロが教えるプロム・メイク」の記事に出てくるすべての形容詞が当てはまった。コーリーがその記事を切りとって実践したのを知っているけれど、そんな必要はなく、美容アドバイスやメイクがなくても、いつもどおりにきれいだった。

ふたりは目と鼻の先の距離に立ち、コーリーはまだ階段の上に、わたしはドアの内側にいた。コーリーをみつめる自分を意識し、ずいぶんそうしていたように思え、たがいに無言のまま、わたしはうしろをふり返ってジェイミーがまだ缶を構えているかどうかを確かめたくはなかった。

「あなたたち、どれだけハイになってるの?」コーリーがドアを閉め、そうなると一階のブレットをルースとおばあちゃんといっしょにとり残すことになり、それはずいぶん不当な仕打ちだった。

「なんのことやらさっぱりわかりませんな、マダム」缶でなにかを細工し終え、ジェイミーがそういった(なにをしたかは、つぎの日の早朝、やっと家に帰ったときに判明する。歯の妖精ならぬ大麻の妖精さんからの贈りものといったかっこうで枕の下にたくしこんであった)。コーリーに近寄り、背筋をまっすぐのばしてレックス・ハリソン(『マイ・フェア・レディ』のヒギンズ教授役)ふうに手をとると深々とおじぎをし、指の関節のあたりにキスをした。「失礼しますよ、美しいご婦人がた。夕食の前に身づくろいをして、ブレットの悪党と話をつけねばなりませんのでね」クローゼットからジャケットをとり出し、背筋をのばして階段をおりていく。わたしはまだそこに突っ立っていた。

「実際の話、まだ着がえてなくてよかった。そのほうが髪をいじりやすいから」それまで持っているのに気づかなかったバッグをコーリーが開けて、ヘアアイロンとヘアドライヤーと、さまざまなプラスチックのチューブとメイク用の容器をとり出し、ぜんぶをベッドに広げる。

「なにからはじめるの?」目の前の作業に集中したら、わたしがハイになってるかどうかの話はうやむやになるのではと希望を抱いた。「いつでも髪が最初」コーリーがわたしの両肩に手を置いて押し、ベッドのはしに座らせた。

「なるほど」わたしは頭をだらんとさげた。そのほうが楽だったのもあるけれど、協力したかったからだ。行くという返事には〝プロムヘア〟にするのがふくまれるかどうか、前にコーリーとおざなりに口論していた。

「マリファナでいい気分になりすぎて、ブレットの持ってきたジムビームをあなたたちが飲めなくなったら彼の心が折れちゃう。特別な日のために何カ月もとっておいたんだよ、まじめな話。何カ月も」こんぐらがったわたしのポニーテールをほどくのに、コーリーが手こずる。

「そんなにハイになってないよ」コーリーの指が髪をすく感触を楽しむと同時に、これほど接近し、かがみこまれている状況に少しだけはきけを覚え、落ちつかなかった。

「だといいけど」ヘアスプレーをふりまき、ブラシをかけてヘアアイロンを使い、そのほかわたしがいちども時間を割いたことのないような手間をかける。「だって、夜は長いから」

「大麻を吸ってるってバレたら怒ると思ってた」大麻の助けがなければ、とてもじゃないけれどコーリーにいえるセリフじゃない。

「とっくに知ってたよ——もちろん。ジェイミーのやりそうなこと、でしょ?」

「でも、ジェイミーはわたしじゃない」

「似たようなものよ」コーリーがなにかを引っぱった。

「ううん。似てない」

「わかった、そういうなら。わたしたちを待たなかったのはちょっと意外だったけど」

「いつから吸ってるの?」知らないあいだにコーリーがドラッグをやっていたという考えに、なぜか気分を害した。

「吸ってないよ」身をのり出して笑いかけ、わたしの視界を占めるコーリーの顔がまばゆく、すごく、すごく間近にある。「でもいったでしょ、夜は長いからって」

長い夜がどう短くなっていったかは、つぎのとおり。

夕食をすませ、死ぬほど写真を撮られたあと、ルースおばさんの相手はブレットとコーリーにほとんどまかせてジェイミーとわたしは難を逃れ、四人でポストおばあちゃんのシボレー・ベルエアにのりこんだ。ベルエアは数年前に比べ、ずいぶんクールな車に格上げされたらしい。ルースは車にのりこむわたしたちをさらにぱしゃぱしゃ撮り、ブレットの運転で私道から通りへ出て角を曲がってやっと、〈サリーQ〉の新商品の、ピンク色のカメラによるフラッシュ攻撃から解放された――少なくとも、グランドマーチまでは。ルースには、少し早めに出て中央通りを二本ゆっくり（往復して）流し、ブレットのおばさんの家で写真を撮っていくといっておいた。実際には、コミュニティカレッジのグラウンドのわきに車をのりいれた。駐車場はからっぽで、ティール色のトラックスーツを着た男が息を切らせながらジョギングだかウォーキングだかでトラックを一周しているほかはひとけもなく、もうし分ない。四人でジムビームを回し飲み、そのうちジェイミーがこれ以上飲んだらプロムを切り抜けられないといってパイプをとり出し、大麻をつめはじめた。そのようすをみまもっていたコーリーが「試してみる」といい、ただし、外でやるならの話で、なぜなら「プロムにマリファナ臭をぷんぷんさせて現れるつもりはないから」。

トランクからけばだったひざかけ毛布をとり出し、ジェイミーとブレットが上着を脱いだ。息を切らしたジョガーだかウォーカーだかが、完ぺきなギャグのタイミングでわたしたちを二度見する。むきだしの足にストラップシューズをはき、ウールのまゆにくるまったコーリーとわたし、ほぼタキシード姿のジェイミーとブレットの四人は、駐車場を横断し、ネズの茂みとポプラの木がまばらに生えた一角へ来ると、ピクニックテーブルのかげに隠れて火をつけた。コーリーがせきこみ、さらにせきこみ、ブレットがせきこみ、さらにせきこむ。レクリエーションセンターへ入るドアの手前にコカ・コーラの自販機があったので、ふたりののどをうるおすためにジェイミーがひと走りしてスプライトを買いに行き、小走りで戻ると揺すぶりすぎた缶を勢いよく開けて、レモンライムのしぶきを自分にぶちまけた。

「くそっ」指にしたたる炭酸ジュースをふりはらい、缶の残りをコーリーに手渡す。「効いてるのかよ？せめてさ」

「さあな」とブレット。「くちびるがハチの巣みたいだ。これってハイってことか？」

「宇宙船なみにハイだな」ジェイミーがパイプに手をのばす。「運転前に、もう一服行くか」

「運転前だから、もう終わり」コーリーがわたしの両腕をつかんでいっしょにくるくる回ろうとしたけれど、わたしは応じなかった。「平和な気分。世界がプディングでできてるみたい。すてき。いまはこれで満足。もう行かないと」

コーリーはクラッチバッグに入れてきた〈レッドドア〉の香水の小びんをほぼぜんぶふりかけ、おばあちゃんがコンパートメントにしまっておいた〈ライフセーバー ペップオミンツ〉をたっぷり賞味したのち、出発した。

•
•
•

体育館の隅に設けられた仕切りの背後に、グランドマーチの列ができていた。ヘニッツ教頭が入場チケットを受けとり、おそらくは酒のにおいを警戒して息のチェックをしていたが、ブレットの勝利の笑みと、大健闘だったサッカーシーズンの恩恵により、彼がはつらつとうなずいて笑顔を向けるだけで四人ともすんなりパスし、入り口を抜けてプロムに足を踏みいれた。待機用の一角はヘアスプレーとアイライナーが飛びかい、だれもが汗ばみ、早くもプロム全体のメッキがはがれかけている。名前を呼ばれたカップルは、舞台の両側に置かれた階段をべつべつにのぼった。階段はラメ入りのペンキで塗装されており、プロム実行委員は月の表面にみたてようとしたらしかった。舞台中央で合流し、手をつないで記念写真のためにほほえんだのち、いっしょにおりる。舞台に向けてビデオカメラが設置され、収納したバスケットボールのフープからはスクリーンがつるされて、一部始終を映し出していた。体育館の奥手にある応援席は、あらゆる種類の子煩悩な保護者と、種々さまざまな教育失敗例の学友たちで埋まり、なかにはお気にいりカップルに声援を送る者もいたけれど、大半はプロムの参加者全員をからかっていた。とはいえ列に並ぶ側に同じことをしている者がいないとはいえない。

わたしはコーリーの選んでくれたハイヒールで歩くのに意識を集中した。とくべつ高いヒールではないけれど、スニーカーよりは確実に高い。集中していたのと、大麻の影響のせいで応援席からの声援やヤジはあまり耳に入らず、舞台中央でジェイミーと合流すると手をつないでそろってスポットライトを浴び、遠くではカメラ二台のフラッシュが洪水のように焚かれ——一台はまちがいなくルースの、もう一台はたぶんジェイミーのママのカメラだ。ジェイミーはスクリーンに大写しになる瞬間に抵抗できず、わたしの背中に片腕を回すとタンゴダンサーみたいに倒した。さらにシャッターが押される。観客が拍手して口笛を吹く。だれかがブーイングをした。

コーリーとブレットが五秒間のスポットライトを浴びているあいだ、ブレットがコーリーのほおに軽くキスをした。すると、ほぼおそろいの紫色のドレスを着た三年生の女の子ふたり組が「なんてほほえましいの」と感想をもらし、スクリーンを埋めるコーリーはとろけそうに甘いほほえみを浮かべ、応援席の一団は、毒舌で他人をみくだしている後列の女の子たちでさえ、ディズニー映画で利発な子犬がバブルバスを浴びる場面に向かって出すような「あうう」という声をもらした。けれど、わたしが押さえられたプロムの決定的瞬間は、そのときではなかった。

わたしが押さえられたのではない瞬間にはそのほか、一曲目のダンスがふくまれる。最初の一曲は、保護者や見物人が会場に残るのを許され、このときはミスター・ビッグの「トゥー・ビー・ウィズ・ユー」がかかった。コーリーのママが二秒ごとにふたりを呼びとめて笑顔でポーズをとらせるために、あまり親密な時間が持てずにいたけれど、ふたりを盗みみるとマリファナですっかりできあがっているらしく、ひどく満足そうだった。ジェイミーとわたしはルースと彼のママから同じくカメラの洗礼を受けたものの、ジェイミーがほかの踊り手たちのまわりをちょこまか動きまわってふたりのレンズをかわしつづけ、調子にのりすぎたため、とうとうジェイミーのママがカップルのすきまを縫ってフロアのまんなかまで歩いてくると息子のジャケットを引っぱって、「なんであんたたちふたりは普通のひとらしく、ただ踊って写真を撮らせてくれないのよ、まったく」と文句をいった。

身内の者が引きあげてしまうと、もっとノリのいい曲がひとしきり流れた。ジェイミーの踊りは実際、ちょっとしたもので、たいていはコミカルで大ぶりな動きだったけれど、結構リズム感がよくて、みなおした。そのあと、四人で四年生の廊下の女子トイレに忍びこみ、三番目の個室ですばやくマリファナを二巡した。行きは簡単だったけれど、戻ってくるのにやたらと手間どった。体育館から先の教室と廊下は「正式に閉鎖」中で、まさしくわたしたちのやっていたような行為を防ぐ目的なのだろう。とはいえお目付け役の教員の数は限られ、パンチ・ファウンテンからは常時目を離せなかった。

ジェイミーが、ほぼ全身黒のアンサンブルを生かして、廊下と踊り場をこそこそ移動してひとけがないのを確認するあいだ、コーリーとブレットはハイなのにこと寄せて、それまでにわたしの目の前でしたのを合わせたよりもさらにたくさんトイレでキスをした。それもまた、わたしの押さえられた瞬間ではない。

そして、つぎにかかったスローな曲もちがう。コーリーがすてきに踊る光景でもなく、彼女に恋わずらいをしたFFAのなよなよした男の子の顔が真っ赤に染まるのを冷やかしたときではまったくない。また、コーリーがわたしをダンスに誘ったときですらなかった。そのときブレットとジェイミーは、写真撮影のポーズをとりに席を外していた。ちいさな町の職業写真家がこぞって撮りたがり、店のショーウィンドウに飾るたぐいの——肩にジャケットをひっかけ、腕組みをして、笑うのを拒んでカメラに向かってうなってみせる、高校スポーツ選手たちの白黒写真を。

女の子たちはひと晩じゅうグループやカップルになって踊り、とはいえ「ノーベンバー・レイン」は女の子同士の典型的なダンスには少しばかりテンポがゆっくりすぎ、甘ったるすぎる曲だった。それでも、頭上には厚紙の星がかかり、わたしをしっかり抱きしめるコーリーの背が高すぎても、ふたりのダンスは奇妙に空虚で、ロマンチックとはほど遠く、コーリーを思うときにひそかに願ったのとは似ても似つかなかった。

周囲の人間がみているかもしれないとびくびくし、終わってくれてほっとした。

わたしが押さえられた決定的瞬間は、ＤＪが参加者に礼をいい、頭上の照明がともり、わたしたちみんながきつい蛍光灯の下で目を細めてたがいを見交わし、だれそれさんの髪はぺちゃんこで、食べものをのせたテーブルは食い散らかされて汚らしくぼそぼそになり、自分たちにも似たような状態のやつがいると気づくまでの、たぶん五曲前だ。そのときジェイミーとわたしは応援席に腰をおろし、コーリーとブレットはねとつくフロアでからみあい、ふたりのまわりは全員〝カスターー高あつあつカップルクラブ〟のメンバーで——プロム用の即席ではなく、ほんとうにつきあっているカップルだった。わたしはコーリーをみつめていた。それは確かだ。ブレットの肩に頭を預けたコーリーの目は閉じ、いまではひなぎくがいくつか髪の毛からこぼれ落ちている。靴を脱ぎ、わたしたちみんなが脱いでいて、そのためつま先立って踊り、コーリーの完ぺきな足のうらが黒くなり、でもどちらにしろ床を踏みしめているようにはみえない。わたしの座る場所からは、そうはみえなかった。まだハイだったため、すごくはっきりした白昼夢をみることができ、あんなふうにコーリーと踊っているのが自分で、プロムに来ているふたりはカップルだとみんなが知っていて、紫のドレスを着た女の子ふたり組は、わたしがコーリーにキスしたとき、どんなにスイートでほほえましいかをささやきあっている。わたしは自分ひとりの時間を過ごしていると思った。応援席の暗がりから、ひたすらコーリーを目で追った。でも、だれかに見張られ現場を押さえられたというときの、ちくちくした感触が首もとにして、ふり返るとジェイミーはもうダンスフロアをみてはおらず、わたしをみていた。

「かんべんしろよ、キャム」あんまり落としてはいない声でいう。「イチモツは自分のパンツにしまっておけ」

心臓が、たったいま二百メートル個人メドレーを泳いだように早鐘《はやがね》を打つ。「なに、自分だけをみてほしいって？」弱々しく鼻で笑い、ばかにしようとした。

「ああ、そうかよ」とジェイミー。「勝手にしろ」立ちあがる。「こんなろくでもない話、する気も起きねえ。トレントンをさがしてタバコをせびりに行く」すでに二段ばかりおり、ジャケットを肩にかけ、顔は本気で怒っていた。カメラ向けのポーズとはちがう。

わたしは立ちあがってあとをついていったけれど、なんと声をかけたらいいのかわからず、でもいま起きたことがなんであれ応援席にぼうっと座ってはいられなかった。脳みそが、まるで乾燥機のかごに入れっぱなしだったようにけばだって感じられ、どうやったらいちばん手際よくとりつくろえるのか、見当もつかない。

追いついてすぐうしろに来ると、ジェイミーの肩にもたれて試しにこういった。「ブレットなんか、なんとも思ってないよ、そういう意味でいったなら。そんなに妬けた？」最高に気どった調子でいおうとしたけれど、そもそも得意じゃないし、ハイになっていて、自分の頭のなかでさえそれらしくきこえなかった。

体育館を出てすぐの大きなロビーには、売店とトロフィーの陳列棚がある。いまではおめかしのくずれたプロム出席者で混みあっていたが、重たいドアがいきなり開いてひんやりした夜気が流れこむと寒気がした。ジェイミーが予想外の大声でいった。「ああ、知ってるよ。それならべつに問題ないだろ？」

たいていは学校の衣装部屋から拝借した、ルネサンスふうの衣装を着た演劇部の集団が、ふたりをふり返る。時代ものにはそぐわない眼鏡や髪型やブレースをしている子もなかにはいたが、その一瞬、彼らがわたしの進行中の悲劇を彩るバックコーラスのように思えた。わたしがジェイミーのひじを実際にとって玄関まで引っぱっていっても、ジェイミーは抵抗しなかった。ところがすぐおもてではヘニッツが突っ立ち、両手を組んだ背中を向けて、学校の芝生と金属製の彫像を眺めていた。下から照明を当てられた像は、カスター高の卒業生が昨年寄付したものだ。

「カスター高きっての俊足コンビかね」わたしたちをふりむいて、教頭らしくほほえむ。「記念すべき夜をたっぷり楽しんだかな?」

「はい」ジェイミーがわたしと腕を組んだ。「うるわしい《ゲィ》一夜でした」

ヘニッツがくすりとする。「古風ないいまわしがはやりなのかい?」ほんとうに困惑したらしい。「若者ことばにはついていけんな」なかに入ろうといったんきびすを返し、また向き直る。「覚えておきなさい、階段をおりて建物を出たら、会場には戻ってこれないぞ」教頭は広々したコンクリートの玄関口にわたしたちを残した。

「わかってるって、タコ頭め」ジェイミーがヘニッツの占めていた空間に向かって毒づく。優雅な動作ひとつで、最上段の金属製の手すりに腰かけた。

　わたしの知らない生徒ふたりが階段の反対側で所在なさそうにたたずみ、女の子はデート相手のジャケットをむきだしの肩に羽織っていた。外は肌寒く、おまけにドレスのすそをそよ風が持ちあげ、そのたびにわたしは身ぶるいした。奥歯をかみしめて背中をすぼめる。なんであれジェイミーを納得させられる適切なことばを、なにひとつ持ちあわせなかった。まだはだしの足をみつめる。コンクリートの冷たさで、もうひりひりしていた。泣きださないように必死だった。

「ジャケットいるか?」ジェイミーが声をやわらげる。

　顔をみずにわたしは首を横にふった。

　ジェイミーが飛びおりて、構わずわたしのひきつる肩にかけた。

「なんだよ、泣くなってキャメロン」声はまだやわらげたままで、それにわたしをキャメロンと呼んだことはこれまでにいちども、決してなかった。「泣かせるつもりはぜんぜんなかった」

「泣いてない」事実とはほど遠い。けれどいましかなかった。「いつわかったの？」まだ足もとをみつめたままきいた。つま先がすっかり白くなっている。

「なにをわかったって？」

「わたしのこと」

「お前のなにをだよ？」ほんの少しだけ、からかい気味になる。

「なんで、この話になるとそんなにいやなやつなの？」

「だってなにを知ってるってんだ、まじで？　お前がリンジーのやつとまだつきあいがあるのは知ってるし、あいつはあんななりだからな。おれが知ってるのはそれだけだ」

「なりって？」顔をみた。

「ダイクのなりだよ。くそっ」ジェイミーはかぶりをふって鼻を鳴らし、手首を手すりに打ちつけ、するとむなしい音がこだまし、手持ちぶさたのカップルが反応した。「おれにお前を〝ダイク〟って呼ばせたいのか？　パーティの賞品かなにかかよ？」

「そう、それが狙い」いまでは確かに泣いていて、泣いた自分に怒り、ジェイミーにも怒った。「わたしのロッカーに念のためスプレーで描けばいいじゃない。わたしが忘れないように」

　背を向けて行こうとすると、ジェイミーが引き戻す。四百本もの映画でその場面をみたけれど、だれもわたしにやったことはなかったし、こんなふうになるとは知らなかった。一瞬全力で抵抗したと思うと、つぎにはジェイミーの胸でしゃくりあげていた。気恥ずかしく、自分を弱々しく感じたけれど、それでもしばらくそうしていた。

「みんな知ってるの?」体を起こし、コーリーが一生懸命メイクしてくれたのにだいなしにした〝つやめき顔〟を、ジェイミーのジャケットのそでぬぐう。

「チームの二、三人がうわさしてた」とジェイミー。「でも、みんながってわけじゃない」

わたしは「へえ、そう?」の顔つきをした。両眉をあげ、くちびるを突き出して首をかしげ、そうしながら自分がどんなにまぬけにみえるか気がついた。

「ああ、そうさ。あいつらはお前を気にいってる。だから『ただの運動選手ってだけだろ』とかなんとかいう話になった」

「でも、応援席でジェイミーがいったのはそういうんじゃ――」

「悪いくせが出ただけだ」また声が大きくなる。「まったく――いまさらみんながばかをいってると思うのか? このままコーリー・テイラーにひっつきつづけたらどうなるか、ようすをみてみるか?」

わたしは赤面するのをとめられなかった、いつもどおりに。「コーリーは友だちだよ、ほんとだって。いちどでも……」どうしめくくればいいのかわからない。

「お前とおれだって友だちだ。もっとずっと前から。だからさ、なんでわかるんだ?」

「わたしがわかるなんていついった? 確信があるって」

ジェイミーがかぶりをふる。「その、コーリーのそばにいるときはぜったいそれっぽくふるまってるぜ。少なくともときどきは」間があき、つぎのことばをさがしているようだった。「だからいまさら確かじゃないっていうつもりなら、まぬけだぞ。まじで。男で試してみろよ、そうすりゃわかるから」それ以前にたぶん何十回も気づく機会はあったはずだけれど、その瞬間、ジェイミーがわたしに気があるのがわかった。というより、わたしに気があるとジェイミーが思っているのが。そうなると、これまで話していたことすべてというか、この数分間の話がとつぜん、さらにこみ入って気まずいものになり、それこそまさしくわたしが早送りするシーンだった——空気が張りつめすぎ、息苦しすぎ、逃げ道がない。

ふたり共通の顔見知りの生徒たちが、そのとき外に出てきた。みんなが笑って盛りあがり、汗ばんで前髪をひたいにはりつかせ、顔を上気させている。「ラストダンスの前にもう一曲あるぞ」ひとりがわたしたちに話しかけた。それからみんなが同時に、プロムナイトのドラマに水を差したと気づいたようだった。ジェイミーの緊張したたたずまい、わたしのぐちゃぐちゃな顔。

友だち集団は肩をすくめて悪びれた笑顔をつくると、わたしたちにタバコの箱をふり、頭の上でタバコを吸いたくないからとかなんとかぶつぶついいながら数段おりて反対の手すりに向かった。

「確かじゃないなら試してみても害はないだろ?」ジェイミーはわたしをみずに彫像をみている、ヘニッツみたいに。

わたしはいまだに適切なことばをつむげない。「確信がないっていうか、たぶんわかっているけどまだ混乱もしてて、両方同時に。意味が通る? その、わたしがそうだって今夜ジェイミーがわかったみたいに、みてわかったのか、それとももうすでに感づいてたのか——意識の隅で。でも、だからって混乱しないとかじゃなくて」

「ああ、だけどお前のことは、おれにはなにも確かじゃない」ふり向いて、もういちどわたしをみる。「おれがいってるのはそういうことだ。いっしょにいると、ときどきお前はおれより男っぽい。だけどほかのときは……」おおげさに腰を突き出す動作をして話を終え、変態みたいににやついた。ばかげていたけれど、一瞬前よりずっといい空気が流れた。

「それはジェイミーがうんざりなティーンエイジの男子だからだよ」腕を強く殴って、腰をふるのをやめさせる。「わたしとぜんぜん関係ない」

「おれが女好きでお前も女好きなら、お前もうんざりなティーンエイジの男子だ」わたしを殴り返す、やっぱり手加減なしで。

「ぜったいちがうね」重要なことにかたがつき、この件はもうおしまいかなと思い、でもそのときジェイミーがかがみこんでキスをした。顔をそむけることもできた、しゃがむなりジェイミーの顔をそらすなりできたけれど、しなかった。ジェイミーの好きにさせた。そしてキスし返した、ある意味。ジェイミーのくちびるは乾いていてあごが少しざらつき、すっぱいけむりと甘ったるいシャーベットパンチに似た味がして、けれどジェイミーとのキスでなにかが走り、一種のスリルを覚えた。不意を突かれたせいだ。

ジェイミーの口はせわしなく、でも正直、まずいキスではなかった。向かい側の喫煙部から、はやし声や口笛が起きるまで長いキスをし、それから体を引いた。ジェイミーとのキスが味気ないからではなく——反対に、失敗した化学実験的なおもしろさがあり、それになにかいい感じもした——ここはプロムたけなわの校舎の玄関口で、実験なら閉じられたドアの背後でやりたいし、ジェイミーの手がわたしのうしろに回され、ひとつは背中、もうひとつは頭にあり、熱を帯びてきたけれどわたしはちがうからだ。

「おっと！　任務中止か！　つぎの一手は放棄されたぞ！」たばこ吸い仲間のスティーヴ・ビショップが手

すりによりかかって叫び、残りが笑った。

「いまだけだ、ビショップ」ジェイミーが叫び返す。「おれは紳士なんだよ」

「ここからはそうはみえなかったぞ、ボス！」スティーヴがつづけたが、ジェイミーは笑って両手の中指を立て、注意をわたしに向けつづけた。

「な、最高だったろ？　いった意味がわかったか？」わたしの肩からずり落ちかけたジャケットを直す。

「ううん。どういう意味？」

「もっとするべきだってことだよ」とジェイミー。「わかってるだろ、JJK。迷うまでもない」

「そうかもね」文字どおりの意味でいったけれど、どういう意味かはまったくわからない。「ラストダンスをしに行こう」

　わたしたちはラストダンスをして、すぐとなりでは、コーリーとブレットがしっかと抱きあっていた。ジェイミーはダンスのあいだにもう二回わたしにキスをして（「ワイルド・ホース」の曲で）、わたしは応じ、二回目のあと、コーリーがわたしたちのキスに気がついたのに気づくと、ブレットの肩ごしにウィンクをよこし、コーリーの鼻にしわができ、わたしは赤面して顔から火を出し、それもやっぱり気づかれてふたたびウィンクされ、さらにわたしは赤くなってジェイミーの肩に隠れ、それすらまるわかりにちがいなく、ジェイミーが気づいてもちろん勢いづき、もっと近くに引き寄せ、わたしはそこで、まちがった合図を正しい相手にまちがった方法で送っていた。

第九章

わたしの生まれる何十年も前から、マイルズシティの夏は、バナーと旗の列がつづく中央通りを早足に急《せ》かされ、とあるイベントによって正式に迎えいれられる。そのイベントとは、毎年五月の第三週、週末にかけて開かれる〈ワールド・フェイマス・マイルズシティ・バッキング・ホース・セール〉だ。建前としては、初お披露目される最強の競技用の馬《ブロンコ》を、目の肥えたロデオ業者が競《せ》り落としに来る見本市だけれど、実状は、ストリートダンスやトラクター牽引レース、それから羽目を外したほんもののカウボーイたちの四日間にわたるどんちゃん騒ぎであり、それこそが東西両海岸の都会人を惹きつけ、この町の経済を、来年のイベント開催まで活性化させてきた。〈バッキング・ホース・セール〉（ＢＨＳ）は「二ブロック内におけるひとり当たりのアルコール消費量国内最多」を誇るイベントとして、マイルズシティをギネスブックの世界記録に認定させた。ニューオーリンズのマルディグラやメジャー・カレッジフットボールの試合をかんがみれば、たいした成果だ。そして、町のみんなはかんがみた。たくさんかんがみた。この記録に対して、地元民は奇妙な矜持を抱き、イベント週間における町のモットーは「〈バッキング・ホース〉中にセックスできなければ、もう脈なし」だった。

　両親とわたしは、毎年ローンチェアとサンティーの魔法びんを持って、土曜の朝のパレードを見物に行った。午前十時から早くも足もとの怪しい参加者が、山車《だし》の上からあらぬほうへ投げた〈ソルトウォーター・タフィー〉や〈ジョリーランチャーズ〉の袋入りキャンディが落ちていないか、中央通りの側溝をさがした。

そのあとはシティ・パークでお昼のバーベキュービーフ・サンドイッチを食べて、べとべとになった指で汗をかいたレモネードのコップを持つのにひと苦労する。昼食後は、ママが博物館を案内してくれ、それからたぶんアイリーンと落ちあっていっしょにロデオ大会に行き、メインスタンドの下の日かげに入るのがふたりのいちばんのお楽しみだった。捨てられた半券をスタイロフォームのカップに集め、弧を描いて落ちてくるひまわりの種、もっと悪いと、雷雨の降りはじめに激しいわりにひらひらする雨粒みたいに、わたしたち目がけて落ちてくるかみタバコをよけようとした。

　両親が死んだあとは、おばあちゃんがＤＡＲ（マイルズシティでは〝アメリカの牧場娘たち《Daughters of the American Range》〟の略で、〝アメリカ革命の娘たち《Daughters of the American Revolution》〟にあらず）ケーキウォーク（歩きぶり競争）のいちばんのファンになった。これは一種の余興だ。〈バッキング・ホース・セール〉にはたくさんの余興がある。パレードのあとは図書館に行って、ココナッツのアイシングがけジャーマン・チョコレートケーキと、〈マーナ・サイクス〉のシナモンロールを家に持って帰った。ところが、プロムの夜からほどなくしておばあちゃんが体調をくずし、医者から糖尿病対策の栄養〝管理の不行届き〟だといわれた。それで、数週間後、新聞に〈バッキング・ホース〉のイベントスケジュールがのったときにどうするかきくと、〈ヒューマリン〉の薬びんを握りしめて「今年はパレードなんぞにかまけてられない」という。わたしはそれで構わなかった。ルースとレイがすでにＢＨＳ期間にやる〈讃美の門〉関連の活動（デイケア、早朝の祈りの会、ランチピクニック）の係に山ほど申しこんでいて、さらにルースはイベント会場に〈サリーＱ〉の宣伝コーナーを出すため、わたしは四日間を好きなだけ、ほんもののカウボーイと浮かれ騒げた。終わってみると、四日間は多すぎるぐらいだった。

　ジェイミー、コーリー、ブレット、わたしの四人はジェイミーの家でビールと大麻の景気づけをして、それから木曜の初日、夜のストリートダンスにくり出した。早めに着くと、〈レンジ・ライダーズ・バー〉前の一角はまだロープで囲われておらず、そのままいけば四人は即座に追いはらわれるはずだった。ふだんとちがい、MCPDマイルズシティ警察が総出で動員されており、わたしたちはまちがいなく飲酒の許される法定年齢未満で、〈バッキング・ホース・セール〉の会場では大目にみられても、初日の夜は厳重な警戒が遵守された。わたしたちは追い出されてしかるべきだったけれど、コーリーの兄貴のタイは、この週末の重要人物だ。エキシビジョンのロデオに出場し、でもさらに重要なのは、地元の正真正銘ハンサムな、観光客受けのする二十代のカウボーイであること。簡易ゲート設置中の担当者かだれかにタイが口をきき、するととつぜん四人は手出し無用になった。

「だけど、酒は自分たちで調達しろよ」いばりくさった態度でわたしたちのほうへ来る途中、ツーステップを踊るカップルに足なみをあわせたタイは、ラングラージーンズとベスト姿が不思議とエレガントだった。カートゥーンに出てきそうなほどでかいハットも、タイがかぶるとキマってみえる。「酒を持ってるところをおれにみせるんじゃないぞ」タイがコーリーの耳を引っぱる。「そんな姿はぜんぜんみたくない」

「ぜったいみたくないでしょ」コーリーがタイの胸をどやす。「飲めないんなら、こんなところに来る意味がある？」

「飲むなとはいってない」タイが芝居がかったしぐさでミラーの缶をごくごくやった。「飲んでるところをみたくないといったんだ。みえないようにこっそりやれよ、女王さま」

「まだ王族には加わってないから」とコーリー。「お辞儀するのはあしたでいいよ」

「宮廷道化師にご指名くださるなら、お辞儀いたしましょう」ジェイミーが得意のレプラコーン式かかとあわせジャンプをする。

コーリーは〈バッキング・ホース・セール・クイーン〉にノミネートされた。市をあげてのコンテストだけれど、たいていはカスター高の四年生で、ＦＦＡの子が優勝する。過去三十年ばかりのうちコーリーは最年少の候補者で、四年生にとっては目ざわりな存在だった。ノミネーションの辞退を申し出たものの、コンテストを主催するモンタナ肉牛業者協会の口ひげを生やした会長の気分をそこねてしまったため、出馬を承諾してクイーン候補の責務も引き受けた。

「優勝はしないよ」とコーリー。「レイニー・オスチェンが選ばれる。そうなるべき。クイーンになるために生きてるんだから」それから二、三ステップを踏んで、ジェイミーのかかとあわせを難なく完ぺきにまね、わたしがコーリー・テイラーに参っている理由を再度強化してみせると、着地しながらいった。「でも、ジェイミーはずっと宮廷道化師ね」

コロラド州から来たバンドが足でリズムをとりはじめ、タイは通りの向かい側にいる、小柄だけれどふくらんだ髪型をしたブルネットにうなずきかけて、踊るカップルのほうに向けて合図した。しばらくわたしたち四人をじっとみつめ、というよりも警察の面通しのように、ひとりずつ顔を検分していく。それからわたしの両肩に手を置き、無造作な動作だったために冷たいビール缶が鎖骨にまともに当たり、タイのどでかい、しみのついた、爪の大部分が内出血してアスファルトの黒と赤紫色をした親指でぐっと押しつけられた。「キャメロン、お前を今後四日間、コーリーのお目付け役に任命する」生臭いビールまじりの息がかかる。にこりともせず、大まじめだ。「お調子者もボーイフレンドもあてにできない。理由はわかるな。お前だけだ――コーリーにはめを外させるなよ」

「『助けて、オビ=ワン・ケノービ、あなただけが頼りです』」わたしの腕にしがみついて、コーリーが笑う。

わたしも笑ったけれど、まだタイが解放してくれない。

「まじめな話だ」タイのセロリ色の目が、わたしの目を射すくめる。「家に泥をぬるようなまねを妹にさせるな」

「それはお兄ちゃんの仕事でしょ」コーリーがタイをひと混みに押しやる。「ホットなカウガールと踊ってくれれば。おとなしくするって約束するから」

「ダクトテープでくっついて、妹から離れるなよ。ぜったいだ」うしろ歩きをしながら、まだわたしをにらんでいる。「おれをがっかりさせるんじゃないぞ、キャメロン」

わたしは笑って「承知しました、だんなさま」といった。けれどタイのなにかがわたしを神経質にさせ、それがなんなのかははっきりわからなかった。

「コーリーの兄貴は週末いっぱい、ライバルを追いはらうのに忙しそうだな」タイが相手の女性の手をとって、通りの中央へ踊りながら出ていくのを四人でみまもっていると、ジェイミーがいった。

「あんなの、種馬《スタッド》の範疇にも入らないよ」とコーリー。「つまりさ、〈バッキング・ホース〉中に寝るところまで行かなきゃ、ジェイミー……」

「いててっ」ブレットがコーリーの手をとる。「多感な少年の夢をこわすなよ。キャメロンが彼氏の名誉を守るはめになる前に、踊ろうぜ」

「心配いらないよ」通りのまんなかに向かうふたりに声をかける。「名誉なんてもとからないから」

プロムの夜以来、その手のちょっとした冗談をたくさん交わしてきた。からかうのはブレットとコーリーが大半で、ジェイミーとわたしは学校の階段でした会話を蒸し返すことはあまりしていない。プロム後のわたしたちがどういう関係かというのはいい質問で、必ずしも答えを出すことを望んでいなかった。二度ほどキスをして、シャツを脱ぐところまで行き、二度ともわたしの寝室で、二度ともリンジーのミックス・テープをかけていた。いちどはジェイミーが来ているのを、わたしの部屋のドアが閉まってからジェイミーが帰るまで、ルースがしっかり見張っていた。でも、なにもいわれていない。

いちゃつくのは、悪くはなかった。心配したほどまちがっているとも変だとも感じない。けれどすべてが機械的な感じ、というより、リハーサルをしたみたいといったほうが適切かもしれない。テープをかけ、〈再生〉ボタンを押して、クランベリーズがセレナーデを奏で、わたしがシャツを脱いでジェイミーも脱ぎ、〈ダウニー〉のにおいがするコンフォーターの上に転がる。ジェイミーは背中にへんなへこみがあり、ばかでかい手にはタコがあり、わたしのお腹にジェイミーの鼓動を感じ、首のうしろをなでられると鳥肌がたって、ジェイミーのボトムパンツがふくらみ、下も脱ぎはじめるのではと心配になるけれど、まだそこまでは行っていない。

「ださいプロムってぼやいてたのに、ふたりがくっつくなんてほほえましい」ラメの星だらけの体育館で二組がおおっぴらにいちゃつきあったあと、学校に戻った最初の月曜日、コーリーがわたしにいった。

「くっついてないよ」

「へえ、じゃあなんなの?」

「わたしたちは友だちで、お試し期間中なの」自分の気持ちをコーリーに伝えたなかでは、それまででいちばん正直で率直なことばだった。というより、そのあともふくめて。

・
・
・

〈バッキング・ホース〉中の金曜日は、事実上FFAの生徒は全員欠席を許された。そもそも全校生の約四十パーセントはFFAに所属し、それ以外のおよそ二十パーセントは授業に出なくても親が目をつぶり、残りの、信心深い優等生でもなければ、イベントになんの興味もない不運なわたしたちは自主休校にした。その朝ジェイミーとわたしは陸上部の仲間ふたりと〈聖ロザリオ〉で過ごし、大麻を分けあった。補充できるのはその日の晩の予定で、手持ちは少ない。がたつくカート二台でやった廊下レースは、廊下クラッシュで終わった。最後に九階に行って金属製のはしごをのぼり、てっぺんをふさいでいるバリケードを破ってハッチをあげ、タールでべとつく平らな屋上に出る。動かないものなら手当たり次第、それに鳩にスプレーで〝九五年卒〟と吹きつけたけれど、鳩が動いてしまい、ジェイミーは片羽根にシルバーの線を一本なんとか引けただけだった。窓を割った。逆立ちをした。からっぽの、雑草の生えた駐車場にものを投げた。実際に意味のあるようなことはなにひとつしなかった。

屋上は夏の暑さで、ジェイミーはあがるなりすぐにシャツを脱ぎ、ほかのふたりもならった。わたしはTシャツをたくしあげてまんなかあたりで結んでへそを出し、そでをまくって内側にたくしこむと、両腕をすっかりむき出した。いつの間にか、ジェイミーとわたしのふたりきりになり、それでたくしあげたシャツをぜんぶ脱ぎすて、巨大なダクトで日かげになった隅っこをみつけ、とけかけたタールを背中で押しつぶしながらお日さまで熱くなった肌と肌を合わせた。わたしはリンジーの感触を思い出し、コーリーとだったらどんなだろうと想像した。二、三分そうやって感じているときもいないときも、ジェイミーの熱心さに合わせようとしながら、相手がジェイミーではないふりをした。でも、ついていけなくなり、パトカーのサイレンが通りすぎ、雲が流れ、ジェイミーの次第に荒くなる息づかいがわたしを屋上に引き戻し、この場をしのがなくてはならなくなった。

体を起こし、ジェイミーに身構えるすきを与えずに押しのける。「お腹へった」シャツに手をのばす。「〈セール〉に行って、ルースに昼食をおごらせようよ」

「ちょっと待てよ、ポスト——くそっ」とジェイミー。「いいところだったのに」

わたしは立ちあがってランジをやり、足をストレッチしないといけないみたいにふるまったが、実際はそんな必要はなかった。「うん、ごめん。でもほんとうにぺこぺこでさ」ジェイミーをみないでいう。「今朝シリアルの〈ウィーティーズ〉を抜いたから」

「みえみえのいいわけしやがって」ひじをついてそり返り、わたしを横目でみた。「〈セール〉には、放課後にならなきゃ行くのも禁止だ——ルースはいまごろ化学の授業中だと思ってるはずだろ」

シャツを着て、ジェイミーが立つのに手を貸そうとさしのべながら、もごもごいう。「半ドンだっていえばいいよ。それか、早めに出てきたって。ルースは納得するよ。会場で会わないかもしれない。あっちは混みあってるから。コーリーをさがして、ハンバーガーのおこぼれをもらおう」

ジェイミーはわたしの手を無視して自力で立ちあがり、背中を向けた。「ああ、コーリーのお姫さまをさがしに行こうぜ。そんなことだと思った」ハッチを乱暴に開ける。

「すねないでよ」腕を通さずにショートパンツのベルトにひっかけたジェイミーのTシャツを引っぱる。

「ほんとにお腹がへってるだけ」

「ほざいてろ」とジェイミー。「わからねぇのは――」頭をふって、「くそっ」とはきすてる。

「なに?」答えを望まずにきいた。

ジェイミーが鼻を鳴らした。「二分間、『やったぞ、いまだ――キャメロンがとうとう本気になった』と思ったら、もう『コーリーをさがしに行こう』だ」屋内の暗がりに向かってはしごをおりはじめる。

「じゃあ、さがしに行くのはやめよう」あとを追う。「〈タコ・ジョンズ〉に行こう。どこでもいいよ」これが必死の訴えなのを、ジェイミーはわかっていた。大麻のつぎにジェイミーの目がないのが、たぶん〈タコ・ジョンズ〉のスーパー・ポテト・オーレで、大麻をキメてるときに食べると格別だった。あんまりいりびたっていたので、わたしはいつもほかの場所へ行きたがった。

「いいアイディアがあるぞ」ジェイミーが下から話しかけた。「クロフォード牧師のところでお前をおろして、変態病を祈ってくれって頼むんだ」最後の段を飛びおりて、スニーカーがセメントの床をたたく音がした。

「ジェイミーのくそばか」足でつぎの段をさがしたけれど、空を切るだけだ。わたしもジャンプした。

「キャメロンのくそダイク」わたしを待たず、廊下を歩いていく。

ジェイミーがジオを運転中、ふたりは話をしなかった。ジェイミーはガンズ・アンド・ローゼスを大音量でかけ、わたしは助手席の窓に映る、生まれてこのかたずっと眺めてきた景色に興味津々のふりをした。会場に着き、駐車代の三ドルをはらう。ジェイミーはTシャツを着た。車だらけの泥道をふたりで歩き、カートゥーンのヨセミテ・サムがたてるような、小麦粉のようにやわらかい、ぱさぱさのほこりをうしろに巻きあげる。並んで歩きはしたけれど、ほんとうにいっしょにいるとはいえなかった。地面からは肥料と春のにおいがたちのぼり、大草原《プレーリー》の風が、ペンキのはげた展示ホールのはじに生えるサンドリードの若草と、開花したてのライラックのにおいを運ぶ。残っていた大麻の酔いはほとんどさめていたけれど、しらふであればしないであろうやりかたで、春の陽気をまんきつした。

展示ホール内ではルースの姿はみあたらなかったけれど、コーリーのほうはすぐに、〈バッキング・ホース・セール〉のクイーン候補五人といっしょにブースにつめているところをみつけた。肉牛業者協会の要請で、キルトとステーキ一ダース分が当たるくじを手伝わされており、コーリーの前にあるガラス製のジャーがいちばん多くのチケットを集めていた。コーリーは、ただ最年少なだけではない。遠目でみて、いちばんきれいだった。黒いタンクトップに硬質の、白い真珠のボタンがついたタイのシャツを腰まわりに結び、くたっとしたわらのカウボーイハットをかぶり、完ぺきな髪はポニーテールに、正確には今回だけふたつ結びにして、赤と白のストローでコークを飲みながら、テーブルにたち寄ったカウボーイに特大のにっこり笑顔を向けている。男はベルトのバックルに親指をかけ、みすぼらしいドラッグストアで売っているバレンタインカードのキューピッドに射られた男の絵そっくりに、目を見開いていた。その顔つきを知っている。自分がしていた。

コーリーはわたしたちをみると飛びあがり、テーブルを回ってきて、まるで十二時間前にいっしょじゃなかったみたいに抱きしめた。コーリーはそういう芸当ができる。けれど、ルースみたいな人間がしてもまったく効果はない。

「ちょっとした拷問だよ」わたしの耳にささやきかけ、制汗剤の〈オールド・スパイス〉とタバコのけむりの香りを漂わせる。タイのシャツの残り香にちがいない。コークを手渡され、じっくり飲んでいたらジェイミーのみつめる目とかち合い、カップを差し出したけれど断られた。

「あとどれくらいつづくの?」コーリーにきいた。

「三十分か四十分、そんなところ」わたしの腕をきゅっとしぼる。「待っててくれるよね?」それからもういちどふたりを観察し、わたしの耳もとに戻った。「ふたりはもうハイになってる?」

「なってないよ」とわたし。「もうさめた」

「特別な朝だったの?」笑って、トレードマークのコーリー・ウィンクをする。

「ぜんぜん」とジェイミーがいった。「キャメロンはこっちに来て、お前に会いたくてしかたなかったのさ。何時間も、お前のことばっかり」

すばやくわたしが割りこむ。「ジェイミーはいま赤ちゃんモードなんだよ。わたしが〈タコ・ジョンズ〉に行きたがらなかったから」

「おや、かわいそう」コーリーが、こんどはジェイミーの腕をとった。「軽食コーナーに、〝パコス〟があるよ。それで代わりになる? おごってあげる。まあ、おごるのはママだけど。いまあそこの担当なの」コーリーはものごとをまるく収めるこつを知っていて、ひとを笑顔にして仲よくさせるけれど、いつも効くとは限らないらしい。

「ならないね」とジェイミー。「行くよ。トラヴィスをさがす」コーリーにコークをもらってから、ずっとわたしをみようとしない。

「でも、戻ってくる?」

「どうかな。おれがいなくても男役に不自由しないだろ」ホールのひと混みに歩いていく。

「どういうこと?」コーリーがきいた。ジェイミーの長い歩幅と黒いシャツが、団子になったカウボーイたちのあいだを縫って進むようすをふたりで見送る。デニムの林のなかで、ショートパンツと半分むきだしの足が目立った。

「悪酔いしてるだけ。吸ったあと、ずっと機嫌が悪いんだ」

「ドラッグなんて、ろくでもない。ふたりとも、いいかげんにこりなよ」

＊＊＊

コーリーは一九九二年度〈バッキング・ホース・セール〉のクイーンには選ばれなかった。コーリーの読みどおり、レイニー・オスチェンの手に渡ると、選挙プロセスに異議を唱える声があがり、出来レースだ、公正に票が数えられていたらコーリーが大勝したはずだとのうわさがたった。

「どうでもいいのに」アリーナ中央でほこりっぽい戴冠式が開かれたあと、コーリーがいった（二位にも冠が授与された。ちいさめで、銀色だったが）。ブル・ライディング（暴れる雄牛を八秒間のりこなす競技）が終わった直後で、カーフ・ローピング（子牛を投げなわで捕獲して縛りあげる競技）がつぎに控えていた。「勝つのは正直、四年生か三年生で候補になったときでいい。またノミネートされたらの話だけど」

「なにいってんだ?」ブレットがコーリーに腕を回した。「されるに決まってるだろ」

特別観覧席への入り口で、入場規制を受けてひとまとめにされたけれど、気にしなかった。こよみの上ではまだ春だったと思い出すにはじゅうぶん寒い夜で、会場は満員、だれもが〈バッキング・ホース〉フィーバーにうかれて騒ぎすぎ、酔いすぎ、ハイになりすぎていた。その晩はずっとジェイミーをさがしたけれど、みつからない。もっとも、期待したわけではなかった。

「あと何日これがつづくの？」コーリーが冠をとって、わたしの頭にのせた。「すでにえんえんやってるみたいな気がする」

「ばかいえ」戴いたばかりの冠を、ブレットがわたしの頭からとってコーリーに戻す。「おれの〈バッキング・ホース〉最後の夜なんだから、飽きるのは禁止だ」

ブレットは、州のサッカー大会にマイルズシティから出場する選手二名のひとりに選ばれた。モンタナ州を代表するオールスターに入れれば、夏に開かれる全米高校サッカー・リーグに出場できる。試合は日曜にボーズマンで行われるため、つぎの朝すぐ、パレードのさなかに両親と出発する予定だった。

「思い出させないで」こんどはブレットに冠をのせた。「パレードはパスして、いっしょにいけたらいいのに」

「その可能性はゼロだ」手にキスをする。「きみは王立旅団の一員だからな」

アリーナの外に出ると、ひと混みがゆるまり、バーガーを焼くにおいが漂ってきた。ビールの売店のそばに許されるだけ近づき、あわよくばおごってくれるか、せめて缶からすすらせてくれそうな人間が現れないかと期待の目を向ける。ロービング競技が終わって、のどのかわいた観客がビールを求めて殺到し、売店に立つたくましい女たちに人垣のなかから十ドル札をふっている。客のふたりはルースとレイで、手を握りあって並び、ルースはデニムのスカートをはき、茶色いブーツと帽子模様の赤いスカーフを巻いていた。

レイがルースより先にわたしに気がつき、わたしはうなずいて、ひょっとしておごってくれるのかもと思ったのもつかの間、わたしを指さしてルースに教えた。さっそくこっちに歩いてくるルースが、感謝するような目つきになる。

「そこにいたのね。月曜まで会えないかと思った」

「兄のせいなんです」コーリーが仲間に引きいれるようにいい、それこそルースの思うつぼだった。「キャムを週末いっぱい、わたしのお目付け役に指名したの」

レイが加わり、ルースにビールを渡した。それがこの晩の一杯目ではないのをわたしは感じとり、残りの二晩、コーリーの家に泊まる許可を（日曜の朝、礼拝に行くのを条件に）もらったあと、〈サリーQ〉宣伝コーナーの成功（「新たに十七軒のお宅が、金物商品のデモ用にリビングルームを開放してくれるの！」）をきかされ、そのあとルースがわたしとふたりきりで話したがり、小グループから数メートル離れた場所に行くと、大きなバーベキューグリルに近づきすぎて、右のほうから油のしたたるような熱気が漂った。

「キャミー、動揺させたくはないけど、教えておくべきだと思うからいうわ。レイとわたしは今夜、ジェイミーをみかけたの」わたしの手をとり、喧噪《けんそう》に消されない程度に声を低める。「観客席の数列前にいて、ジェイミーとブレルさんのお宅の男の子が、連れの女の子ふたりにひどくはしたないふるまいをしていたわ」わたしがなにもいわないと、つづけていった。「カスター高の子ではないと思う。レイは、グレンダイブから来た子じゃないかって」まだなにもいわずにいると、こういった。「あなたを愛する人間の口からきかせたかったの」

「わかった」女の子たちのようすを想像しようとしたわたしは、少しずんぐりして、ブリーチしたブロンドで根もとの黒い、メイクの濃すぎる図をいちばん気にいった。少しだけ嫉妬を感じておどろいたけれど、ほっとしもした――プレッシャーがとれたみたいだった。

「このことについて、話がしたい?」それでなくてもいらいらのたまっていたビールの行列で口げんかが起き、周囲でわめき声が大きくなる。

「ううん、いい。ジェイミーは好きにしたらいいよ」でもそれから「だけど教えてくれてありがとう、ルースおばさん」とつけ加えた。ルースはすばやくわたしを抱きしめ、悲しいルースの笑みをはんぱに浮かべると、レイのもとへ戻った。

「説教された?」コーリーがグリルのほうへぶらぶらやってきて、ブレットは同級生といっしょに残った。

「なんていうか」とわたし。「ジェイミーが観客席にいて、グレンダイブの子に舌を突っこんでたって」

「ルースがそういったの?」

「ルース語で」

「あのスライムなみのくず」コーリーが腕を回した。「タイにシメさせる」

「たいした問題じゃないよ」正直な気持ちだったが、コーリーが信じないのも知っていた。「思いっきり、うんと酔っぱらおう」

「相手がどんな子か知りたくない?」たぶん、調子を合わせるため、かもねと返事する。アリーナ席にいちばん近い入り口に立つコーリーが階段をあがるルースとレイをみつけ、スタンドのあらぬほうをみていたわたしの頭に手を添えて正しい方向に向けた。くっつきあって、ひとの流れに逆らいながら、自分たちの席に戻っていくルースとレイを目で追うと、確かにジェイミーが数列下の席にいる。距離があるはずなのに、連れの女の子たちが想像よりもずっときれいなのがわかった。ジェイミーは実際、そのうちのひとりと親密そうにしていた。

「けだものだ」コーリーがいった。「ほんとうに卑劣。遠目からでも尻軽女だってわかる」

「そう?」シャンプーのリンゴの香りをさせ、コーリーの髪がわたしの横顔にふんわりかかる。「緋文字《ひもんじ》を縫いつけてるとか?」

「なんでそんなに冷静なの?」ふり向いて、わたしをみた。ふたりの顔がすごく、すごく接近する。「今朝会う前に起きたことはそれだったわけ――ふたりは別れたの? そうなの?」

「二十回もいってるじゃない。別れるもなにも、くっついてない」

「知ってる。でもキャムがキャムをやってるだけだって思ってた」

「意味わかんない」ほんとうはわかっていたし、コーリーは正しい。わたしはジェイミーとの仲について、ずっとあいまいにしてきた。コーリーにまちがった印象を与えた。「ジェイミーとわたしは、ただの友だちでいるほうがいいんだ」といい直す。

コーリーはわたしをみつめ、なにかいおうとしたけれど、いわなかった。わたしたちはジェイミーとグレンダイブの子がキスをするのをみまもり、それからルースが顔をしかめてレイに頭をふってみせるのに、ふたりして笑った。

「今夜これが起きてよかったのは〈バッキング・ホース〉の日だってことだね」コーリーがわたしの腕をとり、その場から連れ出す。「カウボーイをひとり、すぐにみつくろってあげる。ふたりでも。十二人のカウボーイだって」

わたしはすごく、こういいたかった。「カウガールはどう?」いってしまえ、たったいま、この場で本音をぶちまけ、そのままコーリーの反応を待て。けれど、もちろんいわなかった。ありえない。

＊＊＊

日曜日、準クイーンのコーリーが、クレープ紙を貼った平台の山車にのってパレードに参加する責務を果たしたあと、わたしたちふたりは〈バッキング・ホース〉はもうじゅうぶんと見切りをつけた。ブレットはサッカーの大事な試合に出かけ、ジェイミーはまだわたしを避けて女の子と過ごし、実際に寝たかもしれなくて、昼には積乱雲がもくもくとたちこめ、お祭りの会期中たいていいちどは降る伝統にのっとってあたり一面を灰色に湿らせ、少なからずみんなの志気をくじいた。

コーリーの運転で牧場に行き、午後はタイのぶかぶかなスウェットを着て、〈コンスタント・コメント〉（コーリーが好きなブランドの紅茶）の入った甘いマグを片手にMTVをみて、〈バッキング・ホース〉準クイーンの責務をさぼった。ブレット抜きでコーリーの家に来るのは二度目か三度目で、予想どおりわたしは落ちつかなかった。救急病院の看護師をしているコーリーのママが十二時間シフトのため町に出る前に、グリルチーズとトマトスープをつくってくれた。おばさんから「テリー」と呼ぶように十回はいわれたけれど、「テイラーさん」と呼ぶのをやめられなかった。

「コーリー、あまり遅くならないうちに、ちゃんとえさをあげてよね？」えび茶色の手術着姿で、傘を手に立つテイラーさんは、コーリーが年をとって、もっと枯れた感じだけれど、まだまだすごくきれいだった。

「タイがいつ戻るか、わかったもんじゃないから」コートがけの上の鏡をみて、髪を何度か横にはらう。「今夜のカフェテリアはフライドチキン・ステーキだって。ダウンタウンにくり出す前にいっしょに食べる？」

「町には行かない」コーリーがわたしをふり向いた。「〈バッキング・ホース〉のこと、なんて呼んだっけ、キャム？」

「しんらつな女主人」

「それだ」コーリーが笑ったが、母親は笑わない。「〈バッキング・ホース〉はしんらつな女主人だから、アイスクリームを食べて避けることにしたの」

「あんまりあなたらしくないわね」テイラーさんはコーリーからわたしに視線を移し、必ずしも厳しくはないが、優しくもない目を向けた。「お祭り騒ぎのダウンタウンにはぜったい行くと思ったのに」

「家にいて、なにもしたくない」コートかけの鏡をのぞいてスウェットのフードをあげると、コーリーはあとじさってカウチのそでからあおむけに倒れ、頭と上半身をクッションの上にのせて両足を空中に投げ出した。

「気が変わって出かけたくなったら病院に電話して」テイラーさんがいった。それから立ちどまり、玄関口からつけ加える。「あと、タイにも電話させてね——みかけたら」

タイをみかけたのは三十分後だ。片目の下に大きな切り傷をつくり、汚れてぼろぼろの姿で帰ってきた。本人いわく「ちょっと調子が悪い」

「きょうの夜まではロデオに出ないと思ったのに」コーリーがジーンズのジャケットを脱ぐ手伝いをした。

「出てないさ」大きくにやりとした。「サッドっていかれ野郎にやられた。うそじゃないぜ。サッドのくそ野郎が。雄牛に踏まれたも同然になってんのはあっ、ちのほうだ」

「えらい、タイ」ジャケットのえりにこびりついて固まった血を点検する。「うちに泥をぬらないんじゃなかったの」

「まさにそのためにやったんだ」タイが頭を冷凍庫に突っこんだ。出したときにはブロッコリーの冷凍パックをひょうのう代わりにしていた。

シャワーを浴びて、スクランブルエッグとトーストを食べ、リジッドジーンズをはいてべつの帽子に替え、耳のうしろに真新しいタバコをはさむと、もういちど車で出ていった。わたしたちふたりはカウチに並んで座り、わたしのとなりでコーリーが昼寝をした。雨はほぼやみ、雲間をついてまばらに射しこむ陽光が、リビングルームの大きな窓からみえる丘をところどころ照らしている。窓のわきには、テイラー氏が存命中に撮った額入りの家族写真が飾ってあった。一家はどこかのプレーリーにいた。コーリーはだいたい九つぐらい、おさげ髪にして、全員がソフトデニムのシャツをジーンズにたくしこんでいる。写真は、時間経過とともに色あせたかなにかでほぼセピアだったけれど、ほんのり色がついていた。ひげで半分笑顔がかくれたテイラー氏は、両腕を奥さんとタイに回し、コーリーがそのまんなかにおさまり、タイは親指をベルトにかけていた。しあわせそうにみえた。そこがこの手の写真のポイント、それはわかっている。でも、しあわせそうだった。

写真をもっとよくみたくなり、コーリーを起こさずに起きあがろうと数センチだけ体をずらし、少し待ち、クッションを動かさないように注意したけれど、足に体重をぜんぶかけるより前にコーリーの声がした。

「雨、やんだ?」

「うん」実際はなにもしていないのに、悪いところをみつかったみたいな気がした。

「じゃあ、えさをあげに行かなきゃ」あくびをして、両腕をのばす。

わたしはにやりとしてみせた。「わたしの手伝いをあてにしてる？　カウガール役はそっちだよ、わたしじゃない」

「キャムにカウガール役はぜったい無理だもんね、都会っ子」すばやく起き直ったコーリーが、わたしのスウェットのすそをつかんでカウチに引っぱり戻し、けれどわたしはまったく抵抗しなかった。コーリーはそれまでくるまっていたフリースの毛布をわたしの頭からかぶせ、カウチ・クッションをその上にのせてよじのぼったきりどこうとしない。わたしがおざなりに暴れ、コーリーがふんばり、わたしがもっと暴れ、最後にはふたりしてカウチとコーヒーテーブルのあいだのじゅうたんに落ちて、それでも毛布の大半はまだわたしをおおっていて、つまり、ふたりのあいだにはさまった。けれど毛布のはじがわたしのひざの下になってずり落ち、ぶかぶかのスウェットがふたりのあいだでよじれてわたしのお腹とコーリーの背中がむきだしになると、わたしは暴れるのをやめてコーリーから離れて立ちあがり、まるでフィラディルフィアの階段のてっぺんにのぼったロッキーみたいに足を揺すぶった。

「退却は敗北を意味する」コーリーが髪の毛を顔からはらい、わたしに引っぱりあげさせようと腕を上にあげたので引っぱってやったあと、またあとじさった。

「わたしの超人的なパワーでケガをさせちゃあまずいと思ってさ」がちゃがちゃとまくしたてる。

「それはまずいね。タイの部屋に、手伝いのみかえりになりそうなお酒がないかみてみない？」

あった。〈サザンカンフォート〉のびんが半分残っていて、気の抜けかけたコカ・コーラの二リットルボトルを冷蔵庫のドアポケットから出してそれに混ぜる。ふたりで少し飲んだ。それからジーンズに着替える。

わたしはタイの、やっぱり大きすぎるブーツを借りた。クロースンさんの牧場に行ったときを思い出す。地面はぬかるみ、草の葉とリンゴの木の花と雨あがりの香り、洗剤や石けんが〝春の草地〟と称してまねようとしてもぜったいに出せない香りがした。ふたりがかりで重たい飼料の袋を、すべりやすいトラックの荷台にのせた。コーリーがポケットナイフをみつけ、袋のてっぺんをひとつずつ切る。家に走って戻り、カセットテープを手にとって返し、トラックのプレーヤーに挿入して巻き戻すとボタンを押した。トム・ペティ集のテープで、もとはやっぱりタイの持ちものだった。前に、トム・ペティ&ハートブレーカーズの似たようなミックステープを、リンジーにもらったいろんなアーティストのミックステープのお返しに送ったことがあるけれど、電話でのやりとりのときに感想をたずねたら、トム・ペティは男性優位主義者であり、「ドント・カム・アラウンド」のミュージックビデオのなかでペティが演じたアリスを食べるマッド・ハッター役は、リンジーがいうには、彼の「作詞家としての限界と、ティーンエイジの少女へのいやらしい関心」がみえみえの歌詞にはじまった火に、よけい油をそそぐだけだった。

コーリーにはなにひとついわなかったし、ペティの魅力はひとつも減らない。あの日の午後、トラックにのって、コーリーは音量をやかましいほどあげた。わたしたちは窓を、電動ではなく手動でおろした。大きなプラスチックのボトルに入れたリキュールを飲んだ。コーリーがB面の一曲目「孤独な世代」にテープを巻き戻し、それはわたしたち共通のお気にいりだった。コーリーが一節を歌った。

ああベイビー、天国にいるみたいじゃないか?

わたしがつぎを歌った。

夢のなかでみなかったかい？

トラックは丘をはねながら越え、わだちのついたもろい砂岩と頁岩《けつがん》の道を下り、粘土なみにねっとりして油っぽい、泥になりたての溝を通り、それからオフロードを走ると雨に濡れたヤマヨモギが行く手に現れ、それもちょくちょく現れ、そのたびに踏みしだいた。

歌詞の節目ごとにボトルをやりとりするうち、紫色のクロッカスが斜面にぽつぽつ咲いているのに気がついた。あまりに薄くてほとんど透明の花びらを日射しがつらぬき、丘の斜面は出番間近の夏の時期よりも緑が深い。もう何曲かきいたあと、コーリーが巻き戻して「孤独な世代」をもういちどきき、それからもういちど、そのたびに大音量に、そのたびによくなった。

牛の群れの大半は七番ゲートを抜けたネズの茂みのなかにいて、濡れてからまった毛なみを日射しであためている。テイラー牧場はレッド・アンガス種を育てていた。二週間後の出産予定を控え、妊娠中の雌牛のなかには足の生えた毛むくじゃらのボックスカーみたいのもいた。ビロードのような赤褐色の、大きくて優しい目をしたテディベアそこのけの、完ぺきにかわいらしい子牛が生まれるのはまちがいない。わたしがトラックの荷台に移動して飼料をまくあいだ、コーリーはジグザグに走り、牛たちがえさを追いかけて散らばるようにした。

群れの残りは、半マイルばかり離れた一角で新しい草を食《は》んでいた。えさをまき終える。わたしたちはさらに酒を飲んだ。コーリーは岩がちだけれどすべりやすい、自分たちで〝ストロベリー〟と呼んでいるピンク色の砂岩がところどころ露出した丘の斜面を、やや苦労しながらのぼり、頂上近くの湿地帯で泥をはねあげたあと、トラックをとめた。からになった飼料袋を荷台に並べ、座席からフランネルの毛布を持ち出してその上に広げる。ステレオをつけっぱなしにして、さらに音量をあげた。あおむけに寝て、ひざを立て、足のうらを床につけた。まだ空に残っていた赤紫色とネイビーブルーの雲の底を、沈みゆく太陽が胃腸薬〈ペプトビスモル〉のピンク色に染め、雲の向こうに広がる空を、サーカスで売っているピーナッツから砂糖をまぶしたゼリーのスライスまで、あらゆるあめ色のオレンジにかげらせていた。わたしたちのあいだに、なにかが起きているのを感じた。アルコールがもたらす高揚感以上の、カウチでのとっくみあいにはじまったなにか、それより前にも、正直にいえば、感じていたなにかが。目を閉じて、ついに起きろと念じる。

「どうして、もうアイリーン・クロースンと話さなくなったの?」コーリーがきいた。そのときに彼女がきいたかもしれないどんな質問よりも、不意をつかれた。

「だって、住む世界がちがっちゃったから」とわたし。「アイリーンを知ってるなんて知らなかった」

「もちろん知ってる。恐竜の相続人でしょ? 知らないはずがある?」

「でも、それより前に知ってたの?」

「うん、ちいさいころはよく知ってた」コーリーがボトルのふたをねじると、残った炭酸がたてるシュッという音がかすかにもれる。「キャムのことは知らなかったけど、いっつもいっしょにいるのをみかけた」

「どこで?」

「どこでも——お祭りとか、フォーサイスの遠足とか」

「いっしょじゃないときも同じぐらいあったよ」

「うん」コーリーがボトルをよこす。「それで、どうしてもうアイリーンと話さないのかきいたんだけど」

「引っ越したから。そしてわたしは残ったから」

「それじゃああんまり答えにならない」コーリーが右ひざを横に倒してわたしの左ひざにぶつけ、もたれかけさせたままにした。

「アイリーンの親は恐竜を発見して、わたしの親は死んだから。それで足りる？」きつくきこえるようにはいわなかった、厳密には。そうではなく、納得してくれるよう願った。

「かもね」もう片方のひざを落とし、完全に右へ横向きになって、わたしをまともにみすえた。両足ともにわたしにもたせかけ、ひじをさげ、右手で頭を支える。「わたしの友だちにも、パパが死んだあと態度が変わった子がいたと思う」

それについては返すことばがみあたらない。わたしたちはトム・ペティが自由落下《フリー・フォーリン》について語りかけるのをきいた。コーリーが左手をわたしのお腹、へそのすぐ上に置いた。ちょっと強めに押す。

「ジェイミーと寝た？」コーリーがきいた、さらりと。

「寝てない」とわたし。「寝る予定もない」

コーリーが笑った。「お堅いから？」

「そりゃあもう。コッチコチ。いつでもどこでも」少し間を置いて、つづける。「ブレットと寝てるんだよね、でも」

「そう思うの？」

「まあね」

「まだだよ」とコーリー。「ブレットはいいひとすぎるから、無理強いしてこないんだ」

「ブレットはいいやつだよね」なにが起きているのかを把握して、確かめようとしたけれど、できなかった。

「ときどき、待つべきだって思う、どっちにしても。むかしは待つことがすごく大事だったでしょ、せめて大学に入るまで。大学に行ったら、答えを出す時間がたっぷりある気がしない？」

「そうだね」まだ手をどかさない。

「アイリーン・クロースンは、いまこの瞬間なにしてると思う？」〈サザンカンフォート〉混じりのことばが湿ってあたたかく、わたしの横顔に、耳にかかる。

行くぞ。覚悟を決めて、こういった。「ボーイフレンドといちゃついてるんじゃないかな、ポロの選手と」覚悟がしぼまないうちに、つけ加える。「それが好きなふりをして」ことばがしばらく宙に浮き、あらゆる色をした空へ、そよ風になぶられたマツの葉がふりまく雨粒の音といっしょに漂った。

少し間をあけて、コーリーがきいた。「なんでふりをするの？」

わたしはおびえた。「え？」

「なんで好きじゃないの？」コーリーが腹の上の指を動かす、一本ずつ。小指を押して離し、薬指を押して離し、中指を押して離し、もういちど、サイクルをくり返す。

「そう思っただけ」と答えた。顔をコーリーに向けろ、いますぐ。そう考えた。そうしたら起きる。わたしはしなかった。

「そうじゃないんじゃない」コーリーが腹から手をどけて体を起こし、荷台のはしに腰をずらすと、後アオリ（荷台後方の囲い）に足をたらした。

そのほうが、なんとなくやりやすかった。背中をこちらに向けているほうが。やりやすくはあるが楽ではない。息を吸ってはき、吸ってはく。それからもういちど。そして、あいだがあきすぎないうちに、コーリーのスウェットのフードに向かっていった。「ふりをしているのは、女の子にキスするほうが好きだから」

こんどはコーリーがおびえた。「え？」

「きいたでしょ」平静にしゃべろうとすると、努力がいった。

「なんで知ってるの？」

「どう思う？」

コーリーは答えなかった。マツの葉がなぶられ、さらに雨を降らす音がした。わたしが発したひとことごとに、あたりが暗くなっていく。

コーリーがふり向いてわたしをみた。色のついた空が背後に広がり、顔がかげになっている。「ここに来て座って」

そうした。できるだけ近くに座る。肩と足が触れた。コーリーは足をブランコにのった子どもみたいに前後に揺らしている。しばらく座っていた。足の揺れがアオリをきしませるけれど、ときたまだ。

とうとうコーリーがいった。ひとことずつ、間をあける。「これまでずっと何度も、あなたがわたしにキスしようとしてると思うことがあった。きのうのロデオでも」

わたしたちはもう少し待った。アオリが二回きしむ。

「でも、いちどもなかった」

「できないよ」かろうじてことばをしぼり出した。「ぜったいにできない」コーリーのブーツが地面の上で前後に揺れ、かかとのひとつがヤマヨモギの茂みをかすり、しずくを散らした。

「わたしはそういうんじゃないの、キャム。ちがうって知ってるよね」

「わかってる」とわたし。「そうだなんて思ってないよ」

「うん、ちがう」コーリーが大きく息をはいた。「でもおかしいけど、ときどきキャムがわたしにキスしても、とめないだろうって考えてた」

「ああ」とわたしはいった。実際に、「ああ」といった。はっきり、がんとした短いことばで、いうにことかいて、まぬけにも。

「それがどういう意味かはわからない」

「意味がなくちゃいけない？」

「いけないよ」コーリーがわたしをみた。わたしをみているのを感じ、でもわたしはコーリーの揺れる足をみつめつづけた。「意味がないわけがない」

わたしは泥の地面へ飛びおりた。後アオリによりかかり、夕闇が牧場をひとつの影にしようとするなか、丘をひとつずつみわけようとした。「ごめん」なにかいうべきだと思って、いった。マイルズシティまで歩いて戻れるか、思いあぐねる。ハイウェイに出るだけで一時間以上かかるのを知っていたけれど、その瞬間はそれが安全策に思えた。

でもそれから、コーリーが肩に手を置き、ごくかすかに、てのひらの感覚と重さが、タイの厚いコットンのスウェットを通して伝わった。それが求めるすべてだった。ふり向くと、コーリーの顔があり、その口はすでに、問いかけるように待っている。事実に色をつけて書くつもりはない。完ぺきだった――コーリーのやわらかいくちびるが、まだ舌に残るアルコールと、甘いコークの刺激に対抗する。コーリーはとめない以上のことをした。キスし返してきた。わたしを抱き寄せ、かかとをわたしのふとももにかけ、そのままでいると、足もとの雨でぬかるんだ粘土のようにねばつく泥にブーツが沈むのを感じ、引き抜けるか怪しかった。コーリーも気がついた。いまではじめより、頭が数センチさがっていた。

「なにこれ」わたしが体を離すと、コーリーがいった。

「知ってる」とわたし。「信じて、知ってる」ブーツをあげようとしてもできず、そこにくぎづけになる。

「はまっちゃった」恥ずかしい。

「やだ、キャム。どうしよう」両手をあてがったコーリーの顔が目の前に、つまり、すぐ目と鼻の先数センチの距離に迫り、でも体をうしろへ引けなかった。

「まじだ、コーリー――動けない」両手をコーリーのふとももに置いて、ジーンズをつかみ、片足を引き抜こうと思ったけれど、触ったとたんコーリーがもっとあわててエリザベス・テイラーみたいにあえぎ、荷台から飛びおりて、でもちいさな空間にふたり分の余地はなく、わたしは足をぴくりとも抜けなくて、それで背中から文字どおりスローモーションで倒れ、タイのブーツはまだどっしりした泥粘土にはまったまま、ところが勢いで残りの体がうしろに、倒れきるところまで倒れた。

ヤマヨモギの茂みに当たると重さに耐えかねた茂みがひしゃげ、かたい葉っぱとかたい幹を背中で押しつぶして頭が泥につかり、足も泥につかり、ブーツのなかの足はそれでも動かない。冷たい泥のぐちゃぐちゃいう音が耳のなかにしたけれど、コーリーが笑っているのがきこえた。はげしく、思いっきり大声でばか笑いし、それでわたしは目を閉じて、ヨモギで切った手をジーンズのポケットに突っこんで、いっしょに笑った。地面に倒れたまま。

目を開けると、コーリーがわたしにおおいかぶさって立ち、左右の腰を足ではさみ、でも薄れていく明かりと、上体を傾けたコーリーの髪がわたしに落ちかかるせいで表情が読めない。

「その女の名はグレース（優雅）なり」表情がみえなくても、笑っているのがわかった。

「笑える」

「いま、なにが起きたの？」

「尻もちをついたの。おりこうさん」これは時間かせぎだ。

コーリーにはお見通しだった。「その前だよ」

「わからない」

「わかってるくせに」それから予測のつけようがない動きでわたしに馬のりになり、とっくみあっていたときみたいに下に組み敷かれたけれど、あのときより大きな意味を帯びた。「やっとわたしにキスした」

「してほしそうだったから」

コーリーはなにもいわなかった。待ったけれど、なにもいわない。

「深刻に考えることないよ」とわたし。「ふたりでやったばかな実験のひとつだって思えばいい」

腰骨の突き出たところに座りつづけ、コーリーの全体重がわたしにかかり、そこにいられるとおかしくなりそうだった。引っぱってわたしの上にのせたい。でもコーリーは、まだ無言のままだ。それでわたしは待ったけれど、内心パニックで、トラックの運転席から流れるトム・ペティが耳に入り、リンジーを思い、まさにこのばかな展開を警告されたことを、それでもこうなってしまった自分を思った。

ふたたびいってみる。「ねえ、コーリー。話しあう必要すらないよ。たいしたことじゃない」

「あるよ」

「なぜ？」

「いろいろ」

「なぜ？」

「だって、気にいるってほんとうには思わなかったのに、気にいったから」責めたてるようにいう。

「わたしも」

「なのにたいしたことじゃないの？」

「その必要はないよ」うそをついた。「コーリーがわたしにつきあおうというなんて思ってないし」

「わかった。この場かぎりだね」コーリーが立ちあがる。「もうやめる」

「うん」わたしの顔が、わたしにコーリーの顔がみえているよりも、もっとみわけがつかないように望んだ。

「わたしも」

夜は泊まっていかなかった。コーリーの家に戻って汚れを落としたあと、わたしたちはどちらもカウチに座ってテレビをみることすらままならず、そのうちコーリーがやっぱりダウンタウンに行きたいといいだして、結局は病院のカフェテリアで、グレービーをかけすぎたチキンフライドステーキを、おどろいたり喜んだりしているテイラーさんと食べることになり、そのあとストリートダンスをやっているのをみつけ、ＦＦＡの子たちのグループに加わった。みんながマクギニスさんの牧場でやるビールパーティに向かうと決めたとき、わたしは疲れたから構わなければ家に帰りたいというと、コーリーはほっとしたようだった。少なくとも、わたしにはそうみえた。

ルースおばさんとレイはまだ帰宅しておらず、ふたりより先に帰るのはある意味きまり悪かったけれど、キッチンテーブルでおばあちゃんが糖分ゼロのチェリー味の〈ジェロー〉と、みかんとカッテージチーズを食べていた。ママとパパのことを知らされた夜と同じ、紫色のガウンを着ている。あれから何度も着ていたものの、それを着たおばあちゃんがひとりでテーブルに座っているのをみると、雪の吹きだまりにはだしで踏みこんだみたいに、ひやりとした。

「少し食べるかい、はねっ返り？」おばあちゃんがスプーンを差し出して、ボウルをテーブルの向こうから数センチ押しやる。「ジャーマン・チョコレートケーキじゃないけど」

「いらない」でもとにかく座った。

「お前のジェイミーが、今夜二回電話してきたよ」

「わたしのジェイミーじゃないよ、おばあちゃん」

「そうかい、わたしのじゃないのだけは確かだね。お前のじゃなきゃ、だれのなんだい？」すでに〈ジェロー〉をすくったスプーンに、さらにオレンジスライスをのせようとする。

「さあね。本人のじゃないの」

「どっちみち、真剣なつきあいをするにはまだ早すぎる」

ひとさじごとに、三つの食べものが少しずつ確実にのるように、おばあちゃんが慎重にスプーンを運ぶのをみるのは好きだ。

飲みこんで、おばあちゃんがいった。「お前のおじいちゃんに、えんえん尻を追いかけさせたよ。何度でも愛の告白をさせたくてね。それがだいごみってやつさ」

「じゃあ、つかまろうっていつ決めたの?」

「そのときが来たから」ボウルに入れたスプーンをゆっくり前後に動かし、金属が陶器に当たる落ちつかない音を立てた。「自分の番になればわかるよ」

「ママとパパもそうだった?」

「おそらくね。あの子たちなりに」スプーンをボウルのへりにのせる。「あれから三年だね、キャメロン」

わたしはうなずいた。スプーンに集中して、顔をみない。

「話をするかい?」

かぶりをふって否定したけれど、おばあちゃんの申し出に対して声に出して答えるべきだと考え直した。

「今夜はいい」

「わたしとお前、すごくよくやってるよね?」やわらかい、年とった手でわたしの手の甲を数回ぽんとたたき、テーブルから苦労して立ちあがると、おばあちゃんはボウルをとりあげてスプーンをかちゃかちゃいわせながらキッチンへ向かった。

「あんまりよくやってないんだ、おばあちゃん」ちいさな声でいったのではないのに、おばあちゃんはもう皿をシンクですすぎはじめ、蛇口の水が金属のシンクに当たってわたしの声をかき消した。

自分の部屋では『ホテル・ニューハンプシャー』のビデオをかけた。もっぱらジョディ・フォスターとナスターシャ・キンスキーの半秒ほどのキスをみるために。まだ十一時ちょっと前だし、リンジーに電話しようかと考えた。シアトルはモンタナより一時間早い。けれどくらうとわかっている説教を、もしくはそのあとの、リンジーがものにしたストレートじゃない女の子のリストをきかされたいかはわからない。

その週のはじめ、関節が動く木製のママとパパの人形を、ふたりの死亡事故を伝える新聞記事から切り抜いたことばでデコパージュする作業を終えた。人形は〈ベン・フランクリン〉のクラフト売り場で万引きし、シルクフラワーの棚のところでジャージのなかにしまった。棚は店の正面にあり、プラスチック製のツタと、けばけばしい極楽鳥であふれ返っていて、盗品を隠すには絶好の場所だった。なのになぜか、簡単に盗めるのに、目にとまった娘の人形は、買おうと決めた。四ドル九十五セント。その晩、ナンシー・ハントリーのセラピー・セッションからずっととっておいた「喪失との向きあいかた――命の危機に答えて」のパンフレットから単語を切り抜いて、娘をデコパージュしはじめる。「麻痺」と「麻痺感」が十二ページの冊子に十七回登場し、それで、麻痺シャツをつくりはじめた。

しばらく作業しているうち、秘密のメモ方式（授業中に座席の列から列へ回すため、四隅をきちんと合わせてちいさな四角にし、てのひらに収まるようにする）にたたまれた紙切れに気がついた。ジェイミーが折りかたを教えてくれた方式だ。メモは、ドールハウスサイズのピクニックテーブルに置かれていた。おばあちゃんのシュガーウエハースをとっておいて透明エナメルをスプレーしてつくったテーブルで、足は例のピンクすぎるストロベリー・ウェハース、天板はチョコレートと白砂糖のウェハースを使い、勉強机の上の広い棚に新聞紙を二枚敷いて乾かしておいた。べとついた指をジーンズでぬぐい、ウェハースからメモをはがす。上の部分が少しテーブルにくっついた。

おばあさんの昼寝中に忍びこんだ。ごめん。家にいると思って。留守だった。BHSで ~~お前~~ おれといっしょにいるのをお前がみた子とファックした（お前がぜんぜん知らない子だ——名前はミーガン）。つきあったりとかはしない、だけど最後まで行っちまったから、お前には自分から教えたかった。そのせいでおれをきらうのは筋ちがいだ。もしそうなら最低だ。

いままでいわなかった（わざと）が、親戚のティムおじさんはゲイかなにかだ。ママはおじさんのためにずっと祈っている。でも親戚の集まりで会ったとき、最高にワイルドだった。なよっちいところはなくて、すげえハーレーにのってた。

お前のことはだれにもいわない、安心しろ。信じていい。

ジェイミー

「なにも心配はいらない、心配なんて時間のむだだ」
—— G N'R《ガンズ・アンド・ローゼズ》「ミスター・ブラウンストーン」

第十章

手っとり早く親の牧場で働くのをのぞき、ハンバーグをひっくり返すのが好きじゃないなら、マイルズシティの高校生が一九九二年の夏休みにありつけるアルバイトのベストワンとツーは、スカンラン湖のライフガードと、モンタナ州高速道路局の交通整理要員、つまり旗ふり係（たいていは旗ふりガール）だ。どちらかのバイトに雇ってもらうには、担当者にコネがあるか、泳ぎの名手だとかの特殊技能を持っている必要がある。けれどどちらのバイトもまた、高いバイト代と長い労働時間、それから一日外に出っぱなしになることを意味した。ライフガードの玉にきずは、午前中の水泳教室だ。泣きべそをかくちびっ子や、キュロットをはいた気をもむ母親たちの相手をしなくてはいけない。骨と皮の、くちびるを青くしてふるえている六歳の子どもを水に浮かべつづけるのは楽な仕事じゃない。旗ふりガールの玉にきずは、蒸し暑いモンタナ東部の夏のあいだ、黒いアスファルトがのびる幹線道路の上に何時間も立ちっぱなしでいること。それに加え、イエローストーン国立公園目指して突っ走る家族のミニバンにひかれてぺちゃんこになる危険がつきまとう。

わたしはライフガード、コーリーは旗ふりガールのバイトにありついた。ジェイミーは〈タコ・ジョンズ〉が新調した制服の、黒と紫のポロシャツに身を包んでいる。ブレットは〈バッキング・ホース〉の開催中に出た試合で目覚ましいボールさばきをみせたらしく、重要な全国サッカーキャンプのモンタナ州代表に選ばれ、それはつまり六月の一部と七月いっぱいをカリフォルニア州で過ごすことを意味し、うまくいけば大学の奨学金をもらえた。

ジェイミーとわたしは、プロム前の友人同士にほぼ戻った。けれどコーリーとは〈バッキング・ホース〉以来、いっしょにいると案の定ぎくしゃくした空気が漂い、それでわたしはなるべく感じよくふるまおうと努力して、ブレットとコーリーにふたりだけになる時間をたくさんつくってやり、その結果ぎくしゃくした空気は、少なくとも夏の解放感とともに棚上げされた。

「つまり、キャムはコーリーとキスして、コーリーはあんたの世界を揺さぶったあと、そのままほったらかしにしたと」ブーツが泥にはまった話もふくめ、だいたいのてんまつを電話でうちあけたとき、リンジーがそういった。「あんたはこれから何度も何度もそういうキスをするけど、あっちは将来、二・五人の子どもと住宅ローンを抱えるようになったあと、もんもんとする。寝つけない夜にこう自問自答するんだ。『チャンスがあったのに、どうしてあの子と寝なかったんだろう』ってね」リンジーは夏の短期間だけでも訪ねてくるようにしつこくわたしを誘った。競泳には興味をなくし、父親が予定どおり実際にアラスカにいる以上、モンタナに来る理由はどこにもない。

「三カ月間ずっとパパと過ごすつもりだけど、こっちにいたままだってパパはこれっぽっちも気にしない。アラスカに行って、一体なにをしろってのよ、ねえ?」

「ホットなイヌイットの女の子がいるよ」

「あら、ケイト・クリントンがなにかいってる」

「それ、だれだか知らない」リンジーの予想どおりの反応であっても、そういった。

「ダイクのコミックの主人公。きっと気にいるよ。アリスはアラスカ行きにはやけにぴりぴりしてるんだ。パパとアラスカに三カ月いたら、ろくでもないティーンエイジャーから、まともなおとなに成長できるかどうかが決まるみたいに」

「向こうの生活はおもしろいかも」

「うん、すごくね」とリンジー。「もしかしてそうなるかも。もしかすれば。でもキャムがこっちに来て、国境の北のすてきなドラッグを手に入れて、去年のつづきをしたらの話」リンジーがテレホンセックス嬢のつくり声を出す。「いろいろうまい手を覚えたのよ、キャミー」

「ルースがいい顔しないよ」

「するよ。貴重な経験になるって説得すればいい。一生思い出に残る夏になるっていえば。おばあちゃんを味方につけなよ」

　たぶんリンジーは正しく、ひと月ばかりアラスカで過ごすのはわたしのためになると、ルースおばさんをいいくるめるのはそんなにむずかしくないだろう。ただ、リンジーが招いているのは七月で、なぜかというと、リンジー自身が行くのが六月の半ばになり、父親との生活が落ちつくまでに二、三週間の余裕がほしいからだ。七月は、マイルズシティからブレットがいなくなる。ぎくしゃくした空気が流れ、コーリーとわたしの目下の関係は微妙ではあるけれど、内心望みを抱いていなかったといえばうそになる。大胆な望みだった。

　それで、リンジーにアラスカに行けるように努力してみると話し、実際はなにもしなかった。あの決断がなかったら、どうなっていただろうといまになってときどき考えるけれど、その手のことをいくら考えたところで、どこへもたどりつけない。

• • •

テッドコーチはとうとう学位をとり、東部の大学でスポーツトレーナーをしていた。水泳シーズンがはじまるぎりぎりまで代わりのコーチがみつからず、やっと確保できたと思ったらくたびれきったおじいさんで、フォーサイスでは妊婦向けのウォーター・エアロビクスを教えていたといい、フリップターンやストロークの改善に関してはうちのおばあちゃんなみの知識しかなかった。それに、湖がいちばん混みあう週末にライフガードの休みをとりづらく、リンジーがいなくてコーリーがいるため、ことしは水泳チームに加わらなかった。チームには七年間籍を置いた。学校をのぞいて、人生でいちばん変わらないものだった。けれど、あの夏はちがった。

コーリーが遅番用の、パール色の反射素材のストライプが入ったオレンジ色のメッシュのベストを着て、マイルズシティとジョーダンのあいだの十三キロにわたる歩道に立つかたわら、わたしは二十数名のライフガード仲間と一週間をかけて、クロスチェストキャリー、溺者への救助アプローチ、そしていちばんの難関の、おそろしい頸椎損傷救助を、頸椎用バックボードの使用法とあわせて習った。

ライフガードの経験者は夏休みに帰省した大学生が大半で、そういったスキルを簡単そうにさっそうとこなし、わたしたち少数の新米は、先輩にまじって軽口をたたこうとしても、緊張のあまり滅多に成功しなかった。訓練のはじまる前に市は一週間かそこらをかけて、川から引いた水をスカンランの湖底に直接流しこんで満たす。六月の湖は、かき氷をとかした水のなかで泳いでいるみたいだった。六十代にもかかわらず、テッドコーチの母親のヘイゼルがいまだに湖の責任者をつとめた。スチールウール色のショートボブにしたヘイゼルの髪型は一九二〇年代のフラッパーを思わせ、たとえフラッパーがやるみたいに長ギセルでメントールのカプリを吸ったとしても、意外に思う者がいたかはわからない。でもしなかった。確かに監視台はもちろんのこと、ビーチでさえたばこを吸わなかったけれど、バスハウスのかげになった駐車場の外や自転車置き場のわきで、わたしたちが救急救助の実技をしている合間に、水着姿のまま、ビンテージ・レッドのサンダル（ヘイゼルは〝ゴムぞうり〟と呼んだ）ばきで砂だらけの歩道に立ち、優雅にけむりをふかしていた。

訓練中、ドックからわたしたちをみまもるヘイゼルは、ちいさな顔を、有名人がかけるような藤色のサングラスであらかた隠し、赤十字のステッカーをでかでかと貼ったクリップボードに成績表をはさんで、濡れないようにして記入した。わたしたちの救助ぶりを判定しながら、何度も何度も何度も〈リグリー〉のスペアミントガムをえんえんとかみつづけ、思いきりふくらませた風船を割る音があまりに大きいため、口のなかをケガしたにちがいないと心配になるほどだった。ヘイゼルはわたしたちを「ハニー」だの「ディア・ハート」だのと呼ぶわりには要求がきびしく、一九五〇年代にはじめて監視台に立ったときから愛用しているという〈アクメ・サンダラー〉のレスキューホイッスルをぴりぴり鳴らしては、必須技能のクロールのスプリントがなってないとしかりとばした。わたしに限っていえば、ヘイゼルを信用した。そして、感心させたかった。だからがんばった。グループセッションの前後に、水中と陸上の両方でスキルを磨いた。CPR（心肺機能蘇生）、応急処置。先輩ガードにみてもらい、アドバイスを頼んだ。そのうちのひとり、モナ・ハリス――大学二年生で、体操選手の体つきと物理的にもゴシップ源としてもばかでかい口の持ち主――はとりわけ熱心で、ドックから修正点をどなり、何度もくり返し「もういちど」といった。それで、わたしは従う。モナのなにかがわたしをおびえさせた。みんなのことを一切合切《いっさいがっさい》、少しばかり知りすぎているようだった。

けれども力強いライフガードで、わたしは積極的に直しを受け入れ、その甲斐あって、ほどなくラミネートしたての正式な赤十字発行の認定証と、胸もとに白い文字で〝GUARD〟と書かれた水着、それに〈アクメ・サンダラー〉のレスキューホイッスルをヘイゼルから受けとった。わたしはライフガードになった。

・・・

ブレットがサッカー・キャンプにたつころには、コーリーとわたしはほかでもない偶然のめぐりあわせによって、どんどん危険なパターンにはまっていった。スカンランの営業時間は月曜から金曜の午後二時から八時までだ。シフトを終えたコーリーが、市のすぐはずれにある高速道路局で自分のトラックを拾い、バイト仲間たちとキャラバンを組んで町なかにやってくるころ、わたしは最後のローテーションについていた。この時間帯が、監視台にのぼるには最適だった。太陽は照りつけるのをやめ、長い影が湖じゅうにのびる。浅瀬に群がっていたちびっ子連れのママさん集団は、風呂と夕食のしたくをしに家路に着く。わたしたちはおんぼろのステレオをつけて、バスハウスの通用口からひび割れた音をがんがんに響かせながら、たいていは脱衣かごを戻し、砂入れ用のバケツやキックボードをおもてへ出した。

高速道路局のバイトたち一行がダウンタウン行きの出口をおりると、スカンランのすぐわきに出る。顔をほてらせ、ほこりまみれの彼ら全員が、湖につかる準備万端だ。夜のその時間は、一日じゅうねばっていたプレティーンの〝湖ねずみ〟がほんの数名飛びこみ台から飛びこんだり、たぶん一家族か二家族が浅瀬でばしゃばしゃやっているくらいだった。わたしたちは入場料の徴収についてはかなりおうようで、とりわけ、干からびたモンタナ州の雇用者たちには寛大だった。ヘイゼルは問題ない。彼女の標準約款では、ライフガード経験者、公務員の大半、それに六歳以下の子どもは全員ただだ。でもどちらにしろヘイゼルが閉門時間までいることはめったになく、午後のある時点で姿を消してしまい、子どもが自転車で湖へ来るあいだに汗じみた手でハンドルに巻きつけたか握りしめていたせいで、しわのよった紙幣を数える役目はわたしたちに一任された。

しばしば湖ねずみを追い出したのち、バスハウスの出入り口を閉めて正式に営業を終えると、居残ったガードの有志は高速道路局の面々に混じってひとしきり泳ぎ、高いほうの飛びこみ台からキャノンボールをしたり、営業中は厳禁の騎馬戦をした。というか、規則や規定を残らず破った。低いほうの飛びこみ台にぶらさがり、いちばん奥にある監視台から飛びこみ、湖から顔を出している岩を飛び移って渡り、なかでもドックの下を潜るのが、なによりもスリルだった。

ドックは湖に三つある。長いふたつのドックはきっちり五十メートル離して設置され、はさまれた部分を正式に監視つきの遊泳エリアと定め、両方のちょうどまんなかにあるかなりちいさめの四角いドックは、湖のより深い場所にあった。その下へ潜って木製の側面の底をみつけ、くぐり抜けてなかのエアポケットに出る行為は、いうまでもなくスカンラン最大のタブーだ——いったんそこへ潜りこんだ子どもはガードからはみえなくなり、それはつまり溺れたり、ほかの禁止行為をしてもわからないということだった。まさにそれこそが、プレティーンより上の若者が、こぞって中央ドックの下でいちゃつきたがる理由だ。

セックスとスカンランは、わかちがたく結びついていた。ある晩遅く、高いほうの飛びこみ台の向こう側で、金属製のはしごに背中を押しつけながらモナ・ハリスがバージンを失ったといううわさが立った。ベアとグラノーラ・エリックは閉門後のロッカールームでした、数えきれないほどの（それだけにまゆつばな）フェラチオ体験を自慢した。わたしたちのほとんどが、ドック下の比較的プライベートな空間の魅力をよく知っていた。湖の優しいしぶき、等間隔にあいた板のすきまから射しこむやわらかな日射し。四方が塞がれているため、男であれ女であれ、首尾よく連れこんでしまえば水着以外はなにも身につけていない相手とぴったりくっつきあえる。ときどきだれかが水中の夜会に酒を持ちこみ、するとわたしたちはビール缶を何個か持って湖へ入り、太陽にあたためられた木のおおいの下で開けた。

ブレットのいない最初の数週間、コーリーとわたしはたがいに用心して、最低ひとりはほかの人間がいっしょでなければドックの下には近づかなかった。ふたたびふたりだけで出歩くようになっても、コーリーの牧場で起きたことの重みと、ドック下の逃れようのない性的な雰囲気は、ふたりを落ちつかなくさせた。

泳いだあとはコーリーのトラックの荷台に自転車をのせて〈タコ・ジョンズ〉に行き、ジェイミーからチョコタコとナチョをただでせしめるか、うちに行って長いシャワーを（もちろん）べつべつに浴びて、ルースが用意した料理を食べ、テレビをみて、けれどわたしの部屋ではどんな理由であれふたりきりにならないように細心の注意をはらい、少なくともドアは開けっぱなしにした。初夏、ふたりのあいだには絶えず「ジジジ」というハム音が、局と局のすきまに目盛りを合わせたラジオのように低音量で流れ、ふたりともなにも口には出さないけれど、確かに耳にしていた。

ある晩コーリーがうちに来て、『私立探偵マグナム』の再放送をおばあちゃんとみるともなしにみていた。大きく開けはなした窓の前で古くて大きな黒い扇風機が回っていたものの効果は皆無で、カーテンと、三人のまわりの熱い空気をむなしくかきまわすだけだった。コーヒーテーブルには急速解凍したぶどうのボウルがのっていて、その上を黒いイエバエが舞っていた。

コマーシャルになると、おばあちゃんがいった。「日曜日に墓参りに行くからね。〈フレンディ・フローラル〉で花束をみつくろってきておくれ」銀行からおろしたての二十ドル札を二枚、部屋着のポケットから出してわたしに手渡す。おつかいを頼むタイミングをみはからっていたのは明らかで、わたしは突然、えもいわれず悲しくなった。

夏のはじめにヘイゼルに休みをもらっていたけれど、そのときは実際よりも遠い先に思えた。「ルースは土曜日に大事な〈サリーQ〉の用事があるよ」おばあちゃんをみすえて、大声でいう。聴力がこれまで以上に低下していたし、テレビがついていたからだ。

「知ってる」おばあちゃんは舞台裏のひそひそ声を出した。トム・セレックが画面に戻り、ハワイの白いビーチをジョギングしている。「お前とわたしだけで行くんだよ」

「今週末だなんて、知らなかった」コーリーがわたしの手に手を重ね、ふたりともひるんだけれどすぐには引っこめなかった。「お気の毒ね」

「気にしないで」

「マイルズシティの墓地には行ったことがないの」

「お父さんは……」最後までいう気にはなれない。

コーリーが首をふる。「火葬だった。牧場に残りたがったから」

この分野については、コーリーとわたしはあまり深く追求せずじまいだったけれど、いまから思うとふたりが避けていたのは、かなり不自然だった。親との死別なんて、滅多にない共通項なのに。

「うちの親がどうしたかったのか、ほんとうにはわからない」とわたし。「でも、マイルズシティ墓地に埋葬されてる」

コーリーがわたしの指をぎゅっとしぼった。「土曜日にいっしょに来てほしい?」

「うん。来てくれたらすごくうれしい」

それで、コーリーが来て、ふたりではなく三人で出かけ、その日は葬式の日と似たような、暑くて乾燥した一日で、おばあちゃんは同じ黒いドレスを着て、ラインストーンをちりばめた同じブローチをつけてさえいた。コーリーは、ちいさな花柄のスカートとリネンのトップ。わたしはルースが買ってきたカーキのショートパンツに、白いボタンダウンのオクスフォード・シャツという組みあわせで、シャツにはポケットのあるべき場所に、ちいさなポロ選手の刺繍がついていた。この日にふさわしくしようとシャツとショートパンツにはざっとアイロンをかけ、シャツをたくしこみもし——けれどやっぱり腕まくりはした。暑すぎて、がまんできなかった。

おばあちゃんの四十ドルで買った大きなふたつの花束には、わたしがいやがった白百合以外のあらゆる花がそろっている。ルースがすごくすてきなプランターを二個お墓に供え、大きな銅製のプランターには赤いゼラニウムとツタがぎっしり植わっていた。コーリーは墓石がとても立派だといってわたしの肩に置いた手に力をこめ、わたしはおばあちゃんの肩に置いた手に力をこめた。冷たいグラナイト石に積もる、かさかさに茶色くなった葉っぱをいくらかはらう。おばあちゃんは刺繍のついたハンカチをとり出してはらった。パパがむかし、ママとつきあいはじめたころ、なにかのしゃれた料理をつくってあげようとしたけれど、失敗してキッチンから火を出した話をしてくれた。丘の頂にある墓地からは中央通りがみおろせ、塀に囲われた裏庭の奥で、少女がティール色のすべり台をすべってミニプールに落ちるのを眺めた。はしごをのぼり、すべり台をすべり、もう一回くり返す。プールのまわりを走るにつれて、長い茶色の三つ編みがはねた。「来てくれてうれしい」まだ少女をみまもっているコーリーにいった。「わたしも」とコーリー。「すごくいいところだね。想像とちがう」

もう数分たたずんでいたら、おばあちゃんがお日さまに当たりすぎたというのでみんなで〈デイリークイーン〉に避難して、コーリーとわたしは〈チェリー・デイリーバー〉を食べ、おばあちゃんは最初はオニオンリングだけにしたものの、アイスクリームがすごく食べたいとこぼし、それで、〈ハワイアン・ブリザード〉を体によくないのにあらかた食べてしまい、その直後に急いで家に帰ってインスリンを打たないといけなかった。

おばあちゃんが昼寝をするあいだ、コーリーはわたしのベッドのはしに座り、わたしは机の椅子に座った。『ベビーシッター・アドベンチャー』のビデオをかけ、コーリーはいちどもみたことがなかったけれど、エリザベス・シューと彼女の完ぺきなブロンドの巻き毛が、かぎ爪の運転手の操る牽引トラックにのせてもらったり、シカゴのブルースバーで歌ったり、ギャングと戦うのをひと晩でいっぺんにやる冒険に、ふたりともろくに注意を向けていなかった。

CPR訓練のさなかに、わたしはアルコールのパッドをひと巻きくすねておいた。やわらかい、ちいさな枕みたいな四角い白い紙に、青い文字が入っている。ドールハウスの寝室のウォールクッションに使うつもりだったけれど、いまのところはわたしの目の前にきちんと積んであるだけで——くずしたり、積み直したりをくり返した。コーリーが立ちあがり、テレビからクエイク湖のママの写真をおろすとしげしげ眺め、でも、前に質問されたときに背景は説明してあった。

「おばさん、キャムによく似てる」

「ちいさいころはね。高校生のときの写真をみたらあんまり似てないってわかるよ」

「どんなだったの?」

「すごくきれいだった。マイルズいち、あかぬけてて」

「キャムはきれいだよ」しれっとしていう。

「えー、きれいなのはそっちだよ、コーリー」とわたし。「そっち方面はまかせた」

「じゃあ、どっち方面をまかせられる?」

「ドールハウスのインテリアデザイン」立ちあがり、コーリーの前を通って前の晩から床に放りっぱなしのスイムバッグのところへ行った。ガムが入っていたけれど、水を吸ったタオルと一週間いっしょにしていたせいで、ワックスペーパーの包みが湿っていた。

　コーリーは立ちあがって写真を戻し、わたしが椅子に戻ろうとしてもそのままそこに、ドレッサーとベッドのあいだのせまい空間に立ったまま、進路をふさいだ。

「いる?」オレンジ味の〈バブリシャス〉を差し出す。

「いらない」とコーリーがいった。そして、わたしたちはキスをしていた。実際にそのままのことが起きた。わたしはまだろくにかんでいない砂糖のかたまりを奥歯にくっつけ、コーリーの口がわたしの口をおおい、部屋のドアは開けはなたれていたけれどもうあとには引けず、それで引かなかった。ベッドに行き、わたしがコーリーの上になり、それはコーリーに引っぱられたからで、服はぜんぶ着たまま『ベビーシッター・アドベンチャー』が流れるなか抱きあって、コーリーに不安なようすはなく、戸惑いもみられず、おばあちゃんが下から夕食はなにがいいかと呼びかけるまでふたりはとまらなかった。

「すぐ行く」大声で返事をして、ドアに顔を向けたけれど、コーリーの上になったままだ。

「わたし、まだブレットとつきあってる」そのときコーリーがいった。それでなにかのけりがつくみたいに。

＊＊＊

まだ暑さの残るビッグスカイ・モンタナで、夜ごとふたりがしていたことは、大学で試すのは確実の実験を早めにやっているだけだと自分を納得させるのが、コーリーはすごくうまかったんだと思う。そうではないと知っているわたしは、それをつとめておもてに出さないようにした。というより、必死にそうではないと願ってはいた。

ふたりのあいだでいまブームなのは、映画に行くことだった。コーリーがスカンランまでわたしを迎えに来て、ふたりでうちに行き、わたしがシャワーをざっと浴びるあいだ、コーリーはおばあちゃんとおしゃべりをする。それからそのときにかかっている映画をみに出かける。唯一問題なのは、〈モンタナ・シアター〉は二本の映画をそれぞれ七時と九時の回に一週間ずっとかけつづけることだった。七時の回にはぜったい間にあわない。それで、あの夏わたしたちは『プリティ・リーグ』『バッフィ／ザ・バンパイア・キラー』『バットマン・リターンズ』『永遠に美しく…』を三、四回ずつみた。大きなスクリーンに映る、たてよこ数メートルに拡大されたキャットウーマン役のミシェル・ファイファー、ださい整形外科医役で、アクションヒーローではないブルース・ウィリス、ビンテージの桃色の野球ユニフォームを着て、上映ごとにブルックリンなまりが鼻につくようになるマドンナ。スクリーンは数百人分のキャパがあったものの、火曜日と水曜日の夜の上映はコーリーとわたしのほか、ぜんぶで十名に満たない観客しかいないこともしばしばだった。そこが気にいっていた。

「あなたたち、またみにいくの?」わたしが着替えているときたまたま家にいたルースが、いちどならずきいた。「同じ映画なんでしょ? よっぽどおもしろいのね」けれどルースはレイにべったりで、いつも〈サリーQ〉と〈讃美の門〉で忙しく、そのころにはたがいに相手の邪魔をしない呼吸をつかみつつあり、コーリーをすっかり気にいっていたルースは、わたしにいい影響を与えると考えて、なおさら干渉しなかった。

〈モンタナ〉でチケットのもぎり係をしていた老人は、覚えている限りずっと、茶色いスラックスをはき、白いワイシャツと茶色いネクタイの上に茶色いセーターベストを着ていた。棒きれみたいに痩せていて、劇場のエアコンは北極なみに寒い。わたしたちはそのうち、おばあちゃんのひざかけ毛布を持って入るようになった。チケット売り場の男はもじゃもじゃした細い赤毛で、わたしたちを「おそるべきふたり組」と呼び、ときどき手をふってただで通してくれたけれど、今夜がきっとそうだと予想していくと、いつもはずれた。でも、ただで入れた日はポップコーンと〝墓場ソーダ〟、たまにキャラメルチョコレートの〈ミルクダッズ〉を買って劇場にお金を落とした。

いちばんうしろの壁際の、映写室が頭の上にせり出している列に行き、あいていたらまんなか、でももし埋まっていたら列の両翼にあるクールな古めかしいボックス席に座る。たまに、気味の悪い男がひとりで占領していることもあったけれど。パパにむかしきいた話では、劇場はパパの子ども時代からあまり変わりばえせず、わたしが覚えている範囲ではなにひとつ変わっていない。バーガンディ色のじゅうたんしかり。オレンジ色とピンク色の大きな燭台がアールデコなのを知っているのは、ママが好きで教えてくれたからで、スナック売り場のうしろにある数段分の階段をおりるとラウンジがあり、しみのできたビロードのカウチが置かれ、突きあたりの左右にあるトイレの内装はみごとなピンクと緑色のタイル張り、ドアには細いゴールドの文字で〈殿方用〉〈ご婦人用〉と書かれている。

数週間通ううち、この場所のすべて――ポップコーンの強いにおいから寒気のする暗闇と静けさにいたるまで、自分たちがみつけて手に入れた、半分プライベートの洞窟のように思えてきた。ふたりで手を握りあった。足をからませた。できるときにはいちゃついた。暗闇のなかの最後列でも危険な行為に変わりなく、わたしにとってそれはスリルの一部だったけれど、コーリーにとっては、ほぼすべてだったのかもしれない。でも、確かなことはいえなかった。

映画自体はいわば、注意深く段どりをした二時間の前戯であり、そのためスクリーンを出たときは、うずうずそわそわしてロビーでつづきをしたくなり、その状態が、歩道を歩いてコーリーのトラックに行くまでつづき、ダウンタウンのほとんどからっぽの通りにとめたトラックにのりこんでもまだ収まらなかった。けれど、スキャンダルの覚悟なしには手を握ることさえできなくて、だからたがいに六十センチほど離れて歩いた。腕がかすりでもしたら、もっとうずきがひどくなるからだ。たぶん、前戯とさえいえないかもしれない。そこから先は、どこにも行かなかったから。

映画館を出たあと、中央通りを数ブロックそぞろ歩いて、ガソリンスタンドの〈コノコ〉に車をとめていた子たちとだべり、それからコーリーに家まで送ってもらい、それでおしまい。わたしたちふたりが定番デートスポットのどこか一カ所にでも、行けるわけがなかった。スポッテッド・イーグル、催事場のうら、廃業になって久しいドライブインの〈カーボン・ヒル〉。そういった場所のいずれかに行って車をとめたら、となりは半分はだかになった同級生、というオチになりかねない。はじめてわたしの寝室でキスをした午後のあと、たがいの家は暗黙のうちに除外になったらしかった。

この状況すべてをさらにこみいらせたのは、自分たちのしていることをいちどもちゃんと、突っこんで話しあわなかったことだ。ただ映画に行き、できるときにできることをして、わたしは全力でそこでとどめ、スクリーンにクレジットが流れるとともに忘れ、つぎの夜にもういちどできるまで放っておく努力をした。けれど、日中をなんとかやり過ごして夜が来るのを待つあいだ、大きなできごとがつづけざまにたくさん起きた。もしくは、最初はささいなことにみえても、結果的にそうではなくなった。

＊　＊　＊

大事件その一。ルースとレイが、週末の聖書研究会と、開店間近の〈モール・オブ・アメリカ〉関係者内覧会――ルースが〈サリーQ〉セールスでなにかのおりに当てた内覧会――に出るためミネアポリスに出向き、戻ってきたときにはおそろいの青い〝わたしはモールを生きのびた〟Tシャツを着て、そのうえ婚約していた。レイは申しこむことを前もってわたしに明かし、厳密には祝福ではないけれど、なにかそんなようなものを求めた。わたしは本音を伝えた。すばらしいと思うと。レイは好きだった。もっと肝心なのは、レイといるルースが好きだった。レイは〈シュワン〉の急速冷凍カニ足何百個分もかかったはずの、きらめくダイヤモンドをちりばめたばかでかいゴールドの指輪をルースに贈り、ルースは何日も「ゴーイング・トゥ・ザ・チャペル」を一階のレコードプレーヤーでかけて〈サリーQ〉のくず商品を仕分けていた。待つ理由がみあたらず、九月のモンタナを気にいっていたルースは、教会のこよみを確認してから一九九二年九月二十六日に挙式の予定を組んだ。

まわりのひとびとは、あまりに性急すぎるといった。少なくとも、日曜朝の告知でクロフォード牧師がふたりの婚約を発表したあとのコーヒー聖餐式のおり、老齢の牧場主がそのとおりのことばでいった。「どうやってお式までにぜんぶの準備をすませられるの？」べつの女性がルースにたずねた。女性陣がうなずき、信じられないというように目を見開いた。

「これまで何年も心のなかで結婚式の準備をしてきたもの」とルース。「簡単よ。朝飯前」

おばあちゃんが、あとでわたしに耳打ちした。「こりゃあたいした式になるね。目に浮かぶようだよ」

＊＊＊

大事件その二。モナ・ハリスに完ぺきな不意打ちをくらった。モナとわたしは土曜の夜の閉門後、硫酸銅を散布する作業をしていた。散布するには、柵につながれたとんでもなくおんぼろのアルミ製ボートの鎖をはずしてビーチに引きずっていき、ガマの林に割って入る。それからひとりがのりこんでドックから離れないようにボートを押さえているあいだ、もうひとりが三十ポンドの扱いにくい化合物の袋をのせ、オールをつかんでからやっぱりのる。ひとりが漕いで、もうひとりが硫酸銅を散布する。硫酸銅は明るい青の結晶体で、ばらけたビーチグラスにも、水槽に敷く特大の石にも、どちらにもみえた。水のなかでのみ反応するけれど、水漏れのするこのボートにのっていると体が濡れっぱなしで、硫酸銅は袋の底であらかたくだけて粉になっており、カップにすくっていいかげんにばらまくと、たいてい一部が足や腕にかかり、ちいさな赤い化学薬品焼けの特典がついた。

わたしたちはこの作業を動詞にして〝硫酸銅する〟といい表し、実施するのは土曜の夜でなければいけなかった。湖は、日曜の午後まで閉門になるからだ。それだけあれば雑草、〝スイマーのかゆみ〟を起こすカタツムリをたくさん、そのほかサンショウウオや小魚など無数の湖の生き物を薬品が殺すにはじゅうぶんで、つぎの日は水面に死骸が浮かんでいるのを目にすることになる。けれどもまた、そのころには危険な毒性も消えているはずで、遊泳客がふたたび水につかれた。

わたしが漕いで、モナが散布する。ふたりは黙々と仕事をした。激しい雨のように硫酸銅が水面にそそぎ、あぶくの暴風をあとに残してゆっくり沈み、とけてなくなる。

袋を一個からにして、つぎにとりかかるときにモナがきいた。「大学のこと、考えてみた？　どの大学に行きたいとか」

「あんまり」これはほんとうでもあり、うそでもあった。コーリーと同じ大学に、どこであろうと入るという空想をふくらませていた。

「ボーズマンはすごくクールな町だよ」とモナ。「いろんなとんでもないひとたちにあった」

「覚えとく」

「マイルズシティの外の世界は、ほんとうに広いよ」

アイリーンみたいないいかたをすると思った。アイリーンの、広くていろんな世界の話。

モナがつづけ、ひとすくいしてばらまき、なにげないふりをする。「もう耳にはさんでるだろうけど、ことし、しばらく女の子とデートしてた。べつにたいしたことないけどね。公表したり認めるつもりはないし」

サングラスをしていてよかったと思い、モナに表情を読まれないように願った。「きいてない。なんでわたしが知ってるわけ？」

「むきにならないで。エリックかだれかがみんなにいいふらしたと思ってさ。マイルズシティを出たら、そんなことも起きるって例をいいたかっただけだよ」

ジャングルみたいにガマの生い茂る岸にはまりこんでしまい、オールを泥に突きさしてボートを離さなくてはならなかった。神経をぜんぶそっちに集中するふりをして、いま話している話題を避けようとした。

ふたたびスムーズに進みはじめると、モナがいった。「緊張しなくてもいいよ。騒ぎたてようってわけじゃないんだから」

「してない」とわたし。「クールだね」

「そっちより二年多く人生経験を積んでるってだけ」

「それなら、わたしは親が死んでる。不幸な目に遭った人間は猫年齢になるんだ。だから厳密にはモナより年上だよ」

「笑える」笑うどころか実際、にこりともしない。

動機不明の相手と話す用意がわたしにはできていない。なにかのふちに沿って、ふたりはボートを漕いでいた。それで、代わりにモナに専攻をたずね、モナはバイオフィルム工学についてこまごまと説明してわたしの機嫌をとり、もうひとつの話題は湖の底に沈んで化学薬品でとけるにまかせた。

* * *

大事件その三。〈讃美の門〉が、日曜礼拝に説教をするひとり目および、急きょ開かれる〈ファイヤーパワー〉のゲストスピーカーとしてリック・ローニアスを招いた。〈ファイヤーパワー〉は夏のあいだは定期的な集会を開かない。例外は八月にある週末のキャンプで、これは新学期に向けての、霊的に大切なスタートとなり、だからこそ、今回の招集は例外中の例外だとの触れこみだった。

リック牧師は、モンタナ州キリスト教界の出世頭だった。〝移ろいやすい世界〟におけるキリスト教徒としての生き方に関する本を二冊出し、二、三年前に愛してやまないモンタナに戻ったのは、性的不品行でつまずいたティーンエイジャーのための全日制学校兼ウェルネスセンターを開くためだった。牧師はエルヴィスの青い目と、（さまざまなイエスの絵とか、ロックスターのエディ・ヴェダーみたいな）肩まで届くワイルドな茶色の髪の持ち主でもある。比較的若く、まだ三十代で、ギターを弾き、〝クールなキリスト教徒〟をすごくたくみに体現していた。

説教台では感じのよいボタンダウンのシャツに、銀色がかった青色のタイをしめ、自分の著作を朗読し、家族にはじまり家族に終わるキリスト教信仰全般の大切さを語った。ところが一転、〈ファイヤーパワー〉の集会では、ジーンズとTシャツ姿のリックがギターを背負って現れ、胸をときめかせた少なからぬ女の子が、ひそひそ話とはほど遠いひそひそ話を交わした。

コーリーとわたしは集会所の灰色のじゅうたんの上に、となりあってあぐらをかいた（最近は〝足を組んで〟と表現するように教わったけれど）。ひざが触れあったり肩をかすめたりして、ムービーナイトの記憶を呼び覚まさないように気をつける。

リックはジャーズ・オブ・クレイなどの有名なクリスチャン・ロックグループの歌を二曲ほどアコースティックギターの伴奏つきでみんなに歌わせ、最新ヒット曲に通じた牧師にわたしもふくめた全員が感心した。顔にかかる巻き毛を耳のうしろにかけて、賛辞には詩人ふうのシャイなほほえみで応え、それをみたハスキーボイスのメアリー・トレッスラーと鳥のさえずり声のリディア・ディクソンが、くすくす笑ってウィンクしあった。

「形式ばらず、ざっくばらんに行こう、それでいいかな？」ストラップをはずして光沢を放つアコースティックギターをわきに置き、リック牧師はわたしたちをふり返ると、わけもなく巻き毛をさらにかきあげた。「じゃあ、なんでもきいてくれ。モンタナ州マイルズシティのティーンエイジャーは、どんなことを考えてるんだい？」

だれも口をきかない。リディア・ディクソンが、またもやくすくす笑った。

「ふだんはこんなに静かじゃないんだろう」有名人の立場なんて気にかけてないよ、というアピールは半ば成功していた。

「モンタナの学校なりなんなりでやってることを教えてくださいよ」リコリスのにおいがするクレイ・ハーボウが、自分のふとももに話しかける。わたしと同じぐらい、この集まりが早く終わってほしいにちがいなく、けれど彼の場合はたぶんここひと月コンピューターでやっていた作業に戻りたいからで、わたしの場合はたったいまクレイの持ち出した話題を避けるためだった。

「いいとも」リックがシャイなスマイルを浮かべる。「〈約束〉にとっては大事な夏だ——二週間後には三周年記念式典がある」

「うちの親が、そこに寄付カードを送ったばかりです」メアリー・トレッスラーが得意げに、気の毒なリックに向かってほぼ秋波《しゅうは》といっていいまばたきをした。

「そうか、もちろん寄付はいつでも感謝しているよ」メアリーにほほえみ返す。テレビ伝道師みたいにへつらうのではなく、誠実そうな笑みだった。

「でもそこは、ゲイを治すみたいな場所なんですよね？」記憶にあるどんな集会よりも、たくさんのことばをクレイが発した。

コーリーは、こうなるとわかっていたはず——わたしは知っていた。これが、この男のやっていること、彼を有名にしたことだと——なのに、となりに座るコーリーが、そのことばに身構えるのを感じた。「ゲイを治す」。わたしも緊張したかもしれない。でも、気にしていないようにみせようとした。リックみたいに涼しい顔で。牧師と目を合わせつづける。

「〝治す〟ということばをぼくたちはあまり使わない」にこりともせず、どうしてもクレイを正す必要があるかのようにリックがいった。それはほんものの、対話の贈りものみたいだった。「イエスのもとに来るティーンを、ぼくたちは助けている。というか、イエスに戻ってくる場合もあるね。きみたちみんながやっているのと同じ、イエスとの関係を深めていく手伝いだ。もしそれができれば、その関係によって、あらぬ欲望から脱却できる」

「だけど、そのひとがなりたくてなったとかだったらどうなんですか?」アンドレア・ハーリッツが質問し、それから以前通っていたテネシー州の教会でみたというドキュメンタリーについて話した。同性愛の唯一の治療法はエイズしかなく、神がそうやって治しているのだという。

リック牧師は話に耳を傾け、アンドレアが重要な点を主張しているとわかる要所要所でうなずいた。けれども話が終わったとき、リックは息を吸って、ふたたび髪をかきあげた。「ぼくもそれは前にみたよ、アンドレア。それに、そう信じこむひとも個人的に知っている。だけどぼく自身のイエスとの関係から、学んだことがある。隣人に対する哀れみは、そのひとがいかなる罪に苦しんでいようと持ちつづけるべきだ」間を置き、髪をかきあげる。「当事者の側から、どう働くか少しは知っている。ぼくはティーンエイジャーのとき、同性愛的な欲望に苦しんでいたんだが、感謝の念を持ち、ほんとうに慈しまれていると感じられたのは、友人や精神的な指導者が助けてくれたおかげだし、いまでも助けてもらっている。『マルコによる福音書』第九章二三節にこうあるだろう、『信ずる者には、どんな事でもできる』って」

みんながその直後、目のやり場に困った。わたしは車座の反対側の子と目があい、たがいにすばやくどこかよそに視線をはずした。パズルのそのピース、リックの身の上は知らなかったし、〈ファイヤーパワー〉の仲間も、面持ちから判断するに大半が知らなかった。例外はクレイ・ハーボウで、リックの過去をバラすという任務を首尾よく達成し、にやつくのをおさえきれないでいた。

「この件について、さらに質問があるかい?」リックがたずねた。「これはもはや恥ずべき秘密ではない。かつては確かにそうだった、だけどぼくはイエスのなかに贖罪《しょくざい》と新たな目的をみいだした。だから先へ進んで、きみたちの話したいことをなんでも話そう」

わたしはたくさんの、山ほどの質問があり、コーリーをみる勇気はなかったけれど、コーリーもそうだと知っていた。とはいえ手を挙げるなんてぜったいにありえず、そしてほかにだれも挙げなかったけれど、リディアがたずねた。「じゃあ、いまはガールフレンドがいますか?」

みんなが笑い、リックも笑って、「いまはいないけれど努力はしているよ」と答えたあと、わたしたちはさらに笑い、だれかがちがう種類の性的不品行についてなにかをたずね、それをきっかけにティーンエイジャー全般の乱れた性について議論になり、それから全国の十代のおそろしい妊娠率と、予想どおり中絶について話題が移り、すっかり先に進んだようだった。

集会のあと、コーリーはほかのメンバーふたりと、軽食テーブルを囲んだ。片隅に置かれたピーナッツバター・ブラウニーの皿のわきに、リックが置いた〈神の約束　キリストの弟子教育課程〉のパンフレットが山と積まれていた。コーリーはパンフレットをとって、さりげなく目を通すふりをしてからパースにすべりこませた。わたしもとりたかったけれど、なぜかはわからない。たぶんなにが書いてあるかみたかっただけ、そこへ行った子の写真みたいなものがあるかどうか、実際になにが行われているのか、さらなる情報を確かめたかっただけだと思うけれど、みんなの前でとるなんて無理だった。コーリーがそうできるのとはちがう。コーリーにはこそこそする必要がなかった。その施設に行く必要があるからとったなんて、だれもつゆほども、そうかもしれないと本人が考えたとすら、疑問に思わない。まさか、〝ブレット&コーリー〟のコーリー・テイラーが。ありえない。

* * *

大事件その四——かけ値なしの大事件。リック牧師がやってきた数日後、コーリーがマイルズシティのアパートに部屋をもらった。自分の部屋だ。都会的だとか、ぜいたくにきこえるかもしれないけれど、カスター高から何キロも離れた牧場に暮らす家庭の子どもにはめずらしいことではない。ゆうに二ダースはいた——学校にほど近いちいさな平屋をシェアしている子が四人、老婦人宅の階上を間借りしている者もいたし、ダウンタウンの中央通りからわずか数ブロック離れた、トンプソン・アパートメントの六階に部屋を借りるコーリーみたいな子もいた。

前にコーリーがその可能性を話していたけれど、ある晩タイが牧場に戻る途中にシカをはね、それから二日後、道路を走っていてかんがい用水路にはまり（それはわだちがついた曲がりくねった牧場の悪路のせいというよりは、タイが酒を飲んでいたせいだった）、テイラーさんが、町なかのアパートを借りるほうがふたりには便利だと判断した。コーリーは学期中の日曜から木曜の晩に泊まり、タイは飲みすぎたときに使える。それに、テイラーさんが十二時間の当直のあと、疲れすぎて牧場まで運転できないとき、数時間仮眠をとることもできる。けれど、せんじつめればそれはコーリーの部屋だった。

スカンランにわたしを迎えに来たとき、コーリーが部屋を借りることに決まったといった。わたしはまだ左側の監視台についていて、湖はハコヤナギの影に包まれ、市外から来た家族がロープのすぐ向こうで目隠し鬼の〝マルコポーロ〟遊びをしてはしゃいでいた。

〈ファイヤーパワー〉の集会でコーリーがあのパンフレットをとってから、わたしたちの仲はおどろくほど安定していた。ふたりの常で、それについて話しあってすらおらず、いつもの手順にこれといった変更はなにもなく、映画に通いつづけた。けれど、一週間後にはブレットが戻る予定で、十五日もすると学校がはじまり、たとえ話しあっていなくても、ふたりの習慣をまずまちがいなく変えなくてはいけなかった。

それでもその晩、汚れた作業服を着て、髪をごわごわのほこりまみれにしたコーリーが監視台のかたわらに立ち、ペンキがはげてあたたまった木に片腕でよりかかり、興奮ぎみに、アパートがどんなにすばらしくなるかを、いまは「漂白剤と足のにおいがする」といったそばから話し、わたしに飾りつけの手伝いをしてほしいと頼み、すでに母親に連れられて〈Kマート〉で赤い金属製のティーポットとやわらかい黄色のバスマットとバニラとシナモンの香りのキャンドルを買ったといい、バスルームには猫足の浴槽があり、白黒のタイル張りだと教え、引っ越しはあしただからね、と念を押した。

第十一章

リンジーは前に、すべてのレズビアンは吸血鬼《バンパイア》物語との「根源的なつながり」があると説明しようとした。ゴシック短編小説『カーミラ』と、そのレズビアンの誘惑場面を読んだ男が、ダークパワーに圧倒されて性的・心理的な不能に陥るのと関係があるという。そういうわけで、みる前から『ハンガー』の「例の場面」について、くわしくきかされた。でも結局はビデオを借り、「例の場面」――カトリーヌ・ドヌーヴ演じる年をとらないエジプト人バンパイアのミリアムと、スーザン・サランドン演じる老化現象が専門の医師サラが、シルクにおおわれたミリアムの大きなベッドの上で重なって愛を交わし、それからバンパイア・シスターズとなる血の契りを結ぶのだけれど、白いカーテンがふたりの上にふわりとかかり、肝心のところでからまりあう肢体を隠してしまうので、何度も巻き戻さなくてはいけなかった――を確かめるとすごく官能的で、エロティックでリンジーが説明したすべてがそのとおりだけれど、わたしにとってはその直前のシーンのほうが、ずっとずっとホットだった。

それは、カトリーヌ／ミリアムの弾くピアノ――それにたぶん低音の声と、うっとりさせるけれど、ややききとりにくいアクセント――に顔を赤らめたスーザン／サラが血のように赤いシェリーを、純白のセミタイトTシャツに三滴こぼしてしまう場面。サラが濡らした布でふきとろうとすると、青春映画によくある濡れTシャツにジャンプカットし、その時点でカトリーヌ・ドヌーヴがすればいいのは、ただサラの背後に歩みよって指先でスーザンの肩をなぞり、ふたりの目と目がからまりあう一瞬をつくり出すだけ、あとはなるようになる。五秒後にはスーザン・サランドンがTシャツを脱ぎすてていた。

この映画がデヴィッド・ボウイと、わたしの知る限り、実生活ではレズビアンではないふたりの女優によるただのアートシアター系作品にすぎなくても、あの一瞬の、肩に触れ、目と目を見交わす場面はわたしにとっては完ぺきな真実で、セックス自体よりもはるかに力強いというか、エロティックというか、ぐっと来た。たぶん、はじめて『ハンガー』をみたとき、自分が実際に似たような瞬間を経験していて、〝セックスそのもの〟はいちどもなかったせいかもしれない。

ビデオを借りたのは、リンジーと知りあって二、三カ月後だったけれど、そのころは、レズビアンの知識が身につくポップ文化の宿題をたくさん出されたために、リストからはずしてくれるようにいうのを忘れた課題のひとつだったのだろう。なぜかというと、〝中古品〟のステッカーを無神経にもカトリーヌ／ミリアムの顔に貼ったオリジナルのケース入りビデオテープを、わざわざアラスカ州アンカレッジから小包で送ってきたからだ。小包を受けとる資格は、実をいえばわたしにはなかった。夏がはじまってからはいちどしかリンジーに手紙を書いておらず、アラスカで再会する計画を反古《ほご》にして、コーリー・テイラーに熱をあげていたことを考えれば。

急いでバイトから戻り、シャワーを浴びて着替えようとすると、ダイニングルームのテーブルで小包がわたしを待っていた。コーリーがいっしょじゃないのは、ずいぶん久しぶりだ。ふたりで計画したことだった。コーリーは新しいアパートにいる。過去二日間は家族と友だちが押し寄せて、タイとカウボーイのとり巻きが家具を運び、棚をとりつけた。テイラーさんの知りあいの看護師や〈讃美の門〉の信徒たちが、お古の食器やなべやフライパンを持ってきた。炭酸飲料のケース、冷凍食品、鉢植えを差しいれに、ひとびとがたち寄った。どうにかすべてが落ちついて生活をはじめる準備が整うと、わたしたちははじめて映画館以外の、ふたりだけのプライベート・シアターでムービーナイトのデートをする約束をした。わたしは〈ビデオ&ゴー〉に寄ってなんでもいいからビデオを借り、部屋を訪ねる表向きの口実をつくる。完全にふたりきりになり、ドアには錠とチェーンの両方をかけ、となりの部屋にはクイーンサイズの新品ベッドがあるアパートの一室で、ひとときをともに過ごすために。

ところが計画を実行中、リンジーから郵便物が届いた。階段をのぼって部屋に持っていきながら包みを開け、ふたつのこと、箱を破るのと服を脱ぐのを同時にして、コーリーと過ごす時間をこれっぽっちもむだにすまいとした。ガムテープを強引に引っぱったせいで破けた段ボールのはしで指を切った。破いた新聞紙を散らかした。立ちどまって拾ったりはしない。『ハンガー』といっしょに同封されていたのは二本のミックステープ、〝アラスカ産ヘラジカの落としもの〟のラベルがついたナッツとレーズンのチョコレート、フライフィッシングをしているグリズリーベアのスノーボール、日焼けした巨乳女性が蛍光色のビキニを着て、にっこり笑っているポストカード。女性は広々としたすごく寒そうな雪の吹きだまりに立っていて、まわりをマツとヒマラヤスギが囲み、〝アラスカいちの野生動物〟と蛍光紫で書かれた見だしが添えられている。

ポストカードのうら側には、こう書いてあった。

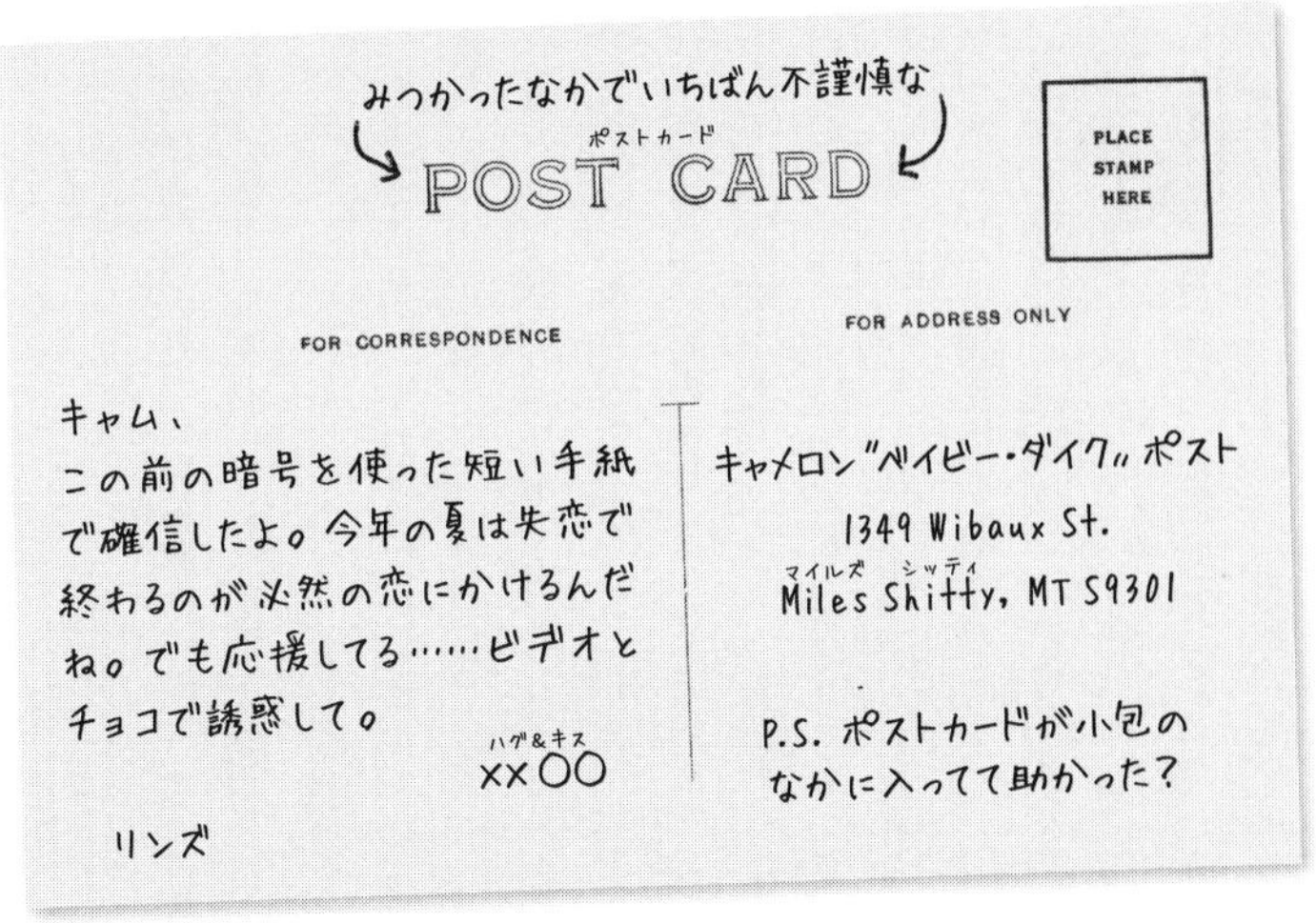

みつかったなかでいちばん不謹慎な

キャム、
この前の暗号を使った短い手紙で確信したよ。今年の夏は失恋で終わるのが必然の恋にかけるんだね。でも応援してる……ビデオとチョコで誘惑して。
XXOO《ハグ&キス》
リンズ
キャメロン〝ベイビー・ダイク〟ポスト
1349 Wibaux St.
Miles《マイルズ》 Shitty《シッティ》, MT 59301
P.S. ポストカードが小包のなかに入ってて助かった？

ポストカードが小包のなかに入っていて助かった。でも、最初、誘惑のくだりは冗談だと受けとめた。『ハンガー』は実際、コーリーはみていないのを知っていて、ベッドにのっているこのビデオを持っていけば、ビデオ屋での数分間をむだにしないですむ。シャワーを浴びながらじっくり考え、ルースのボディスクラブ、モイスチャライジング・ウォッシュ、リフレッシング・リンスの豊富なラインアップ（どれもさまざまな色あいのクリーム色か緑色）を使い、バスルーム全体が〝ビタミンとミネラルを配合したナチュラルな植物性エキス〟のにおいに満ちた。足を剃ってタオルで乾かすあいだに、やろうと決めた。『ハンガー』を持っていって、くだらないバンパイアの話だと説明して、ビデオデッキにかけ、あとは流れにまかせる。

　コーリーのアパートは、熱い空気と住人たちのさまざまな夕食のにおいが、暗い色あいの木材を使った吹き抜け階段と、長い廊下にこもっていた。3-B室はまちがいなくフィッシュスティック、5-D室はたぶん〈マクドナルド〉か〈ハーディーズ〉のテイクアウトだ。建物全体にエアコンのたてる音がひびいている。外の歩道を歩いていたらエアコンのしずく――機械がつくった大きな雨粒が落ちてきて、建物の古い廊下を歩くと、たえまないエアコンのハミングに、テレビの音とステレオのくぐもった音が混じり、トンプソン・アパートメントに入ったとたんに活気を感じるのと同時に、ひと目を引かない絶好の隠れ家のようにも思えた。

コーリーのドアの外側は、つやつやした赤っぽい木に、黒いペンキで〝6-A〟と書かれ、ノックする前にしばらくためらった。わたしはビデオと〝ヘラジカの落としもの〟の袋と〈ギャル・オン・ザ・ゴーのネセシティーズ・オンリー〉のピンク色をしたツールボックスを抱えていた。ツールボックスは、ルースと〈サリーQ〉からの引っ越し祝いだ。ドアごしに、ラジオの音がする。カントリー専門局で、トリシャ・ヤーウッドが〝男の子と恋に落ちる〟歌を歌っていた。わたしは汗ばみ、でもそれは廊下が暑いせいではない。何度深呼吸をしても、ちっとも落ちつかない。人生でたぶんはじめて、もっとおしゃれをしてくるべきだったのでは、いつもどおりのタンクトップとショートパンツ以外のなにかを着てくるべきだったのではと不安になった。小麦色のつま先をみおろす。日焼けした体のなかで永遠にいちばん真っ黒な部分で、真っ黒すぎてシャワーを浴びたばかりなのに汚れてみえた。もういちどドアをみたとき、テイラーさんが家主の許可を得てタイにつけさせたのぞき穴から、コーリーに一部始終をみられていないか心配になった。ノックする。

すぐには応答がなく、つまりのぞいていなかったのか、それともそう思わせたかったのかもしれない。錠がはずれ、(タイによれば)役立たずのドアチェーンをスライドする金属的な音がしたと思うと、コーリーと向かいあっていて、どちらもタンクトップとショートパンツ（コーリーのほうがずっと短かった、もしくは足が無限に長いだけかもしれない）姿で、どちらもシャワーあとの濡れ髪、どちらもはにかんだ、おかしな半笑いを浮かべていた。

「いいんじゃない。この部屋、マグマみたいに暑いから」コーリーがさがってわたしをなかへ通す。

「〝マグマ〟ってことばを使える絶好のチャンスは逃せないね」とわたしがいい、コーリーがドアに錠をかけ直した。

日よけがぜんぶおろされ、一個しかない照明は、リビングルームの片隅を照らすばかりで役に立っていない。室内はまだつづいているトリシャ・ヤーウッドの歌声と、テイラーさんがガレージセールでみつけてタイが動くように修理したエアコンの、かたかたと鳴る騒々しい音に満たされていた。エアコンは寝室にあるきりで、コーリーは正しい。部屋はちっとも冷えていなかった。

「いい点は、ずいぶんにおいがましになった」サンダルを玄関口で脱ぐ。コーリーははだしで、今夜はなるべくコーリーのするとおりにしようと考えていた。ささいなことでも。

「そう思う?」前を歩くコーリーが、オリーブ色のリノリウムの床と、オリーブ色のペンキでぬったキャビネットのちいさなキッチンへ向かった。

「確実に。最初に来たときよりかなりまし」

コーリーが冷蔵庫のドアを開けて、頭を突っこむ。「キャムが好きだっていってたってママにきいて、キャベツとラーメンのサラダをつくったんだ。あとフルーツサラダとチキンサラダ」

「主婦のかがみだね」わきにどいて、コーリーがタッパーウェアのボウルをカウンターにのせていけるようにした。

コーリーはふたをはがし、タッパーごとにちがう木のスプーンでかき混ぜた。「ワンランク上のね。マーサ・スチュワートなんて目じゃないもの」

わたしはベストなアナウンサーの声色《こわいろ》で、「はい、こちらピンクのプラスチック製ツールボックスには、〈ビジー・レディ〉のハンマーとペンチと巻き尺、さらにはプラスとマイナスのドライバーまでとりそろえ、マーサも太鼓判をおすこと請けあいです」クイズ番組『ホイール・オブ・フォーチュン』のアシスタント、ヴァンナ・ホワイトが仰々しく紹介しているところを想像してボックスを持ちあげる。

「ルースに神のご加護を」コーリーがいい、わたしが箱を持ち、コーリーが開けた。ハンマーをとり出して想像上のくぎを二本試しに打ちつける。「わあ！　使い勝手がいいわあ。男性用のハンマーには二度と戻れないわね！」

ふたりで笑い、日よけで薄暗くなったキッチンのせま苦しい空間に、鼻を突きあわせるくらいの近さで、完全にふたりきりなのを意識した。笑って気がゆるんだら、なぜか緊張がよみがえった。ふたり同時に。ラジオから農業ニュースが流れ、尾を引く男の声で読みあげる。コーリーがハンマーを戻し、わたしは箱をカウンターに置いた。シンクの上にある戸棚から、コーリーが食器をとり出した。敷いたばかりの食器棚シートにはちっぽけで完ぺきなかたちをした黄色い洋ナシがあしらわれ、そのひとつひとつにやっぱり完ぺきなかたちをした緑色の葉をつけて、自慢げにひけらかしている。洋ナシ柄のシートはきのう、引き出しと食器棚ぜんぶに敷き終えていた。

コーリーがサラダを皿に盛りつけ、わたしがフォークを並べる。意識して体を動かし、このせまい空間では、たがいに触れたり接近しすぎないように慎重に立ちまわらないといけなかった。

コーリーがチョコレートの袋と映画にうなずいてみせる。「それで、なにを借りたの？」

「借りなかった」冷蔵庫を開けてやり、コーリーがボウルをしまえるようにした。

「じゃあ、なにを持ってきたの？」

「リンジーが送ってきたビデオ。バンパイアの映画でスーザン・サランドンが出てる。まあまあだよ。ちょっと変わってる」

ドアのうしろから顔を出したコーリーは、オレンジがかった黄色い液体入りのプラスチックのピッチャーを持っていた。「もうみたの？」

「ぜんぶみた」

「みながら飲もう」身ぶりでわたしをどかせ、シンク下の戸棚を開けると〈パインソル〉をよけて、ラムのびんをとり出した。

「タイがとっておいてるやつ」とコーリー。「飲んじゃだめだって念を押された」

「つまり、ラム酒とピッチャーの中身を飲むってことか」

「オレンジとパイナップルのジュースだよ」

「すごいトロピカル」

コーリーがウィンクした。「もちろん。ラムのジュース割りからはじめて、最終的にラムのラム割りに行きつくの」

わたしたちはつぎのパートを、バレエのように注意深く正確な動きで遂行し、めったに話は交わさず、今夜のためにたてた計画を口には出さなくても、熱さと同じくらいねっとりと重たく意識した。お皿をリビングルームに運んでコーヒーテーブルに並べ、キッチンに戻ってカクテルをつくり、度数は強めに、コーリーのママが買ってきた紫色のプラスチック製トレイで凍らせた氷を加える。キッチンでぐびりとあおった。グラスをあわせ、音を立てる。もう一杯飲んで、さらにラムをなみなみとそそぐ。コーリーが酒を運び、わたしはビデオとチョコレートを受け持って、歩きがてらラジオを切った。テープをビデオデッキにセットしてテレビの上からリモコンをとりあげ、カウチまで持っていくと、〈再生〉ボタンを押す。座って、皿をひざにのせ、おたがいできるだけ離れて茶色いそでにもたれ、映画館よりうんと距離をあけた。そのときは、ひと晩じゅうそこから動かないいんじゃないかと心配になった。

サラダを食べて、異国ふうのダンスクラブにボウイとドヌーヴが訪れる雰囲気たっぷりの、筋を追うのがむずかしい映画のイントロをおし黙ってみていると、コーリーがいった。

「これ、まじに変わってない？」

「映画が？」

「そう。なんだと思ったの？」

「わかんない」

コーリーは皿をコーヒーテーブルに置き、手をのばすと、部分的にわたしのふとももの下になっているリモコンをとった。そのためにはわたしに触らないといけず、ふたりともすごく意識した。コーリーが〈一時停止〉ボタンを押す。画面は明るい、殺風景な、白い玄関ホールの映る場面で固まり、デヴィッド・ボウイがカトリーヌ・ドヌーヴと組んでひっかけ、アパートメントに連れ帰ったカップルの片割れの女性と、ぴったりくっついている。女は全身黒のレザーずくめで、パンクヘアとピアスをしていた。

コーリーが熱のこもった顔つきをわたしに向けた。「ひと晩じゅうずっとこんななの?」

「映画が?」にっと笑って、またきいた。

コーリーもにっとした。「むかつく。キャムのガキっぽいところはたいてい大目にみてやってるのを感謝しなさいよ」

「はい、とても感謝してます、奥さま」

「よろしい」ビデオケースを手にとった。おもてとうらをじっとみつめ、やりすぎなドラキュラの声で読みあげる。「〝人間の愛。それは永遠ではない〟」『セサミストリート』のカウント伯爵笑いをして、コーヒーテーブルの上に投げ出した。「彼女はなんでこれを送ってきたの?」

「いわなかったっけ? リンジーはバンパイアなんだ」

「ああ、そうだと思った」コーリーが自分の酒をわたしに揺らしてみせ、飲むようにうながす。「まじめな話、どうして?」

「みたらわかるよ」

「それはどうかな」とコーリー。「あなたたちふたりと、秘密の郵便物。どっちにしろみるのに、どうして質問をいやがるの?」

「いやがってないよ」わたしはフルーツサラダをほおばった。口いっぱいに、グレープふた粒とバナナのスライスをたくさんつめこむ。

「ぜったいにいやがってる」

リンジーとわたしのことを、コーリーにはあまり話していない。リンジーがしょっちゅうがらくたを送ってくるのは知っていた。女の子が好きなのも知っている。でもくわしい話はぜんぜんしていない。コーヒーテーブルに皿を置き、「〈再生〉ボタンを押したら秘密がぜんぶわかるよ」といった。

「だめ。簡単すぎる。三回チャンスをくれる?」コーリーはむきだしの足をカウチに引きあげて体の下に折り曲げ、まともにわたしと向きあった。

わたしもまったく同じことをした。

「わーすごい、真っ黒じゃない」わたしのひざをみて、コーリーがいった。ひざはつま先についで、二番目に黒い。監視台に何時間も座っているせいだ。

「そっちこそ」

「足は黒くないよ」片足をほどいてカウチの長さだけのばし、つま先に赤いマニキュアをぬった足をわたしのひざにのせる。

「だって、バイト中ジーンズをはいてるじゃない」とわたし。「ソーラーパワーに奇跡を望んでるの?」

そのあと足を引っこめるのかと思ったら、引っこめないでのばしっぱなしにしているのは、パジャマパーティとか、女の子同士のたわいないジェスチャーだというふりをした。とはいえひざにのった足をどうしたらいいのかわからない。つま先を吸う映画をみたことがあるけれど、それは完ぺきにわたしの守備範囲外だし、第一あまり魅力的なプレイじゃない。コーリーのつま先はすてきだとしても、そんな行為は、そのときにわたしたちがしていたこととはかけ離れている。

おしゃべりをするのが最善の策に思えた。「じゃあ、三回チャンスをあげる」

「わかった」コーリーはいったん目を閉じてひざに置いた手をまるめ、クイズ番組の参加者が大金のかかる質問に答えるときの体勢になる。「ええと。それは――すごくこわい映画なので、こわくなったわたしがひとりになりたくなくて、キャメロンに泊まってほしいと思うからです」両方の眉毛をわざとらしくあげてみせた。

「かすってもいないよ」とわたし。「こわいといってもアートっぽいやつで、実際こわくない。ほとんど血も出てこないし。ひとりでみてもぜんぜん平気」

コーリーは知ったかぶりのテレビ心理学者のようにうなずいた。「なるほど、なるほど。そうじゃないかと思いましたよ」画面の静止画像にみいってから、わたしをふり返る。いちど目より真剣にきいた。「全員でバンパイアのグループセックスをする?」

「いい線いってる」思わず赤面した。「でもちがう。グループセックスはしない。バンパイアも人間も」

「まったくなし?」

「ぜんぜん」それについて検討し、テレビを指さす。「えーと、つまり、いまは二組のカップルが同じ部屋でいちゃついてるけど、あくまで一対一で、だからグループとはいえない。それで納得?」「うん」わたしをみて、ごく短く、それからリモコンをとりあげ〈再生〉ボタンを押すと、こともなげにボウイと女がふたたび動きだした。

「三つ目の答えは?」

「もう知ってる」

「へえ、ほんと?」

「へえ、ほんと」

コーリーは足を引いて再度体の下に折りこみ、それでわたしはたぶん十五秒ぐらい、理由もなにもわからないまま、なにかへまをしたように感じた。でも、それからコーリーはカウチのまんなかににじりより、距離をつめて手を差し出し、わたしはその手をとった。わたしも彼女のほうへ移動して、映画館のときのように腕をたがいの体に回しあい、けれどもっと心地よく、もっときつく、そしてコーリーはすごくやわらかい指先でわたしのふとももをなぞり、いい感じにむずむず、うずうずして、とうとうその晩最初のキスをし、わたしはもっとつづけるつもりだったけれど、コーリーが「そうなるところまでみたい」といった。

だから、わたしがきいた。「どうなるところまで?」

すると、コーリーがいった。「自分で思うほどキャムはずる賢くないよ」

それで、わたしがいった。「わかった」

それから立ちあがって酒のお代わりを注《つ》ぎに行き、戻るとまた抱きあった。

映画のなかで、白いTシャツ姿のスーザン／サラが、カトリーヌ／ミリアムの不気味かつしゃれたタウンハウスの呼び鈴を鳴らすと、コーリーがいった。「ほらね」そしてそのひとことで、わたしの背中に上から下までふるえが走った。

ふたりは「例の場面」をろくにみなかった。テープをかけっぱなしにして、まだからみあったまま、よたつきながらベッドルームへ向かう。

エアコンのカタカタという騒音は寝室だとさらにうるさく、でもとたんにひんやりした。コーリーは舌をわたしの口に入れ、わたしのタンクトップを持ちあげて、半分のところでとめた。代わりに自分で脱ぎ、それからコーリーのも脱がせる。みかけほど複雑じゃなかった。ある種の映画でおもしろおかしくみせているだけだ。コーリーがサマー・キルトをどかし、ふたりで冷たいシーツにいっしょに倒れこみ、ふるえ、笑い、キルトを引っぱりあげてかぶり、鳥肌のたった肌を笑い、ひやりとするシーツのやわらかさ、体温の近さを笑った。うわがけの下のポケットに手足を突っこんであたたまると、もういちど、ふたりはより真剣味を帯びた。

何時間だって、ただくちびるをコーリーの完ぺきな肌にはわせていられた。骨が山と谷をつくるのを感じ、タンジェリンオレンジのローションをかぎ、予想外に気持ちのいい箇所をみつけたときにコーリーのもらす、ちいさな声をきいた。わきの下のすぐ下、首のうしろの短いうぶ毛、傘の細い骨のようにせりあがった鎖骨。鼓動は一定で速い。

「すごくやわらかい」コーリーがぽつりといった、息をするように。「肌がすごくやわらかくて、キャムはすごくきゃしゃ」

「コーリーも」さえない返事だ、ほんとうのことだとしても。けれどわたしはとりこみ中だ。冒険をつづけ、ちいさな、ちいさなキス、胸の上、肋骨、お腹をくちびるでかすめ、コーリーははげますようにわたしを押し、もだえる。

ちいさなカーキのショートパンツのウエストバンドと、銀色のボタンまでくると、動きをとめた。バンドの下に指を一本だけ入れ、ごく浅く、腰骨が突き出している箇所に触れ、するとコーリーがふるえ、ほんのわずかに、けれど確かに感じとった。

「とめてほしくなったらいって」

ふぅーっと、大きく息をはき出す。「まだ」

そうコーリーがいい、そのいいかた、「まだ」のことばが、わたしのなかで何度も何度もさざめき、〈ブラックキャット〉の爆竹のようにちいさくはじけた。つぎからつぎに。ただコーリーが、そういっただけで。

ボタンをはずし、ジッパーの金具をみつけ、引きおろすと、ありえないほど大きく決定的な音をたてた。

最後までおろしきると、わたしは手をとめてきいた。「いまはどう？」

「まだ」コーリーがいった。

ショートパンツを脱がせる。ちいさいとはいえタンクトップより複雑で、でもゆっくり行き、手をとめて、まだ訪れる機会のなかった足の部分にキスをする。ショートパンツを足もとにおろし終えると、コーリーが協力してはずした。息を吸いこむ音がした。

「やめる？」

コーリーがちいさく笑う。それからいった。「ううん」

正確には自分がなにをしているのかわかっていなかったけれど、実地に確かめていった。コーリーはわたしが慣れていると思っているのか、それともコーリーのしてほしいことを推しはかるのはそれほどむずかしくないからか、動いて、反応をみきわめ、弱めるか強めるか加減をして、そしてそこから押すか、それとも引くか。最初は指先だけを使い、つぎにはもっと大胆に手をぜんぶ使い、コーリーはあらがって激しく体を動かしだし、わたしは最初にはじめたことをつづけながら、口で探検しはじめる。たいして進まないうちにコーリーの全身がぴんと張りつめて呼吸が不規則に上下しはじめ、ふとももで頭をきつく押さえつけられて、わたしはここぞと思う瞬間にとめた。当たったみたいだった。けれどそのあとどうしたらいいのか、体をどこに置いて、なにをいえばいいのかわからない。いうべきことばとか、ふさわしい行動があるような気がして、けれどそういうことばをどうつむげばいいのかわからなかった。代わりにその場でじっとして、頭をコーリーのお腹に横たえた。心臓がどうにかしてすべり落ちてきたみたいに、ひとつ打つごとに大きく、わたしの耳には早鐘《はやがね》のように脈うってきこえた。

やがて、コーリーがいった。「ここに来て」

来たときと逆にキスしながらコーリーの体をたどって戻り、ちいさなキスをさらにもう少し浴びせる。枕に行きついたとき、コーリーが甘い、静かな声でいった。「ワオ、キャメロン・ポスト」

わたしはにんまりした。もし鏡をかざされたら恥ずかしくなるぐらい思いきり。

けれどそのときコーリーの表情がわずかに変化して、不安そうな面持ちになった。「わたし、どうやるのか……わからない」

「べつにいいよ」

「ううん、やってみたい。ただ経験が、キャムがアイリーンやリンジーとやったみたいには、わたし――」

「アイリーンとわたしは十二歳だったんだよ。キスもろくにしてない。それに、リンジーとはそこまでいってない」

「でもやっぱり、経験にはちがいないよ。リンジーって奔放な子なんじゃないの?」

「あのときはちがう。ぜんぜんこんなじゃなかったし」コーリーの顔に手をのばすとキスを許してくれ、それから離れた。

「こんなだったはずだよ」

「ちがってた」

「どうして」

こんどはわたしが息をふうっとはき出す。「よそうよ、コーリー。もう知ってるくせに」

「ううん、知らない」

つぎのせりふをいうとき、顔を自分の肩に向けてコーリーからはそらした。「それは、最初からずっと、コーリーに恋してたから」

「知らなかった」

「知ってるよ」

「知らないってば」わたしに背を向けて、横向きになる。泣いているのか、泣きそうなのかわからない。

「コーリー」肩にほんの気持ちばかり触れ、ひどく大きなまちがいをした気がした。「だいじょうぶ、わたしはべつに――」

「こんなの、すべてに反する」枕で声の一部が埋もれている。「これじゃあまるで――ふざけたりとかそういうはずだったのに。あんなふうにはなりたくない」

「あんなふうって？」なぜだか、たったいま思いを遂げたのに、ふたりでしたのに、自分を恥に思った。罪《つみ》びとだ。

「ダイクのカップルみたいに」

「どういう意味？」

「わかってるでしょ」

「だれにとって？」

「神さまにってのはどう？」ふり返って、わたしをひたとみすえる。

うまく答えられる気がしなかった。リンジーならば答えられただろうけれど、それで収まるかは怪しい。

「すごく大それたことだって思わない？　重大すぎるって。いっしょにいるほどやめにくくなる」

「やめるべきじゃないってことかも」

「そもそもはじめるべきじゃなかったってことかも」コーリーが返した。でもそのとき、不意をついて、わたしにキスをした。情熱的に、そしてすぐそのあとわたしを押し倒してのしかかる。しばらくそんなふうにキスをした。これまでにないほど激しく、あたかも自分からぬぐい去ろうとしているみたいに、ふっきれて終わりにできるみたいに、これっきり、じゅうぶん攻撃的に、強気に出ればそうなるというみたいに。

やがて、手をわたしの体にゆっくり持っていき、口を離すとこういった。「やってみる」まじめな決意のほどが逆にほほえましかったけれど、もっと「やってみて」ほしくなった。

コーリーがお腹までやってきて、やわらかな髪と口がわたしの肌をなぞるとぞくっとし、この部屋がふたりっきりのちいさな世界のように、切り離されて完全にプライベートな空間に感じられ、そのときアパートのドアを激しくたたく音が炸裂し、おそろしく、場ちがいにきこえた。一瞬、銃撃かと思った。

ふたりとも凍りついた。コーリーが頭を引く。さらにたたく音。それからタイの、ドアごしのためにくぐもった酔っぱらいの声が、大笑いをするのがきこえた。「ドアを開けろ！　警察だ。未成年が飲酒してるのはわかってるんだぞ」

いい終わる前からコーリーがわたしから離れ、ベッドわきに立つ。「やばい、服を着て」低いけれどパニック状態の、わたしのいちどもきいたことのない声でいった。

ふたりともすばやかった。たいして身につける服はない。でも、それでもやはり、タイが鍵を錠に射しこんでドアを数センチ、チェーンの長さ分開けるだけの時間はあった。「おい、女ども」べつの男の声がした、ドアにすきまができた分、大きくひびく。「酔いつぶれてんのか?」

コーリーがキルトをもとに戻し、わたしはしわをのばそうとした。

寝室の洞窟なみの暗さに慣れた目には、照明がひとつだけでもリビングルームはまぶしすぎ、コーリーはぐしゃぐしゃにみえた。乱れた髪の毛は静電気で四方に逆だち、顔は赤らんでなにかたくらんでるよう、そしてコーリーがわたしをみる目つきから、自分も同じぐらいひどいありさまなのがわかった。

「酒を持って」コーリーはすでにコーヒーテーブルに行って自分のグラスを持ち、片手で髪の毛をなでつけている。

わたしはコーリーの意図がわからなかった。呆《ほう》けたように相手をみる。

するとコーリーはまさしく呆けた人間がなにかをだいなしにしたか、するところ、という目つきでわたしをみかえした。「酒を持って、酔ってるだけだと思わせるの」これまでと同じきついひそひそ声でいう。

いわれたとおりにした。それからリモコンをとって再度〈再生〉ボタンを押す。ビデオはいつの間にか巻き戻っていた。

コーリーは大股でドアまで歩いていった。「警察証をみせてよ」プラスチックの、しゃべるカウガール人形みたいな明るいつくり声を出す。「パインヒルの脱獄犯かもしれないでしょ」

「バレたか」とタイ。「鉄条網を越えてきて、小便がしたくなった。開けろって」

「じゃあその鼻づらをどけて、チェーンをはずせるようにドアを閉めさせてよ」といったあと、コーリーはそのとおりのことをした。

三人の男たちは、ブーツとラングラーをはき、シャツはジーンズにたくしこみ、ぴかぴか光るベルトのバックルをしめている。完全武装だ。酔っぱらい、へべれけで、認識力はすでにぐだぐだだったのがもっけの幸いだった。

タイはトイレに向かう途中、ベルトをはずしながらコーリーの酒を身ぶりで示し「やっぱり、マリブ（ココナッツ風味のリキュール）だろ」といった。「わかってたぜ」ドアを勢いよく閉めたけれど、実際に怒っているときの閉めかたではなく、酔っぱらって、思いがけず強く閉めすぎただけの閉めかたで、トイレのなかから「妹に道を踏み外させないよう頼んだはずだぞ、キャメロン。よくも信頼を裏切ったな」と叫んだ。

三人のなかでいちばん背の低い、猪《い》の首の、ずんぐりむっくりタイプの男がコーリーに腕を回した。「よお、グッドルッキン。おれのいないあいだにハイになってたのかい」コーリーを自分に引き寄せるのをみて、わたしは歯ぎしりした。

コーリーはつくり声のまま、「あらバリー。前にみたときはタイのトラックの荷台で、気の毒なだれかのブラを頭にかぶって気絶してたけど」

「おれらしいや」バリーはもういちどコーリーを引き寄せて、酔っぱらいのする笑いをした。コーリーも笑って、そしてそれはうそ笑いだったけれど、こびを売る姿は——前に何度もみて、魅力的だとか、かわいいとか思ったりしたのとまったく同じこびかた——寝室で過ごしたあと、ふたりが全裸となり、静かに熱くなり、わたしの下にいるコーリーを、上にいるコーリーを感じた直後では、たまらなく耐えがたかった。

もうひとりがわたしのところへ来て立ちどまり、酒をかぐと顔をしかめ、ウィンクをした。「女の子が飲む酒かい？」

「まあね」男をみた。コーリーをみないですむ理由ができて、ほっとする。

男はあごをテレビにしゃくってみせた。画面のなかで、ボウイとドヌーヴがクラブに戻って踊っている。

「なんの映画？」

「バンパイアの映画」コーリーがすばやく、わたしの代わりに答えた。

「へえ、そうか？」ずんぐり男のバリーがいった。「こわいものみたさってやつ？　おれたちが来てよかったな」

トイレの流れる音につづき、水がシンクにはねる音がした。

「ううん、ちっともこわくない」とコーリー。「みるのをやめて出かけるところ」

のそりと戻ってきたタイは、前髪を濡らしてひたいにしずくをたらし、蛇口の下に頭を突っこんだみたいだった。両手で顔を何度もすばやくこする。「出かけるってどこへだ」

「ただ出かけるの。ここじゃないってこと」

コーリーはずんぐり男の腕をふりほどくとわたしのほうへ来て手をのばし、ほんの一瞬、信じられないほどすばらしい展開になり、ふたりのことを男たちに証明するんだと思って息をつめていると、コーリーの手がわたしのタンクトップのウエストのあたりをかすめた。コーリーのしたかったのは、無意識にわたしがポケットに突っこんでいたリモコンをとることだった。引っぱり出すのはむずかしくはない、もともとしっかり入れていなかった。ビデオテープが停止しても、わたしはまだ息をとめていた。

「なにすんだよ」かたわらにいた男が、真っ暗になったテレビ画面からふり返る。「おもしろそうだったのに」

「ほんとにおもしろくないってば」コーリーがいった。

「なにかたくらんでるみたいだな」タイがキーチェーンにつけたミニサイズのペンライトをひねってわたしの目を照らし、わたしは目をすがめた。

「なにかたくらんでるみたいなのはそっちでしょ」コーリーがタイの手を押して、わたしの顔から明かりをどける。

「そのとおり」といって、それからタイはコーリーが持っているグラスにライトをすばやく向け、ライトで横から変に照らされた中身が、オレンジイエローに光る。「お前たち非行少女はなにをつくったんだ？　そもそも」グラスをつかんで残りを飲んだタイは、わたしのをかいだのっぽの男より、さらにひどく顔をゆがめた。「おれのラムをだいなしにしやがって」

　バリーが持論を展開する。「コークと混ぜるだけでいいんだ。ラムを飲むにはそれがベストだぞ」

「ピニャ・コラーダはすごくうまいぜ」のっぽがいった。

「南の島にいるんならな」タイがへたなジャマイカなまりでいい、キッチンに向かって歩きながらあちこちライトを当てた。

「ピニャ・コラーダは女・子どもの酒だ」とバリー。「こいつらが飲んでるのがそれだよ」

「いや、ココナッツミルクを入れなきゃ」のっぽがいい、同時にキッチンのタイがどんだけボトルをあけやがったんだとかなんとかわめいた。

　のっぽの男とバリーは、フルーツカクテルの女々《めめ》しさについていい争いながらキッチンにぶらぶら向かい、同時にタイがうるさいけれどおどろくほど上手に「もしきみがピニャ・コラーダを好きで、雨に降られたなら……」とサビの部分を口ずざみ、コーリーがわたしのとなりで、わたしをみずに、キッチンでひしめいてる男たちの背中に視線を向けたままささやいた。「わたしの脈をはかってみてよ。ドアチェーンをしといてよかったでしょ?」

もし口を開いて返事をすれば、頭のおかしい人間みたいにコーリーに叫びついてしまいそうだった。叫ぶか泣くかキスするか、なにか大げさで劇的な、やりはじめたらもうおさえられないなにかを。それで、なにもいわなかった。

わたしの沈黙が注意を引き、コーリーはとうとうわたしをみた。「だいじょうぶ。なにも気づかれてない」

まだ無言でいた。

「もうだいじょうぶだよ、キャム」

コーリーがわたしをとめる前に、もしくはわたしが自分をとめる前に、指先で、コーリーの首すじのやわらかな肌に触れた。あごのラインのすぐそばに、ごく軽く、ほんの数分前、数分前、キスをしていた頸動脈の上の場所に。そこに触れた。キッチンにいるカウボーイたちが、十中八九、いまにもふり向くだろうなかで。

わたしの手をアリでもはらうように、もしくはさらに悪く、金輪際肌《こんりんざい》に属していないみたいにコーリーがはらいのける。「なにやってんのよ?」そよとも声を出さず、はっきりと、大げさに口を動かし、わたしがみまちがえないように伝えた。

「脈をはかろうとしたの」たいして声をひそめずにいった。

コーリーはわたしから離れてキッチンに向かったものの、頭はわたしに向けつづけ、やはり声には出さずに口を動かした。「どうしちゃったのよ?」

「脈をはかれっていったから」

「さあお嬢さんがた、こいつが酒ですよ」キッチンの境目でふり向いたバリーは、新しく混ぜた茶色の液体入りのグラスを手にしていた。

「ラムコーク?」コーリーが返事を待たずに手にとると、ごくりと飲んだ。

「ラムの残りかすだ」タイがわめいた。「お前らは盗人のごろつき集団だ」

「コンビだろ、団じゃない」とバリー。「数えかたをどこで教わった?」グラスをコーリーからとりもどし、コーリーと同じ場所に口をつけ、ひと息で半分を飲む。

気絶しそうだった。体ががたがたふるえ、痛くてコントロールが利かなくなり、手足じゅうの内側にガラスの破片が浮かんでいるようだった。もう一秒だって、彼らといっしょのアパートにはいられない。

「飲むか?」バリーがわたしにグラスをふった。

「ううん、もう帰る」バリーもほかのだれもみずにいった。ドアまで歩き、サンダルに足をすべらせプラスチックのひもを親指とひとさし指のあいだに割りいれる。バリーがタイとのっぽの男にわたしがいったことを伝えるのがきこえ、みんなはとまどったようだった。

ドアを開けると、タイがキッチンの混雑を押しのけてわたしのところへ来た。「おれたちのせいじゃないよな? 追い出すつもりじゃなかった」

顔をみられない。タイのうしろのコーリーをみられなかった。タイのあとをついてきたのに。「ちがう」

アパートメントの醜いじゅうたんに向かっていった。「太陽に当たりすぎたかなにかみたい。とつぜんすごく疲れちゃって」

「だけど、疲れた以外はだいじょうぶか?」タイがドアの上に手をかけて開けたままにし、腕が邪魔で出ていけない。「動揺してるみたいだぞ」

「疲れただけ」

「どうやって家に戻るんだ?」

ここへはベルエアを運転してきた。どこに鍵を置いたっけ――。

「鍵はここ」呪文で呼び寄せたみたいに、手品のトリックのようにコーリーがとり出した。

「運転できるのか?」タイがまだ邪魔している。

「兄貴より上手だよ、タイ。帰して家で寝かせてあげてよ」

「だいじょうぶ。平気だから」

「家に帰ったら電話しろよ」タイが腕をすべらせてわたしを通す。

廊下を歩いて階段の一段目をおりはじめたとき、玄関からだれかがみているのに気がついたけれど、顔をあげてだれだか確かめはしなかった。コーリーだと信じなければいけなかったからで、でもたぶんタイひとりだけなのはわかっていたのが、おもな理由だ。

第十二章

つぎの日、コーリーはバイトが引けたあともスカンランに迎えに来ず、わたしはさらに怒って、さらに悲しくなったけれど、おどろきはしなかった。〈タコ・ジョンズ〉まで自転車にのっていき、おりるときにガラス製のドアごしに、ジェイミーがドリンクバーの前で大きなモップをかけているのがみえた。

「〝何さまトロイ〟がついさっき来て、タイムカードをチェックしてから雑用をたくさんいいつけていきやがった」入っていくと、ジェイミーがいった。店内はからだった。「ブライアンはラリってて役に立たねえし」

このあいだ髪を『ティーンエイジ・ミュータント・ニンジャ・タートルズ』の緑色に染めたブライアンは、カウンターのうしろで脚立の二段目にのり、枕大のプラスチックの袋に入ったトルティーヤチップをあぶなっかしく加温器にそそいでいた。袋の置きかたをまちがえて、器具に向けた開き口からチップスがいちどに二、三枚ずつ、かさかさの落ち葉みたいに、スペインタイルふうの床にこぼれつづけている。

「二十分後に食事休憩だ」ジェイミーはカウンターのうしろまでモップにまたがって戻った。「〈スーパーナチョ〉をつくってやろうか?」

「ううん、いい」あいているボックス席の木製の椅子に座り、九時間太陽の下にいたすぐあとでは寒すぎたため、ビーチタオルを足に巻いて待つ。ボックス席わきのクリーム色と茶色の縞模様の壁紙に、ボールペンとマジックペンで落書きしてあった。ちいさな文字で、単語ごとにだいたい最低一個の感嘆符がはさまれている。

アイ・ラブ・トリ！　トリが好きだ！　ゴー・カウボーイズ!!!
トリってだれ？　トリ・スペリング？　『ビバリーヒルズ高校白書』は最高!!!

店にペンを借りて自分も書こうかと思ったけれど、なんて書けばいいんだろう。アイ・ラブ・コーリー・テイラー。コーリー・テイラーにむかつく。コーリー・テイラーとやった。コーリー・テイラーで頭がいっぱい。

ペンは頼まなかった。店に入ってきたふたり連れのトラック運転手が、タオルを巻いた上半身水着のわたしをもの珍しそうにみた。ジェイミーがエンチラーダ・セットをこしらえるあいだ、さらに待ち、カウンターのうしろからジェイミーがうなずいて休憩に入る合図をよこしたので、外で落ちあう。

建物の裏手に回ってコンクリートの基礎まで来ると、ジェイミーはもうハイになっていた。明るいオレンジ色をした〈タコ・ジョンズ〉の大型ゴミ箱にハチが群がり、勝手口のすぐわきには廃油を入れたプラスチックのバケツが置かれていたけれど、おだやかな晩で、空は夏にときどきみせる紫色に変わりはじめ、ペンキをぬったレストランのコンクリート壁の、あたたかくなめらかな感触を腕と肩で感じながら、ジェイミーの細い指からマリファナたばこを受けとる。

「コーリーはどうした？」

甘ったるいけむりを肺からはき出すのを待って、ジェイミーがとり戻した。「知らない」そっけなくはきすてるようにいおうと、傷ついてなどいないようにいおうとした。

「かわいそうな〝レズ娘〟」わたしの肩をつかんで、ジェイミーが大げさに、さもつらそうな顔をする。

「若き求婚者ブレットくんが花嫁を迎えに戻ったのか?」

「それはあした」まだ差し出されてもいなければ手をつけてもいないのに、ジェイミーからマリファナたばこを横どりする。

「それなら、彼女といちゃつける最後のチャンスを試せば? ふたりきりになれる最後の夜なんだろ」

「すごくまずい状況」

「そっか」制服のバイザーでハチをはらい、それからスニーカーでコンクリートにこすりつける。「はじめからまずい相手だっていっただろ」

「それどころじゃないよ、物知り番長」泣きそうになり、それがどこから来ているのかもわからず、いつも、いつもジェイミーの前だとめそめそしてしまうことに腹がたった。

「どうした?」ジェイミーがハチの残りをかかとからむしりとると、まだ片羽がぴくぴくしていた。わたしからマリファナたばこをとり返す。

「いろいろ。もう、もとにも戻れない。やり直しもなにもできない」

「お嬢さんがたは、清いおつきあいは卒業したのか?」いつものすかした調子を保とうとしていたけれど、本気で知りたがっているのがわかった。

返事をしなかった。マリファナたばこ——そもそも短かった——はほとんど吸い終え、でも最後のひとくち分ぐらいはある。「ショットガン《一気吸い》する?」わたしがきいた。

ジェイミーはわたしのはぐらかしの読みかたを知っていた。「やったな、JJK」わたしの二の腕に男らしいパンチをする。「そりゃまずいな。晴れてコーリーの浮気相手になったわけか。カップル崩しのレズビアンだ」

わたしは吸えるだけ吸うと吸い殻をわき道にはじき飛ばし、数秒後ジェイミーが身をのり出して口を大きく開けたので、わたしはくちびるでジェイミーの乾いた口をできるだけふさいではき出し、ちょっと待ってから離した。それから泣きだした。ビーチタオルにくるまれた大きな赤ん坊みたいに。ジェイミーがわたしに片腕をかけ、そのあと両腕を回し、ふたりは暑いセメントの勝手口に立ったまま抱きあい、そのまますっとそうしていると、運転室と荷台に高校生をおおぜいのせたトラックがドライブスルーに入ってきて、勝手口の重たいドアが開き、ブライアンが大声で応援を呼んだ。

「うまくいくって」ジェイミーがいい、わたしはタオルを腰からはずして肩にかけ、一方のはしで顔をぬぐった。「どっちみちブレットが戻れば落ちつくよ。プレッシャーがとれてさ。あとはお前にグレンダイブの尻軽女をみつけてやるだけだ。市外のだれかを」

「それだね」とわたし。「疑惑の影には必ずグレンダイブの尻軽あり」

「必ず尻軽だ」ハチ殺しバイザーを好みの角度に傾けてかぶる。「だけどグレンダイブの女に限るという決まりはない」

ジェイミーがなかに入ったあと、自転車で〈モンタナ・シアター〉に行って、ひょっとしたらコーリーが最後列に座っていないか確かめようかと考えた。もしかしたら、いるかも。家の前を通りすぎて二ブロックほど映画館のほうへ向かったけれど、着く前に回れ右をして家に帰った。フロントポーチにおばあちゃんが座り、薄暗がりのなかで糖分ゼロの、〈グラハム・クラッカークラスト〉のバナナプディング・パイを食べていた。

「きょうは映画はなしかい?」

「今夜はなし。わたしに電話なかった?」

「だれから?」

「だれでもだよ、おばあちゃん」

「だれでもさんはひとりもかけてこなかったよ、気むずかし屋」とおばあちゃん。「だけど電話を待ってるひとがいるようだね」

ルースとレイがカウチでテレビをみていたけれど、わたしは玄関で立ちどまってなんの番組か確かめもしなかった。

「カタログを二冊、あなたのお部屋に置いておいた」階段をあがるわたしにルースが声をかけた。「よさそうなのにまるしておいたからね。決めるまで二カ月しかないのよ――二カ月しか!」

コードレス電話をシンクの上に置き、シャワーを浴びながら呼び出し音がきこえるようにした。鳴らなかった。シャワーにずっと入っていたら、コーリーが電話をくれてシャワーから出たらくれないというひとりゲームをはじめ、熱いお湯を流して流して流し、やがて冷たくなり、でもそれでもよかった。どっちみちバスルームのなかは暑すぎたし、水がどんどん冷たくなっていき、構わず浴びつづけたけれどコーリーからの電話は来ない。

部屋では映画をかけなかった。ドールハウスにも手をつけなかった。ルースが結婚式の衣装カタログを机の上に置いていった。ページをめくると、青いマジックペンでいくつもしるしがつけてある。ルースが選んだ花嫁付き添い人のドレスはどれもよく、おどろくほど簡素でほんとうにルースがわたしのことを、わたしがなにを着たいかを考えてくれているみたいだったけれど、でもわたしはまだその服を着ている自分を想像できなかった。週末をまるまるかけて、結婚式用の服をビリングスでいっしょにみてくれると、コーリーはいっていた。

スタンドの明かりを消し、カバーの上にシャツを着たまま濡れ髪で横になって寝ようとする。扇風機をつけて、電話はベッドの上のすぐとなりに置き、けれどまだ宵の口で疲れていない。リンジーの新しいミックステープをかけると、きいたことのないバンドや歌手ばかりで、でも新しい歌声の新しい歌をちゃんとききこむ気力が湧くとは思えず、なんだか考えごとが多すぎて、それでトム・ペティに切り替えてみじめな気分にひたり、それからそんな自分に怒り、それからまたみじめになった。コーリーは電話をかけてこない。

* * *

つぎの日の午後、モナ・ハリスとわたしはバスハウスのローテーションでいっしょになった。過去の数時間わたしは使えないライフガードで、湖に目をやってはいたけれど湖上のアクティビティにはちっとも注意をはらわず、代わりにコーリーとブレットの再会の夜をできるだけ細部まで想像し、つぎからつぎにシナリオを描いては自分を苦しめた。シナリオの大半がその目的を果たした。

「たっぷりぬってくれる?」ビーチから歩いてきてサングラスをはずし、ひんやりした暗さに目を慣らしていると、モナに頼まれた。

モナはすでに水着のストラップをはずしてわきにたらし、コパトーンSP30の白いボトルを手にしていた。わたしはうなずいた。ボトルを受けとる。

「夏が終わるってのにまだ焼けるんだよね」モナがいい、わたしはてのひらにとろっとした白いクリームのちいさな池をつくった。「いちどでもローションし忘れたら、ロブスターだよ」

モナのあたたかい背中にぬる。ピンクがかった白い肌、そばかすだらけ、でもほかのライフガードみたいに真っ黒じゃない。

ぬり終わり、モナがストラップを戻し、わたしは棚にローションを戻した。棚の上は、これまでに販売されたことのあるありとあらゆるサンローションやオイルやスティックの使い残しボトルの共同墓地みたいになっていた。

わたしたちはチェックイン・テーブルに座り、おしゃべりはせず、部屋の奥ではオンボロのラジオががーがー鳴っている。モナは六月からバスハウスに置きっぱなしの、水でしわのよった『ピープル』誌をめくり、わたしはテーブルの天板にだれかが彫りかけたガイコツのつづきを、ハエたたきの金属製の持ち手で彫った。それから湖ねずみがふたり、男子ロッカールームから駆けこんできて、もうひとりの湖ねずみがふたりの着替えとタオルをバスハウスの屋根に投げあげたと訴えた。ひと夏に十回以上はそれが起きていて、ロッカールームは屋外の空間をただセメントで仕切って個室にしただけだったから、木製ベンチにのったワルガキたちがしょっちょうバスハウスの屋根にものを投げあげていたずらしていた。

「そっちが行く、それともわたし？」モナがきき、でもわたしはすでに金属製の折りたたみ椅子から立ちあがっていて、はしごをとってくると、Tシャツとスニーカーとつま先に紙幣を押しこんだためにのびきった、汚いチューブソックスを回収した。

　地面で待ち受ける男の子たちに投げ落とし、つぎから汚物はバスケットに入れなよと注意し、でも屋根にものがなくなると、わたしの一部はそこにあがりこんで身を潜めたくなった。そこは熱いタールをひいた四角い平面でしかなく、〈聖ロザリオ〉の屋根をもっとうんとちいさくしてもっとうんと地面に近づけたみたいだった。グラノーラ・エリックが左の監視台の椅子から手をふり、湖からかたときも目を離してはいけない仕事をどうみてもこなしていない。わたしは手をふり返した。湖面を反射する太陽光が目を射り、前も下もすべてが白熱し、視界が再調整されて、ビーチ、通り、それに向かいの〈コノコ〉が、揺らめく輪郭からおかしな色に、最後に普通の風景に戻るのを待つ。それからはしごをおりた。

　バスハウスに戻そうとして、はしごの横を戸口にぶつけて親指をはさみ、ひとしきり毒づいたのちに実際にしまうまでの一部始終をモナがみていて、軽く笑った。

「苦労してたね」

「べつに」

「〝イエス〟って意味にしとく」モナが手をのばして親指とひとさし指でわたしの腕を強く、手首の上あたりをはじいた。

「いて！　痛いじゃない」実際、痛かった。

「痛くないよ」モナが笑っていった。

「痛いってば」でもわたしもなぜか笑った。「いまのは職場いじめで、黙って耐えたりしないからね」

「なら苦情を書けば」とモナ。「書類をさがしてやるよ」

「めんどくさい」はじき返してやろうとしたけれど、モナが腕をそこらじゅうに動かしつづけるせいで、ひじのあたりに弱々しく当たっただけだった。

それからふたりのしていたのがなんであれおしまいになり、ときどきあるようにその瞬間が過ぎ去って消え、ムードが変わったことにふたりとも気づいた。なんてことはない。わたしはガイコツに戻り、モナは雑誌に。

でも数分もしないうち、モナがいった。「彼女、ゴージャスじゃない?」雑誌をわたしに向けて、見開きのミシェル・ファイファーの写真をみせる。ビーチにいるファイファー、犬の散歩をしているファイファー、大きな窓のある豪華なキッチンで野菜を切り、ばかでかいカラフルなサラダのようなものを下ごしらえ中のファイファー。

「うん、きれい」

「『グリース2』のミシェルがいちばんホットだった」雑誌をすべらせてとり戻す。

「あの映画はくそだよ」

「映画がいいとはいってない。映画の彼女がホットだっていったの」

「ミシェルのルックスに気づかなかった。素材に選んだ映画があんまりひどくて」

モナはゆっくり笑ってみせた。「なら、ぜんぜん出てるのに気がつかなかったんだ? ぜんぶのシーンで透明だったとか?」

「そう」とわたし。「そのとおり」

「へえ」テーブルから自分のホイッスルをとりあげ、首にかけ直す。「すごい才能だね」

わたしは待った。それからいった。「『スカーフェイス』のほうがホットだったよ、どのみち」

「うーん。それはよく考えないと」

わたしは時計をみた。二分後にはローテーションの番だ。立ちあがり、ヘイゼルが毎朝氷を持ってくる大きな共用クーラーから、〈ゲータレード〉のボトルをとり出した。

「ひとくち、いい？」いいというのを予測して、モナはすでにわたしのうしろに来ていた。

わたしはボトルを渡した。たくさん飲んでから返してよこす。

「あんたってシャイだよね？」フックからタオルをとる。「内気な子どもみたい」

「ううん。ぜんぜんシャイじゃないよ」

「べつにいいんだよ。ばかにしてるんじゃないから」

「でもちがうもん」

「ほら、いまだって子どもみたいにきこえる」モナが笑い、バスハウスを出て右側のガードと交代した。

戸外にいたつぎの数時間、コーリーのこと、コーリーとブレットのこと、それからコーリーとわたしのことを、もう考えなくなったわけじゃない。それらについて考える合間に、新たにモナのこと、モナの動機について二、三頭をよぎっただけで、それと二回ばかり、受け持ち区域を監視しているふりをして、ただモナをみつめていた。ふたりのあいだの湖とわたしのサングラスが、正確にはどこをみているのかをカムフラージュしてくれた。

もちろんコーリーがバイトのあとに現れるはずもない。ブレットが町に舞い戻ったばかりだ。でもほかの交通課のバイトが何人か顔を出し、ビールケースを持ってきた。

残るつもりはなかったけれど、フックにホイッスルをかけていたら、バスハウスに来たモナが、腰に巻いていたわたしのタオルをつかみ、タオルの折り目と腰の水着のすきまに指をすべりこませた。少し間をとって、モナがいった。「残るよね？」それでそうした。

最後に残った好奇心旺盛な湖ねずみの気をモナがそらしているあいだ、わたしは〈クアーズ〉の缶一本半を、からっぽの〈ゲータレード〉のボトルに入れた。さらにタオルと砂入れ用のバケツにできるだけ缶を隠し、メインドアを施錠したのち、高速道路組に加わって、ビーチを奥のドックに向かって歩く。

集団のひとり、ランディがわたしの左のストラップをぱちんとはじいたあとにいった。「お前もきょうはサボりだと思ってた」

「どういう意味？」

「コーリーが今朝病欠するって電話してきた」〝病欠〟のところで指で引用符をつくる。

「いや、電話はタイからだった」べつの男がわたしたちに加わった。

「同じことだろ。みんな、お前らふたりがビリングスかどっかに行ったのかと思った。たぶんほんとうに病気なのかもな」

右側の監視台でとまり、荷物をおろす。モナがわたしをみているのに気がついた。

「コーリーの彼氏が町に戻ってきたんだよ。病気ってそういう意味」

「あー、なる」ランディがギャグっぽく、わたしに向けてひじでつんつんしてみせる。「恋の病ってやつか？　かかってみたいもんだぜ」

「らしいよ」わたしはボトルからたくさん飲んで、キャップをひねって湖に投げると、放物線のあとを追い、自分も弧を描いてダイブした。

　みんなでしばらく騎馬戦をやった。わたしとモナが広くてすべりやすい肩にまたがり、たがいにねじったり引っぱりあったりし、暗い湖に落ちると笑って、何度もくり返した。そのあとヘッドファースト・ダイブとキャノンボールにたがいに点数をつけあい、でも高飛びこみをできるのはモナとわたしだけだった。まんなかのドック下にふたりでいっしょに入ったとき、こうなるのは自然に思え、ぜんぜんおおごとではなかった。高速道のバイト連中は浅瀬ではしゃぎ、サンショウウオを追いかけている。モナが「高校生のお尻を追いまわす女子大生の仲間入りするなんて自分を信じられない」みたいなことを三、四回いったとしても、縞になった明かりがまわりの水を淡緑黄色にみせる湖の底でいちゃつくのをやめなかった。そして、それだけだった。たぶん十分ばかり。モナとモナの厚いくちびる、透きとおるようなまつげ。自転車で家に帰る道すがら、ビールとキスの両方でぼうっとして、年上の女性と、女子大生と、みたかコーリー・テイラー、ざまあみろ、キスをしていい気持ちだったけれど、十二ブロック後、気分が悪くなった。心底悪くなった。ぜんぶがいちどにずしりときて、コーリーを裏切ったような、もしくは奇妙にも、自分たちを裏切ったような気がした。

　最後に家までの通りを数本横切るあいだ、コーリーに手紙を書こうと決めた。すごく長文の手紙で、わたしたちふたりに起きたことがどんなに大きくておそろしくても、なにか方法を考えつける、なぜならそうしなきゃいけないから。それは愛で、愛しあう人間がすることだからって伝えるんだ。自分の頭のなかでさえホワイトスネイクの歌みたいにきこえるけれど、関係ない。ぜんぶ書くんだ。あらいざらい。口に出そうとすると、ときには考えただけで、おかしな、切ない、まぬけでおびえた気持ちになることぜんぶを。

クロフォード牧師の車が私道にとまっていたけれど、わたしは一秒だって気にとめなかった。ルースのやっている委員会に出るため、ひんぱんにうちを訪ねてくる。自転車を車庫に入れ、ポーチで新聞を拾い、なぜまだだれも拾っていないのかとくに考えもせず、ドアを開けて新聞をなにものっていないテーブルに投げ、すでに階段を三段のぼって部屋に行きかけたとき、ルースが声をかけた。「こっちに来てちょうだい、キャメロン」

「キャミー」ではなく「キャメロン」といったルースの呼びかたが、わたしののどの奥に最初にちいさなねじれをつくった。リビングルームの手前に立つと、ルースとクロフォード牧師がカウチに座り、レイは大きな安楽椅子に、おばあちゃんの姿はなく、そのときねじれは大きくなり、さらによじれ、また両親と同じことが起きた、ただしこんどはおばあちゃんに起きたんだ、そう確信した。

「こちらへ来て、座らないかね?」クロフォード牧師が立ちあがり、わたしのためにあけた場所を身ぶりで示した。

「おばあちゃんになにがあったの?」わたしは玄関を離れなかった。

「下にいて休んでるわ」ルースはわたしをみていなかった。というより少なくとも、あまり長くはみなかった。

「病気で?」

「おばあさんのことじゃないんだ、キャメロン」クロフォード牧師が数歩やってきて肩に手を置いた。「腰をおろしてもらって、ちょっと話しあいたいことがある」

〝ちょっと話しあいたい〟は、カウンセリングセンター用語だ。いまクロフォードが使ったような場合、ちょっとどころじゃなくなる。長い話になる。だれかとちょっと話しあったりは決してしないたぐいの話。

決して。

「こんどはわたし、なにやらかしたの？」牧師の重たい手から肩をすくめて逃れ、腕を組んでドアフレームによりかかり、心配も、気にかけてもいないようにみせたかった。けれど頭のなかではこれまで犯した罪をすばやく反すうしていた。冷蔵庫からなくなったビール？〈聖ロザリオ〉？リンジーからの荷物を検閲された？ジェイミーと吸った大麻？そのぜんぶかも。

　四人は、目を見交わしあった。クロフォードが説教の場で力強いことばをさぐるときの顔つきをしたけれど、口に出す前に、カウチに座るルースが気味の悪い、苦しげなすすり泣きをし、手ですばやくおおってくぐもらせた。レイが立ちあがってルースのもとへ行き、そのひょうしにひざからパンフレットが床に落ちた。三つ折りの薄い印刷物で、部屋の向こう側からはみえなかったが、じゅうたんの上に落ちるとみえた。みまちがえようのないロゴ。〈神の約束〉――クールなリック牧師が、スナックのテーブルのはしに積みあげたパンフレット。コーリーがとって、パースに入れたパンフレット。

　長いあいだずっと、どんなことでも逃げ出せる、どんなことでも――インディアナ・ジョーンズがありえない速さで落ちる金属製の門から間一髪で転がり出るみたいに、鋼鉄製のトゲをすんでのところで避け、せまいトンネルを転がってくる巨大な岩石と振動を感じるほどの距離でニアミスするみたいに、からくもかわせると――思いこんでいたあとでは、いざつかまったとき、バレたとわかったとき、窒息感を、チョークを引いたバイクのサイドカーに座ったときの身も世もなさを味わった。

「わたしたちみんなにとってこれがどれほどむずかしい状況か、きみにもわかっているね」とクロフォードがいった。「そして、きみもこれからひどくつらい思いをすることになる」再度わたしの肩に手をかけるかのように手をのばし、でもそれから考え直して代わりに安楽椅子に座るよう身ぶりでうながした。

わたしは腰をおろし、これはぜんぶ、リンジーと関係があるにちがいないと、つかの間思った。リンジーからの小包や手紙、それにふたりで撮ったロッカールームの写真まで、どれもわたしに不利な証拠だ。なぜリンジーに焦点を合わせ、なぜリンジーだけなのかうまく説明できないけれど、でもそうだった。安楽椅子に座り、ひざを胸まで引きあげ、だれのこともみず、この「話しあい」がぜったいにリンジーと交わした郵便物に関係していると確信した。

それで、わたしは早くもすべてはリンジーのせいで、リンジーの影響、彼女の邪悪な、大都会の腹黒さのせいにしようと考えをまとめはじめていると、クロフォードが「コーリー・テイラーとお母さんが昨夜わたしの家に来た」といい、頭の上でだれかがシンバルを叩いたかのように、牧師のことばがわたしを打ち砕いた。ルースがレイにもたれかかり、青い作業衣の胸板は手よりも頼りになるのか、もっと大きなすすり泣きをあげた。

それから先は、クロフォードの話についていくのに苦心した。頭に入っては出ていき、頭に入っては出ていく。コードがゆるんでだめになったイヤホンみたいに。ことばはぜんぶきこえた。つまり、その場にいて牧師はわたしに話しかけているけれどもまるでだれかよその人間の、こみいった、とまどうしかない物語を話しているみたいだった。牧師がいうには、二日前の夜にわたしがアパートから帰ったあと、タイと酔っぱらいのカウボーイたちがコーリーから話を、ことの〝真相〟をきき出し、その話によれば、〝真相〟とは、わたしが無理やり無邪気な友人のコーリーに迫り、激怒したタイがつぎの日妹を母親のもとへ行かせ、コーリーは母親にうちあけた。リンジーがわたしを堕落させわたしがコーリーを堕落させようとしたこと、わたしがコーリーに異常に執着したこと、そしてコーリーがどんなにわたしに同情し、わたしが助けを、神の助けを必要としているかを。それからクロフォード牧師がこの知らせにどう対処しなくてはならなかったかを説明し、その朝、〈胎児カー〉にのってブローダスへセールスに向かう前のルースを訪れ、わたしはそのころスカンランでレベル3の生徒に初級の背泳ぎを教えていて——ニワトリ、飛行機、兵隊、もういちど、もういちど——牧師とルースはカウチに座り、わたしの醜悪な、罪深い行いの詳細をみおろしていた。ルースが立ちあがれるだけ気をとり直し、それには何時間もかかったけれど、ふたりでわたしの部屋をさがすと、まあざくざくでてくる。わたしが原因だと誤解した郵便物は原因ではまったくなく、コーリーの告発を裏づける証拠で、手紙とビデオとジェイミーのメモ、写真、ミックステープ、ゴムで束ねてドールハウス用にとっておいた映画チケットのばかみたいな山、ドールハウス本体。でもそれで、だれがなにを導き出せるというんだろう？

　クロフォード牧師が落ちついた、場なれした冷静すぎる声で、わたしにとってちっとも手遅れではない理由、不純な考えや行動を癒やすキリストの能力について、こういった罪深い衝動をキリストがとり去り、治し、わたしを完全にしてくれるとつづけるあいだ、わたしは何度も何度もこう思っていた。コーリーがしゃべった、コーリーがしゃべった、コーリーがしゃべった。それからバレた、バレた、バレた。このふたつの想念を、ドラムのリズムのようによどみなくくり返した。そのとき感じたのは、実をいえば怒りではあまりなかった。裏切られた感覚でもない。その代わり、疲れと、つかまったという感覚と、弱気だった。そして、なぜだか罰を受ける用意はできているように感じた。それがなんであれ、甘んじて受けようと。

　クロフォード牧師はリビングルームの説教中に何度か間をとり、わたしがなにかつけ加えるか、質問するのを待っていたのだと思うけれど、しなかった。

やがて、牧師がいった。「マイルズシティはいまのきみに理想的な環境とはいえないのは同意するだろうね、霊的にもその他の面でも」

思わず「マイルズシティになんの関係があるのよ？」と口走った。床に向かって。

「ここには不健康な影響がありすぎる」牧師が答えた。「しばらく環境を変えてみることがきみにとって癒やしになると、みんなは考えている」

わたしはとうとう顔をあげた。「みんなって？」

「わたしたちみんなよ」ルースがわたしの目をみていった。ルース自身の目ははれあがってマスカラがまだらになり、悲しい道化師のルースに戻っていた。

「おばあちゃんは？」

ルースの顔がくしゃっとなってまたもや口をおおわねばならず、クロフォードがすばやく割って入った。

「きみのおばあさんは、きみに最善の道を願っている、わたしたちみんなと同じにね。これは罰じゃないんだ、キャメロン。それよりずっと大きなことだと理解してほしい」

わたしはもごもご早口でいった。「おばあちゃんと話したい」立ちあがって、この場を離れて地下室に向かおうとする。

けれどルースも立ちあがり、とげのある大声で、わたしの目の前でいった。「おばあちゃんはこんなこと話したくないのよ！　うんざりしてるの、うんざりなのよ！　わたしたちみんなが」

わたしをひっぱたいたも同然だった。レイとクロフォードのふたりとも、ルースがひっぱたいたみたいに、口を〇の字にしている。わたしは座り直し、わたしたちみんなで話しあいをつづけ、一時間足らずのうちにみんなでなにもかも決めた。金曜日にルースが車でわたしを〈神の約束 キリストの弟子教育課程〉に連れていく。少なくとも一年、二学期間そこに寄宿する——クリスマスとイースターの休みつきで。そのあと、わたしたちみんなで進捗《しんちょく》状況を検討する。

帰る前、クロフォード牧師が長いお祈りをして、わたしが更生できるように神の助けを乞うた。そのあとでわたしたち全員を、わたしまで入れて抱きしめた。わたしはされるがままにした。それからマニラ封筒を手渡されると、なかにはリック牧師がファックスで送ってきた申しこみ書と施設の規則が入っていた。ところで、年間九六五〇ドルの学費については、ママとパパの遺産、わたしのために組んでくれた教育基金から支はらわれる。単純な話だ。

GOD'S PROMISE
CHRISTIAN SCHOOL
& CENTER FOR HEALING
神の約束
クリスチャン・スクール
& センター・フォー・ヒーリング
全寮制
キリストの弟子
教育課程
同性愛の罪の
反対は異性愛ではない
それは聖である。

当校の目的

〈神の約束〉は、
イエス・キリストを
人生に迎えいれることにより、
性的な罪と混乱を
断ち切りたい若者のための
クリスチャン・スクールであり、
支援センターである。

当校の目的は、
生徒にサポートと方向性を与え、
個人およびグループでの
サポート面接、適切な
ジェンダー・モデリング活動、
継続的な霊的指導、厳格な
教育を通し、生徒の精神および
人格の成長を育むことにある。

「すなわち、あなたがたは、
以前の生活に属する、
情欲に迷って滅びいく
古き人を脱ぎ捨て、
心の深みまで新たにされて、
真の義と聖とをそなえた神に
かたどって造られた
新しき人を着るべきである」

(「エペソ人への手紙」
第4章22-24節)

指針／禁止事項

〈神の約束〉のもとに集まる弟子の多くが、自分では対処できないさまざまな現在の行為と過去の記憶に苦しんでいる。性的依存症、ドラッグやアルコール依存症、虐待、孤独、他者への無関心等々。そのため、入学後最初の学期中はビジターおよび電話の使用を近親者もふくめ、禁止とする。入学3カ月後、職員が目を通したのち郵便物を受けとる資格を得る。この指針の狙いは、罪深いパターンを破るための環境づくりにある。

最初の3カ月終了時、校長が個別に教育課程の各項目を評価、キリストとの歩みに成長がみられた弟子は、その時点で電話使用と面会権の一部またはすべての制限を解除される。

ルームメイト／友情

当全寮制教育課程のおもな理念は、弟子全員のあいだに健全かつ敬虔な友情を生み育むことに重きを置くものとする。とりわけ肝要なのは、同性の同胞との健全で、性愛抜きの友情を深める方法を弟子が学ぶことである。そのような友情は、適切なジェンダー・ロールの強化につながるだけでなく、癒やしのプロセスの一部ともなる。

また、〈神の約束〉は、大学または寄宿学校型の環境を再現し、生徒が実社会に出ていく準備を整えるためのあと押しにつとめる。そのため、各寮生は同性1名と同室になる。当校はこれを、信用を築き、健全かつ敬虔なジェンダーにもとづく人間関係をより深める機会とみなす。生徒は同性の個人同士の友情と絆を重んじる社会にとけこむ方法を学ぶ必要があり、健全な人間関係を忌避しては、進歩を望めない。

同時に、当校は生徒の置かれたデリケートで特殊な状況を理解している。したがって、寮の個室は終日施錠せず、午後10時から午前6時の消灯時間以外は着替えの場合をのぞきドアを開放しておくこととする。さらに、職員による任意の検査および「来室」を予告なしに、定期的に実施する。

同性、異性を問わず、弟子同士の友情において、双方にキリストとの歩みを阻害するおそれ（性的関心、罪深い／不健全な欲望または過去の性癖による有害なつながり、感情的な依存の兆候）がある場合、その友情を神の道へ戻すための指針が行使される。

もし弟子が相手の弟子に性的または不健全な感情を抱いた場合、当事者はただちにリックまたはリディアに相談すること。弟子は**潜在的な恋愛感情についてたがいに話してはならない。**そのような行為は両者に対する強い誘惑要因となる。教育課程中のデートは禁止とする。

有害な“ゲイ”イメージの払拭

〈神の約束〉は、神聖なコミュニケーションを促進する環境の維持につとめている。いわゆるゲイまたはレズビアン文化への興味または習慣を促進、または讃美する言動パターンを校長はすみやかに阻止する。また、過去の罪を美化することは許されない。これには性的な出会いや空想に言及することもふくまれる。

服装規定と寮の手引き

学期中の月曜から金曜に予定の組まれたすべての活動（自由時間をのぞく）、および日曜の礼拝時、弟子は全員〈約束〉の制服を着用のこと。平日の自由時間、（一部の）外出、礼拝以外の週末は、制服の着用は不要。しかしながら、役員が適切と判断した服装に限る。

〈神の約束〉で送る日常生活のその他の指示／必須条項は、寮の手引きを参照のこと。手引きは教育課程の履修を許可された弟子に配布される。

すべての弟子は：

- 信仰を新たにし、**主イエス・キリスト**の霊に満たされなければならない。
- 〈神の約束〉寮生活の手引きで規定し説明している指針を理解し、これに同意しなければならない。
- 寮生に求められる全活動に積極的に参加し、教育課程の必須事項をすべて承諾し遵守しなければならない。
- 〈神の約束〉職員による指導、矯正、サポートを受け入れられる**開かれた心**を持たなければならない。
- **男女間の婚姻関係における性行動は神の人類創造の意図に沿うものであり、それ以外の性行動はすべからく罪であると承知しなければならない。**

第三部 〈神の約束〉一九九二—一九九三年

Part Three

God's Promise 1992–1993

第十三章

〈神の約束　クリスチャン・スクール&センター・フォー・ヒーリング〉でルースとわたしを正式に出迎え、施設を案内してくれたのはジェーン・フォンダだった。〈胎児《F》カー《M》〉にのって、六時間ぶっとおしで運転し、ここにたどり着いた。六時間ぶっとおし、ただしルースがビッグ・ティンバーの〈ギット&スプリット〉に立ち寄って、ガソリンの補給とおやつを買いこみ、わたしがトイレに行ったのはのぞく。ルースはトイレを使わなかった。ラクダなみにためこめるのだ。

　当時のビッグ・ティンバーにはまだモンタナ唯一のウォーターパークがあり、州間幹線道路沿いに居座っていた。通りすぎざまに首をのばして眺めると、野原にコンクリート製の大型のたらいが何個か点在し、歯磨き粉の緑色をした奇怪なループスライダーが、青すぎる水面からにょっきり突き出ている。パークは客でにぎわっていた。

　それは八月の最後の週で、車はあっという間に通りすぎたけれど、パークに群がる子どもたちの動作に、あわただしさを感じた。夏から秋に移りゆくときはいつもそうであるように、すべてが鮮明で、まだ十八歳になっていなければ、できるのはただチェリー味のアイシーをずるずる吸い、漂白剤で鼻から目のうら側までつんとさせ、小麦色に日焼けしたかわいい女の子をタオルではたき、来年の六月にまたくり返せるように願うことだけだ。自分の座席から首を回し、緑色のねじれたスライダーが視界から消えてなくなるまで追いつづける。それはＳＦ映画に出てくる未来世界のトンネルを思わせ、背後に広がる木炭色と紫のクレイジー山脈とはあいいれず、まるで学校演劇の書き割りのようだった。

ルースは〈ギット&スプリット〉でストリングチーズとチョコレートミルクのちいさなパックと〈プリングルス〉の缶を買った。〈胎児カー〉のなかで、乳香や没薬《もつやく》でも持っているかのようにスナックをわたしに差し出す。

「サワークリームとオニオン味のプリングルスはきらい」のせていた足をルースにおろされたダッシュボードに向かって、わたしはいった。

「でも、〈プリングルス〉は好きでしょう」ルースがキャニスターをふってみせる。

「サワークリームとオニオン味のはなんでもきらい。レズビアンはみんなそうだよ」パックにセロファンでとめてあったちいさなストローでミルクを吹いて、泡だてる。

「そのことばを使うのやめてちょうだい」ルースは缶にふたを戻した。

「どのことば？　〝サワー〟、それとも〝クリーム〟？」助手席側の窓に映る自分に向かって、はりついた笑みを浮かべた。

・・・

教育的介入を受けた週は、麻痺状態から、ルースへの徹底したむきだしの敵意へと感情が移り変わり、一方ルースはどんどん口数が増え、わたしの見通しについて前向きになった。わたしになり代わり、各方面への手配をするので忙しくしていた。寮に入り用なものを買い、スカンランのバイトは早期にやめるとヘイゼルに告げ、書類を埋め、必要な身体検査の予約を入れ、レイを手伝ってわたしの部屋から電話とテレビとビデオデッキを運び出した。厳密にいえば、それが最初にしたことだった。けれどいちばん大きな手配は、結婚式のキャンセルだ。延期した、という意味だけれど。

「やめてよ」わたしに事前の相談さえなかった、実のところ。キッチンで花屋さんと電話しているのを立ちぎきして、ルースをおどろかせた。

「いまは時期的によくないから」ルースがいった。「まずはあなたがよくなることが先決」

「頼むからやめて。わたしのせいで中止にしないでよ。わたしは式に出れなくても平気だから」

「あなたがどうこうじゃないの、キャメロン。わたしがいやなのよ、あなたが留守のあいだにしたくない」

そのあとキッチンを出ていった。けれど、もちろんうそだった。完全にわ<ruby>た</ruby>し<ruby>の</ruby>せ<ruby>い</ruby>だ。完ぺきに。

＊　＊　＊

わたしは四六時中、子守りされなければならなかった。わたしのような状態の人間をまわりは放っておいてくれない。毎日クロフォード牧師に会った。一回につき一、二時間、でもわたしは頑として、ほとんど口をきかなかった。牧師の話はナンシー・ハントレーのカウセリングに神を投げ入れただけにすぎない。朝食をルースと食べ、昼食をルースと食べ、夕食をルースとレイと食べた。自分の部屋で窓をみつめてばかりいた。ある日の午後、タイがトラックでうちの周辺を回っているのをみたように思った。何周もしている。まちがいない。でも路肩に寄せて車をとめたりはしなかった。うちの階段を駆けあがり、〈神の約束〉が近々わたしに教えようとしているのと同じ教訓を、暴力で教えこもうとはいちどもしなかった。

わたしの謹慎期間中、ルースはルースだった。ほがらか――無理してはいたが、ほがらかだった。レイはレイだった。もの静かで、わたしにかけることばをいつにも増してさがしている。そして、おばあちゃんはどこにもいなかった。あの週はずっと家のまわりを幽霊のように歩きまわり、室内ではわたしとふたりきりになるのを避けてベルエアにのって、いちどに何時間もどこかへ消えた。ある日の午後、キッチンでばったりはちあわせた。まだクロフォード牧師に会いに行っていると思ったんだろうけど、ツナ缶とマヨネーズを混ぜあわせているおばあちゃんをおどろかせた。

自慢に思ってもらいたかったわけじゃない。いちどのチャンスにかけてみる。「わたし行きたくない、おばあちゃん」

「わたしに泣きつくんじゃないよ」さらにマヨをたす。「身から出たサビだろ。自分の招いた種なんだ、なにからなにまで。ルースのやりかたがいいのかはわからないが、お前はまともに《ストレート》してもらわなきゃならない」

ことばの選択がある意味しゃれになってるのを、おばあちゃんがわかっていたとは思わない。それに、あんまり笑えなかった。そのときはどちらにしろ。

「うまくいくよ」マヨを冷蔵庫のドアに戻し、食べるべきじゃない甘いレリッシュをとり出す。「いわれたとおりにしなさい。聖書を読んで。よくなるよ」

わたしにいっているのと同時に自分にいいきかせているようだったけれど、そこで会話がとぎれた。家をたつ前に、おばあちゃんをみたのはあといちどだけだった。わたしたちがFMにのりこむときに地下室から現れ、わたしをそっと抱き、もう少し力をこめてから離した。

「手紙を書くよ、許可がおり次第。お前も書いておくれ」

「三カ月は禁止だよ」

「だいじょうぶさ。あっという間だ」

＊＊＊

リンジーがいちど電話をかけてきた。たまたま、たぶん小包の感想を知りたくて。けれどルースが出て、「キャメロンは今年度は遠くの学校に行くことになり、もう連絡できない」と伝えた。それきりだった。ぜったいに電話をかけ直したと思うけれど、わたしは電話に出るのを禁じられていた。ジェイミーが訪ねてきて、ルースは玄関口までは入るのを許したが、となりの部屋でうろついて、会話をきいているとわからせた。

「みんなはもう知ってるの?」むだにことばを費やして、そのとき唯一話す価値のあることを遠回しにいうのは意味がないように思えた。

「一方的なバージョンしか知らない。ブレットがいいふらしてる。コーリーはしゃべってないと思う」

「まあ、どっちにしろ信じるのは向こうのいい分だけだよ」

「たぶんな」

すばやく抱きしめあい、看守のお許しが出たらクリスマスに会おうとジェイミーがいった。わたしは笑った。

こっそり家を抜け出すこともできた。秘密の電話をかけることもできた。わたしの味方をしてくれる援軍を集めることも。可能だった。やろうと思えば。わたしはやらなかった。やってみようとさえしなかった。

＊
＊
＊

マイルズシティから出て一時間もすると、ルースは「このような神さまからの贈りものの施設が自分の州にある」ことに感謝すべきだと講釈をたれるのを、早々にあきらめた。わたしから肯定的な態度を引き出すのは、旅に出る前からあきらめていたと思うけれど、聖書から引用したり、前もって書いておいたみたいにちょっとしたスピーチを並べたてた。ルースという人間を知ってるので、たぶんやっている――祈りの日誌か、買い物リストのうらにでも書きつけて。ルースの声はそのときにはあまりに棒読みになっていて、ほとんどききとれなかった。わたしは肩に鼻をうずめて窓を眺め、コーリーのにおいをかいだ。暑すぎたけれど、コーリーのスウェットを着ていた。ルースはわたしのだと思っていた。でなければ、ルースとクロフォードが押収したコーリーの、ふたりの記念品を入れた箱に投げ入れていただろう。押収物の多くは友情のたまもので、最後の数週間でふたりが結んだ関係とは、必ずしも縁がなかった。プロムの夜に撮ったのが大半の、スナップ写真。五十セント大に折った罫線入りノートに書いたメモ。ゴムバンドでとめた映画チケットの分厚い束も、もちろん入っている。それから、アザミの押し花二枚。前は大きくてとげとげし、あざやかな紫色をしていたけれど、いまでは乾燥して羽毛のように軽く、もとの色はしのばせる程度まで薄れ、強く握りすぎれば粉々になり、ルースがそうした。コーリーの牧場でつんで町まで持って帰り、机の上の壁に逆さにして、画鋲《がびょう》でとめておいたアザミ。けれどスウェットは洗濯かごの底に埋まり、洗い終わったまままたたんでいないビーチタオルとタンクトップの下にあったためにまぬがれた。コーリーが最後に着ていったビール・キャンプファイヤーと、どこかほかの、でもまちがいなくコーリーの残り香がまだする。

何キロも何キロも、ルースにひとりでだらだらと話させた。ふたりのあいだにことばをこぼれ落とし、あのアザミのように、座席とコンソールのほこりの上に散らばるにまかせた。そのあいだずっと、わたしはコーリーを吸い、コーリーを思い、果たしてコーリー・テイラーを憎みはじめるときが来るのか、そうなるまでどれほどかかるのか、思案していた。まだそこにはかすりもしていないけれど、そうすべきではと思った。もしくはいつか、そうなると。そのうちルースは話しかけるのをやめて、ダイヤルを回すとポール・ハーベイをみつけ、まるで、ぬるいユーモアを効かせたラジオのおしゃべりをはじめてきいた酔っぱらいみたいに笑った。

プリングルズの一件以外、まるまる六時間のあいだにふたりが交わした数少ない会話の断片。

ルース「窓を閉めてちょうだい。エアコンをつけたから」

わたし「それで、それはわたしの性癖にどんな影響を与えるの?」

ルース「そんなふうに猫背になるのはおよしなさい。肩をすぼめていたら、年とったときに腰が曲がるわよ」
わたし「よかった。いま生やしかけのツノと似合うもん」
ルース「あなたが手引き書を読んだのを知ってるわ、キャミー。読んでるところをみかけたから。うまくいくには、開かれた心を持って〈約束〉に入らなきゃだめだって書いてある」
わたし「心がないのかも。開いていようとなかろうと」
ルース「うまくいきたいと思わないの？　変われるとわかっているのに、そのままでいたがるひとを理解できない」
わたし「そのままって？」
ルース「ちゃんと知っているでしょ」
わたし「知らない。いってよ」
ルース「罪深い欲望の日々を送ること」
わたし「それって婚前交渉と同じカテゴリー？」
ルース（長い間）「それはどういう意味なの？」
わたし「さあね」

〈約束〉方面の出口をおりる数キロ手前で、クエイク湖の標識を通りすぎた。古くなった金属はまんなかで折れていて、下に落ちたあと、セミトレーラーにひかれたのを戻したみたいだった。ルースとわたしは、同時に気づいたと思う。ルースがわたしをふり向いて、実際に道路から目を離して、わたしをみた、ほんの数秒。でも、どうにかなにもいわずにすませた。わたしもなにもいわなかった。そのあと角を曲がると、バックミラーに映るただの森と道路になり、あの標識はなにか大きな意味のある符号でもなんでもなく、道中に通りすぎた単なる道しるべのひとつでしかなくなった。少なくともそのときふたりはそういうふりをした。

〈約束〉の駐車場で会った女の子は、オレンジ色のクリップボードとポラロイドカメラを持っていて、右足（のひざから下）が義足だった。わたしと同じ年ごろの高校生なのは確かで、おどろくべきスピードでFMに近づきながらクリップボードをふっている。おどろくことはなかったかもしれない。ランニングショーツをはいていた。

ルースに「まあ、あのかわいそうな子をご覧なさいよ」みたいなことをいうひますら与えず、そのかわいそうな子本人がルース側のドアへ近づき、がばっと開けるなりフラッシュを焚《た》いて写真を撮った。わたしには両方同時と思えるタイミングで。

ルースははっとして「ひぃ」というような音を出し、前後に頭を揺すり、レンガ壁に激突した『ルーニー・チューンズ』のキャラクターみたいに目をしばたいた。

「おどろかせてすみません。一瞬のシャッターチャンスを逃したくなくって」大きな黒いカメラを首にかけたその子は、頭を少しさげた。写真が一枚、舌みたいにすべり出てきたけれど、とり出さそうとしない。「ここにやってきたひとたちをすぐに一枚撮るんです。最初の一瞬じゃなきゃだめで。それが最高だから」

「どうして最高なの？」わたしは〈胎児カー〉を歩いて回りこみ、足をみた。ほんもののほうの足は骨ばって青白く、けれどつくりものの足にはひもがついていて、プラスチックらしいくっきりしたかたちの、ビーチバービーの小麦色だった。

「ことばじゃ説明できない——だから写真を撮るの。それがいちばんピュアな瞬間だからかな。いちばん薄められていない」

それをきいて、ルースがおかしなくすくす笑いをした。出迎え係のこの子に落ちつかないものを感じているのがわかった。

女の子はやっと写真を引っぱり出して、自分とわたしにだけみえるように持った。ショットはおもにレンズに近づきすぎたルースの頭部が占め、口もとをへの字にして、わたしはうんと背後に写り、ほとんど笑っていた。

「わたしはキャメロン」わたしから自己紹介しなければルースがするとわかっていたし、なぜだかこの子にはすぐに好きになってほしかった。たぶん、どんな出迎え人を予想していたにしろ、この子はちがったからだ。

「知ってる。あなたが来るってみんなで話してた。わたしはジェーン・フォンダ」ジェーンがほほえみ、義足に重心を預けて少し揺れた。お風呂用のオモチャみたいに、義足がきーっと鳴いた。

「まじでジェーン・フォンダっていうの?」笑みを返す。

「わたしはいつもまじめだよ。だれにきいてもいい。でね、リックはボーズマンに行ってて、〈サムズ・クラブ〉に食べものとかを買いに行ってる。わたしがここを案内するけど、そのうち戻ってくるよ」ジェーンが身をのり出した。「〈サムズ・クラブ〉と〈ウォルマート〉はたくさん値引きしてくれるし、ときどきただで食料をくれる。たいていは鶏の胸肉とバナナだけどね。リックのバーベキューチキンはまあまあいけるけど、トイレットペーパーは安物で――ごわついて、ふたつ折りしないといけないやつ」

「世のなかにはもっとひどいことがあるわ」とルース。「そろそろ荷物を運んだほうがいいかしら？」

「疑いなく」ジェーンがいった。

「ジェーン・フォンダが本名なんて信じられない。クレイジーだね」

ジェーンはクリップボードで足を二回たたき、ちいさいころプラスチックのドラムスティックでミスター・ポテトヘッドをたたいたときみたいな音をさせた。「氷山の一角ってやつ。ここでは狂気《クレイジー》の海を泳ぐんだ」

＊＊＊

〈約束〉の周辺は、西部モンタナ名物の寄せ集めだった。ひとつ残らずポストカードにしたり、ガイドブックにのせるべく、州の観光委員が念を入れるような。アーチェリーや乗馬にもってこいの輝く野原、ヤナギトウワタとルピナスが点在する緑豊かな森の小道。二本の小川はジェーンにいわせれば「ニジマスが多すぎて苦しがって」いて、本館から歩いて二キロ半の山中には、あまりに青くてまがいものにみえる湖がある。構内《キャンパス》の両側は、性的倒錯の一生からわたしたちの魂を救うという崇高な使命に共鳴した牧場主の放牧地に接していた。暑い八月の午後でさえ山からおりてくる風は冷たく、干し草の甘い香りと、マツとヒマラヤスギのつんとするにおいを運んできた。

ジェーン・フォンダはわたしたちをクロスカントリーに連れ出したけれど、きーきー鳴る例の足はおどろくほどバネがあり、ルースは足に障がいのある子に遅れはとるまいと決意した。遅れをとらないためには、ウィナーズ航空支給の、いまはわたしの持ちものではちきれそうな車輪つきのスーツケースが、プレーリードッグの穴とヤマヨモギで飛びはねるのもいとわなかった。わたしはルースに持って帰るといわれたピンクの〈サリーQ〉ケースをさげていたけれど、ウィナーズ航空のほうはそのまま持っていていい。お古よさようなら、新品よこんにちは。

鶏小屋（卵は毎朝生徒が順番に集める）、からっぽの厩舎（何頭か馬を買い入れる予定あり）、夏期キャンプのためだけに使う金属屋根のバンガローの列、それとリック牧師と学校の教頭リディア・マーチの住むちいさなバンガロー二軒を、ジェーンがおざなりに身ぶりで示す。とはいえジェーンは見知らぬ土地でたまま出くわし、ツアーガイドを買って出るような役まわりに向いているとはいえなかった。歩きながら、ジェーンの背中のTシャツを眺める。女性アスリートの白黒プリントで、ショートパンツとタンクトップ姿から判断するに、おそらくはバレーボールの選手が試合でへとへとになったあとストレッチをしているところで――ポニーテールはたれさがり、ひたいには汗がにじんでいる。写真のわきには仰々しく〝あらゆる行いに神を求めよ〟との文字があった。

本舎はアスペンのロッジを思わせるつくりで、外壁は丸太の下見張《したみば》り、エントランスこそ壮大だけれど、いったんなかに入るとマイルズシティの〈讃美の門〉をもっと大きくし、それに寮が付属しているようなかっこうだった。フロアは堅木をいいかげんに模したビニール製。窓は少なく、いたるところに蛍光灯がついている。だれかがメインルームをそれらしくしようと――暖炉、やすっぽいナバホスタイルのラグ、マントルピースの上にはヘラジカの頭――がんばっていたが、そこでさえも殺菌剤と床洗浄剤のにおいがした。

「みんなはどこ?」最初に返ってきたのは、自分の声のうつろなこだまだった。

「大半はリック牧師といっしょにボーズマンに行ってる。リディアはイギリスのどこかに里帰り中。年に二回帰るんだ。弟子の何人かは湖じゃないかな。サマーキャンプが先週終わったばかりだから、いまはいつもの授業がはじまる前の移行期みたいなものなの。自由時間てわけ」ジェーンは電気のスイッチを入れて、廊下を歩きはじめた。

「じゃああなたたち、今週はなんでもしたいことをするの?」ルースおばさんが少し急ぎ足でジェーンに追いつき、スーツケースの車輪から泥と草をぴかぴか光るフロアの上にまき散らした。

「そうともいえないですね。グループ活動があまりないだけで、聖書研究と個人面接はまだあります」

ジェーンが閉まったドアの前でとまる。ドアにはポスターが二枚、クリスチャンロックバンドのオーディオ・アドレナリンと、「平静の祈り」のコピーがテープでとめてあった。紫のインクは色あせて、紙は黄ばんでまるまり、年代ものの風格すらかもしていた。

ジェーンはクリップボードでドアをこつこつたたいた。「ここがあなたの部屋。それとエリンの。いまはリックとボーズマンに行ってる」

ルースが首をふって舌うちした。まだルームメイト制に納得していない。気持ちはわかる。わたしもしていなかった。週のはじめに名前を教わって以来、ルームメイトのエリンをしょっちゅう想像した。眼鏡をかけたぽっちゃりタイプ、無造作な巻き毛、ほおはいつも赤らみ、にきびがまばらに散っている。エリンはお人好しだ。わかってる。ドアに貼られたポスターの薄汚くも聖なる男たちが彼女と寝てくれますようにとけんめいに神に助けを乞い、首には湿疹があり、胸はけばだっている。自習室のあの子や実験室のこの子に抱いた欲望を男たちにも感じるように、キリストに祈っている。「彼は背が高くて痩せてるの」、なにかのアクションヒーローを演じた映画スターのうわさ話をして、それからくすくす笑う。エリンはほぼまちがいなく、くすくす笑う。

三人はまだドアの外で待っていた。ジェーンがハンドルにうなずいてみせる。「どうぞ入って。ここでは鍵はかけないよ。ドアはふだん閉めもしないけど、部屋にはだれもいないから、まあいいんじゃない」わたしの顔をみたのだろう、こうつけ加える。「じきに慣れるよ」

それを信じたとはいえなかった。

部屋の半分、エリン側は、たくさんの黄色と紫であしらわれていた。黄色いベッドスプレッドに紫の枕カバー、黄色い傘をかぶった紫の電気スタンド。黄色と紫の縞模様のフレームをはめた巨大なコルクボードは、スナップ写真と、クリスチャンコンサートのチケットと、手書きの聖書からの引用で板面をコラージュしてある。

「エリンはミネソタ州の出身。フットボールチーム〈バイキングス〉の大ファンなんだ」とジェーンが説明した。「プラス、二年目だから、あなたにはない特権がある、ポスターを貼れるとか」わたしをみて、肩をすくめる。「いまはね。そのうちあなたももらえるよ。たぶん、なんにせよ」

部屋の半分のわたし側は、殺風景でスカスカ、でもそれを埋めるほどにはろくにものを持ってきていなかった。新品らしきツインのマットレスに、バッグを置く。すぐに荷解きをするべきなのかわからなかったので、いくつか適当に出して机の棚に並べた。ルースが買った真新らしいノートとペン入れ、クリネックス、クリスマスに撮ったママとパパとわたしの写真、クエイク湖ができる直前のママの写真。マーゴットとママを撮った写真は、持ちもの検査のときルースが変な顔でみていたものの、持たせてくれた。努力しなきゃ、と思った。わたしは『エクストリーム・ティーン・バイブル』を持ちものに加えた。

ルースは大きなコルクボードをじっとみていた。バイキング・エリンの持ち物を目にして、わたし側の無味乾燥ぶりに気がついたようだった。多少はわたしに同情したかもしれない。帰る前に、読書灯と目覚まし時計を〈胎児カー〉から出すのを思い出させるようにいわれた。

「ここでならすごくうまくいくと思うわ、キャミー。本気よ」腕をのばしてわたしに回そうとするのをわたしはあとじさって離れ、とつぜん気が向いて、これから一年じゅうみつめることになる窓の景色を眺めることに興味を覚えたふりをした。絶景だった。だから眺め甲斐はある、どっちみち。

ありがたいことに、ジェーンが外に連れ出してくれた。「食堂に行ってみます？　お腹をすかしてるかもってリックがいってました。サンドイッチがありますよ」

「いいわね」ルースは早くもドアから出ていった。

あとからジェーンがきしみ音をたてて、きびきびとつづく。わたしはコルクボードの前でとまった。ひとりの少女がどの写真にも映っている。エリンにまちがいない。にきび以外はあっていた。肌はクレンジングクリームの〈ノグゼマ〉の広告に出てくる女の子みたいになめらか、たぶん消灯前のお祈りが効いたのだろう。神よ、完ぺきな毛穴を与えたまえ。神よ、健康的なつやつやのお肌を与えたまえ。

＊　＊　＊

白パンにのせたエッグサラダをやっと食べ終えたころ、大きな青いバンがおもてにとまり、〈神の約束〉と銀色で書かれたロゴのスライディングドアが開くと、わたしの病気持ち仲間が聖水のようにあふれ出し、わたしを通りすぎ、わたしを清め、流れのなかへわたしをとりこんだ。

それは「ハイ、わたしへレン。ようこそ」。そして「ぼくはスティーヴ。〈キャップンクランチ〉のシリアルをたくさん買ってきたよ。〈キャップンクランチ〉は好き？　すごくうまいよね」。それからマークとデインは湖に連れていってくれるといい、アダムはわたしがランナーだときくと朝のランニングでエルクとシカをたくさんみかけ、一、二度ヘラジカさえみたことがあるといった。「すっげえでかかった」。それからつぎつぎに短くぎゅっと抱きしめられ、握手代わりに腕に触られ、目をきらきら、きらきらさせて、みんなが笑いかけ、まるでボードゲームの〈キャンディ・ランド〉か〈ハイホー！　チェリー・オー〉のプラスチック製キャラクターみたいだった。わたしが考えつづけたのは、「体に触るのはありなの？」だった。

ジェーンをみると、毅然としてぎこちなく、例のカメラはまだ首からぶらさげ、わたしは足に目を走らせて、善と光の洪水のなかでジェーンの義足が突然ひとりでに治ってはいないことを、完ぺきでピュアな足が新しく生えてはいないことを確認した。生えてない。それは確かだった。

バイキング・エリンは、最後にバンからおりてきた。もとはカボチャだった馬車からみたいにおり、明るい瞳の善意のひとびと、彼女の臣下と廷臣と新任の女官であるわたしの輪に加わる。デニムのオーバーオールとサンダル姿で自信にあふれ、巻き毛はつやつやして健康そうだった。エリンのすべてが――まるみとやわらかささえ――なぜだか彼女を健康そうにみせている。わたしは完全に誤解していたかもしれない。エリンがここのリーダー？

わたしをみると、エリンは悲鳴をあげた。それからくすくす笑った、軌跡を引くくすくす笑い。抱擁を交わしながら、部屋のドアとコルクボードにあったお祈りが、エリンはこういうだろうとわたしに教えた文句を残らず並べたてる。ルームメイトがまたできてどんなにうれしいか、いっしょにこの旅をできてどんなにうれしいか、わたしがアスリートでどんなにうれしいか、なぜなら自分もそうなろうとすごく努力してきたから。その瞬間は、自分の勘の正しさに満足を覚えた。つぎの数週間で覚えるよりもずっと。

でも、陽気で感じがいい一方で、そろってひとなつっこいほかのクラスメートにはあるなにかが、エリンには欠けていた。特定できないなにかが。ジェーンの顔をみつめ、表情を読みとろうとした。アダムから最後に抱きしめられたとき、つかの間甘い、つんとするにおいに包まれ、なんのにおいか思い出すのに苦労したのはまわりが落ち着かないせいだ。抱擁を解いたとき、再度そのにおいがした。まちがいがない。マリファナだった。このホモたちは、凧なみに天高くハイになっている。

ルースは離れたところでリック牧師といっしょにいた。ジーンズにTシャツというロックスターの週末用の装いをした牧師は、目が合うとにっこり笑って手をふった。〈讃美の門〉を訪れたときと変わらずにみえる。ルースはマリファナたばこを手渡されたとしても、このにおいがわからないだろう。マリファナ用の水パイプでも。みんながハイなのだろうか？　リック牧師もやっぱりハイ？　ジェーンの表情からは読みとれなかった。〈キャップンクランチ〉男と買ってきた商品について話している。二、三人はもう自室かキッチンに散っていた。「自由時間」とジェーンはいっていた。わたしだったら外でハイになりたい。

不自然な動きなのは承知で、試してみたいさまざまな部屋の模様替えを「楽しみのため」挙げていくエリンにもたれかかった。エリンの声がきこえにくいふりを装って。「ところで、エリンは〈バイキングス〉一辺倒なんだね？」息を大きく吸いこんできいた。乾燥シートのにおいがオーバーオールからするだけだった。「バレちゃった！　心配しないで――すぐにあなたも装飾特権をもらえるから。それまでには〈バイキングス〉ファンになってるかもね」エリンが長たらしい質問コーナーをはじめ、その日の二度目、わたしの窮地を救ってくれたのはジェーンだった。

クリップボードを携えたジェーンは、いかにももっともらしくみえる。「悪いけど、おふたりさん。リックはキャメロンのおばさんに用事があるんだ。あなたを最後まで案内してあげろって」

気のりのしないツアーガイド役はもう終わりだと思ったけれど、ジェーンのクリップボードをみて、善意の説教師の威を借りられたエリンは部屋にさがった。でも待ちきれない、「とことんおしゃべりする」のが、といい残して。

ジェーンがリック牧師になにかいった。牧師はわたしにふたたびうなずいて、すべてがとても、なんというか、クールでリラックスしていた。それからジェーンに連れられ大きいほうの納屋に行き、ロフトの干し草置き場にあがる。ジェーンははしごをのぼるのに苦労し、木材は古びて灰色に褪《あ》せていて、でもあたりまえのような苦労のしかただった。しょっちゅうここに来ているしるしだ。町育ちのわたしは、納屋の重要性に気づくたびにおどろく。

「で、罪人仲間に会ったわけだけど」ジェーンがロフトのはしに腰かけるように身ぶりで示し、わたしは従い、そのとなりに自分が座った。片手で柱を押す必要があったものの、おどろくほど敏捷《びんしょう》だった。すべてがおどろきだった。ジェーンが、この場所自体が。「ご感想は？　見学の」

わたしはずばりいった。どうとでもなれ。「みんながハイなの?」ふたりははしからおろした足をぶらぶらさせ、ジェーンのはだいたい一秒半ごとにきしみ音をたてた。

ジェーンがちいさく笑う。「鋭いね。みんなじゃないよ——ほんの数人が常習犯ってだけ」

「じゃあ、ジェーンも?」

「そう。わたしもふくめて。エリンが吸ってるとは思わなかったでしょ?」ジェーンがまたちいさく笑ったけれど、わたしにではなかった。納屋に向けてだ。

「うん。それはすぐにわかった」干し草をひとつまみはしから投げて、ふわふわ漂うのを眺める。「リック牧師は気がつかないの? ウッドストック帰りみたいにぷんぷんしてるのがふたりいたけど」

「においをかげないんだ。ぜんぜん。嗅覚がないの——生まれたときから。だれかがその話をするよ。リックはにおいがかげないことの意味をさがすのが好きなんだ」落ちていく干し草の写真を、すばやくフラッシュ撮影する。ムチみたいなカメラ使い。

「ほかの子たちは?」

「いま会ったばかりでしょ。ハイになる必要なんてないんだよ。神こそが至高の麻薬、じゃない?」そのセリフをいった際、ジェーンはわたしの目をまともにみた。でもじっととどまりはしない。

「なんで告げ口されないの?」

また、ひとり笑いをする。「ときどきされるよ」

「それどういう意味?」

「そのうちわかる。この場所をどう思っているにしろ、おどろくことになる。ほんとだよ。しばらくいればわかるさ」

「わたしに選択の余地はないよ。ここにいるしかない。ここがわたしの居場所」

「じゃあ、入りたいだろ」

「なにに?」

「マリファナ仲間」ジェーンがこともなげにいった。

こんなに簡単に行くとは思っていなかった。それともほんとうはぜんぜん簡単じゃないのかも。でも、ジェーンから誘ってきた。「もちろん」わたしがいった。

「お金持ってる?」

「少しなら」お金は持ってきてはいけないことになっていた。手引き書に書いてある。けれどライフガードのバイト代五百ドルほどと、パパのドレッサーの残りの二十ドル札と五十ドル札を、箸ほどの直径もないぐらいにまるめて小分けにし、荷物のあちこちに隠して、いくつかみつかったとしてもほかは助かるように細工した。

ジェーンが足のストラップとバックルをいじって、なにかを引っぱり出す。気味が悪かった。断端《だんたん》はブレースやパッドでおおわれていたけれど、いじるのをやめないと、とれてしまわないかと心配になった。

わたしがみているのにジェーンが気づいた。「義足に少し隠してある。ちいさな空間があいてるの。そのうち慣れるよ」

「べつに平気」干し草をたくさん投げ、そっちはみなかった。

「平気じゃないだろ。でもふたくちも吸ったら平気になるよ」指のあいだに、大麻がたくさん入った袋と石けん石のパイプをはさんでいる。

わたしは感心した。「すごい」

ジェーンはすっかり慣れた手つきでパイプをつめ、袋を変え、赤いボールペンをとり出した。「用意周到なのさ。自給自足タイプ。知ってる？　わたしは納屋で生まれたんだよ」

オチをいうための前フリだろうか。「へえ。イエスさまと同類だ」

「まさに」ジェーンはけむりをはき出し、パイプを渡した。

それは強いけれどきつくて、「効き目がある」といえばいいが、けれど吸いやすくはなかった。たちまち涙目になる。

「そのうち慣れるよ」病気の猫みたいにせきこんでいるわたしにジェーンがいった。「基本的に道ばたの雑草で、できる限りのことをしてる」

わたしはうなずいて、目を細め、また吸い、けむりをためこんで目をつぶり、パイプを返すと干し草にあおむけに寝転んだ。「あなたたちはどこで買ってくるの？」

「わたしから。ここから三キロばかり離れた場所で育ててる。冬いっぱいはもつかな。気をつけてれば」そういいたして、また吸った。

わたしはひじで体を支え、ジェーンの吸うようすを眺めた。「うそでしょ？　ジェーンは住みこみの大麻栽培農家なの？」

もういちどわたしにパイプを回し、干し草に並んで横たわった。「いまいったでしょ。自給自足タイプなんだよ」

「それで、どうしてここに来るはめになったの？」

ジェーンが両眉をつりあげる。たぶん謎めかしたつもりなのだろう。「タブロイド誌」とだけいった。

「名前のせいってこと？」

「ちょっとはね。正確にはちがう」

この瞬間を楽しんでいるのがわかった。ジェーンはここの古株で、新しい生徒が〈約束〉にやってきて〈約束〉を去るのを何度もみてきたし、わたしがなにをききたがっているかを正確にわかっていた。ジェーンの物語、ジェーンの過去、わたし同様この場所へ救われに来ることになったてんまつ。なぜか知らないが〈約束〉に送りこまれたせいで、ジェーンの話をききたくてしかたなくなり、生徒全員の話を、両親なりおばさんなりなんなりが、あの道を運転してきて駐車場にのりつけ、彼らをここへおろしていくところまでをきかずにはいられなかった。なぜそんなにききたいのか、正確にはわからなかった。いまでもまだわからない。わたしたちみんなが共通の歴史を持つという感覚のせいかもしれない。だれかべつの人間の〈約束〉への道のりを理解することが、自分の道のりに筋を通す助けになる。わたしにわかるのは、わたしたちみんなが、ひとり残らずたがいの過去を集めて分けあっていた。〈ガーベッジ・ペイル・キッズ〉のカードを交換しあうみたいに――それぞればかげていて、風変わりで、つぎに語られる話よりもありえない。けれどジェーンを負かすひとがいるとは思わなかった。

ジェーンの話全体が、干し草置き場にたちこめた効き目の強い大麻の濃霧と、暑い八月の午後をふわふわ漂い、そのためわたしの覚えているのとジェーンのした話はまったく同じではないかもしれない。でもそれは、ジェーンが話しているあいだにわたしが悟ったことほど重要ではなかった――つまり、わたし自身の過去は、マイルズシティ暮らしがわたしに思いこませたほどには、それほどとっぴな話ではなかったのかもしれない。

・・・

ジェーンはアイダホ州チャバックの少し北にあるコミューンで、十一歳まで育った。ジェーンの話をきく限り、まるでグレイトフル・デッドのローディと、アーミッシュ（自動車や電気を使用せずに生活するキリスト教の一派）をかけあわせたみたいな場所にきこえた。肥沃《ひよく》な土地で、創設者のひとりが祖父から譲り受けた私有地だ。コミューンの住人は地下からクオーツやアメジストの結晶を掘り出し、研磨してみやげ物店やアートフェアで売った。トウモロコシとニンジン、もちろんアイダホポテトを育て、シカやエルクを狩った。ニューメキシコからやってきたジェーンの母親は美しく、黒髪の女性で、みんなから愛されるコミューンのプリンセスだった。そして、愛を一身に受けた結果、ジェーンにはふたりのパパがいた。

そのような場所では、ジェーンによれば、実父確定検査にはなんの意味もない。魂の所有権をだれが主張できる？　命の所有権を？　そんなたわごとがまかり通った。父親候補のひとりはリシェル——コミューンの機械工で、うるんだ目をして前かがみで歩き、いつも尻ポケットにオールチェリー味の〈ライフセイバー〉をしのばせている。もうひとりはゲイブ。なにかの教授だ。コミュニティカレッジで一学期間文学と詩を教え、つぎの学期はコミューンで過ごす。ベスパにのってちょびひげを生やし、シャーロック・ホームズのパイプを、おもにポーズでふかした。

ふたりの男たちは、高校だったらひとけのない廊下でたがいに離れて歩いたかもしれないが、コミューンではどういうわけかたがいに尊敬しあった。というか、少なくとも敬意のようなものを示した。赤ちゃんの命名は、ささやかな障がいにすぎなかった。

リシェルがジェーンと名づけたがったのは、彼の母親のためだった。チャバックのウェディングケーキ職人の母親は、五層のケーキをつくり終えたあと、パン屋のオーブンに頭を突っこんだ。ゲイブがジェーンと名づけたがったのは、ご想像のとおり、彼の母親のためだ。乳がんサバイバーで、サラトガ在住、駐車違反監視員をしている。名字は疑問の余地がなかった。ジェーンは母親の姓を名のり、そしてそれはフォンダで、それに彼らは映画の『バーバレラ』を気にいっていた（それぞれの理由で――ゲイブは皮肉で、リシェルは心から）ため、決まりだった。ジェーン・フォンダ。

ゲイブはその名前を、ポストモダニズムの勝利だといった。

リシェルはその名前を、シンプルでストレートだといった。シンプルで、いいチョイスだ。

ジェーン・フォンダは十二月にコミューンの納屋で生まれた。パットという名前の、もとERの看護師がとりあげた。パットは『ロミオとジュリエット』の乳母《うば》の子孫にちがいなく、声がでかくて自信家で、白髪を太い三つ編みにして、ハムみたいなピンク色の手をしていた。パットと、もと警官の恋人キャンデスは、退職金の大半を費やしにコミューンにやってきてまもなかった。アイダホ州に来る前は、バークリーの〈ガッター・ダイクス〉メンバー数名がカリフォルニア南部に創設・運営するレズビアン分離主義者（女性だけのコミュニティを提唱するひとびと）のコミュニティ〈ウィミンズ・ランド〉に住んでいた。パットとキャンデスは女だけのユートピアの暮らしを謳歌《おうか》したけれど、カナダのフォーク・フェスティバルに向かう途中、チャバックの友人を訪ねに立ちよったきり、そこから動かなくなった。

パットとジェーン・フォンダは親しかった。その後スノーモービルの事故でパットが死に、同じ事故でジェーンは足をつぶした。それで、ある午後いっぺんにジェーンはひざから下を失い、看護師兼ロールモデルを失った。ゲイブはもう二年ほどコミューンに戻っておらず、リシェルが悲劇に見舞われた人物にかけるなぐさめのことばは『農業年鑑』を読みあげるのと大差なかった。

ジェーンが生まれた当夜にはしなかった、これっぱかりもしなかったのに、その後、ジェーンの母親は、その夜のキリスト教的な符号を、手あたり次第に集めだした。飼い葉桶、十二月、星のまたたく夜、果ては誕生の曲を思いつくまま爪弾いた三賢人きどりのコミューンのミュージシャンから、回して分けあったパイにいたるまで。そもそもどうしてジェーンが納屋で生まれることになったのか、だれも説明できなかった。コミューンにはバンガローが二棟、あたたかいティピーテントが数軒あったのに。

「それが神のご意思だから」ジェーンの母親はあとからそう決めた。ジェーンの母親はその理由づけに固執した。

スノーモービル事故のすぐあと、スーパーマーケットのレジの列に並んでいたジェーンの母親は、キリストをみいだした。彼女はその週、コミュニティでは「栽培できない」雑貨の購入係だった。つまようじ、トイレットペーパー、タンポン。ゴシップ誌の表紙が、彼女の目に飛びこむ——磔刑《たっけい》のキリスト像とみまごう砂ぼこりが、カンサスにたちこめている。べつにとっぴな話でもないでしょ？　クリスタルに神秘の力が宿り、祈禱がひとを完全にするなら、それだってありなんじゃないの？　そして、タブロイド誌の表紙にのっているべつの記事は、ハリウッド女優のジェーン・フォンダが出す新作エアロビクスビデオ『ジェーン・

フォンダの妊娠・出産・産後のエアロビクス』撮影裏話だった。キリストとジェーン・フォンダが一冊の雑誌の表紙にのり、高みからレジに並ぶ彼女をみおろしている。偶然にしては、あまりにできすぎていた。

いまでは足の不自由な娘を抱えるジェーンの母親は、コミューンを出て、近所に〈デイリークイーン〉がある郊外のスキップフロアの住宅に移り住んだ。信念に従って行動するときが来た。母親は、パットとキャンデスのことを事故の前から決して完全には認めていなかった。はっきりいえば不自然に感じた。おそらくはもっともな理由の、ジェーンの足のことで、そしておそらくはほかにもっと娘に影響を与えたことで、故人のパットを責めた。スーパーマーケットでタブロイド誌を目にするわずか数日前、新しくコミューンにやってきた家族の娘で、赤毛で大きな歯をした女の子とジェーンがいっしょにいるところを母親が発見した。ふたりともシャツを脱ぎ、「カイロプラクター」ごっこをしていたという〈女の子の父親がカイロプラクターだった〉けれど、お医者さんごっこをするにはふたりとも年をとりすぎている。それで、ジェーンのママは善処した。引っ越したのだ。今回ジェーンの母親は、良心的な男と結婚した。信心深く、庭の芝刈りをする、少年Tボールのコーチ。数年とたたず、ジェーン・フォンダは〈約束〉に行きついた。

「でも、なにをしたの、具体的には?」あの日、干し草置き場でわたしはたずねた。「つまり、ここに落ちついた原因って意味。なにが決定的だったの?」パイプを足の小部屋に戻してから、ずいぶんたっていた。しつこい暑さとロフトの甘ったるいにおいにまみれて一時間近く、たぶんもっとか。ルースがわたしをさがしていたらいいのに、と思った。しばらくわたしをさがし、わたしをここへ置き去りにして車で帰る用意はできているのに、わたしがどこにも見当たらなくて、帰れない。厳密には、少なくともあと数分は、ルースがまだわたしの保護者でいるために。

「わたしがなにをしなかったのか?」とジェーン。「それが、典型的な理由。ともかくね。おいしいところはたったいまぜんぶ話したよ」

わたしは肩をすくめた。ジェーンがいわなかった「理由」は、典型的には思えない。

「なによ? 十四歳にもなってまだどんなふうにその子とお医者さんごっこをしたのかききたいわけ? 十四歳になったらだれも〝お医者さんごっこ〟とは呼ばないってだけだよ。そもそもあの子たちとしてたのはお医者さんっていうか、婦人科医だったし」

わたしは笑った。「ママにまたみつかったの?」

ジェーンはわたしに向かって首を横にふった。すごくこっちの察しが悪いみたいに。そうだったかも。

「だれかといるところをみつかるまでもない。わたしは堂々と罪まみれに生きてたもの。自分を〈ダイク・ネーション〉の誇りたかい一員だって名のり、友だちは兄貴の電気カミソリで頭を丸坊主にしてた。グレイハウンドバスに飛びのって、海岸に、東でも西でもどっちでもいいから行こうとしたよ、何度かね。隠してもないことを〝みつける〟ことはできない」

わたしは避けがたい質問をした。最後に残った質問。「それで、もう〝治った〟の?」

「みてわからない?」ジェーン独特な、にっという笑いかたをした。なにも語らない笑み。

なにか返すことばを思いついたはずだけど、リック牧師とルースおばさんが納屋にやってきた。ふたりがロフトのはしにとまっているわたしたちふたりをみあげた。リックはえくぼのできる、ロックスターの笑顔を浮かべた。ルースは落ちついてそうにみえた。まあ、ここにたどり着いたときよりは落ちついていた。

「外は気持ちがいいわねえ?」ルースがきいた。「なんて新鮮な空気かしら」

「ここの土地が使えるなんて、すごくありがたいですよ」リックがいった。「目いっぱい利用しているよな、ジェーン？」

「疑いなく」

「美しい場所ね、ほんとうに」とルース。「でももうそろそろ……」ルースがわたしをみた。

わたしはまっすぐみかえし、なにも表情に出さないようにした。ジェーンみたいに。何秒間か、だれもなにもいわなかった。

それからリックがきいた。「長い運転になるんでしょう？」おとながたいていいいそうなことはいわなかった——「きみのおばさんは長時間運転しなきゃならないんだぞ、キャメロン」——といってわたしを非難するか、指摘して、ルースの肩を持つようなことを。できたけれど、しなかった。

「そうなんです」とルース。「でも、今夜はビリングスへ行きます。あしたの午後〈サリーQ〉のパーティがあるから」

ルースが牧師に〈サリーQ〉を説明するあいだにジェーンとわたしは立ちあがり、くっついたわらをはらった。リックはルースの女性向け日曜大工道具のトークに興味のあるふりをした。それとも、ぜんぜんふりではないのかもしれない。

ジェーンがはしごの最上段に足をかけたとき、静かにいった。「おばさんが帰るときになじってみせても、ちっとも気分は晴れないよ」

「なんで、わたしがこのあとどう感じるかなんてわかるの？」

「なんでも知ってるから。まるっとね」

おばさんとの別れはこうだった。おもてで、ふたりきりになり、FMのわきにたたずみ、山からそよぐ風はまだ涼しく、つんとする森のにおいを運び、お日さまはまだじりじりと白い塗装のボンネットに照りつけ、ルースがわたしをきつく抱きしめ、すでに泣きべそをかき、わたしは両手をポケットに突っこんで抱き返すのを拒んだ。

「あなたがわたしに怒ってること、リックと話しあったわ」ルースがわたしの首すじに話しかけた。「あなたはたくさんの怒りを抱えてる」

わたしはなにもいわなかった。

「いまわたしがする最悪のことは、あなたの怒りのせいで、あなたを見捨てること。わたしはあきらめないからね、キャミー。いまはわからないだろうけれど、それがひどいことだって。ここに連れてくることがひどいんじゃないの。あなたを見捨てることがなのよ」

まだなにもいわなかった。

ルースはわたしの両肩に手を置いてわたしを押し戻し、腕一本分距離をあけて向きあった。「あなたを見捨てない。あなたの怒りはわたしの決心を変えない。あなたの両親の思い出のためにも」

わたしはルースの拘束をはらって、体を引いた。「親の話を持ちださないでよ。ふたりはこんなイカレた場所にわたしをやったりなんか、ぜったいしない」

「あなたには理解できない責任が、わたしにはあるの。キャメロン」ルースは落ちついた声で、静かにいった。そして、さらに静かにいう。「いっておくけど、あなたのママとパパのことも、ふたりがどうするかも、あなたがすべて知ってるわけじゃないのよ。わたしはあなたよりはるかに長いあいだ、ふたりを知ってる。ほんの一分間でも、これこそまさしくふたりがこの状況ですることだって考えられない？」

ルースはべつに深遠な発言をしたわけではないけれど、フットボールのタックルをされたも同然だった。痛いところを突かれ、ひるみ、自分をばかに感じて罪悪感を覚え、なによりおびえた。なぜならルースは正しかったからだ。両親がどんな人間なのか、わたしはあまり知らない。ほんとうには。ルースはそこを責めた、ついに。そして、わたしはそのためにルースを憎んだ。

ルースがつづける。「こんなふうにあなたを残していきたくない、ふたりのあいだの怒りを――」

けれどわたしはルースに最後までいわせなかった。一歩前に出る。自分を正面からみさせた。注意深く、ゆっくりことばを選ぶ。「おばさんがわたしをこんなふうにしたって、考えたことはないの？　わたしはまともだったかもしれない、でもそれからパパたちが死んで、そのあとにおばさんがした選択のひとつひとつが、まちがっていたかもって？」

ルースの表情で、自分がどれだけひどいことをいったのかが歴然となった。そして、それはうそだった、もちろん。けれどやめられなかった。やめなかった。声が大きくなる。ことばがあとからあとから口をついて出てくる。「わたしにはおばさん以外、だれがいる？　ルース。おばさんがわたしをだめにした。そしたらこんどはわたしをここに送って治してもらうはめになった。早く、手遅れにならないうちに。永遠にだめになってしまう前に。早く！　治して、早く治してよ、神さま。わたしを癒やして！　早く、手遅れになる前に！」

ルースはわたしをひっぱたかなかった。わたしはあざやかな、熱をもった、赤いあとをほおにつくって、あのまがいもののロッジにどうしても戻りたかったのに。けれどルースはわたしをひっぱたかなかった。これまでにわたしのことで泣いているのをみたどんなときよりも心の底から、立ったまますすり泣いた。わたしは信じた、ほんものの涙を。FMにのって出ていくときも、まだあふれ出てくるすすり泣きを。窓ごしに、しゃくりあげてひどく肩を上下させているルースがみえた。わたしをみられず、もしくはみようとせず、そしてわたしはとうとう、ついにとうとう、おばさんの反応に値するだけのひどいことを、実際にやったと感じた。

・・・

〈約束〉で迎えるはじめての夜、エリンとわたしは自分たちの人生と夢と、新たにみつけた目的——エリンのはほんもの、わたしのは目の前にいる相手に合わせたでっちあげ（イエスさまの助けを受け入れ、癒え、ボーイフレンドをみつける）——をたがいにさぐりあって落ちついたあと、エリンの寝息、ベッドカバーのかさかさいう音、そういう他人と新しい場所に泊まる夜にきこえてくる音のぜんぶが耳についた。わたしはコーリーではなく、アイリーン・クロースンのことを考えた。遠くの寄宿学校で過ごすはじめての夜、同じような音をききながら、考えるのは、たぶん、わたしのこと。やがて、もの思いと静かなもの音がわたしを眠りに誘った。

ほんもののジェーン・フォンダが、わたしに会いに〈約束〉にやってくる夢をみた。彼女の映画はあまり借りなかったけれど、『黄昏』は午後にテレビでやっているのをみたことがある。キャサリン・ヘプバーンが共演していて、といってもすでに小刻みにふるえているキャサリン・ヘプバーンで、夫役のさらに年のいったヘンリー・フォンダに「水鳥よ、ノーマン！　水鳥！」といいつづける。ジェーン・フォンダは人生につまずいた娘かなにかの役で、けれど気むずかしい父親はもうろくし、おそらくは健忘症をわずらっているため、ふたりの問題を解決するのは困難だった。やがてはするかもしれない。わたしは知らない。ルースが帰ってきて、手伝いに呼ばれて残りをみのがしたせいだ。水鳥のなにがすごいのかも、わからずじまいだった。

けれど夢のなかでジェーン・フォンダは全身くまなく小麦色に日焼けして、風もないのにブロンドの髪をうしろになびかせ、わたしは施設を案内している。建物をぜんぶみせてまわり、それからカフェテリアを出るドアを開けると、突然アイリーン・クロースンの牧場に出て、恐竜発掘現場から上をみあげるのだけれどそこはアイリーンの牧場であって、そうではなかった、夢のなかでありがちなように。ふたりが牧場にあがってお日さまの下に出ると、かきまわした泥のにおいがして、たぶん、〈約束〉がわたしのいるべきところなんだと考える。においのなにかと、陽光の射しこみ具合が、なぜか正しいと思えた。

ジェーン・フォンダにそのことを質問しようとするけれど、もうとなりに立っていない。納屋のそばに行って、背の高い灰色のスーツの男といる。ふたりのところへ歩いていくのに時間がかかった。カーニバルでバルーンハウスのなかを歩いているみたいに地面が上下に揺れ、空気でふくらんでふかふかするせいだ。ほぼふたりの前まで来てやっと、ジェーンが話しかけているのはキャサリン・ヘプバーンだとわかり、けれどそれは男物のスーツとタイを身につけた若いキャサリン・ヘプバーンで、赤褐色の髪がうねっていた。キャサリン・ヘプバーンはわたしのほうへはねるようにやってきて、地面はやっぱり土というよりバルーンのようで、こう話しかけられた。「あなたは神についてなにも知らない。映画のこともなにも知らない」それから顔を近づけ、厚すぎて大きすぎるほんものじゃない赤いくちびるでわたしにキスし、離れたときわたしは歯でそのくちびるをかんでいて、ところがそれはろう製だった。ハロウィーンの仮装に使う、でかすぎるろうのくちびるで、歯がくいこんで自分の歯ぐきに当たり、くちびるがこびりついた。わたしはなにかいいたいのにいえず、くちびるが歯にくっついているため口のかたちをことばにできない。すると、ジェーン・フォンダがどこか遠くから笑った——でもその部分がまだわたしの夢なのかどうかは、わからなかった。

第十四章

一回目の個人面接で、氷山をやった。正しくは三者面接というべきか。リック牧師とその日はじめて会った女性、〈約束〉の精神分析医兼教頭をつとめるリディア・マーシュのふたりが、わたしの〝サポート〟にあたっていた。〈約束〉の用語はなんでもサポートで、カウンセリングとはいわない。サポート面接。ワークショップのサポート。個人面接のサポート。あとで、自分が特別ではなく〈約束〉の全員が自分だけの氷山をもらうと学んだ。氷山はリックが描いた絵の、白黒コピーだ。テーブルの反対側から最初に手渡されたとき、それはこんなふうにみえた。

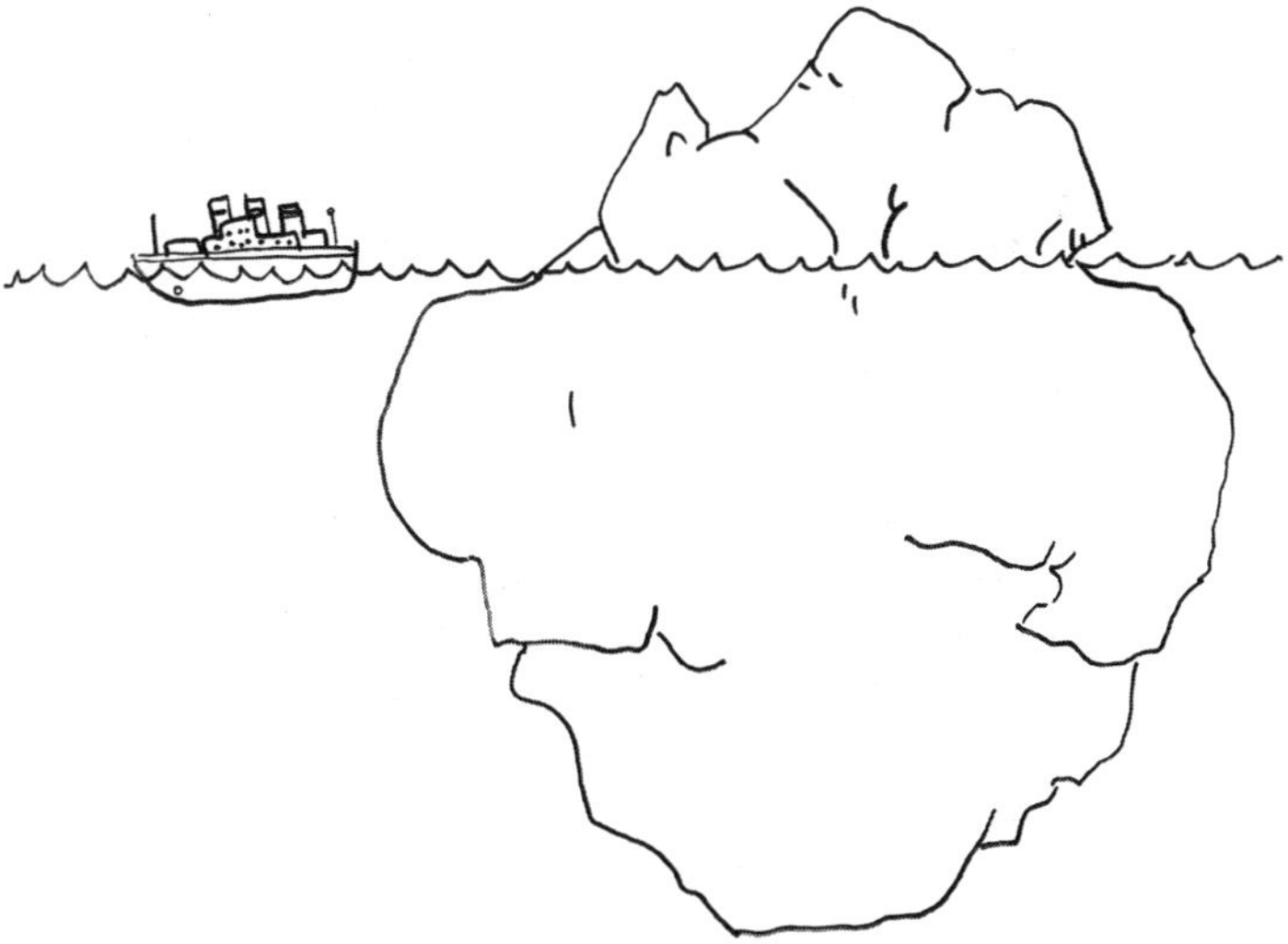

「氷山への対処法は知っているね？」リックがきいた。

しばらく絵を眺め、彼の意図を推しはかろうとした。わたしたちはこの施設へのなじみかた、受ける予定の授業、規則に関し気になることを話しあって三十分を費やした。この施設がどうわたしを治すのかについてはまだ触れていないし、この絵がどうその方面へのとっかかりになるのか理解できない。理解できないのはおもしろくなかった。なにか重要なことをうかつに明かしたりしたくない。わたしは口をつぐんでいた。

リックがにっこりした。「いいかたを変えよう。氷山について知ってることは？　なんでもいいぞ」

狙いがわからず、できるだけそっけなく答える。『タイタニック』で大惨事のもとになった」

「そうだ」リックはリック笑いをして髪をかきあげた。「確かに。ほかには？」

わたしはもういちど絵をみた。みつづけた。なんだか変な展開だ。

「もっとほかにあるでしょう」リディアがいった。「巨大な氷の島が海を漂流しているのよ」イギリスなまりで、どこのなまりかまではわからないが、『マイ・フェア・レディ』の主人公、変身前の花売り娘イライザ・ドゥーリトル調のなまりではなく、上品な、変身後のイライザ・ドゥーリトル調なのは確かだ。「『氷山の一角』という表現を考えてごらんなさい」

わたしはリディアをみた。笑っていない。必ずしも陰険ではないが、きまじめで、ビジネスライク。顔はどこも角張っている。鼻、ほお骨、きつく弧を描いた眉。思いきりうしろにひっつめた髪が、ロバート・パーマーのミュージックビデオのバックでギターの弾きまねをする女性を思わせ、そのためひたいが永遠に広がってみえる。けれど髪はすばらしかった。真っ白な、ユニコーンの尻尾かサンタのひげの完ぺきな色合いの白で、それをぜんぶきつくうしろに引っぱってポニーテールにし、どことなく未来的な、『スタートレック』の宇宙船エンタープライズ号からおりてきそうな雰囲気だった。

「氷山の一角」リディアがくり返す。

その表現をつい最近きいたけれど、どこでだったか思い出せず、ふたりに期待をこめてじっとみつめられてはおちおち考えられない。「つまり、大半が水面下にあるってことですか？」

「そのとおり」リックがさらににっこりする。「正解だ。水上にみえるのは、全体の八分の一でしかない。船舶がときおり事故に遭うのはそのためで、乗員は水面をみてたいしたことはない、よけられると思うが、水面下の氷に対する備えができていない」

リックは手をのばして絵を手もとへすべらせて引き寄せ、ふたつなにか書きたし、それからわたしのほうにすべらせた。水面から突き出た氷山のわきに、こう書いてある。「キャメロンの同性に惹かれる障がい」。そして、船の上には「家族、友人、社会」。

やっと方向性がみえてきた。

「氷山の一角が、この絵に関してってことだけど、船のひとたちにはすごくこわく映ると思うかい？」リックがたずねる。

「たぶん」まだ目の前の紙をみつめながらいった。

「どういう意味なの、〝たぶん〟とは？」リディアがきいた。「もう少し考えて答えなさい。努力しようとしなければサポートできません」

「じゃあ、そう思います」リディアをみてゆっくりいった。「氷山の頭は、この絵に描かれているように、鋭い角やとんがった部分がたくさんあって、不安定な状態で船の前にそびえてる」

「そうね。合ってます。そんなにむずかしくないでしょ。とても大きくてとてもおそろしいから、船上のひとたちはみんなそこに注目する。でも真の問題はそこじゃありませんね？」

「まだ絵の話、してますか？」

「関係ありません。船上のひとたちの真の問題は……」間をとって、指でとんとん、「家族、友人、社会」の文字の真上部分をたたき、それから同じ指でわたしを指し、自分の顔に目を向けさせたあとにつづける。「真の問題は、おそろしい氷山の一角を支える巨大な、隠された部分にあります。水上の氷は操船でよけられても、下にあるもっと大きな問題にぶつかる。あなたを愛するひとたちの、あなたに対する扱いについても同じです。同性愛の欲望と行為の罪があまりにおそろしくたちはだかるため、そこに意識が固定してしまい、いっぱいいっぱいになっておびえ、ほんとうの、大きな問題、わたしたちが対処しないといけない問題は、水面下に隠れてしまう」

「じゃあ、わたしの一角をとかそうとするってこと？」

リック牧師が笑った。リディアは笑わなかった。「当たらずとも遠からずだ、実際」とリック。「でもぼくらはなにもしない。きみがするんだ。同性に惹かれる不自然な傾向を引き起こすもととなった、きみの過去のすべてに注意を向ける必要がある。傾向そのものにはあまりこだわるべきじゃない、少なくとも現時点はね。重要なのは、きみがそういう感情に気づく前に起きた、すべてのできごとだ」

アイリーンにキスしたいとはじめて思ったのは、いつだったか考えてみた。九歳。八歳だろうか？　それから幼稚園のフィールディング先生への恋ごころ——恋と呼んでいいと思う——があった。いったい、六歳以前のわたしになにが起きたら〝同性に惹かれて苦しむ〟ようになるというのだろう？

「なにを考えているんだい?」リックがきいた。

「わかりません」

リディアが大きくため息をついた。「ちゃんとことばにしなさい。年相応のことばを使って」

わたしはリディアをきらうことにした。いい直す。「つまり、そんなふうに考えるのは興味深いです。考えたこともありませんでした、これまで」

「考えるとはなにを?」

「同性愛《ホモセクシュアリティ》」

「同性愛なんてものはありません。同性愛という概念は、いわゆるゲイ・ライツ・ムーブメントによってねつ造された神話にすぎないの」つぎのセリフをいうときは、ひとことひとこと間をとった。「ゲイのアイデンティティなど、ありません。存在しないのです。あるのは罪深い欲望と、行為がもたらす苦しみだけ。わたしたち神の子が、それぞれに向きあわなければいけない罪と、なんら変わりありません」

わたしはリディアをみ、リディアはわたしをみた。でもなにもいうことはなかったので、氷山に目を落とした。

リディアは先をつづけた。だんだん声が大きくなる。「殺人を犯した者が、アイデンティティを共有する者同士の集まりの一員だといいたてますか? ひと殺しにパレードをさせ、夜はひと殺しのクラブに行ってはハイになって踊り、それからいっしょになって殺人を犯す? 殺人は、自分たちのアイデンティティの一面にすぎないなどと主張しますか?」

リック牧師がせきばらいをした。わたしは氷山をみつづけた。

「罪は罪です」気にいったらしく、リディアはもういちどいった。「罪は罪。たまたまあなたの苦しんでいる罪が、同性に惹かれることだったというだけ」

　頭のなかのリンジーがいった。「へえ？　じゃあ、もし同性愛者が殺人罪と同じなら、だれが死ぬのよ、ホモたちが集まって罪を犯したらさ、実際の話？」でも、リンジーはふたりとここに座ってはいない。リンジーは最低一年の〈約束〉への島流しにあっていない。それで、わたしのリンジー部分を黙らせる。

「ここまでで、どんな気分？」リックがきいた。「いっぺんにたくさんきみに投げかけているよね」

「だいじょうぶです」早く返事をしすぎた。きかれたことをまったくそしゃくせずに。「その、たぶんだいじょうぶ」とつけ加える。頭痛がした。いまいる部屋はリックのオフィスのわきにあるちいさな打ちあわせ用の部屋で、テーブルとわたしたちの座る椅子を三脚も置くと、もういっぱいだった。窓の下の棚に置かれた鉢植えのガーデニアが、きつすぎ、甘ったるすぎるにおいを放ち、つやのある葉と六つほどの花はすでに茶色くしおれ、茎についたまま腐っているのもあった。ここにいると、カウンセラー・ナンシーのセンターが恋しくすらある。カウチ、ティーンのセレブのポスター、職員がくれるおすそわけ、わたしがいることが罪を犯したことの証しには、まったくならない部屋。

「それで、これをどうすればいいんですか？」氷山を持ちあげてきく。

　リックは両のてのひらを目の前のテーブルに押しつけた。「ぼくたちは個人面接を必要なだけつづけ、水面下の要素を埋めていく」

　わたしはうなずいたけれど、どういう意味かわからなかった。

「つらい作業になります」とリディア。「気が重くなるようなことにも向きあわないといけません。もっとも重要な第一歩は、自分を同性愛者だと思うのをやめること。そんなものはありません。自分の罪を特別視しないように」

わたしの頭のなかのリンジーがいった。「変だな——わたしの罪は、あんたたちが専用の施設をつくるぐらいなんだから、超特別なはずなのに」でもわたしがいったのは、「わたしは自分を同性愛者とは思ってません。自分は自分としか思わない」

「そこがスタートです。〝自分〟とは何者なのか、なぜそういう傾向があるのかをみきわめる、それが課題です」

「うまくいくよ」リックが正真正銘のリックスマイルをわたしにした。「ぼくたちはこれからずっと、きみをサポートして導いていくためにいる」まだわたしが疑わしい顔をしていたのだろう、こうつけ加えた。「きみの立場にぼくも以前いたことを忘れないでくれ」

わたしはまだ氷山を手にしていた。二、三度紙を前後にすばやく揺すると、紙をそんなふうにふったときにたてる涼しげな、帆がはためくような音をたてた。「それじゃあ、これを持って帰るんですか?」

「部屋に貼ってほしい。面接が終わるごとに書きいれていけるように」

その氷山が、つぎの三カ月間わたしの最初にして唯一の装飾特権だった。わたし側の部屋の壁、どまんなかに貼る。仲間の氷山を観察して、なにを書けばいいかわかった。もっとプログラムの先を行っている弟子たち(自分たちを弟子と呼び、神の弟子であって落ちこぼれの生徒だとは考えないことになっていた)のなかには、氷山の下の一部を、ティーンエイジャーが壁に貼る典型的な印刷物の下に隠している者もいた——もっとも、〈約束〉のティーンが貼るポスターやチラシや写真はクリスチャンのイベントやバンド関係で、たとえばはだかのカウボーイとかベイウォッチ・ガールみたいなのとは縁がなかったけれど。それでも思春期のコラージュには変わりなく、氷山のコピーは個性的で、そのうち持ち主のみわけがつくようになった。

それぞれの弟子が水面下の氷山に書きこんだフレーズや用語は、わたしにはあまり意味をなさなかったけれど、自分の個人面接が進むにつれて、似たようなことを書きはじめた。

みんなの水面下の問題を、あんまりしょっちゅうみていたために、一語一句覚えてしまったのまである。

バイキング・エリン（わたしのルームメイト）

フットボールチームの〈ミネソタ・バイキングス〉を通して築いた父親との男らしすぎる絆。美しすぎるジェニファー＝女らしさに劣るという感情（期待に応えられない）、その結果ガールスカウトに入れこみ、自分の価値（女としての）を不適当な方法で証明しようとする。七年生のダンスのとき水飲み場でオーレン・バーストックに胸をつかまれた未解決の（性的）トラウマ。


ジェニファーとエリンは姉妹で、コルクボードに写真が貼ってある。エリンが劣等感を覚えるのも無理はない。ジェニファーははっとするほどきれいだった。そんなに問題ならば、なぜ〈ミネソタ・バイキングス〉のチームカラーと記念品を飾る許可をもらえたのか、エリンにたずねてみた。

答えはあらかじめ用意されていた。時間をかけて考えていたのはみえみえで、いかにもリディアにくどくど吹きこまれたにちがいない返事だった。「フットボールを楽しむ健全な方法を学ぶべきだから。女の子がフットボールファンなのはなにも悪くない。父親とのフットボールの絆を、セルフイメージに固着させたくないだけ。絆を深める行為は男らしすぎて、固めてしまうとわたしの性認識を混乱させるから」

ジェーン・フォンダ

コミューンでの極端で、不健康な生活環境――神の不在、異教の信仰システム。思春期前の成長過程における（安定した単一の）男性ロールモデルの欠如。不適切なジェンダーモデル、罪深い関係の〝是認〟。パットとキャンデス。早期からの違法薬物およびアルコール摂取。

アダム・レッドイーグル

父親の度を超した慎み深さと身体的な愛情表現の欠如が、他の男性からの罪深いかたちでの身体的愛情を求めさせた。母親との過度な親密さ――まちがったジェンダーモデル。ヤンクトナイ族の信仰（ウィンクテ）が聖書と矛盾。崩壊家庭。

アダムはいままで会ったなかでいちばん美しい男の子だった。肌は赤銅がかった黄土色で、光沢紙の雑誌にのっているマスカラの広告みたいなまつげなのに、つやつやの黒髪を顔の前にたらしているせいであまりみえない。けれどもリディア・マーシュが必然的に親指とひとさし指にゴムをかけて近づき、「うしろにまとめましょう、アダム。神さまから隠すようなものはなにもないの」。

アダムは上背があり、筋肉質の長い手足を持ち、ジョフリー・バレエ団の第一舞踊手のように背筋をのばし、優雅で、洗練された力強さに満ちていた。雪が降りだす前の週末、ときどきいっしょにトレイルを走り、自分でもおどろくぐらいアダムをじっくり観察した。アダムの父親はごく最近〝政治的理由で〟キリスト教に改宗し、アダムがいうには、彼を〈約束〉に送りこんだ張本人だった。母親は全面的に反対したけれど、離婚後はノースダコタ州に住み、父親が親権を持っていたために手出しできなかった。アシニボイン族のカヌー・ペドラーバンド出身の父親は、統合フォートペック部族会議の投票権を持つ議員にして、ウルフポイントの尊敬を集める不動産開発業者でもあり、市長への野心を抱き、「おかま《フェアリー》」の息子がいるのは障がいになると考えた。

ヘレン・ショウワルター

アスリートとしての自分に偏重。ソフトボールに（ひどく）夢中になりすぎて男性性を補強した。トミーおじさん。（悪い）身体イメージ。父親の不在。

マーク・ターナー

母親と親密すぎる——教会合唱団の役割を通じた不適切な絆（母親との）。〈ソンライツ・サマーキャンプ〉で先輩（男性）カウンセラーに夢中になる。父親との**適切**な身体的接触（抱擁、触れあい）の欠如。意志薄弱。

リック牧師がわたしになにをいってほしがっているのかはわかっていたから、いうのはたやすかった。リックがオフィスのドアを閉め、その週全般やわたしの学科の調子をたずね、それから前回の面接のつづきに入り、アイリーンとやった競争や、同じ年ごろの女の子よりジェイミーと仲間たちとつるんでいたことや、リンジーが与えた影響などをかいつまんで話す。リンジーの話はたくさんした――ものめずらしさで誘惑し、ほのめかす大都会の吸引力について。

リックにうそをついたわけではない。うそはつかなかった。リックが自分のしていること、わたしたちのしていることを、それがなんであれ頭から信じこんでいただけだ。わたしは信じなかった。ルースは正しい。わたしは〈約束〉に〝開かれた心〟構えではこなかったし、わたしの持ちあわせている心をどうしたらそっちに持っていけるのかわからなかった。

リックは好きだった。親切で落ちつきがあり、わたしが男っぽいふるまいや、冒険をほめられたり励まされた話をすると、わたしたちがどこかへ向かっていると、この〝作業〟がわたしにいい効果を与え、やがては「女性らしい女性としての価値」を受け入れ、そうすることで「信仰にそった、異性との恋愛関係」に目覚めると、心から思っているのがわかった。

一方、リディアはちょっぴりおそろしく、少なくとも当分はリックとの個人面接でうれしかった。ひとを称して〝とりすました〟と表現するのをきいたことがあるけれど、リディアはそのことばが当てはまると思ったはじめての人間だ。リディアが聖書研究会を開いたり、ダイニングホール（大きくもなんともなく、ホールではぜったいになかった）かどこかにいるのをみかけるだけで、たちまち自分は罪びとで、生きているだけ、息をしているだけで存在そのものが罪を体現し、それをとりのぞくのがリディアのつとめのような気分にさせた。

感謝祭までに、わたしの氷山はこんなふうになった。

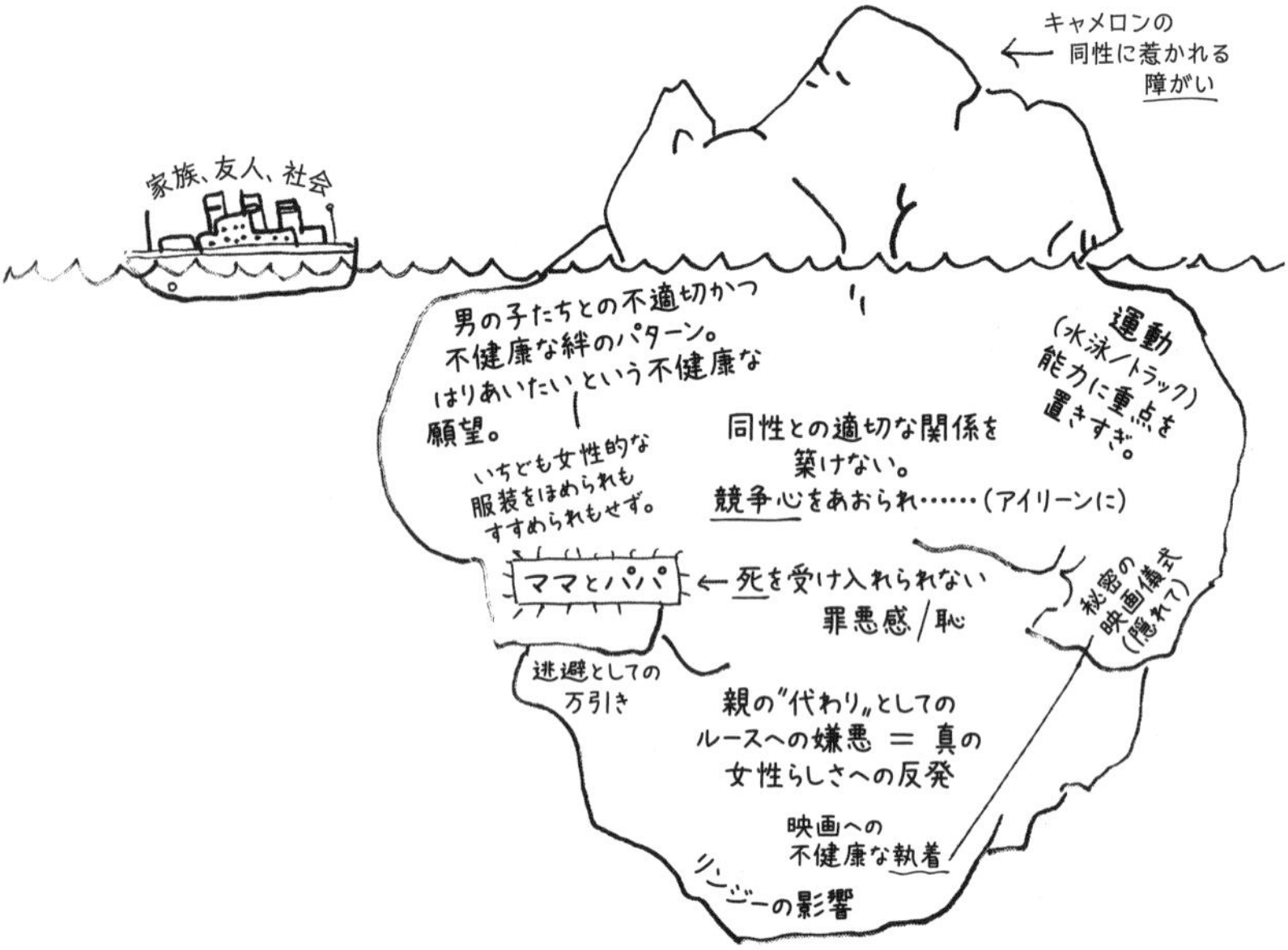
キャメロンの
同性に惹かれる
障がい
家族、友人、社会
男の子たちとの不適切かつ
不健康な絆のパターン。
はりあいたいという不健康な
願望。
いちども女性的な
服装をほめられも
すすめられもせず。
同性との適切な関係を
築けない。
競争心をあおられ……（アイリーンに）
運動
（水泳／トラック）
能力に重点を
置きすぎ。
ママとパパ
死を受け入れられない
罪悪感／恥
秘密の
映画儀式
（隠れて）
逃避としての
万引き
親の"代わり"としての
ルースへの嫌悪 ＝ 真の
女性らしさへの反発
映画への
不健康な執着
リンジーの影響

その秋、施設には十九人の弟子がいて、前の年より六人の大幅増だった（十人はくりこし）。男十二人、女七人、それにリック牧師、リディア・マーシュ、寮のみまわりとワークショップの監督を交替で受け持つ職員が四、五人に加え、ベサニー・キンブルス＝エリクソン――夫を亡くしてまもない二十代の教師で、ウエスト・イエローストーンに住み、ガタピシいうえび茶色のシボレー・ピックアップにのって月曜から金曜まで勉強をみに来る（ベサニーとリックはデートもしていた。すごく慎み深く）。十九人の弟子のうち、常時少なくとも十人はプログラムに真摯《しんし》にとり組み、同性愛の欲望と不品行の罪を克服しようと、氷山の一角をとかして永遠の救済を得ようと、努力していた。残りの面々については、わたしのやりかたと似たり寄ったりだった。面接で進捗《しんちょく》状況をでっちあげ、職員とはなごやかに接し、罪深い、それゆえに禁じられた、それゆえに秘密のつきあいを通してガス抜きをする。

当初、この場所のがっちり組まれた予定と日課が、なによりつらかった。何年もジェイミーなりほかのだれかなりと好きに走りまわってきたあとで、ドアには錠をかけられず、自転車で外出できず、ビデオを三本つづけてみられないのを最悪の罰だと感じた。週にいちど、リック牧師と話すよりはるかに悪い。

チャペルにいないときは、教室にいた。教室はふたつあり、どちらにもちいさなテーブルとプラスチックの椅子がたくさん置かれ、正面には大きなホワイトボード、アナログ時計、巻き上げ式地図のある標準的な設備で、けれどもまた、窓の外をみれば青紫の山なみと絵はがきのような風景が広がり、地平線と青空はどこまでもつづき、窓の外を長く眺めすぎるたび、自分が消えてなくなるように感じた。そして、いつも窓の外を長く眺めすぎた。

ベサニー・キンブルス＝エリクソンはあまり教えることはせず、それよりも宿題を集めたり、生徒が静かに教科書を読むか問題を解いているあいだ、だれかがたまに手を挙げて質問をしたときに答えるほうが多かった。教室の静けさは、修道院さながらだった。ときどき、あまりに静かすぎて重苦しくなり、できるだけけたたましく椅子をひいて鉛筆を削りに行くか、必要でもない本をとりに行って静寂を破った。そういう授業方針なのは、おもにわたしたちが同じ学年でもなければ、ばらばらの州のばらばらな学校から来ており、成績証明書の項目もまちまちだったため、教壇に立って同時に十種類のちがう教科を教えることはほぼ不可能だからだ。わたしたちの教育課程はモンタナ州および、〈約束〉のスポンサー校であるボーズマンのライフゲート・クリスチャン校に委託され、わたしたちは十一月と五月にその学校に行って期末試験を受ける。学習計画と達成目標が生徒ごとに立てられ、全教科、基本的に個人学習のかたちがとられた。わたしはそれで問題なかった。要するに〝自分のペースで〟勉強できるわけで、わたしは性《しょう》に合っていたけれど生徒によってはずいぶん苦戦し、ベサニーは何時間も使って、そういった生徒たちのとなりに座るかしゃがみこむか離れたテーブルについて、わたしのみる限りは一対一で教えていた。

毎週月曜日、最初にベサニーがひとりひとりにくばるのは宿題のコピーの束と、州が指定した各学年の課題本に準拠した読書の課題だった。宿題をこなすのに、わたしたちは〈約束〉の図書館にある教科書を使った。図書館には六段組みの本棚が四架あり、古い版の教科書が大量に、それに百科辞典のセットと、そのほか参考書が何冊か収蔵され、〝古典文学〟の棚が一段、キリスト教の棚が二、三段、『クリスチャニティ・トゥデイ』と『ガイドポスト』の最新号とバックナンバーを収めた棚もあった。自分がなにを期待していたかわからないが、教科書自体はカスター高で使っていたのとほとんどちがわない。それどころか、政治経済の教科書は、カスターでの授業で使ったのと同じなのは確実だった。とはいえ、地球の年齢が聖書の記述と矛盾する証拠として、化石の記録を認めることをはっきり拒み、また、予想どおり進化をまゆつば説としてとりあおうとしない科学の教科書が二冊、ロバート・シュナイダーのような福音派キリスト教の科学者らによる論文集が一冊あり、なかには神が世界を創造し、すべてがそのなかにふくまれるという思想を否定することなく進化を信じることは可能だと、実際に主張している論文もあった。本棚にその本をみつけたときは、心底びっくりした。だれがそこに置いたのか、だれがその本も蔵書に入れろと提唱したのか、不思議に思った。

教室にいなければ、わたしたちは料理か掃除か福音のおつとめをしていた。最初のふたつに説明は不要だ。わたしは二十数名分のキャセロールをつくるのが得意だった。スープの缶詰、ジャガイモの惣菜〈テイター・トッツ〉、玉ネギ、ひき肉のとりあわせで何種類か、それからスープの缶詰、ライス、チキン、豆のつけあわせでも二、三種類つくった。それらの素材を混ぜあわせてオーブンに入れ、泡だってこんがり焼けたら出す。ジャンボサイズのベーキングディッシュはひどく重たいため、ふたりがかりでなべつかみでつかんでカウンターまで運ぶ。デザートにインスタントのプディングをたくさんつくるときは、おばあちゃんを思い出した。

福音のおつとめは、説明がいるかもしれない。おつとめを割り当てられた二、三人が総務室で〈約束〉のニュースレターをコピーして、支援者の宛名を書き、また、全国のキリスト教徒のマスターリストを使って、寄付を募るカードの宛名書きもする。マスターリストは〈エクソダス・インターナショナル〉の提供で、ビデオやワークシート、ワークブックについても同様だった。この組織は「同性愛問題を扱う世界最大の情報・照会団体」だ。ときおり、福音のおつとめの合間に、ひとりかふたりが大口の支援者に電話して自分たちの進捗状況を話さなくてはならなかったが、最初の数カ月は免除された。

福音のおつとめをしていないときは、ワークショップか面接か、ジェンダー上適切な活動をした。すなわち男子は集団スポーツか、魚釣りやハイキング、もしくは近所の牧場を数時間手伝う真の男仕事《カウボーイ》をした。女子はボーズマンへ行って、わたしたちの特殊な美への要求に同情的な、決まってふくらんだ髪型の女性が経営する各種美容院へ行くか、焼き菓子教室に参加するか、たまに〈メアリー・ケイ〉の美容部員か〈エイボン〉レディーズが〈約束〉へ派遣されてきた。いちど、〈ボーズマン女性助祭病院〉の分娩担当チームが訪れ、妊娠と乳幼児の世話についてデモンストレーションをしたことがあり、その際はライフガードの訓練で使う幼児マネキンの〈レスキュー・アニー〉に似た人形を使った。わたしはヘイゼルのことを思った。それからモナのことを。そして、スカンラン湖を。けれど母親になる喜びについては、とくに考えなかった。それがデモンストレーションの目的のはずだったけれど。

もし面接かおつとめかジェンダー上適切な活動をしていなければ、もちろん自習時間と日記つけ／黙想時間、祈り／礼拝時間があり、一週間おきの日曜日には、〈約束〉所有のバン二台のうちの一台にのってボーズマンに行き、〈アッセンブリーズ・オブ・ゴッド〉のメガチャーチ〈ワード・オブ・ライフ〉へ礼拝に行った。その教会にはわたしたち専用の席があり、半分セレブ扱いされた。けれどほかの日曜日はリック牧師が自分たちのチャペルで説教し、地元の牧場主と家族がききに来ることもあった。施設から出て小旅行をするのは好きだけれど、日曜日は〈約束〉にとどまり、会衆はほぼ弟子だけのほうがよかった。〈ワード・オブ・ライフ〉のわたしは、でかくて光るみせ物の金魚、同性愛傾向で知られる金魚で、つまりは同類の金魚十八匹といっしょに水槽に入れられた、でかくて光る金魚のわたしが、席へ案内され、二時間座るあいだ、信徒たちのなぐさみものになっているような気持ちになる。礼拝中にわたしをみるか、ほほえみかけるか、盗みみるか、懇談中にわたしの手を握りしめたひとたちは、すべからく、こう考えているようだった。「この礼拝であの子は癒やされるだろうか？　すでに脱ゲイしはじめ、針は主の側に傾いているのでは？　いまにも目の前で奇跡が起きるかも？」

日課の数々にかかわらず、規則を破りたがるわたしたちのような人間は、やっぱり破った。週末には自由時間が設けられ、ときには勉強時間をやりくりできたし、その週に福音のおつとめを組む相手によってはその時間も利用した。

ジェーン・フォンダ、アダム・レッドイーグル、わたしはマリファナ常用者だ。スティーヴ・クロンプスはクロかもしれない。ただし常習犯ではない。マーク・ターナーはたまたまアダムのルームメイトで、最近湖に行く途中にジェーンが吸っているところを目撃されたけれども告げ口はせず、少なくともまだしてはいなかった（ジェーンいわく「なぜなら彼の流儀に反するから」）けれど、ジェーンからのおすそわけも断った。マークはネブラスカ州の大物説教師の息子だ。父親の教会は二千人超の信徒を抱え、彼の写真つきの看板が、州間幹線道路に並んでいる。わたしは早々にその事実を知ったけれど、マークが自慢したからではなく、それどころかおくびにも出さず、けれどマークは早い話が聖書の専門家、この分野の神童で、そのためしょっちゅう日曜の礼拝で暗唱を頼まれた。マークについて目につくのは、きまじめさだ。でも、ジェーンはそれ以上のものがあるとにらんでいた。マークは「要注意人物」だという。どういう意味かよくわからなかったけれど、ジェーンのみたてに対するわたしの理解は、たいていそんなものだった。

アダムとわたしは、豊作だった九月分のマリファナを収穫に行くジェーンの手伝いをした。早めの霜がたくさん損害を与えたあとで、収穫できる量はあまりないだろうとジェーンはこぼしていた。いっしょに行くとわたしが申し出ると例の読めない顔つきをして、でもそれから「いいよ」といった。

ジェーンの指定した時間に、持ってくるようにいわれたビーチタオルを携えて納屋の外に行くと、アダムもいて、〈ウォルマート〉に集団で行ったときに買った〈カプリ・サンジュース〉のちいさなピンクのストローをかんでいた。アダムはほとんどいつもなにかをかんでいて、それでリディアに「口唇期固着をおさえる」努力をしなさいと、しょっちゅう注意されていた。

「アダムも行くって」ジェーンは電光石火のすばやさでアダムとわたしのポラロイド写真を撮った。

「〝チーズ〟っていう間をとる研究をしたほうがいいかもよ」わたしがいった。ジェーンはめったに写真をみせてくれなかったけれど、何百枚となく撮っているはずだ。わたしの写真だけですでに何十枚もあり、そのうちたぶん三枚しかみせてもらっていない。

「ポーズをつけた写真を撮って、なんの意味があるのさ?」ポラロイド写真を抜いてカーキパンツの尻ポケットに入れ、森へ向かって歩きだす。アダムとわたしがあとをついていく。

「芸術にだめだしはできないってことだね」数ヤードほど小道を歩いてから、アダムがいった。彼をよく知らないため、ジョークなのか、ぜんぜんジョークじゃないのかわからなかった。

「ジェーンは芸術家だと思うの?」

「ぼくがどう思うかは関係ないよ」ストローをくわえた口の両はしで笑う。「ジェーンは自分を芸術家だと思ってる」

ジェーンが立ちどまり、わたしたちに向き直った。「ちょっと、そこのぼんくらたち――わたしは芸術家だよ。それからおどろくだろうけど、ここからぜんぶきこえてるからね、あんたたちの二メートル先で」

「芸術家は繊細です」自然ドキュメンタリーもののナレーターが、野生生物をみつけたときの押し殺した声でアダムがいった。「そっと、ときには慎重に扱わねばなりません」

「まさしく」わたしも調子を合わせた。「がさつな非芸術家に出くわしたとき、芸術家が興奮して、とり乱すようすを観察しましょう」

「才能のない者はむろん、芸術家を前にするとおびえて嫉妬します」ジェーンがまた写真を撮った。パシャ、フラッシュ、現像。

「芸術家は敵意をむき出しています」とアダム。「進化した画像キャプチャ機器で犠牲者をおどろかせ、仮死状態にします」

「わたしの美学は突発性の追求にあるの」写真をポケットに入れて行軍を再開する。「ロッジに戻ったら〝美学〟の意味を調べるんだね」

「それって同性愛に関係ある?」ジェーンほどじゃないけれどわたしはじゅうぶん声をはりあげた。「すごく怪しくきこえるよ。だったら遠慮しとく、罪深き者め。その手にはのらない」

「もめてるあいだに〝突発性〟を調べるべきだな」アダムはいまではぜったい笑っている。

「確かに」とわたし。「それから〝追求〟と〝ある〟も。芸術家の発言を少しでも理解できるなんておかしいよ。ボキャブラリーが豊富すぎる」

「理解してない、実をいうと」とアダム。「いまどこへ向かって歩いてるかもわからない。ジェーンは説明してくれようとしたけど、ことばがむずかしすぎてさ。実は、ただ適当にうなずいてた」

そのときアダムを〈約束〉でいちばんのお気にいりにしようと決めた。

農場主ジェーンの大麻畑は湖へ行く主要なハイキングコースからそれほどはずれてはいなかったけれど、ジェーンは自分のやっていることに長《た》けていた。畑のまわりにどんな植物を育てたらいいか、どうやって道を隠せばいいか。ジェーンのあとをついていき、においのきつい作物のあいだを二時間以上歩きまわったあとでさえ、自力でみつけるには永遠にかかりそうだった。たぶんジェーンにはそれがわかっていた。でなければ連れてこなかったと思う。

おのおの肩にかけたビーチタオルには、ふたつの目的があった。ひとつ目は、弟子仲間に出くわした場合、秋と冬が本格化して泳げなくなる前に、湖で最後のひと泳ぎをしに行くようにみせかけるため。ふたつ目は、輸送のため。収穫物を隠すためだ。ジェーンはやっぱりその目的でバックパックを持ってきた。

木々に生い茂る葉の多くはすでに紅葉しはじめ、カナリア色から〝相手側優先〟の道路標識の色、レモンシャーベットの色までのさまざまな黄色に色づき、葉を透かして濾過《ろか》された秋の陽光が、わたしたちを囲むうっそうとした森の木かげを揺らす。道々、ジェーンはわたしの知らない曲の口笛を吹いた。ジェーンは口笛もうまければ歩くのも速く、足のきしる音は心地よく、汽車の走行音か扇風機の回転音みたいな、機械が仕事をしている音をたてる。ジェーンのあとをついていくのは好きだった。動きのすべてに明確な目的がある。

畑は一種の空き地にあり、少なくとも植物が育つのに必要な量の日光はそそいでいた。なにを予想していたにせよ、背の高い、目にしみる緑の茂みが整然と並び、過去、バックパックに縫いつけられたワッペンやブラックライトポスターやCDケースで散々目にしてきた絵柄の実物――生きた大麻の葉は、おどろくほどに印象的だった。それに、いいにおいがした。アダムも感じいったらしく、にたにた笑い、ふたりはジェーンの勤勉ぶりが信じられず、頭をふるばかりだった。

「これをぜんぶ、ひとりでやったの？」

「ぜんぶひとりでやるのがいちばんなんだ」ジェーンは植物のあいだを縫い、注意深く、指で葉っぱをそっとなぞる。それからうっそうとした森へ目をやり、きっぱりと、舞台女優みたいに頭をそびやかした。「『そして作物が生長し、収穫されるときまで、誰ひとり熱い土くれを指で砕いてみる者もいないし、土を指先でふるいにかけてみる者もいない。だれひとり種子に触れる者もいないし、生長を心待ちする者もいない。土地は鉄の下で実を結び、鉄の下で、次第に死んでいく。なぜなら、その土地は、愛されることもなければ憎まれることもなく、祈りも呪いも受けていないからだ。』（『怒りの葡萄』大久保康雄訳、新潮文庫）」

「答えは『怒りの葡萄』です、アレックス（クイズ番組『ジェパディ！』の司会者）！」アダムがいった。

「なんのことかさっぱり」とわたし。

「去年読んだ。いい本だよ」

「それ以上だよ。必読書だね」ジェーンがいった。「全員、毎年読むべきなんだ」それからなんにせよ、それまでのジェーンにするりと戻った。両手を腰に当てる。「そしてこちらのおふたりさんは、ただふらりとやってくるだけで、あら不思議、ちいさなビニール袋のなかに、切り刻まれてあとは紙で巻くだけのブツをいれてもらえるとお考えです」

アダムが歌いはじめた。

「大麻の栽培農家と兼業の芸術家がおりまして、名前はオー」

ジェーンとわたしのふたりが笑う。

「そして〝ホーモー〟でして名前はオー」とわたし。「このほうが語呂がいい」

「リディア的にはよくない」ジェーンがいった。

「あのひとってなんなの？」

「『キャリー』の母親をまねるのが仕事のひと」アダムがいった。

「ぜんぜん似てないよ」とわたし。「仰々しさがたりないし、『みだらな枕』っていうのをいちどもきいたことない」

「それはきみが、みだらな枕をチラみせしないからだよ」アダムが混ぜっ返し、わたしは笑った。わたしたちの立つ大麻畑のはずれは、踏みしだかれた落ち葉のじゅうたんと下生えが、ジェーンがけんめいに耕したであろう黒っぽい、掘り返された土でさえぎられている。畑に入る許しを正式にもらえたのか、ふたりとも確信がなかった。

ジェーンがどっしりした茂みのかたわらにひざまずき、茎になにかをしたけれどよくみえない。

「リディアは複雑なひとだよ」植物のかげからいった。「実際、優秀だと思う」

アダムが顔をしかめた。「でもずれまくってるぞ」

「そりゃあそうだけど、両立するからね。いっておくけど、あなどらないほうがいい」

「愛してるぜ、ジェーン。〝あなどる〟なんてきみ以外のだれが使う？」

「リディアは使う」わたしがいった。

「もちろん使うさ」とジェーン。「いいことばだもん。すごく意味が明快で舌にのせるとひびきがいい」

「舌にのせるとひびきがいいことなら、ほかにも知ってる」アダムがふざけてわたしをひじで二回小突いた。「なんちゃって」

「じゃあアダムはきょう、あらゆる点で半分男になったってことでいいね」ジェーンのことばにアダムが笑ったけれど、わたしはどういう意味かよくわからなかった。

「リディアの努力がついに報われた」アダムがポール・バニヤン調のいかめしい声でいう。

「そもそもリディアってどこのひと?」わたしがきいた。

アダムがひどくへたなイギリスなまりになる。「イギリスと呼ばれる魔法の国からです。遠い遠い海の向こう——ナニーが傘で空を飛び、チョコレート工場が緑色の髪のちいさな男たちを雇う国」

「だよね。でもなんで〈約束〉にいるの?」

「金づるだから。〝われら迷えるくそ魂の救済企業〟の大口出資者だ」

「それに、リックのおばさんだし」ジェーンが立ちあがってわたしたちのほうへ来た。手にどんぐり大のつぼみをふたつのせている。

「うそでしょ」わたしがいったのと同時にアダムがいった。「まじで?」

「ほんとうの話。面接のときだったかどうだか覚えてないけど、リックがそういってた。特別秘密じゃないけれど特別秘密にしているたぐいの話」

「まじかよ。氷の女王リディアおばさんかい。クリスマスの贈りものはウールの靴下かなんかに決まってるぞ」

「ウールの靴下は完ぺきに使える」ジェーンがいった。「ツリーの下にウールの靴下の大きな箱があったらハッピーだね」

アダムが笑った。「それ、たぶんジェーンがいったいちばんレズっぽいことだ」

「あんたにいわれたくない」ふたりでユニゾンする。

ジェーンが首をふった。「実用性《プラクティカリティ》はセクシュアリティとなんの関係もないよ」

「それ、いいTシャツになる」とわたしがいった。「脚韻も踏んでるし」

「そうだね、戻ったらリディアに申告しなよ」とアダム。「速攻でプリントするに決まってる」

「リディアはどこからお金を持ってくるの?」

「さっぱりわからない。でもぼくの仮説では、イギリスにいたときはポルノの大スターで、心機一転のためにアメリカに渡ってきて、苦労して稼いだ悪魔の金を神の仕事に貢いでる」

わたしはうなずいた。「ありえそう」

「ほんのちょっとだけ、リディアにお熱かも」ジェーンはバックパックをあさってなにかをさがし、やっとちいさなランチサイズの紙袋を重ねてとり出した。

「もちろんさ」アダムがわざとらしく笑う。「ならないほうがおかしいだろ?」

ジェーンはあさるのをやめてアダムをみた。「リディアはケンブリッジに行ったんだよ? いっとくけど。ケンブリッジ大学。きいたことある?」

「ああ。フロリダのケンブリッジだろ?」

わたしはふたりを笑った。

「リディアがどこの大学に行こうが、だれが気にする?」とアダム。「ありとあらゆる頭のおかしなやつが、いい大学を出てる」

「リディアって神秘的だと思う」ジェーンがバッグあさりに戻る。「それだけ」

「よせよ」ジェーンのたわごとに愛想がつきたというように、アダムは上半身をがっくりさせた。「太陽系は神秘的だよ。ＣＩＡは神秘的だよ。レコードとテープに音楽を記録する方法は最高に神秘的だよ。リディアはサイコなだけだ」

「録音はそんなに神秘的じゃないよ」大麻の作物に細心の注意をはらって、ジェーンがわたしたちのほうへ戻ってきた。「結構単純なしくみ」

「もちろんそうだよな。そしてもちろんジェーンはぜんぶ知ってるんだろ」

「知ってる」わたしたちとそれぞれ腕を組んで、畑へ連れていく。「でもいまは教えない、そのときじゃないから。収穫に来てるんだからね」

つぎの一時間ばかり、ジェーンは緑色の重たいつぼみを慎重につみ、キッチンからとってきた紙袋を破いて、望ましい包みかたをふたりに教えた。つぼみの肌触りや色を子細に調べ、ちいさな繊維のそれらをジェイミーはシンプルに「赤い髪」と呼ぶのだと教えてくれたけれど、ジェーンはより正確に、めしべといった。ジェーンは植物学者のようにしゃべり、めしべを使ってＴＨＣ《テトラヒドロカンナビノール》からＣＢＤ《カンナビジオール》までのピークをみきわめ、収穫に最適な時期を判断する方法を説明した。でもそれから「ぜんぶどうでもいい話。二月にブリザードがやってきて雪が降ってるあいだは、半分でもハイになれる可能性があれば手当たり次第につんじゃうから」と、つけ加えた。

「そうだそうだ」

「そうだそうだ」

「そうだそうだもないよ」ジェーンがいい返す。「わたしが調達係気質で、あんたたちは得したね」

「キリスト教徒のかがみです」とわたし。

「疑いなく」首をのばしたジェーンは日射しに目を細め、腕でひたいの汗をぬぐった。その表情は決然として誇らしげ、まるでセピア色の西部開拓時代に原住民を改宗させる使命を帯びて、この地に定住した伝道師の女性さながらだったけれど、ここでの作物はトウモロコシでも麦でもなくて、今回改宗されに来たのはジェーンのほうだった。

アダムは毛むくじゃらの、ゴルフボールほどもあるつぼみをジェーンの目の前にかざした。「収穫物を試してもいいでしょうか、賢き大地の母よ?」

ジェーンがつぼみを奪いとる。「つんでるのはだめ。干すのが先だよ。でもそれ用のを持ってきた。いつものように、わたしは調達係気質だから」

「そして芸術家だ」わたしがいった。

「そう、芸術家を忘れちゃだめだ」アダムがいった。

「わたしにいろんな顔があるのは事実だね」ジェーンは畑を出て森のなかへ向かい、背が高くてがっしりしたベイマツの幹に背中をもたせると、ずるずるすべって地面に腰を落とした。それからスラックスをひざまでたくしあげて義足をはずしたけれど、そのころには(ジェーンのいったとおり)みなれていた。

アダムとわたしはパイプをつめるジェーンのとなりに座った。秋口の午後、森のなかで土の上に座り、ハイになるのはもうし分ない。わたしたち三人がここにいる理由をたやすく忘れられそうだ。共通の罪、友情のきっかけ。ジェーンはちいさな緑色のアップルジュースの缶を持ってきていて、幼稚園のおやつタイムみたいだし、ビーフジャーキーまであり、わたしたちは座って開拓者スタイルの食事をし、パイプを回した。大麻を吸い、ことばを交わさなくてもことたりた。〈約束〉ではだれもがしゃべりすぎ、そのくせ実のあることはほとんどなにもいっていない。ときどきそよ風が吹いて、紅葉が十数枚、光に透けながら地面に舞い落ちる。

やがてジェーンがけだるそうにきいた。「それで、自分を忘れだした？　それともまだ早すぎる？」

わたしはあおむけに寝そべり、ほとんど圧倒されるほど高くそびえるベイマツとドクニンジンが、半開きの緑色の傘のように天をつくのを眺めた。アダムが返事をしなかったとき、わたしは半座りになってひじで体を支えた。「わたしにきいてる？」

「そう。アダムはサマーキャンプに加わったから、いまごろはすけすけ」

「どういう意味かよくわからない」

「〈約束〉は、自分を忘れさせる。リディアのレトリックに抵抗してもね。それでもここではある意味自分が消えてしまう」

「ああ」そんなふうに考えなかったけれど、いっている意味はわかった。「多少は忘れたかも」

「個人的にとるなよ」アダムがいった。「ぼくはゲイだったぼくの幽霊だ。ディケンズの過去のクリスマスの幽霊を思い浮かべて、ただしぼくの顔で」

「アダムが〝ゲイだった〟ことがあるとは初耳だ」ジェーンがいった。

「ことば選びのプロにはかなわないな。ないよ、厳密には。いまでもちがう。要点をいうためにありふれた表現を使っただけ」

　わたしはリディアを精いっぱいまねた。「あなたは皮肉なコメントとユーモアを通じて、ゲイのイメージを促進していいます。アダムのことを報告しなきゃならないようだね」

「ゲイのイメージじゃないよ」アダムはもっと真剣になった。「ゲイのイメージじゃない。ぼくはウィンクテだ」

　アダムの氷山でそのことばをみたことがあり、たずねたいと思っていた。「それはなんなの？」

「魂がふたつある人間」わたしをみずに、アダムは代わりに長いマツの葉を編むのに注意を向けた。「ラコタ語なんだ――短縮形。正しくは『ウィンヤクテカ』。でも、ゲイって意味じゃない。ちがうんだ」

「大事なことだよ」とジェーン。「アダムはひかえめすぎる。自分が神聖で神秘的な存在だって教えたくないんだ」

「やめろってば」アダムが編んでいない葉をつかんでジェーンに投げた。「神聖で神秘的なアメリカ先住民《インジャン》に祭りあげるなよ」

「だって、すでにそうなってるじゃない。仲直りパイプを出して一服しようよ」

「とんでもない偏見だぞ」といい、でもそれから笑った。「聖なる子牛パイプっていうんだ」

「それで、それは指名されるとかなにかなの？」わたしがきいた。「なんて発音するんだっけ？」

「ウィンク・テー。ぼくの生まれた日に母が啓示《ビジョン》を受けたんだ」間を置く。「母さんを信じるなら、そうだ。父さんを信じるなら、母さんはこの〝たわごと〟をぼくの〝おかま〟っぽい性格のいいわけにでっちあげただけで、さっさと〝男らしく〟しなきゃだめだって」

「そうだよ、お父さんの説に賛成」とわたし。「ずっと単純だもん」

「この子が気にいるっていっただろ」ジェーンがいった。

けれどアダムは笑わなかった。「ああ、そうさ。父さんの説はラコタの信仰を知らない人間みんなが受け入れやすい。ぼくはゲイじゃない。トランスジェンダーでもない。未分化、っていうか、男と女をあわせた第三の性みたいな」

「そいつはまじで複雑そう」

アダムが鼻をならした。「そうかい？　ウィンクテは性別を隔てるものに橋をかけ、ヒーラーやスピリット・ピープルになるものとされている。ぼくらはアダムとイヴの聖書都合で、プライベートな部分の性別を選ぶようにはできていないんだ」

なんていえばいいかわからず、それでいつものくせで冗談をいった。「あのね、あくまでもアダムとイヴであって、アダムとスティーヴじゃないと覚えていればだいじょうぶ」

だれもなにもいわなかった。失敗したと思った。でも、それからジェーンがハイになったときの笑いかたで、くすくす笑いはじめた。

それからアダムがいった。「でも、イヴって名前の子はまわりにいないよ」

わたしはジェーンといっしょにくすくす笑った。

するとアダムが「それに、先週末スティーヴに湖で手コキさせた」とつけ加えた。

「それならアダムは救いようのないきわめつきのゲイだ」それは実際、たいしておもしろくもなかったけれど、三人はヒステリックな笑いの発作にかられ、そもそもなんで笑っているのか思い出せなくなるまで笑いつづけた。

しばらくしてジェーンは義足をもういちどはめると、なにかを終わらせるかなにかをしに行き、アダムはどこかへ消え、わたしはこのままとどまった。ミドリツバメとゴジュウカラのたてるちいさな高音に耳をかたむけ、けむりと、湿った土と、キノコと、いつでもしっとり濡れている森の、すてきにかびくさいにおいをかぎ、そしてそのなかにいると、この世界をとてつもなく巨大に感じ――木々の高さ、森の静けさとざわめき、日光と影のうつろい――けれどもまた、とんでもなく遠くに感じた。ここに来てからずっとそういうふうに感じていて、〈約束〉ではとまった時を生きるよう定められ、わたしがわたしだった場所、もしくはそうだと思っていた場所は、存在さえしない気がした。週一の個人面接で自分の過去をほじくり返す作業は逆に、そういった経験、自分を「いまの自分」にした背景とのつながりを持たせるのでは、と思うだろうけれど、でもちがう。ジェーンはそれを「自分を忘れる」と表現し、そして的を射てもいる。〝サポート面接〟のすべてが「自分の」過去は「正しい」過去ではないと、もしちがう過去だったなら、もっといい過去であったなら、「正解のバージョン」を送っていたならば、そもそも〈約束〉に来る必要さえなかったと自覚させるために行われている。そんなくだらない話、ひとつも信じないと自分にいいきかせてきた。でもここにいると、毎日毎日くり返しいわれる。同じことを経験している他人に囲まれ、家には電話もできず、以前のあなたを知っていたかもしれないひとたち、もし自分がだれだか思い出せないといったら、「ほんとうのわたし」を教えてくれるかもしれないひとたちから、何キロも隔てられた牧場での日課に縛られる。それは、現実の自分だとはいえない。プラスチックの暮らしだ。ジオラマのなかの生活。琥珀《こはく》に閉じこめられた先史時代の昆虫の生活を生きることだ。時間がとまり、凍りつき、死んでいるのに死んでなく、どちらかわからない。蜜とオレンジ色に固まった世界の内側で命脈を、いのちの脈動を、保ちおおせているのかもしれない生きもの。『ジュラシック・パーク』の恐竜の血とTレックスのクローンの話ではなく、とらわれ、待ちつづけている昆虫そのもののことだ。でも、琥珀がなにかのひょうしでとけたとして、そして自由の身になったとして、健康体だったとして、この新世界で過去を持たずに、どうして生きられるだろう。前の世界、属していた場所の慣れ親しんだすべてを失い、何度も何度も足をすくわれて?

第十五章

十月、弟子のひとりのマーク・ターナーとわたしは、事務室でいっしょに福音のおつとめについていた。ふたりが組む最初のおつとめで、リディアとリックが書いたニュースレターを、隅に〈神の約束〉のロゴがついたスカイブルーの紙にコピー印刷するのが仕事だった。さまざまな校外活動や社会奉仕活動の記事が四ページ、弟子一名のプロフィールがまるまる一ページ。十月はスティーヴ・クロンプスの回だ。二時間でわたしがしたのは、つぎの作業。ホチキスでとめ、たたみ、封筒に入れ、切手を貼り、くり返し、くり返す。一方マークは回転椅子に座り、大口の支援者に電話を入れて寄付を募った。順調にこなしていて、おそらくわたしたちのうちでいちばんうまいことが、ひとり目に電話をして五分とたたないうちにわかった。うまいわけは、マークが自分のいっている内容を信じているからだ。彼のことをまだよく知らなかったけれど、ルームメイトのアダムからきいていて、全力で〈約束〉の方針に従い、治ろうとしているのは確かだった（それに、告げ口屋でもない——わたしたちの知る限り、そしてそのころには、マークが目撃したジェーンと大麻のことをだれにもいわずじまいだったのは確定的で、ジェーンの警戒色にもかかわらず、気を許せるやつに思えた）。

その日マークの座っていた椅子は、妖精めいた彼の体つきには大きすぎた。百五十五センチあるかないかで、手も、腕も、足も、きゃしゃといったらない。そしてマホガニー色の目と、いつもピンク色に上気したほお、ちいさなフンメル人形のぽってりしたくちびるがついた小顔。愛用の黒いバインダーには、さまざまな質問への答えがびっしり書きこまれている。質問。「その場所で、少しでもよくなると本気で思うか?」答え。「〈約束〉に来て早々に、イエス・キリストとの関係を深めています。毎日深めつづけています。イエスとともに歩むすべを学びながら、性的に誤った罪から抜け出す道を学んでもいます」。とはいえあらかじめ職員承認ずみの想定問答集は、マークには不要だった。なぜならマークの答えはすべて、おのずと職員承認のものになるからだ。わたしはテキサス州の支援者とやりとりをするマークを観察した。相手は毎月の電話を楽しみにしているという話だった。ネブラスカ大のフットボールチームの話題で、リンカーン校のメモリアル・スタジアムに父親や兄たちと最後に行った試合は、この日とそうちがわない、いかにも十月らしい午後の日で、空気は霜をふくんで刺すように冷たく、魔法びんに入れたサイダーはあたたかく、ネブラスカ大スポーツチーム〈ハスカーズ〉はもちろん勝利にまい進し、スタンドは赤い海と化す。わたしは話しつづけるマークをまじまじとみていた。手紙を折る手をとめて彼に視線をそそいでも、向こうは気がつかない。いきいきと目を輝かせ、受話器を握っていない手をひらひら動かしている。第四クオーターのターンオーバーは「帽子からウサギならぬ、人工芝からスパイク」だったというくだりは、彼と競技場でいっしょに観戦したかったと思わせ、電話口のテキサス男も同じ気持ちなのを知っていた。けれどわたしはカレッジフットボールに興味はこれっぽっちもない。要点は、そこではなかった。マークは家族と過ごすオールアメリカンな秋の午後を売りこんでいた。それにはうそもいつわりもない――国歌をBGMに使ったフォード・ピックアップのコマーシャルとはちがう。よりシンプルで、はるかに真実味があった。それは、マークが心から信じていたからだと思う。なにを信じていたにせよ。

　テキサス男もそう思ったにちがいない。さっそく、電話ごしにふたたび寄付をしたから。マークがこういったのでわかった。「寛大なお心づかいに感謝いたします、ポール。リック牧師に報告するのを待ちきれません。あなたがたのサポートがなければやっていけませんからね。あなたのようなかたがただけでなく、あなたご自身が、なくてはならないひとです。それをお伝えしたくて。あなたのご寄付で、わたしの救済が現実になります。感謝のことばをつくしても、つくし足りません」

そんなセリフをはいて、どうすればこれっぱかりもまぬけにきこえないなんて芸当ができるのかわからない。わたしだったらそうなっていたし、どっちにしろ、ぜったいにはかない。けれどマークがまぬけにきこえたことは、いちどもなかった。わたしの耳には。

電話を終え、つぎの番号を当たっているマークにたずねる。「いまのひと、いくら寄付するって？」リストから顔もあげずにマークがいった。「正確には知らない。細部はリック牧師とつめてもらう」

うそっぱちだとわかったけれど、問いつめるほどのことじゃない。「そういう電話がすごくうまいね」

「どうも」こんどは顔をあげて少しほほえんだ。「ありがとう」

「事実だから。そんなにうまいなら、わたしには回ってこないね」

またほほえむ。「好きなんだ。ほかの仕事じゃ味わえない目的意識をくれる」

「まあ、寄付金を集めつづける限り、ずっとやらせてくれるんじゃない？」

「寄付を募るのが好きなのは、お金のためじゃないよ」

「知ってる。わかるよ」でもどうだか怪しかった。

「うん」マークはリストにもどり、番号を確認して受話器をとりあげた。

「本気でいってるの？」テーブルごしに少し前のめりになってきいた。マークの手をとめたい。

とまった。電話を手にしたままではあるけれど、発信音ボタンをもう片方の手で押さえる。「本気でってなにを？」

「ここにいることが自分の救済には必要だって」

マークはうなずいた。「ぼくだけじゃない。きみにもだ」

わたしは目を回した。

マークが肩をすくめる。「きみを説得しようとは思わない。それはぼくの仕事じゃない。でも信じるようになったらいいのにと願うよ」

「どうすれば信じられるわけ？」わたしの声はまだ少しからかい気味だったけれど、本気できいた。

「信念からはじめるんだ」ボタンをはなして番号を押す。「だれでもそこからはじめる」

電話のあいだそれについて考え、手はニュースレターの作業をつづけた。〈ワード・オブ・ライフ〉の日曜礼拝のあいだも考え、自室で勉強中、バイキング・エリンが蛍光ペンをきーきーいわせるあいだも考えた。なにかをほんとうに信じることの意味を――心の底から。信念。〈約束〉の図書館のでかい辞書には、「なにかを真実もしくは実在すると受け入れること。固く確信するか意見を持つこと」とある。でも簡潔なその語義にさえ、わたしは混乱した。「真実」もしくは「実在」。それらは限定的なことばだ。「意見」と「確信」はちがう――意見は人間、状況によってかたちづくられ変化し揺れ動く。そしていちばん悩ましいのが「受け入れる」ということばだ。「なにかを受け入れる」。なんにつけ「待ち受ける」ほうが、「受け入れる」よりずっと得意だった。少なくともなにか確かな、ぜったい的なことを待ち受けるほうが。それだけは知っている。それだけは信じた。

けれどわたしはマークを観察しつづけた。彼の落ちついたものごし。わたし同様、ほかのみんな同様〈約束〉にいてさえ、ある種心の平和を保っている。ルームメイトのマークが部屋にいるときなにをしたか、なにを話したかを根掘り葉掘りしょっちゅうアダムにきいて、けむたがられた。

「すでにここのシステムが効いてるみたいだな」ある晩マークについて質問責めにしたら、答えにつまってアダムがいった。いっしょの夕食当番のときだ。ツナとヌードルのキャセロールを二皿オーブンにいれ、食器を洗ったあと、干し草置き場に抜け出して、すばやく大麻休憩をした。リディアとリックがふたりとも個人面接のさいちゅうなのを知っていたからだ。

「システムってなんの?」マリファナたばこを受けとり、けれどひざに落とした。拾って吸う。

「セクシュアリティの転向」マリファナたばこをとりもどし、アダムがいった。「きみはうわさのブレイクスルーに近づいてる」すでに干し草を一本くわえて例の「口唇期固着」を実践し、一服中もはずさなかった。

「なんでそんなことというの?」

「何日もひっきりなしにマーク・ターナーの質問をしてる」アダムがほほえんだ。「ぼくはちょっとうんざりだけど、ブラボー——異性にめろめろの女学生になれたじゃないか。ピンクのバインダーに、ハートつきで彼のイニシャルを描くんだろ」

わたしは笑った。「わたしのバインダーは紫だよ、ピンクじゃないもん、負け犬くん」

「細かいことさ、枝葉末節だ」アダムは手をふった。「ぼくの関心は愛だよ、ラムーールだ」

わたしはアダムをどついた。「マーク・ターナーに恋してなんかいないよ。理解したいだけ」

アダムはカウンセラーのようにうなずき、リディアをまねて両手をピラミッド型に合わせ、くちびるに持っていった。「なるほど。確認しますが、〃理解する〃というのは彼の屹立《きつりつ》したペニスにまたがるという意味ですね、合ってます?」

わたしは笑った。「そう、そのとおり」でもそれから自分をおさえられなかった。マーク・ターナーにある意味執着していた。「マークに興味ないの? 彼のどシリアスなところとかさ? ここに送られてくるほどゲイっぽいことをしたなんて、想像もつかないよ」

こんどはアダムが笑う。「なに——公式なゲイのバロメーターがあるとでもいうのかい? 両親に送るつもりはなかったんです、でも『ライザ・ウィズ・ア・Z』を月に三度もきいてるところを目撃したら、もう否定できない。とうとうゲイ疑惑が確信に変わりました!」

「だって、そういうもんじゃないの? だいたいそうでしょ」

アダムは肩をすくめた。「まあね」と静かにいう。「もっとやばいことをしてないなら」

「でしょ」そのあとはふたりともだまって吸った。わたしはコーリーを思った。もちろん、もちろん思った。アダムがなにを考えているかは知らない。

しばらくしてきかれた。「でもだれだい、〈約束〉でさ、マークじゃないとすれば? つまり目をつけるとしたら?」

「えー、わかんない。だれも。だれもいない」

「いえよ。選ぶとしたらの話だよ。強いていえばだれ?」

わたしは答えあぐね、考えた。「ベサニー・キンブルス=エリクソン」笑っていったけれど、本気だった。

アダムも笑い、顔にかかる前髪がつやめいた。「わかる。学校の先生な。古いシナリオだ。でも生徒のなかからなら——だれ？」

「そっちがいいなよ。アダムがいいだしたんだから、先にいって」

「もうスティーヴとはやった。何回かね」

「そうか。じゃあスティーヴが答え？」

「そうでもない」わたしをまっすぐみて、アイリーン・クロースンがむかしやった〝挑戦〟するときの顔と、同じ表情をした。「たぶんきみ」

まぬけなことに、赤面する、またしても。「へえ。じゃあここのシステムはアダムにも効いてるんだ。わたしだけじゃなくてよかった」

アダムがむっとなる。「ぼくはゲイじゃない、キャム。いったろ。ぼくにはそんなふうに効かない」

「だれにだって同じように効くよ」

「欲望について、それはきわめてせまいみかただ」

わたしは肩をすくめた。なんていえばいいのかわからない。納屋の灰色の木材を観察した。タフィー色とミントグリーン色のコケが、ところどころ生えている。指ではじいて落とす。

「パワートンネルする？」アダムがマリファナたばこの残りを持ちあげたけれど、もうあまりなかった。

「なにそれ、知らない」

「知ってるよ」吸いさしでジェスチャーをする。「こいつを逆さにして、火がついてるほうを口に入れて吹くから、きみが両手でぼくの顔をおおって吸う。ショットガンとも呼んでる」

「それはショットガンじゃないよ」

「悪いけどまちがってる」

「ショットガンのときはくちびるを合わせるの」マリファナたばこをとった。「キスみたいに。ぜったい知ってるくせに」

「それはマリファナ・フレンチキスだ。べつもんだよ」

「それがしたい」

「いいのか？」

わたしはうなずいた。それからできるだけ、いつもどおり水泳で鍛えた肺のおかげでずいぶん長いあいだ吸いこむ。息をとめ、アダムを手招きしてくちびるを近寄せてふさぎ、はき出した。そのまましばらくキスをし、長いあいだしていたためにキャセロールの表面をこがしてしまった。

アダムとのキスはジェイミーとはちがった、正確には。本番に備えたリハーサルだとは感じず、もっとよかった。でもコーリーにキスするのともちがう。そのどこか中間あたり、リンジーとのキスみたいな、たぶんそれがいちばん近い。気にいった。それをするのが気にいり、気にいるために相手がアダムじゃないふりをしなくてもよかった。でもだからといって、どうだろう、したいと待ち望みもしなかった。「待ち望む」はなんだか気色の悪いことばだ。「焦がれる」も。「求める」とかも。ぜんぶなんだか気色悪い。でもコーリーに触れ、キスすることを思うとき、わたしの感じたのはそれだった。アダムに感じるのとはちがう。アダムがわたしに感じているのもちがうと知っていた。

＊　＊　＊

〈約束〉には規則があった。たくさんの規則があり、その大半をわたしは常習的に破り、つかまるまでに長くはかからなかった。実のところ、ごくささやかな違反だ。大麻を吸っているかアダムといちゃついている(最初に試してからもときどきした。干し草置き場か森で、だいたいは服を着たまま)か、もしくは日常生活から排除すべしとされている、絵に描いたような〝ゲイのイメージ〟を正確かつ皮肉を効かせてまね、〈約束〉の活動や〝サポート〟をもろにからかっている現場を押さえられるのに比べれば。そのどれでもまったくなかった。筆先のととのった、プロ仕様のすごくすてきなフェルトペンの十二色セットを、シャツとスウェットの下、背中側のウエストバンドへ突っこむところをバイキング・エリンにみられた。弟子たちは、モンタナ州立大の中庭で開く〈キャンパス・クルセード・クリスチャン〉主催のロックコンサートがはじまるのを、大学の書店で待っていた。

真相は、ペンを買うお金ならたくさん持っていたけれど、買えなかったのだ。なぜなら(一)〈約束〉に現金を持ってきてはいけないことになっていて、おつとめの報酬は稼ぐのに時間がかかり、キャンディをたくさん買ったために少ししか持ちあわせがなかった。(二)おつとめの報酬と前借り(ときには許された)で買ったとしても、購入品はすべてバンにのって〈約束〉に戻る前に領収書といっしょに職員にみせねばならず、そのときペンでなにをするか説明しなくてはならないのは確実だったけれど、秘密にしておきたかった。わたしが知らなかったのは、エリンが美術用品売り場にわたしをさがしにやってきて「いい席を確保してコンサートをみようとした」ことだった。

「いま、なにをしたの?」エリンがきき、答える前にほとんど叫ばんばかりの大声でわたしにいった。「盗んだのね！　いまなにか盗《と》った。いわなきゃだめ。いますぐリックにいいに行って」

「まだ店を出てもいないじゃない」声をひそめ、相手もならってくれるのを願う。「店を出るまでは盗みじゃないよ。戻すから。ほら、いますぐやるよ」

ペンセットを出して、大げさな動作で同じ商品が並ぶ棚に戻したけれど、エリンは収まらない。

「だめ。だめだよ。わたしがみていなかったら盗んでた。心のなかで罪を犯したことに変わりない。リックかリディアに話さなきゃだめ、わたしは告げ口したくないから。でも、キャムには助けが必要だよ」ちょっとした説教の終わりには涙目になり、たったいまわたしとこんなふうに対決するために、なにかをしぼりだしたのがわかった。

リック牧師がするように、優しいけれど威厳を持ってさとそうとした。「エリン、盗ってもいないペンセットについていわなきゃいけないと本気で思うの？　もう棚に戻したじゃない」

エリンが首をふると巻き毛がふわりと揺れ、ほおが赤らんだ。「あなたの罪から目をそむけたら、友だちの資格がなくなる。『エペソ人への手紙』に書いてあるもの。『盗んだ者は、今後、盗んではならない。むしろ、貧しいひとびとに分け与えるようになるために、自分の手で正当な働きをしなさい』」

「男のひとのことみたいだけど」わたしは笑顔になろうとした。

エリンは笑わなかった。目の前にたちはだかって進路をさえぎり、十字架を背負ったひげずらのマッチョなイエスと〝現世の罪〟と書かれた文字のすぐ上で腕を組んだ（エリンはこのシャツをしょっちゅう着ていた。背中の文句も覚えている。〈ゴールドジム〉の宣伝文句とまったく同じ大きな赤いフォントで〝ゴッズ・ジム――年中無休〟と書いてある）。その場に立ち、悪に立ち向かうことがわたしの救済にはぜったいに必要だと思っているのがみえみえの、エリンのつやつやした顔をみるのに耐えられず、胸の前で組まれた腕に視線を落とす。

厚ぼったいフランネルのシャツを着た、白人の子どもがやる、かさばってもつれたドレッドヘアの大学生がふたり、連れだって通路を歩いてくると、油絵の具売り場のほうへわたしたちのわきをかすめて通りすぎがてら、そろってエリンのシャツに目をとめた。

「キリスト教徒がキャンパスに攻めてきたぞ」ぼさぼさのひどいほうが連れにいった。

「楽しい殺りくと略奪は抜きの十字軍だな」連れが受ける。

「それと、くそださい音楽」

わざときこえよがしにいったこの最後のことばに、エリンはいまにも泣きださんばかりだった。おいおい泣きそうだった。

わたしはため息をついて、首をふった。「リックにいうよ。リディアは論外。だけどリックに話す」

エリンがうなずいて、もたれかかっておおげさにバイキング・ハグをすると、湿ったほおがえりあしに触れ、香水みたいなデオドラントがぷんとにおった。

「正しい選択をしたね」まだきつく抱きしめながらいった。

エリンが半泣きだったからという理由だけで話したのではない。もしなければ、エリンは罪の意識にさいなまれ、わたしを「サポート」する必要かなにかを感じてどっちみち告げ口したはずで、けれどエリンにその決断をさせるのは酷だった。それに、エリンとわたしはルームメイトとしてだいたい快適に過ごせるところへ落ちついていた。エリンはなんでもかんでもあらゆることを、えんえんと話す。でもわたしはそれに慣れ、ときにはエリンがそばにいて心からうれしく思った。一方的な会話が一定のリズムで流れ、わたしはきいたりきき流したりを自在にできた。エリンはマーク・ターナーではない、少なくともわたしにはそう思えなかった。エリンの信仰はみせたがりで、自分と他人に対するポーズだ。わたしは理解できないし、ぜったいまねはしたくなかったけれど、課程をこなしているとエリンが考え、ピンクの蛍光ペンの音をさせて節から節をなぞり、つぎの節こそ効くかもしれない、もうこんなにまちがった人間ではきれいさっぱりなくなったと確信させてくれるよう願う、その態度には感心した。わたしは処置なしだとエリンに見限られる用意が、まだできてない。いっしょに努力していると思ってほしかった。

リックにうちあけるのは、予想どおり造作なかった。自己申告に来たことの礼をいわれ、抱きしめられ、いっしょに祈った。けれどリディアにもわたしから話し、わたしのファイルにある「万引き」の項目のとなりに「罪の表れである問題領域」として星印をつける必要があるという。そしてリディアはただ祈って終わりにはせず、この盗みの罪は、わたしがまだきちんと対処していない水面下の問題が引き起こしているといって、今後はリックとの個人面接に加え、週にいちどリディアとも会わなければならなくなった。おまけとして、数日後にあけるはずだった三カ月の見習い期間がこの違反行為によって、手紙も装飾特権も家への電話も「追って沙汰があるまで」禁止とされた。（職員が開封し、読み、承認ずみの）おばあちゃんからの小包とルースの手紙と、なによりコーリーの手紙が、総務室で、施錠された郵便物用の戸棚に入ってわたしを待っているというのに、さらに長いあいだそこにいつづけることになる。また、ルースおばさんにこれらの変更について連絡が行くと告げられ、それについては少しだけ小気味よかった。

〈約束〉の自習室には美術用品入れが二箱ありながら、フェルトペンを盗む必要があると思った動機をリックとリディアに質問されたとき、「自分専用のがほしかったし、高価で高品質だったので食指が動いた」というわたしの説明を、ふたりとも受け入れた。ほんとうの理由は、映画が恋しく音楽が恋しく廃病院とスカンラン湖とおばあちゃんとジェイミーと、それからコーリーが、もちろんコーリーが恋しい一方、切実にドールハウスが恋しかったからだ。正確にはドールハウス自体というより、たぶん、長いあいだドールハウスにやっていたことが、恋しかった。わたしの背徳行為の遺物はぜんぶ箱づめ、袋づめにしたものの、ルースはドールハウスには手をつけず、わたしの不在中も処分しないでいるように願った（その必要があった）。やりたい放題にしたドールハウスが、わたしの部屋で、わたしを待っているはずだ。盗みそこねたフェルトペンは、ドールハウスの代用品プロジェクトに使うつもりだった。半ガロン分のカッテージチーズ用プラスチック容器を二個、ベッドの下に隠してある。カッテージチーズは、〈ワード・オブ・ライフ〉教会の信徒で、わたしたちの改心を熱心にサポートしている一家が〈約束〉に原価でゆずってくれる。この一家はバターとアイスクリームとカッテージ以外のチーズを〈ホーリー・カウ・クリーマリー〉という製品ラインのもと、地元の酪農場で容器に入れて販売したり、大量に量り売りしていた。パッケージには頭の上に後光を浮かべ、どことなく牛っぽい翼を左右に生やしたでぶ牛の絵が描かれている。農場で製品をつめるのに再利用するため、キッチンでからになった容器は集めることになっているのを、料理当番のときに二個ばかりくすね、さらに盗るつもりでいた。ドールハウスではないけれど、ぜいたくはいえない。〈ウォルマート〉に行ったとき、デコパージュ用のテープと接着剤のクレイジー・グルーをくすねてあり、自習室からときどきハサミや絵の具をとってきてはだれかが気づく前に返した。けれど自分専用の道具をストックするつもりでいて、それにはペンは必需品で、そしてエリンにはばまれた。

くすねたり、秘密のはんぱものでチーズの容器を満たし、おせっかいなエリンの鼻先で、ドアは開けっぱなしの〝千客万来〟の環境のもとベッドの下に隠すなんて、危険で、愚の骨頂なのに、やらずにいられなかった。したくはなかったはずだ。ものとしての意味はうまくみいだせずにいたけれど、容器を飾りつける行為のなかにたくさんの意味があるように思えた。けれどリディアみたいな人間は、それらの容器を通してわたしをみきわめられると考え、くだらない水面下の氷山の、物理的な代用だとみなす。それが問題だった。容器をいじらない、そもそも盗んだりしない理由には、それでじゅうぶんだった。でもやった。

＊＊＊

わたしたちは感謝祭の食事を大量につくり、近隣の牧場とボーズマンから客を招いた。アダムとわたしはその朝ポテト係のボランティアになり、何袋ぶんも洗って皮をむき、角切りをしてゆでたのち、〈ホーリー・カウ〉のバターとクリームでマッシュにした。まずはジェーンとマリファナたばこを半分キメたあと、キッチンの片隅に陣どる。一時間ばかりキッチンは火がついたように忙しく、にぎやかで暑苦しくなり、シナモンやナツメグやセージやタイムなど、感謝祭の料理に使うスパイスぜんぶの混じったいいにおいが（リック牧師をのぞいて全員の）鼻をついた。それは実際、楽しい作業で、みんなで仕事を分担した。二名がターキーとスタッフィングを受けもち、バイキング・エリンは定番のグリーンビーンとオニオンリングのキャセロールを、ただしふだんの四倍の分量でつくった。リックは自分が好きなコンテンポラリー・クリスチャン・バンドを集めたミックステープを持ってきてかけ、なかにはすごくクールなむかしのゴスペルソングもあった。マヘリア・ジャクソン、エドウィン・ホーキンズ・シンガーズ。テープをあんまり何度もきいたため、わたしはいつの間にかいっしょに口ずさんでいた（みんなが何度もきいていた）。

そのうちリックは「オー・ハッピー・デイ」をコーラスしているわたしに気がついた。歌わずはいられない歌だ。リックも歌った。わたしのうしろに来て、ジャズ・シャッフルふうに尻をふり、手はべとべとするできあいのスタッフィングまみれ。その手をミットかギプスみたいに、または乾かしているみたいに前に突き出し、頭をわたしのほうへ倒したのは、たぶんハモれるように、もしくはふたりの前にマイクロホンがあるつもりで、有名なデュオを気どっているのかもしれない。ソニー・アンド・シェールかアイク・アンド・ティナ、それともキャプテン・アンド・テニールか。

アダムがポテトピーラーを握った手をのばした。わたしたちの口もとに突き出してくれたため、みえないマイクロホンのあるふりをしなくてもよくなった。キッチンにいたほかのみんながテープのコーラスに合わせて手びょうしをとり、わたしたちに注目した。わたしはアダムからポテトピーラーをとりあげ、できるだけマヘリアになりきって握りしめると目を閉じて、やけくそまじりにプロの歌手みたいに熱唱した。フィニッシュまでその調子で、どんどんうるさく、はじけて、思いきりおどけてみせる。わたしはマリファナのせいにしたけれど、リックはただ、リックだった。

曲が終わると、ヘレン・ショウワルターが力強く口笛を吹いた。「つづけてよ、あんたたち《ガイズ》――ほかの歌を歌って」と話しかける声は年寄りのトレイルボス《牛追い》みたいにきこえ（ヘレンは楽しんでいるときはいつもぶっきらぼうというか、少しだみごえになる）、女性が入っている集団に〝ガイズ〟といってはいけないことになっていたけれど、リックは正さなかった。

でも、つぎにかかった曲は甘ったるいマイケル・W・スミスの曲で、シンセサイザーを使いすぎ、そこへリディアが、町のパン屋で買ったディナーロールとパイが二個入った大きな箱を抱えてキッチンに現れたため、立ち消えになった。

「アンコールはなし」わたしがいった。

「なんのアンコール?」リディアがきいた。

「なんでもないです」

「ききのがしましたね」バイキング・エリンがいった。「リック牧師とキャメロンがパフォーマンスしたんです」

「それは残念」リディアが箱を開けた。それからいたって静かに、ほぼ手にしたロールパンの大きな袋に向かってつけ加えた。「まあミス・キャメロンはたいていいつも演技《パフォーマンス》してるようなものだけど」

リックがリディアを意味深な目つきで、ちらっとだけ、「放っといてやれ」みたいな感じでみたけれど、リディアが気がついたとは思わない。「問答無用。つぎはカラオケをするぞ」リックは兄貴か年の近い親戚のおじさんがするみたいに、わたしのほおにスタッフィングをぬりつけた。リックはカラオケの大ファンだ。〈約束〉には自前のカラオケセットがある。リックの私物かもしれない。わたしはカラオケで歌ったことはなかった。

キッチンはそのあとすぐにひとが出はらったけれど、アダムとわたしは作業を終えていなかった。感謝祭にマッシュポテトはいくらあっても足りない。ふたりともほぼ黙々と、ポテトをむいては切る単調な作業にいそしんだ。

そのうち、アダムが眠そうな声でたずねた。「それで、なんでその子の話をいちどもしないんだ？」

「だれ？」

「もう、わからないふりするのをやめろよ。その子だよ。きみの破滅の原因」

「だれがひとりだけっていった？」わたしはわざとらしくウィンクをした。

「いつだってひとりさ。たったひとりの——運命の相手。すべてを変えてしまう人間」

「先にそっちがいって」とはいったものの時間稼ぎにすぎず、アダムにはお見通しだった。

「出たな、キャムのうんざりくるひかえめぶり。きみはすでにミスター・アンドリュー・テクシアーと、ぼくの優れたオーラル・テクニックへの彼の偏愛についてきいてるだろ。偏愛よりも自分の父親への恐怖のほうが強かったけど。それとぼくの父さんへの。それからフォート・ペックのフットボールチーム全体」

「そんなやつ、アダムにはふさわしくなさすぎたんだよ」

「ぼくにふさわしい相手はめったにいない。とっても、とっても少ない。さあ、はいちまえよ」ピーラーでわたしのお尻をたたく。「レディを待たせるなんて失礼だぞ」

「なにを話してほしいの？　彼女は向こうにいるし、わたしはここにいる」

「ああ、でもその子がキャムをここへ送った。そういうことだ」

アダムはわたしの氷山を読んでいた。「わたしの氷山を読んだね」

「もちろん。でも前にいちど、なにかいってた」むきたてのポテトをカウンターの反対側から二、三個転がす。

「覚えてない」

「大麻のやりすぎだ」

そこでわたしが折れた。「わたしをここに送るどころか、ただぐだぐだな状況で、あの子はパニクってわたしはここに送られただけ」

アダムが眉をつりあげる。「じゃあ相手はどこに送られたんだ?」

わたしはつばを飲みこんだ。「どこにも」

「そりゃあ、ぐだぐだな状況だな」

わたしはなにもいわなかった。皮むきがやっと終わった。アダムはピーラーを洗い、ゴミ箱をカウンターのすぐ下に持ってきて両手ですべりやすい皮を落とすと、腕が台を擦るかすかな音と、重たい、濡れたかたまりがビニールのゴミ袋にがさっと落ちる音がした。

「謎めいたその子は、地元でいちばんの美女?」

「そんなとこ」切ったポテトを大きななべに投げこんだ勢いで水が上のほうまではねた。「きれいはきれいだよ」

「名無しの白雪姫は」からっぽの部屋に手をふる。「淑女たちの想いびと」

「白雪姫は」わたしがいい返す。「ムービーナイトの女王」

「そしてハートブレイカー」わたしの肩をさする。効果としてで、なぐさめるためではない。

「ハートブレイクなんかしてないよ」

アダムはみるからに疑わしそうに、眉根を寄せた。

わたしはアダムの顔つきをまねながら、かぶりをふった。「いったでしょ、最初っからぐだぐだな状況だったの」

「ハートがブレイクする件については、そんなのはなんの意味もないね」

そのときリックがキッチンに戻ってきた。手を洗い、祝日用のボタンダウンシャツに着替えている。〝真の男は祈る〟エプロン（ベサニー・キンブルス＝エリクソンからのプレゼント）をアダムとわたしのすぐうしろにあるフックにかけた。

「ちょっと来てくれるかい、キャム？」わたしのひじに触れる。アダムには「すぐ戻る。そう長くはひとりきりで皮むき仕事をさせないから」と声をかけた。

「どっちみちほぼ終わりです。あとはゆでてマッシュするだけ」

リックとわたしは黙って廊下を歩き、総務室に向かった。総務室に入ると、リックはポケットから鍵を出し、秘密めいた郵便物用の戸棚を開いた。おばあちゃんから届いた箱を受けとる。片側が少しつぶれてへこみができていたけれど、わたしの手のなかにあった。それからゴムバンドでとめた手紙もくれた。もらったのは、知らされていたコーリーからの手紙が一通、たぶんおばあちゃんからとおぼしいのが二通、あとの四通は知りもしなければ思いもおよばなかった、ルースから。

リックはふたたび戸棚をしめた。「先方には、書きたければ手紙を書くのは構わないが、いつ渡せるかはわからないといってある」

「どうしていまくれるんですか？」コーリーからの手紙がいちばん上にあり、コーリーの手書き文字がわたしの指の下にあった。わたしはゴムひもを数回引っぱって、封筒に向けてはじいた。

「今朝キッチンで起きたことを気にいったから。ブレイクスルーは必ず面接中に起きるわけじゃない。ときにはそうじゃないほうが、もっと尊いんだよ」

「どうしてテープといっしょに歌うのがブレイクスルーなんですか?」パチン、パチン、パチン。

リックはわたしのはじく手を、自分の手で押さえた。「それ以上の意味があるのはきみにもわかっている。三分間、ここに来てからまわりに築いていた鋼鉄の壁をおろしたね。いま張り直しているその壁だ。もろい自分をさらけ出した。自分を変えるには、もろさがいる」

「じゃあ、これをこのまま持っていっていいんですか?」手紙の束を少し持ちあげてきいた。手のなかで、妙に危険に感じる。

「いいとも、もちろん。きみのだ。装飾特権も持てるよ。いくらかは。ある程度持てる。リディアが細かい指定の紙を持っていて、あとできみと確認する」

「少しも治った気がしないですけど」これまででいちばん正直なリックとのやりとりだった。

リックは首をふり、目を閉じ、おおげさにふんがいしてみせた。「ぼくたちはひとを治すんじゃないんだ、キャメロン。神に近づく助けをしてる」

「神に近づいた気もしません」

「神のほうがきみに近づいた気がしてるかもな」

「ちがいがあるの?」

「手紙を読みなさい」リックがオフィスのドアを開けた。「アダムを長いあいだひとりにしないでくれよ。彼に約束したんだ」

最初に小包を開けた。おばあちゃんはちいさなハロウィーンのキャンディバー二袋と、上質な白いコットンのランニングソックスと、それからブラウニーとブロンディを焼いて送ってくれた。もう何週間もたっていたけれど、とりあえず二個食べてみた。日にちのたった味がした。手紙の一通には、砂糖を使った菓子をひとくちも食べられないまま焼くのはどんなにつらいか、けれどわたしのためにつくろうと決めたと書いてあった。そのあと、実はブラウニーを少しつまんだことを認めた。でもたくさんじゃない。もう一通は、裏庭に棲《す》みついた新しいリスの一家と、彼らへの興味とわずらわしさとが代わりばんこになるという話題が大部分で、わたしがどこでなにをしているかについては書いていなかった。ルースの手紙は、逆に、どれほどわたしがいなくてさみしいか、どれほどわたしのために祈っているか、どれほどこれがわたしのためだとわかっているかで埋めつくされていた。そのあとで、最初に書いたにちがいない手紙を読む。八月に〈約束〉から戻る運転中、どんなにひどい気持ちになったか、車をとめて落ちつかなくてはならなかったかが書かれ、そしてとめた場所はクエイク湖行きの標識の手前で、神さまがそこへ行けといっているようだったという。いいからそこへ行けと。だからそうした。

Q《クエイク》・L《レイク》・には、八〇年代に客室乗務員仲間と行って以来。今回は絶景ポイントに車をとめて、泣きに泣きながら、あなたの状況はわたしに一部責任があるといわれたことを考えました。たいへん悩みました、キャメロン。そしていまもまだ悩んでいます。でも、そうかもしれないと認めましょう。いくらかはわたしに非があると。責めを負います。あなたが神に背を向けたふるまいをし、道に迷っているのを目にしながら、好きなようにさせ、理想の女性になる手助けを積極的にしませんでした。あなたには幸福な人生を歩んでほしい。いつの日か、これがその幸福への道だと、より大切なのは、その先につづく人生を歩む正しい道筋なのだと、あなたが気づくよう願ってます。

手紙を封筒に戻し、わきにどける。息を吸った。コーリーの手紙を手にとって、すべての要素をかみしめる。聖母マリアのクリスマス版の切手——ちょっと気が早い。端正な筆跡。封筒のやわらかな、パールピンクの色。なかの手紙は、そろいのピンク色の便せん一枚につづられていた。

キャメロン、

　この手紙を書いているのはクロフォード牧師と母が、そうしたほうがわたしのためだというからです。わたしはいま、ふたりに起きたことを整理しようとしています。あなたもそうだと知っています。でもわたしは、あなたがふたりの友情をあんなふうに利用したことをひどく怒っています。あまりに腹がたち、あなたに手紙を書くのさえむずかしいのです。あなたにこの話をするのは早すぎると思いましたが、クロフォード牧師が〈約束〉のかたにたずねると、自分たちの罪でどれほど他人を損ない、そのせいで破滅するのかを知るのは、弟子のためになるとの返事でした。夏のことを考えると気分が悪くなり、自分を恥に思います。こんなに恥を覚えたことはありません。どうしてあなたにおめおめ、いいように操られたのかわからない。もう自分が自分じゃないみたいだった。母は〈バッキング・ホース・セール〉のときからそういっていて、母が正しかった。わたしも罪を犯さなかったとはいいません。いいたいのは、あなたはもともとそうだったということ。わたしはちがう。でもわたしは弱く、あなたはそれを見抜いてじぶんのために利用した。ときどきただじっと座って宙をみつめどうしてあんなことをしたのか考えるけれど、答えはまだみつかりません。努力しているところ。ブレットはすごく支えてくれて、あなたを怒っていないとまでいってます。彼はわたしより心が広くてよきキリスト教徒だから。クリスマスにあなたが帰ってくるのは知っているしそのころにはあなたに会う用意ができているかもしれません。ふたりきりではなく、教会で、という意味です。でもわかりません。あなたが神をみいだし神に従いこの性癖から脱するよう祈ります。毎晩あなたのために祈るしあなたもわたしがこのすべてから立ち直るように祈ってくれればと思います。道のりは遠い。いまは自分を傷もののように感じます。

コーリー・テイラー

ぜんぶ理解したと思えるまで何回か読んだ。最悪の部分は、なぜだか、コーリーが名字を書いたことだった。手紙をおそろいの封筒に戻す。おばあちゃんの小包の箱に封筒をぜんぶ入れた。立ちあがり、箱を持って出て、事務室のドアを閉め、歩数をかぞえながら廊下を歩き、一歩ずつ均等に、正確に踏みしめた。キッチンにたどりつくまでに、三十八歩かかった。カウンターでジェーンがアダムと立ち話をしていた。「おや、特権をもらったね！」柄の長い木のスプーンでわたしが抱える箱を指す。「なにかいいものあった？」

わたしは首をふった。

「郵便物配布なんでしょ、兵隊さん。だれがなにを送ってきたの？」

「白雪姫が手紙を」

ジェーンが笑った。「白雪姫だけ？　ほかのディズニー・プリンセスは？」

けれどアダムは「まじで？　あいつら書かせたんだ？　みせて」といった。

アダムに手渡す。ジェーンも読めるようにアダムが掲げた。ふたりで読んだ。アダムがまんなかのあたりで息を飲んだ。どの部分かはわからない。それからふたりは読み終え、終えたのだろう、そんなに長い手紙じゃない。でもふたりともしばらく口を開かなかった。

ジェーンがやがていった。「まあ、その子はとてつもなく楽しんだみたいだね」

軽口を飛ばそうとしたので、わたしは笑おうとした。どちらもうまくいかなかった。

アダムはもうしばらくなにもいわず、それから片腕をわたしの肩に回し、手紙を持った手はわきにたらした。「きみがどういおうが関係ない、その子が以前はしてないとしても、いまはした」

「なにを?」ジェーンがきいた。

「キャムのハートをこわした」

「この子?」ジェーンがアダムから手紙をひったくる。「このクリスチャンのアンドロイドみたいなやつ?」

「そう」わたしが答えた。

「それなら、のりでくっつければもとどおりだ。そいつにこわさせたりするな」手紙を宙でふる、怒りにまかせて。「こんなやつ。冗談じゃないよ、ふたりとも。ピンクの便せんガールがなんだっての」

手紙を手に、ジェーンが向きを変えた。生ごみ処理機をかけ、蛇口を上にあげて水をめいっぱい流し、手紙をくべると、一息に飲みこまれた。がさがさっと音をたてて一気に消える。それから処理機をとめ、蛇口を押しさげ、この処置で泥まみれになったかなにかのように両手をボトムパンツでふいた。「よし。もう手紙はなくなった」とジェーン。「その子はキャムが覚えていたい姿でだけ存在する。彼女のことはきっぱり忘れたらいいさ。これっきり。まぬけなオウムみたいに、トーンダウンしたリディア節をはくクローンから、手紙なんてこなかった。わかった?」

わたしは少しむっとしたかもしれない。

ジェーンが数歩近寄った。わたしはまだアダムの腕の下にいた。わたしのあごを持ち、ジェーンの顔が目の前に来るようにする。「わかった?」

「わかった」

「よし。もう一服してから自分たちをスタッフィングしにいくよ。それが感謝祭恒例のよき伝統ってやつだ」

第十六章

　クリスマスは、気がついたら来ていた。わたしはほかの弟子たちといっしょに〈約束〉のバンでビリングスへ向かった。のっているのは全員、ボーズマンからは出ていない便で里帰りする者たちだ。モンタナ州以外の土地へ行く便で。全員、アダムとわたし以外。ルースおばさんが空港でわたしを拾い、マイルズシティへ連れて戻り、わたしは家で二週間の冬休みを過ごす。アダムは父親と空港で落ちあい、同じことをマイルズシティじゃない場所でする。

〈約束〉では数センチほど雪が積もっていたけれど、ボーズマンの山道を抜けてしまうと、州の大半で雪の気配は影をひそめた。来る途中の幹線道路沿いの土地はたいていどこも不毛で枯れはて、茶色と灰色ばかりが目立ち、その冬のビッグスカイはくすんだ白一色、プラム色とブルーベリー色と灰色の山なみがときどき遠目にみえるけれど、それ以外は寒々とした土の世界だった。色のない世界。同じクリスマス・アルバムがくり返し、少なくとも二百四十キロは走るあいだかかり、助手席のリディアがとうとうステレオを消したあと、きこえるのはバンの切る風音と、エンジン音と、頭のなかで鳴っている音だけになった。

　ジェーンの生ごみ処理機ショーが一種の手品だと、大げさなショック療法を使って、コーリーの手紙を読んだわたしが沈みこむのを避けさせるのが狙いだったと、そのときにもそのあとにもわかっていたけれど、効き目はそれなりにあった。ひとはときどき、自分が操られていると気づいてもありがたいと思い、応じさえするものなのだろう。それに、ジェーンが正しい部分もある。わたしの知っていた、というか知っていると思っていたコーリー・テイラーは、〈モンタナ・シアター〉の最後列にいた、ピックアップトラックの荷台にいたコーリー・テイラーは、わたしの背徳行為で汚点のついた少女として、わたしの罪の犠牲者としてカスター高の廊下を歩いているいまのコーリー・テイラーと同じ子ではなかった。それともまったくの同一人物かもしれないけれど、たとえそれが真実であっても、その子はわたしとは無縁だった。

だから、期待はしなかった。前には、たとえば九月だったら、コーリーが手紙をわたしに書き送ったのは彼女を心配するまわりの人間をなだめるためだけで、わたしが家に戻り次第連絡をとってひそかに落ちあい、あの手紙を書いたつらさを、そもそもひとに話したことのつらさをうちあけてくれると期待したかもしれない。けれどひたすら謝ってばかりの涙ながらの再会でさえ、いまはもう期待しなかった。わたしが謝ってコーリーが「許す」だけだとしても。そうはいってもほんの少し、いちど限りの一瞬を、おそらくは〈讃美の門〉のロビーで、あるいはコーヒーホールで近くにいあわせ、わずか数メートルの近さで、たがいにみつめあう一瞬を期待してはいた。その瞬間を望みはしたけれど、もし実現したとして、なんというべきかは決めていなかった。なにか短く。なにか印象に残ることば。ふたりのあいだに築かれたすべてを、口にする価値のある確固としたひとことまでそぎ落とすのはむずかしい。けれどなにかしらある、それは確かで、車のなかではおもにそれはなにかを考えていた。

ルースとおばあちゃんが空港のエントランスで待っていた。ふたりのすぐわきには銀色のクリスマスツリーが飾られ、飛行機のオーナメントが何十個もぶらさがっている。サンタの操縦するヘリコプター、旅客機のミニチュア、パラシュートの妖精。

おばあちゃんはケーキミックスの箱か、むかしふうのジャムのびんラベルからにっこり笑いかけている絵柄みたいだった――バラ色のほおの、おしろいをはたいたふくよかな顔は、やけに健康そうだ。実際、わたしが家を出たときよりお腹は少しへこんでみえ、以前はつやつやだった黒髪がいまでは少なくとも半分、たぶん六割は白髪になっていた。白髪のできる早さはある種驚異的、というか、不在中のたったひと夏で、芝生がクローバーにとって代わられたかのようだった。

〈サス〉の褐色のコンフォートシューズの上でかすかに前後に揺れ、期待にそわそわして、わたしが抱きしめると何度も何度も「よしよし、しばらくは家にいるね。家でゆっくりしていきなさい」とくり返す。

　ひるがえって、ルースはあまり元気そうにみえなかった。おニューの（わたしにとっては）、床まで届きそうな赤いウールのコートを着て、緑とゴールドに輝くクリスマスリースのブローチをえりにとめている。もちろん巧みに着こなし、まだきれいだったけれど、髪の毛はつぶれて細り、わたしがルースを思うときのつやのある、健康的な巻き毛ではなくなり、顔はたるんでいるのと同時にむくみ、皮膚の上にまちがえてくっついた肌色の粘土みたいで、メイクアップを上品にほどこしているけれど、隠しきれていない。

　抱きあって、ルースの〈ホワイトダイヤモンド〉の香水にひと安心するのもつかの間、リディアがわたしの世話の仕様書片手にやってきた。ふたりが話しているあいだ、わたしは数メートル離れておばあちゃんをみんなに紹介する。

「こんにちは。よろしくね。こんにちは」おばあちゃんはみんなの手を両手ではさんであいさつした。それから腕にさげていた特大のキルト製バッグから、陽気な雪だるま模様の容器を出して開けると、ワックスペーパーの包みが現れた。「ペーパーをよけてごらん。それでもお食べなさい。ガリガリじゃないの」

　そうした。包みのなかは、コーンフレークでつくるクリスマスリースがびっしり入っていた。バターとマシュマロと緑色の食紅をたくさん使うお菓子で、リースのうち三個には〈レッドホット〉のキャンディが表面にのっている。おばあちゃんの努力もむなしく、リース同士がくっつきあってしまっていた。リディアとルースがこちらへ加わるころには、わたしたちみんなの前歯がグリンチの緑色に染まっていた。

「メリークリスマス、キャメロン」リディアが数回わたしの背中を軽くたたいた。「ルースおばさんがあなた用に二週間の計画をたてています。それに従うようにね」

返事の必要はなかった。なぜならバイキング・エリンが割って入り、ぎゅっと抱きしめたから。「手紙を書いて、手紙を書いて、手紙を書いて！　それから電話もして。それかわたしが電話する！」

「そっちもね」

アダムは「妊娠して戻ってくるなよな」と耳もとでささやいて抱きしめた。

わたしを残して空港を歩いていく弟子たちを見送るのは、変な気分だった。説明のつかないさみしさに襲われた。数カ月ぶりに家に戻るというのに、妙な話だ。けれどそれはなにかしらを物語っていると思う。たぶん、なにかしら以上、いまではわたしにとって、家がどんな意味を持つようになったのかを。

＊　＊　＊

〈キャトル・カンパニー〉（わたしたちはみんな、ここのビールチーズスープが好きだった）で遅い昼食をとるあいだ、どういうわけかルースはわたしにニュースを伝えずにいた。マイルズシティへ帰る旅のあいだじゅう、いわなかった。幹線道路のおり口に近づくにつれてにわか雪が舞いはじめ、中央通りを走るあいだに最後の雪片をはき出した。冬が町に投げかけた宵闇のなかを走り、頭上では、色あざやかなクリスマスライトのラインが交差し、信号機には特大の赤いベルとリースがつりさがり、去年のクリスマスに感じたよりも少しだけけばけばしく映る。でもそれは、ある意味好ましいけばけばしさだ――いつもどおり、これまでと同じ。私道に入ったときもルースは口をつぐみ、家はいままでみたことがないほど飾りつけられ、パパがやったときよりずっと本格的だった。直線と対角のすべてに白いライトのコードがかけられ、わが家が白いフロスティングの点でふちどったジンジャーブレッドのコテージハウスみたいになっていた。窓のひとつひとつに、赤い電飾に囲まれたエバーグリーンリースが飾ってある。正面玄関には銀色のベルでできた大きな、というか巨大なリースがかかっていた。

「なにこれ」とわたし。「たいへんだったんじゃないの、ルースおばさん」強いて〝おばさん〟をつけ、そうした自分を自慢に思った。

「わたしじゃないわ。ぜんぶレイがしたの。週末をふたつつぶしてね。すてきにみせたかったから……」そこでとまる。

「クリスマス用に?」代わりにそういったものの、わたしのため、わたしの帰宅のためにちがいないと内心思い、でもそんなふうに認めたくはなかった。

「そうねぇ……」ルースはリモコンでガレージのドアをあけ、FMをこすらないよう入れることに気をとられているふりをした。

ルースのニュース、大ニュースは、ほかにも起こるのを待っていることがあった。わたしがレイにあいさつして、すてきなツリー(模造なのは確か、でもいいツリーだった)だとほめるのを待った。わたしたち四人がリビングルームにぎこちなく集まって座り、手にしたピンクの〈サリーQ〉のマグに入ったココアが急速に冷め、〈約束〉の話、数カ月わたしがいた場所の話はだれもせず、代わりに高校のスポーツチームについて、〈讃美の門〉信徒の一家に赤ちゃんが生まれたことや、〈シュワン〉の新製品について話した。ルースのニュースは、わたしが自分の部屋へ行き、ドールハウスがまだそこに、片隅にどっしり構えているのをもういちど目にするまで、さらに出番を待った。わたしが自分の作品に触れ、つぶしたコインのなめらかな冷たさ、ガムの包み紙のラグマットに指を走らせて自分がつくったものに半ばわれを忘れていると、ルースの声がした。「キャミー?」階段を半分のぼり、わたしがふり向いて「なに」と返事をしたときにはドアの前に来ていた。

ルースは右手に丈の長い衣装カバーを二個持って、カバーから突き出しているハンガーを頭の上にまっすぐのばして掲げ、カバーが床につかないようにした。

「それ、なに?」

「このなかから選んでちょうだい」ふだんなら自然に出てくる弾むような、熱のこもる口調でいおうとしたらしいけれど、ややパンチに欠ける。わたしの部屋へ入ってくるなり、何年も前に喪服でやったみたいにベッドに広げた。

「なにを選ぶの?」

「あなたに手紙を書こうとしたのを知っておいてほしいの。でも家に帰る前に読めるかわからなかったから。その——郵便制限かなにかで」

「なぜならフェルトペンを盗まなかったせいで罰を受けたから。もとあった棚にきちんと置いていったから」自分をおさえられなかった。ルースに混ぜっ返すのはすごく快適で、すごく自然だった。

「でもつかまらないつもりだった」とルース。

「でもつかまってない」

ルースはベッドのはしを選んで腰かけ、カバーをつぶさないように注意した。「いいわ。軌道修正しましょう。書かなかったのは、なんにせよあなたはすぐには手紙を読めないと思ったからで、それでは書いても無意味だった。なぜって手紙を受けとる前にはもう家に着いていて、〈約束〉に戻るころにはニュースは古くなっているからよ」

「なんのニュース？」まるでクイズ番組『二万五千ドルのピラミッド』のしくじり版をしているみたいで、ルースは正しいヒントを出すのが下手だった。

「結婚式のニュース。レイとわたしはクリスマスイブに結婚します」

「二日後のクリスマスイブ？」

「そう」そっと返事する。それからほほえんだ。「あら、悲しい知らせじゃないわよね？　もう少しきっぱりいうべきだわ。そうなのよ！」

「わお」とわたし。「わかった」

「いいかしら？」

「おばさんの人生でしょ――したいときに結婚すればいいじゃない」そういったけれど、ルースはしたいときに結婚しなかった、実際には。九月に結婚したかったのだ。わたしのために延期してくれとは頼まなかったのに、結局そうなった。「なぜクリスマスイブにするの？」

ルースは立ちあがって、上に重ねたカバーのジッパーをおろした。「ふたりとも、もうこれ以上待ちたくなかっただけ。それに、あなたが家にいるし、だからちょうどいいでしょ。クリスマスのサンクチュアリはいつもすごく美しいわ。ポインセチアとキャンドル——ほとんどなにも手を加える必要がないくらい」カバーからシャンパン色っぽいドレスを引き出す。そろいのコートもある。いいドレス。結婚式に着るのにぴったりだった。「これは、候補ナンバーワン。こっちのカバーにはドレスが二着入っているから、ぜんぶで三つ候補があるわよ」

「それ、ブライズメイドのドレス?」なにかもっと、それ以上いうべきことがあったのに、うまくことばにならない。

ルースは手を動かしつづけ、目はカバーにやり、ハンガーをたがいに離したけれどビニタイでつながっていた。「いいえ、それはカレンとハナだけ。ふたりにはもう頼んであるの。覚えてるでしょ、フロリダの仲のいいお友だち、ウィナーズの客室乗務員。ふたりともあしたビリングスに飛んでくるから、そっちは心配ない。あなたはまだ花嫁付添人《メイド・オブ・オナー》よ」

それだった。それがひっかかっていることだった。「できない」

ルースがせわしない手をとめて、わたしをみた。「どういうこと?」でもルースにはどういうことかわかっているはずだ。

ルースはほんとうに疲れたようすで、ぜんぜんルースらしくなく、けれどとにかくわたしはいった。「結婚式には行くよ、行きたいもん。でも花嫁付添人《メイド・オブ・オナー》はしない」早口でしゃべって口をはさむすきを与えなかった。「それにわたしがそういったからって怒るのはフェアじゃない。両方はできないよ」

ルースが首をふる。「どういう意味なの、〝両方〟って？」

「わたしを放り出して治させようとして、そのあとでドレスを着せて、メイド・オブ・オナーの役を演じる姪っ子をみせびらかすのは無理ってこと」

「そんなつもりは――少しも……」それからため息をついた。そして静かな声でいった。「でもいいわ、キャミー。あなたの決めたことを受け入れます」タートルネックの大きな、ゆったりしたえりぐりを引っぱり、美人コンテストの出場者が泣くのを必死にこらえているのをみせるためにするみたいに前髪にため息を吹きかけ、努力の甲斐あって涙は出なかった。「わたしはほんとうに、これはいいことだって思ったの。あなたが引き受けてくれれば、わたしたちふたりにとって一種の癒やしのときになるって」

わたしはルースをみるのをやめた。代わりにドールハウスをいじる。「癒やしならもう今年はさんざんやったよ。休みのあいだは癒やしから解放されるはずなんだけど」

ルースは息をはき出し、ジッパーをあげようとしていたカバーをベッドの上に放った。ことばじりがふるえる。「ねえ、あなたがそういう態度のとき、どう話したらいいのかわからないのよ」ルースがわたしに一歩近づく。「笑えると思っていったの？　ジョークかなにかなの？　本気できいてるのよ。ほんとうにわからないから」

「笑えると思うの？」

「思わない」

「ということは、もしジョークなら、すべってる」ドールハウス正面の道の両側にのりづけしたちいさな植えこみから、乾燥したヤマヨモギをもぎとる。コーリーの牧場から持ってきたヤマヨモギ。それはいま、こぶしを強く握るにつれ、手のなかでくしゃっと小気味いい音をたてた。

「わかった」とルース。「どうやら当分まだこの調子ってことね」

「そう」

ルースは衣装カバーに戻り、ひとつをべつのに重ねた。「みんないいドレスよ。まだどれか一着選べるけど。メイド・オブ・オナーであろうとなかろうと」

「〈約束〉の制服を着るよ」

「お望みなら。じゃあこれは持ってくわ」ルースはカバーをまとめ、今回はそれほど注意をはらわないで無造作に腕にまるめてかけ、わたしから遠ざかって階段をおりる一段ごとに、ごわつくビニール地が体にぶつかり「しゅっしゅっ」と擦れる音がした。

ルースが戻ったあと、どれほどそれが真実だろうと、自分がいったことでひどい気持ちになるのを少しだけ許し、それから自分の決断を正当化し、それからひどい気持ちになり、それをくり返すあいだドールハウスをあらためつづけ、工作のあれやこれやを、表面にべたべたのりづけした部品のひとつひとつを確かめた。そしてさらに、自分が戻ってくるのを待った。いっぺんにわたしの上におりてくるとでもいうように、自分がふたたび自分になったと思える感覚を。自分の家に戻ったのだから。それはおりてこなかった。

・・・

みんなはすてきな結婚式だったといった。どうだろう——ただの社交辞令かもしれない。いい結婚式だとわたしは思ったけれど、ルースがずっとあたためていたはずの結婚式と披露宴の豪華さからはほど遠いと思った。およびもしない。とはいえわたしは結婚式にそれほど出ているわけではなかった。ちいさいときに両親に連れられて三つか四つぐらい。だから比較材料にはとぼしい。

結婚式は、〈讃美の門〉のクリスマスイブの礼拝が終わったすぐあとに挙げられた。コーリーと母親とタイが礼拝に出席していた。そして、ブレットと家族も。彼らはなかほどの列に固まって座り、わたしたちの座った場所からは離れていた。クリスマスイブの礼拝は例年どおりろうそくの明かりのもとで捧げられ、参列者でいっぱいで、だれもがいつもより少しおめかしをして、ざわめき、色めきたち、それでもわたしに気がついた。わたしの青いフランネルのスカート、スカートのプリーツ、わたしの白いシャツのえりがわたしのネイビーのセーターからのぞき、わたしのつやつやした髪は耳のうしろにまとめられ、わたしの全体的にこざっぱりとして、この場にふさわしい、〈約束〉承認ずみの外見に気がつき、でもそれ以上なのは確かだった。あからさまに嫌悪をこめてあざける二、三の者、わたしのほうへ向けて左右大げさにかぶりをふり、非難を表明する者。わたしの背信行為のけがれを洗い落とすには、一学期ではじゅうぶんではないらしい。帰りぎわ、ブレットと目があった。ゆっくりと動くひとの波、冬ものコートに両腕を通し、あごをさげ、着ぶくれしたセーターの上にジッパーを少しずつあげ、子どもの頭を帽子に押しこむ。レイとルースは結婚式の衣装に着替えるため日曜学校の教室に行った。おばあちゃんとわたしは礼拝堂からひとがはけるのを待っていた。ブレットはわたしの視線を受けとめ、まなざしをそらさなかったけれど、表情は読めなかった。それからテイラーさんがくちびるを突き出してあからさまに嫌悪の意を示し、そのために頭をねじったものの、やがて顔をそむけた。コーリーはふたりのあいだにはさまれ、ふたりに手を握られ、けれどわたしをみず、もしくは少なくとも表面上みなかった。これまでどおり、完ぺきなコーリーのままだったけれど、姿をみても、くらっとはこなかった。はっと息をのんだりはしなかった。わたしが予想したようには。少しだけ、そんなふうに感じたのは、最初にちらっと、背後から、礼拝のあいだに目をやったときだ。後頭部を、髪を、生物室での数週間と同じようにみつめた。どきんとした。でも、おさえられないことではなかった。

たったいま去っていくコーリーを、礼拝堂からロビーへ出るあいだ、ずっと目で追いかけたかった。眺められるだけずっと、なぜならなんというか、新しい目でコーリーをみている感じがしたからだけれど、でもおばあちゃんがわたしをみていて、おそらくはほかのひとたちもわたしの反応をうかがっていて、だから目をそむけた。タイがサンクチュアリを去るところはみなかった。もうコーリーたちといっしょではなかった。

そのあとジェイミーの母親がわたしたちの席にやってきて、わたしは態度になにかを出したにちがいない、どことなく希望に満ちた目つきで、おばさんのまわりのひと混みのなかにジェイミーをさがしたのだろう、なぜならおばさんが眉をしかめ、そのあとクリスマスの精神に突き動かされたのか、二、三人のあいだに割りこんでわたしのほうへ身をのり出して、こういった。「ジェイミーは来てないの。クリスマスのあいだはお父さんのところにいるから、ハイシャムに」

わたしは「ジェイミーによろしくお伝えください。会えなくてさびしいです」といった。ほかにもいいたかったけれど、いえなかった。

「伝えとく」といって、おばさんはひと波に戻っていき、けれど数歩離れてからもういちどふり返った。「すてきにみえるよ」

ひとびとがツリーを飾ったわが家にエッグノックを飲みに帰ってしまうと、五十人ばかりが前方の数列に集まった。レイとルースは、ウェディングケーキの上にのったプラスチックの花嫁と花婿に生き写しだった。標準的な黒いタキシード、白いドレス、バラの花束。ルースはおばあちゃんによれば、気にいったドレスをみつけるのにずいぶん苦労した。NFのこぶ、例の背骨に近すぎる生まれつきのこぶが少し成長し、いまではクルミ大というよりゴルフボール大になり、(もっともなことに)恥ずかしがった。ミネアポリスに少なくとも部分的にでも切除できそうな医師をみつけたが、四月までは手があかず、冬の結婚式に背中の開いたガウンを着るには間にあわなかった。ルースの選んだ落ちついたドレスは、よく似合っていると思った。サテンの、一種のドレープがつき、すごく長いスカーフのような布が両肩にかかり、こぶをすっかり隠している。

レイには兄が二人、妹がひとり、いとこがたくさんいた。全員が出席していた。なかには家族持ちもいて、そのひとたちも来た。教会のオルガン弾き、ミセス・クランウォールが二、三曲弾いた。タンディ・ベイカーが「主のみ言葉」を歌った。ルースは誓いのことばのときに泣いた。レイもたぶん目を潤ませていた。式のあとは集会場へ場所を移し、活発でにぎにぎしいルースのスチュワーデス仲間が——「盛りあげ担当だ」、とおばあちゃん——むかしふうのクレープ紙でつくった鐘をつるし、持ちこんだレコードプレーヤーで四十五回転のシングルレコードをかけた。ルースがずっと思い描いてきた披露宴がこんなかたちだったとはとても思えないけれど、本人が選んだ結果だ。すごくしっとりしたレッドベルベッドケーキと、砂糖の結晶を散らしたパステルピンク、緑色、イエローの、おばあちゃんお手製クリームチーズ・ウェディングミンツを食べた。たぶん十二個は食べ、歯のあいだの砂糖のコリコリ感とそのあとの中身のやわらかさが好きで、甘すぎて奥歯を痛くした。食べすぎて、ちょっとはきけがする。みんなはダンスをし、ジンジャーエールのパンチで酔い、使い捨てカメラで写真を撮った。いい披露宴だった。それから終わった。レイとルースはパインヒルズのはずれにあるバンガローへたった。知りあいの所有する物件で、そのひとは新郎新婦のためにすべてお膳立てをして、バラとシャンパンを運びこんだという話だ。けれどふたりは翌日の午前遅くには戻り、フロリダの女性たちと落ちあう予定だった。そのあとみんなでブランチを食べに行き、プレゼントを開ける。

おばあちゃんとわたしはクリスマスイブの残りをいっしょに過ごすことになった。ふたりきりで、けれど家に着いたのは真夜中近い。急いで家のなかに入らなければならなかった。夜気は鋭く、切り裂くような寒さで、吹きつける風は〈約束〉の山おろしとはちがう。プレーリーの風は、休みなく、平原を何キロも何キロもわたるうちにスピードを増していき、そのあとは打ち出されたピンボールがヒューッと口笛を吹きながら角やカーブを転げまわるように、マイルズシティのせまい通りを駆け抜けた。

なかに入ると、口笛以外の、屋根にものがぶつかる音がした。なにかかたくて速度の出るもので、つぎの二十秒静かになり、そしてまたすばやい一撃をくれる。心臓がどきどきした。厚手のカーハート・ジャケットを着たタイが、家の外にいる光景を想像した。タイがわたしたちを待ちぶせしている。屋根の上にいるなんて理屈にあわない。わかってる。でも、どうして理屈にあう必要がある？

「ことしはいい子だったからサンタさんがやってきたんだよ」おばあちゃんがいい、わたしは裏庭の窓に顔を押しつけて正体を確かめようとしたけれど、なにもみえなかった。

「まさか」にやりとしようとする。「きっとおばあちゃんのところへ来たんだよ」

「だいじょうぶかい？」わたしの顔をさぐる。

「うん、平気」

「いろんなことが起きてるからね」わたしのほおに触った。

「そうだね」とわたし。「正体を確かめてくる」おばあちゃんがわたしをみまもりつづけるあいだ、わたしはコートを羽織り直してフードを引っぱりあげた。

「あの詩はどうだったたっけ?」おばあちゃんがたずねた。「『屋根の上がガタガタいい、なんだろうとみにいった』だっけ?」

「そんなだったよ」ドアを開けたとたん、風で息がつまった。「だれかがスカーフを巻いてたのは覚えてる」

裏手のポーチに出ると、背後で風に押されてドアがバタンと閉まった。階段をおりきって、裏庭のまんなかに出る。枯れ芝に積もった雪がわたしの足もとでさくさく、コーンフレークの厚い層みたいな音をたてた。上をみあげる。屋根の線に沿ってはわせたクリスマスライトのコードを、プレーリーの風が引きちぎり、そのあと突風がとらえ、つかの間空中高く吹きあげ、ときには屋根にぶつかるほど急激におとし、そしてまた夜空に打ちあげた。音の正体がわかって気持ちが落ちつき、どっと安心して、なんだか目まいがした。それはきれいでもあった。ライトのついたコードが闇夜にのたうっている。

「なんだった、はねっ返り?」おばあちゃんが戸口から呼びかけた。

「ライトだった」わたしが叫んだ。

「なんだって?」おばあちゃんが叫び返す。

「こっちに来てみたら」

おばあちゃんはそうした。アフガンドレープを巻きつけ、大きなスリッパをはいて、急いで出てきた。わたしのとなりに立ち、上をみあげて笑う。ことばが湯気といっしょに出てきた。「まだぜんぶ明かりがついてるよ」

「知ってる。ぶっ飛んでるよね」

「ぶっ飛んでる。そうもいえる」

わたしはおばあちゃんの肩に腕を回した。おばあちゃんはわたしに腕を回した。裏庭で、氷の冷たさの風のなかに立っていられる限り、ライトのひもが落ちては舞いあがり、ぶつかってはまたあおられるのを眺めた。そのあとおやすみをいって自分たちのベッドに引っこんだあと、頭のすぐ上の屋根にばしんとコードがぶつかり、こすれて落ちる音がして、風にあおられたちいさなライトのむちとなり、二度ほど窓をかすめるのがちらっとみえさえした。つぎの日の午後、山小屋から戻ってきたレイが、ハネムーン帰りの疲れでぼんやりしたまま、はしごを引きずってきて、厚い革製の作業用手袋をはめ、屋根にのぼってホチキスで反抗的なコードをとめ直した。そのあとは、気の急《せ》いたレイが、新年にほかのライトといっしょにおろすまで、そこに落ちついていた。「ほぼイースターまで」放っておかれるクリスマスライトには「心底いらつくよ」、とレイはいった。

＊ ＊ ＊

コーリーとは、直接顔を合わせずじまいだった。ジェイミーにも会いそこねたけれど、父親のところからいちど電話をくれ、十分ばかり話すあいだルースは別室にいて、顔をしかめもなにもいいもしなかったけれど、すぐそばできいているとわからせ、そのため実のある話はぜんぶジェイミー側が提供した。ジェイミーはアンドレア・ハーリッツとつきあっていて、信じられないことに、ジェイミーの話では「やりまくってる」という。もう電話を切る、わたしの「ゲイ顔」が恋しいといわれて悲しくなった。それ以外では、クロフォード牧師と二回会った。おばあちゃんといっしょに低糖のパイを二個焼いた。レイとわたしはモノポリーを何回もやって、ぜんぶレイの勝ちだったと思う。ある日の午後、ルースがリディアに渡されたワークシートを出して、埋めるようにいった。わたしはキッチンテーブルに座ってとりかかった。〈約束〉でしょっちゅうやっているばからしいワークシートと同じだ。この課題一式では、ジョン・スミッド牧師の「同性愛神話をさぐる」と題された論文を読んで設問に答えないといけなかったけれど、基本的な読解問題だ。長くはかからない。終わったらリビングルームにいるルースのところへワークシートを持ってくるようにいわれた。そうした。レイがいっしょに座っていた。テレビは消され、ふたりがわたしを待っていたのがわかり、それはつまり、わたしのことで〝おしゃべり〟しようとしているつもりなのもわかった。今回は、八月にしたときほどには愁嘆場にならないように、少なくともどんでん返しがないように願うばかりだった。

結局、涙は一滴も流れなかった。ルースも泣かなければ、わたしも泣かなかった。ルースはひどく冷静に、リディアとリックと「何度か」わたしの進捗状況について話しあい、もし春学期が順調に行ったとしても、ルースは「もちろんそう望んだ」けれど、夏のあいだ――〈キャンプ・プロミス〉のあいだは〈約束〉にとどまるのがいいだろうとの見解で一致したという。

「ことしの夏は、とりわけあなたには悪い時期だった」結婚式がすんだあとだというのに、ルースはいまだに疲れたようすだった。髪はなんだかぺしゃっとしてもつれ、老けてみえる。けれどもレイのほうは、カーニバルで特大のぬいぐるみをせしめたばかりみたいにみえた。わたしが家に戻ってから、ずっとそうだった。

「ことしの夏はとりわけよかったと思うけど」

ルースが顔をしかめる。「わたしがいってるのは、あなたが自由にやりすぎたってこと。問題に巻きこまれる機会が多すぎたでしょう。一部はわたしの責任ね、わかってる、でも夏じゅうあなたと家にはいられないし、レイだってそう」

「おばあちゃんがいる。おばあちゃんと家にいてわたしの子守係になってもらうよ、そうしなきゃいけないってんなら」

ルースはくちびるをぎゅっと結んだ。「だめ」両手でひざをなでる。その仕草をみるのは久しぶりだった。「論外よ。〈約束〉にいたくないなら、ほかにもクリスチャンのサマーキャンプはあるわ。リック牧師がいくつか推薦してくれたの」

「〈約束〉に残る」

「でも、いくつかはとてもよさそうよ。一カ所――いろんなスイミング活動ができるのはどこだったかしら」レイにきく。

「サウスダコタ州だと思った。まだパンフレットを持ってるだろ?」わたしに笑いかける。「すごく豪勢な感じだよ」

「サウスダコタ州だったわね」とルース。「室内プールと湖があって――」

「まっぴら。〈約束〉にいる」

「わかった、そう決めたのね」

わたしは鼻で笑った。「冗談でしょ」

「いまそうしたいといったでしょ」

「わたしに与えられた少ない選択肢でね」けれどルースがクリスチャン・サマーキャンプについて、さらにまくしたてるつもりなのがわかり、それでこうつけたした。「でもまあ、いいよ。なんでもいい」それからきくのがこわかったけれど、きいた。「来年度はどこになるの、学校は？」

「夏のようすをみないと」とルース。「なんともいえない」

＊ ＊ ＊

大みそか、新婚カップルはダウンタウンにくり出し、おばあちゃんとわたしはピザを注文して、でっかいボウルいっぱいのポップコーンをつくり、CBSの新年特別番組にチャンネルをあわせ、『ニューイヤーズ・ロッキン・イブ』のほうはみなかった。なぜかというとおばあちゃんは何年もむかし、わたしの生まれるよりずっと前に音楽番組の『アメリカン・バンドスタンド』でやったことかなにかのせいで、司会のディック・クラークをきらっていたからだ。でも、ぱっとしない特番でもわたしは構わなかった。テレビは数カ月ぶりで、しかもパール・ジャムとU2が出演する。

「お前に渡すものがある」ぜんぶ用意がすんでテレビの前に陣どると、おばあちゃんがいった。重ねた紙皿とナプキンを手にしていて、わたしはそれだけかと思ったけれど、それはコーヒーテーブルに置き、緩衝材入りの封筒も一通置いた。「わたしからじゃないよ、でもお前のためにくすねといた」

わたしは封筒をとりあげた。印刷屋につくらせた返信用住所のラベルが貼られ、銀色の、角ばった〝MMK〟のモノグラムが隅についている。住所はカリフォルニア州だった。

「マーゴットはもうドイツにいないんだね」わたしはいっしょに出かけた夕食と、盗んだ写真を思い出した。うんとむかしみたいだ。

「なにが入っているかは知らないよ」おばあちゃんがいった。「でもルースはお前にやらないんじゃないかと思ってね、中身がなんだろうと。それに、あの子はお前のママと仲良しだった。一週間かそこら前に届いて、わたしが最初にみつけて隠しといた。いいから開けてごらん、違法じゃないって保証するから」大きなウィンクをした。

「手くせが悪いよ、おばあちゃん」

「お前がね」

それは夕食の席でマーゴットがいっていた〈キャンプファイヤー・ガールズ〉のハンドブックで、無沙汰をわびるすてきな手紙も同封してあり、わたしの健康を祈り、早くモンタナを再訪したいと希望する旨がしたためられていた。それに、三百ドル分の百ドル札が同封されていて、けれどなかほどのページに平らにはさまれていたためにコマーシャル中にめくるまで気がつかず、それまでにはおばあちゃんがハンドブックを「持っていなさい、いけない理由がみあたらない」といったあとだったので、だから黙っていた。紙幣はキャンプファイヤー・ガールズ・トーチベアラー・クラフツマンになるための必要条件を掲げたページと「トーチベアラーの願い」という詩のあいだにはさまれていた。詩だと思うけれど呪文かもしれず、とにかくすごく短いため、空白の湖に浮かんでいる。

ゆだねられた
このともしび
わたしは願う
ひとからひとへと
照りつづけるように

マーゴットは詩の下に、鉛筆書きのすごくちいさな文字でこう書いていた。「そのお金がともしびと同じぐらい役に立つことを望みます。賢く使ってね。MMK」

ときどきマーゴットのことを考える。ふと、眠れないときとかに。なにをしているのか、どこの外国にいるのか、思いをはせた。それからわたしが〈約束〉に放りこまれたことをどう思うだろうと頭を悩ませ、結局毎回、気にもとめやしないだろうと結論づけた。

「どうしてそれを送ってきたと思う？」おばあちゃんがハンドブックに向けてうなずき、わたしのお皿にピザをこれでもかとのせた。

「マーゴットとママが、いっしょにキャンプファイヤー・ガールをしてたから。わたしがすごく興味を持つだろうっていってた」

「いいこと思いつくね。お礼の手紙を書いたらわたしが送ってやるよ」それからおばあちゃんはこうつけたした。「お前の消息についてだらだら書くのはやめておきなさい」

「書かないよ、おばあちゃん」そんなまね、恥ずかしさのきわみだ。マーゴット・キーナンがそういった場所を認めないとわかっていても、彼女に出すお礼のカードに〈約束〉のことをずらずら書くなんて。「そんなのはぜんぜんわたしらしくない」

「そうだった、お前らしくないね。そばにいないもんだから、お前の流儀を忘れちまった」

わたしたちはそのあとは、ほとんど黙ってテレビの特番をみた。ふたりのうちどちらかが、群衆の数や、すごく寒そうだという印象を何度か口にしたぐらいだ。でもそれから司会の——コメディアンか俳優だと思うけれど、ジェイ・トーマスが——べたな持ちネタを披露し、『テレビガイド』からほかのチャンネルの番組を読みあげるふりをして、視聴者にチャンネルを変えたいかどうかたずねるのだけれど、でっちあげた番組はシャノン・ドハーティのなにかとスザンヌ・ソマーズのなにかで、くすりともできず、でもそれから『アンディ・グリフィス・ショー』の幻のエピソードについて話しはじめ、女ものの服をいくつも試着したゴーマーがダウンタウンをねり歩いていると、「ストレートにするために海兵隊送り」になる。ばからしくてだれも笑わなかったけれど、カウチでわたしのとなりに座るおばあちゃんが、そのことばにちょっと体をこわばらせた。「ストレートになる」。わたしはおばあちゃんが身構えるのを感じた。なにもなければそれだけの話で終わっていただろうに、十分ばかりたってジェイ・トーマスのやつが共同司会のニア・ピープルスに話をふり、革のコートと帽子と手袋という服装のニアがタイムズスクエアで実際に凍りついている一方、〈ハードロックカフェ〉でバンドメンバーといっしょにぬくぬくしているジェイが、ニアにいう。「覚えておけよ、ニア。そこはタイムズスクエアだぞ。男は男。女の一部は男。男の一部は女だ。だから新年のキスをする相手は慎重に選べよ」

するとニアというこの女性は、要約すると自分で自分のめんどうはみれると返し、そこでジョークが終わり、もしくはつぎに移ったかなにかで、とにかくその直後におばあちゃんがふり向いていった。「ああいう同性愛のジョークが受けるだろうってどうして思うのか、わたしにはわからないね」

「あいつらは最低だからだよ」

おばあちゃんはしばらく待って、それから静かに「そんなに悪くないんだろう、あそこはさ？　はねっ返り」ときいた。

「タイムズスクエア？　わたしにわかるわけないでしょ」

「お前の学校がだよ」おばあちゃんはわたしをみないように注意して、でもコーヒーテーブルから、迷子のポップコーンをつまんでボウルに戻した。「あっちはすごくつらいのかい？」

それで、わたしはいった。「そんなに悪くないよ、おばあちゃん。案外すごく楽しいよ」

それからおばあちゃんはもう少し待った。テレビのバンドがとんでもなくうるさくて、エレキギターのノイズはほとんど苦痛なレベル、それはたぶん彼らが酔っぱらっていたからで、さらにおばあちゃんが音量をすごくあげていたから。おばあちゃんがいった。「だけど、学校がお前にしていることで、なにかちがいが出てるって感じるかい？」

おばあちゃんのいう「ちがい」が、よくなった、治った、「ストレートになった」という意味なのはわかっていた。けれどわたしは実際におばあちゃんが使ったことばにもとづいて、おばあちゃんの意図した意味を変えて答えた。「ちがいは感じるよ。どう説明したらいいかわからないけれど」

おばあちゃんはわたしの手をたたき、安心したようだった。「そうかい。それならいい調子なんだね？

そいつはなによりだ」

わたしたちはクリスタルボールが落ちて、一九九三年を迎えるところまでみた。この年は、事実上何十年も禁止されてきたあとに、紙吹雪が解禁になった最初の年で、色もサイズもさまざまな、長くてカールしたものやちいさくてメタリックな切り紙、それらぜんぶの紙吹雪が、タイムズスクエアをとりまく高層ビルの窓や屋根から降りそそいだ。画面のなかで紙吹雪が何分間も雨あられと降りしきり、そのきらきらする雨と、カメラのフラッシュと、広告板の明かりと、輝く帽子をかぶり、歯をむき出して笑っている大群衆とが、世界をポップに輝かせ、ぼかし、テレビでその一部始終をみているあなたは悲しい気持ちになる。テレビカメラはイベントをリビングルームに持ちこむのではなく、自分がどれだけ蚊帳《かや》の外にいるのかを思いしらせ、目の前に突きつけ、一方あなたはパジャマ姿でカウチに座り、目の前の紙皿にはオレンジ色の海にピザのクラスト二個が浮かび、コップの炭酸ジュースはほとんど気が抜け、氷がぜんぶとけて水っぽくなり、そしてすてきなことは、自分のいるところから何キロも何キロも離れたところで起きている。少なくともその年のわたしには、そう感じられた。

第十七章

クリスマス休暇から戻ったアダム・レッドイーグルは、ゴージャスな髪をぜんぶそりあげ、むきだしの頭皮はそりあとも生々しく、けれどのびるのは早かった。父親のいいつけだといい、アダムによれば父親のいいつけを逃れるすべはなかった。少し威張った声を出し、父親の口まねをする。「わたしたちはもう野蛮人じゃない。そしてわたしたちは断じて女でもない」おかしいのは、アダムのいまではほとんど丸坊主の頭は少しも本人の女っぽさ、というかフェミニンぽさに影響しなかった。それどころか、高いほお骨となめらかな肌、ディートリヒのアーチを持つ眉毛、厚いくちびるといったアダムの美しさのすべてから前髪のカーテンがとりはらわれてスポットライトが当たり、かえってきわだった。

〈約束〉に戻ってからこっち、ほかにもいくつか変化があった。いまやわたしには装飾特権がある（とはいえ飾る前にリディアの承認を受ける必要があり、スコッチテープで貼れるもので承認されるようなものはなにもないので、孤独な氷山を石膏ボードの壁の海に漂わせていた）。また、ここの教育課程をはじめてから一定期間がたったため、週ごとのグループサポート面接への参加を許され、その代わりリックとの個人面接はなくなったけれど、不幸にもリディアとの面接はつづいた。アイダホ州の家にいるあいだ、ジェーンは謎めかして「むかしの恋人、悲劇の女性」と呼ぶ相手から極上の大麻をかなりの量買いこみ、心細くなっていくストックの補充に当てた。そして最後に、バイキング・エリンが新年の誓いでクリスチャン・エアロビクスをはじめ、ちまたにあふれる似たようなダイエットの誓いにありがちな、一週目の燃えつき症候群をすでにのり越えた。

エリンはビデオテープを二本、新品のワークアウト服三着、表面に黒いすべりどめのついた青いプラスチック製のエアロビクス・ステップを一台、〈約束〉に持ち帰った。真剣そのものだった。ビデオは二本とも〝フェイスフリー・フィット〟と銘打ったシリーズもので、どちらもタンディ・キャンベルが出演している。ブルネットの元気な「キリストのチアリーダー」、タンディは小柄でひきしまり、まぶしいスパンデックスのタンクトップと黒いライクラのストレッチパンツで完全武装していた。

エリンはそうとうはりきっていた。荷解きもすんでいないわたしの目の前に、ビデオを突き出す。『ジョイフル・ステップス――キリストのための有酸素運動』というタイトルの上で、タンディがにっこり笑っていた。

「つきあってくれない？」エリンがテープに合わせてアーム・カールをまねる。「リディアが、早起きするなら娯楽室を使っていいって」

「イエスさまがエアロビに興味があるとは知らなかったな」とわたし。「いままでずっと、速歩が趣味だとばかり思ってた。水の上を歩くとか」

「タンディ・キャンベルを知らないなんてうそでしょ？」こんどは左右一本ずつテープを持った手を自分のまっすぐ前方に突き出して腕の曲げのばしをはじめ、たぶんエアロビクスのつもりなんだろうけれど、交通整理の警官がやる動きみたいだった。「超有名なんだよ。ちょー、超有名！　ママはふたりのおばさんとサンディエゴでやったタンディの〝パワー・ウィークエンド〟に行ったことがあるの。タンディに会ったんだ。生でみると、とても小柄だけど存在感があるっていってた。すごくダイナミックな存在感なんだって」

「ルースおばさんは知ってるんじゃないかな。ファンなのは確実」
「きっとそうだよ」こんどは腕の運動つきで足を曲げ、わずか三十秒程度やっただけで、どんどん動きがちいさく不正確になっていった。「ほんとにすごいんだから。ファンがたくさんいるんだ。いっしょにやろうよ──いいでしょ？　お願い、お願い、お願い。わたしにはワークアウト仲間が必要だし、どっちにしろいまは走れないんだよね。四月までは、たぶん」

それについてはエリンが正しい。十月の半ばからこの地域には雪が降りだし、二週間留守にしたあいだにもこんこんと降り積もり、いまではもう、近隣の牧場主がわたしたちのために雪をかいてくれた本道と、みんなで代わりばんこにシャベルでかいた納屋へ行く細道以外のどこにでも白い吹きだまりが盛りあがり、なかには風に吹かれて奇妙なかたちに高く積みあがったその下になにがあるのか、どこからが地面なのか、見当のつかない箇所もあった。

二、三回なら、ジェーンとアダムにおもしろおかしくようすを話してきかせられるぐらい、いっしょにテープをやってもいいと思った（リディアはエリンに女の子の弟子ならだれでも朝のワークアウトに招く許可を与えた。クリスチャン・エアロビクスが男の子向けじゃないのはいわずもがなだったけれど）。全能なるVHSテープの誘惑がわたしに自由の日々を思い出させるためか、ほどなくして早起きの習慣がついて、タンディのまぶしい笑顔、はずむエネルギー、それから標準的なエアロビの動きをキリスト教っぽい名称に変える、妙に親しみのわく彼女の趣味につきあっていた。たとえ改称の意味があまり通らず「プレイズ《讃えよ》」を多用しすぎでも。グレープバインはプレイズ・バイン、マーチ・イット・アウトはマーチ・ユア・プレイズ、あらゆるキックやパンチはジョイ・ブラストといったぐあい。

キリスト教ふう改称と、ゴスペルソングをリミックスしたズン、、タタ、、ズン、、というシンコペーション以外、タンディのトレーニングで明確にクリスチャン的な要素は唯一、ウォームアップとクールダウン時の瞑想ぐらいで、タンディは聖書のことばを引用して、フィットネスのゴール達成をはげました。タンディお気にいりの節は、「ヘブライ人への手紙」第一二章一一節——「すべての訓練は、当座は、喜ばしいものとは思われず、むしろ悲しいものと思われる。しかし後になれば、それによって鍛えられる者に、平安な義の実を結ばせるようになる」。だから最初のうち、タンディのワークアウトはちょっと痛くてきつく、エリンは六分もすると息が切れ、そのあとはふたりそろってべとつくおでこに前髪をはりつかせて朝食の列に並び、そこでもエリンはカッテージチーズと缶詰の桃を選び、リック牧師がライスクリスピーをまぶしたシナモンのフレンチトーストをつくった日でもがまんした。ときどき、ヘレン・ショウワルターが娯楽室のわたしたちに加わった。ヘレンの動きはかたくてステップは重く、鉢植えの葉っぱが揺れた。いちどジェーンが来て、おもにポラロイドを撮っていき、リディアが数回顔を出したのは、ようすをみに来ただけだろう。「ステップ、ジョイ・クラップ、スクワット、ステップ」をやりださなかったのは確かだ。でも、ふだんはわたしたちふたりだけだった。エリンの服は二週間もするとゆるみはじめ、バレンタインデーまでには〈約束〉の制服を一部、ひと回りちいさいものにとりかえ、母親に頼んでグレイハウンドバス路線提供の郵便サービス（ボーズマンに着くまでに十二日かかるものの、重い荷物を送るには安くすむ）で小包を送らせた。小包には表面を紫のラバーでおおった八ポンドのダンベル二セットと、やる気を保つために新しいテープが入っていた。『スピリチュアル・リフト——筋肉以外もひきしめよう』。

七つか八つのとき、スティッキー・ハンドに夢中だった。スーパーの自動ドアのすぐ内側に並んでいるカプセルトイの自動販売機に、二十五セント玉を投入すれば買えるおもちゃだ。たいてい蛍光色で、指は五本ついているけれど太くて漫画っぽく、同素材の長いひもがついている。全種類を集めた。スパンコールのスティッキー・ハンド、暗闇で光るスティッキー・ハンド、ジャンボサイズのスティッキー・ハンド。ドアノブの上にたらして、女の子が宝石を選ぶみたいにその日の気分でひとつかふたつ選ぶ。スティッキー・ハンドでできることは、実質あまりない。だれかをひっぱたいて、肌にピシャッとくっつく感触にすくみあがるか金切り声を出すか笑うかの反応をみるぐらいで、けれどハンドの重みでコードが細くのびてしまい、あんまり細いためにときどきぜったいにちぎれると思うのに、すっかりもとどおりのかたちと大きさにはずんで戻るようすには、なんだか心がなぐさめられた。いちばんの欠点は、細かい繊維や髪の毛やごみや泥を集めやすいことで、くっついたのを洗い落とすのに苦労した。ほんとうにすっかりきれいには、ぜったいにならなかった。

〈約束〉に長くいるほど、わたしに、わたしたちに向けて投げつけられてくるものすべてが、スティッキー・ハンドみたいにくっつきはじめる。ほんの少しずつ、最初はばらばらで、どうということはない。たとえば、消灯後ベッドについてコーリーのことを考え、コーリーにキスし、その先をコーリーと、あるいはリンジーと、あるいはだれとでも、ミシェル・ファイファーとでもいい、考えはじめる。でもそのときリディアの「その罪深い衝動と闘わなければいけません。闘いなさい、罪と闘うのはたやすいことではありません」という声がきこえるかもしれず、それを完全に無視するかもしれない、もしくはリディアのまぬけないい分に受けて、ひとり笑いをするかもしれない。けれどリディアの声が頭のなかに、前にはなかったところに住みついている。それからほかのこまごました教義の、聖書の、教訓のあれこれがどんどんおおいかぶさってきて、仲間に加わり、それらがどこから来たのか、またはどうしてそこにいるのかをたえず疑問に思いはしなくても、重くのしかかってくるように感じはじめる。

この重しに貢献している一部が、新しくはじめたグループサポート面接なのはまちがいない。わたしたちのグループは、スティーヴ・クロンプス、ヘレン・ショウワルター、マーク・ターナー、それから超痩せっぽちの、南部の間のびした話しかたをするデイン・バンスキー。デインのことは、迅速にくわしくなった（サポートグループはそうなりやすい）。覚醒剤依存からの回復中で、〈約束〉にはルイジアナ州にあるメガチャーチの奨学生としてきている。

わたしたちのグループは、火曜日と水曜日の午後三時に教室に集まった。椅子を引いてきて円をつくるとき、足の金属がリノリウムをえぐってたてる合唱は、わたしの耳には黒板に爪を立てるも同然だった。リディアは面接ごとにティッシュの箱を持ってきて、お湯の入ったサーバー、人数分のマグ、インスタントのホットチョコレートミックスが入った容器、それから粉末ジュースの〈タン〉とリーフティーとインスタントのレモネードパウダーを混ぜあわせた飲みものといっしょに、車輪つきカートにのせて押してくる。病みつきになるその飲みものはリック牧師が大量につくり、〝ロシアンティー〟と呼んでいたけれど、どうやらむかしの宇宙飛行士にまつわる冗談らしい。とはいえ面接の半ばにとる十五分間の休憩時間まで、飲みもののカートに近づくのは禁止されていた。

毎回、面接は祈りの鎖ではじまる。リディアもふくめて全員が手をつなぎ、その日の当番がこう祈った。「神に自分を変えてくださいとは祈りません。なぜなら神はまちがいを犯さず、罪の誘惑に屈したのは自分だからです。変化は神を通じ自分の内に訪れます。わたしは変わらなければなりません」正確に、一言一句いう決まりで、もしまちがえればリディアが祈りの鎖を中断させて、完ぺきにいえるまでくり返させた。わたしははじめてのとき、「なぜなら」を忘れつづけ、四回ばかり頭からいい直した。

はじまりの祈りを正確に唱えたあと、当番は左右どちらかの手に力をこめ、きつく握られた側の者は祈りになにかをつけたし、普通は神に強さを求めたり、ともにこの場にいることをイエスに感謝したりとかいった内容で、それを一巡する。ときどき、もっと個人的だったりしんらつな祈りになるけれど、祈りの鎖は時間をかけたわかちあいへの入り口にすぎないため、普通はそうならない。祈りのあいだ、わたしたちは目を閉じて、キリストのみに意識を集中する決まりだったけれど、わたしは弟子仲間を手の感覚で覚えていった。ヘレンの手は分厚くてソフトボールの速球でできたタコがあり、何カ月もプレーしていないのにいまだに完全には消えていない。デインの皮膚はひび割れてざらついている。リディアの細い指は想像にたがわず氷のよう。祈りが最初の当番に戻ると、その人物は、こう唱えるのが決まりだ。「同性愛の罪の反対は異性愛ではない。それは聖である。それは聖である。それは聖である」デインの当番の回が好きだった。南部なまりと、だらりと間のびした声で発せられるとなんであれ、お祈り《マントラ》がすっかりまるごと、妙になまめかしくきこえる。

わかちあいのあいだ、わたしたちは子ども時代から先に進んで、もっと最近に経験した同性愛行為と誘惑の罪について、率直に話すのを許されていた。とはいえリディアがたびたび割って入り、うちあけ話が具体的にすぎると「それはもう結構——過去の罪を美化するためにここにいるのではありません。認めて悔いるためにいるのですよ」といったり、いちどなどは「細かすぎます、スティーヴ！　行きすぎよ！　細部に宿るのはだれだったか、思い出そうじゃありませんか？」といった。リディアがジョークらしきものを試そうとするのをきいたのは、そのときぎりだと思う。べつに批判の意味あいはなく、なぜならサポートグループにおかしいことなんて、普通はほとんどないからだ。

デインとヘレンはふたりとも性的虐待を受け、リディアによれば、それは「不自然に同性に惹かれるよくある理由」なのだという。ヘレンの場合、トミーおじさんに受けた虐待により「女らしくしていると、そういった虐待に対して弱く、無防備になる」と確信するようになり、そのため男性と性的に親密になるのをおそれるようになった。デインの場合、幼いころに父親に捨てられたために「男性に不健康な好奇心を抱き」、フォスターファミリーに年の離れた少年がひきとられたときに「強迫観念となって」性的関係を結ぶにいたった。デインはまた、家出中にヤクの売人になり、そのときの話は年上の男たち、むさ苦しいアパートとトレーラーハウス、デインのヤク漬けと盛りだくさんで、ことさらに性的な描写がなくても心底ぞっとした。

最初の数度の集まりで、わたしの死んだ両親、スティーヴの絵に描いたような舌足らずな話しかたと揺ぎない〝ホモぶり〟、マークの説教師の父親をもってしても、同性に惹かれる罪の正当化競争において、わたしたち三人はデインとヘレンにはとうていかなわないと結論づけた。ふたりの過去は、ふたりが混乱した考えを抱いても無理はないと半ば思わせるが、わたしたち三人は自分でつまずいた。これは、とりわけマーク・ターナーの場合において興味深いと、わたしには思えた。一方ではクリスチャン家庭の広告塔でありながら、ここ〈約束〉にいる彼は、残りのわたしたちと同類だ。ただし、みんなとは一線を画す点がある。

マークはあまりに完ぺきで、善良だった。アダムとジェーンとわたしはときどき、マークは観葉植物なんだろうと冗談をいった。「同性に惹かれることへの苦悩」はまったくみられず、〈約束〉にいるのは聖なる使命のため、わたしたち残りの者に、システムが有効なのを模範的な弟子が証明してみせているんだと。けれどそうこうするうち、三月はじめの木曜日、マークがわかちあいをする番がめぐってきた。

いつもどおり、リディアはありふれたデザインの学習ノートをめくり、以前のわかちあいでとった走り書きに目を通し、今回の当番が話した内容をおさらいした。ふだんはそのあと質問をして長い答えを引き出そうとするのだけれど、その日、文字どおり何百ページもマーカーで印をつけ、はさんだ紙きれが羽根のように飛び出している巨大な聖書をひざにのせ、マークが忍耐強く待っていると、リディアがいった。「今週、とくに話しあいたいと思うことがなにかありますか、マーク？」

わたしはひとり、あ然となった。リディアの口調がほとんど優しいとさえいえ、悪い警官役ではなく、はっきりといい警官の役まわりで質問したからという以上に、そう質問したことで主導権をある程度手放し、弟子にまかせたからで、そんなリディアをみたことは、それまでいちどとしてなかった。マークのほうはというと、やはり引いたようだった。肩をすくめ、眉尻をさげて眉根を寄せ、静かにいった。「とくには。あなたがいちばんふさわしいと思われたことを話します」

前回マークがわかちあったとき、記憶によれば、父親の教会で牧師助手をしている人物との「不純な」夢想を、ひとつふたつ話した。ごくたわいない夢想、わたしにはそう思えた。夢想のひとつは、ふたりが手を握ってハイキングをしている。ふたりともシャツを脱いでいたかもしれない――でも、とくになにも起きなかった。もしかしたら話しやすいように、せきららな細部をはぶいた可能性はある。でもどうだろう。マーク・ターナーの悩みはほとんどぜんぶそういった考えや感情だけで、男性に対する欲望——彼の一部が抱く欲望——と闘ってはいても、実際になにか行動に移した経験はないのだと思う。

「そう」リディアはまだノートをめくっていたが、いうべきことばをさがしているだけで、実際にノートからなにか新情報を拾っているわけではないのがあからさまだった。「この二週間、あなたがとりわけむずかしい時期を過ごしたのを知っていますし、いま現在差し迫ったことがあるかもと思ったの」

「毎週がとりわけむずかしいです」マークはリディアをみず、聖書の表紙を持ちあげて開きかけ、それからまた閉じて指をかけ、もういちど持ちあげた。「すべてが差し迫っています」

「そうね」リディアは再度試みた。「でもなにか——」

「ぜんぶというのはどうですか」とマーク。「ぜんぶをひとつ残らず」声を荒げるなんてマークの柄にあわず、予想外で、まるでエネルギーが湧いたか、いきりたってでもいるように、ちいさな体のなかでラケットボールがあっちこっちに打ちつけ、おさえるのにひと苦労しているようにみえた。わたしは円の反対側にいたけれど、彼の首の筋肉が緊張し、全身がこわばり、いたたまれなさそうだった。つぎのひとことを、歯を食いしばっていった。「父についてなにかいわせたいのなら、そういえばいいでしょう」

リディアはノートの上にペンを浮かせていった。「お父さまのご決断について話したいのは、あなたのほうのようにきこえますね」

「なにをいえっていうんですか？　もう手紙を読んだでしょう、リディア。わたしと同じく」それから間をとり、一同をみわたして、顔に奇妙な笑顔を浮かべた。「でも、グループのみんなとわかちあいましょうか、大事な部分を」椅子に座ったまま、胸をいくらか張り、声の調子を変えて、一段低く落とす。「クリスマスの帰省で、わたしのおそれが確信に変わった。お前はいまだにひどく女々しく弱々しい。わが家に弱者を置いてはおけん。わたしが認めていないものを認めたかのような印象を、信徒に与えることになる。夏はそこに残りなさい。八月にお前の進捗ぐあいを再度検討する。まだお前には家に戻る用意ができておらん」マークは椅子に座り直し、大げさな動作ではないが、話し終えたのがわかった。満足してみせようと、にやりとしたが、まちがった印象を与えた。彼の表情は、その瞬間、下卑《げび》てみえた。「家に戻る用意ができておらん」とくり返す。

そのあいだ、リディアはずっと平静だった。郵便検閲の役まわりについての揶揄《やゆ》にさえ反応しなかった。なにかを書き終えてたずねる。「クリスマスになにが起きたの？　マーク。なにがお父さまの決定をうながしたの？」

マークは鼻を鳴らした。「ぼくが起きたんです。ぼくが。いつもどおり。ぼくらしく部屋に歩いて入るだけで、じゅうぶんなんだ」

「どういうのがあなたらしいの？　マーク」

「読みたいものがあります」声をさらにはりあげる。とり乱す一歩手前だった。「一節を読んでいいですか？　父のお気にいりなんです。ことあるごとにこれを持ち出すんですよ」

「どうぞ」

それで、マークは立ちあがり、その日より前にきいたことがあるとは思わないが、それ以降何度も何度も読み直した一節を読みあげた。「コリント人への第二の手紙」第一二章七節。「読みあげた」というのは適切ではないかもしれない。聖書を広げて目の前に掲げはしたけれど、目をやる必要はマークにはあまりなかった。

「『そこで、高慢にならないように、わたしの肉体に一つのとげが与えられた。それは、高慢にならないように、わたしを打つサタンの使なのである。このことについて、わたしは彼を離れ去らせて下さるようにと、三度も主に祈った』」

ここで間をとって、教室の醜いパネル張りの天井をみあげ、というよりはたぶん、その向こうをみつめた。マークはすごく小柄な子で、彼に関するすべてがいつもはとても落ちついている。前に、聖書を読むのを何度もきいた。声は常に澄んでよどみなく、日曜の朝に流れる『聖書の時間』のラジオ放送さながらだ。けれどこの日、この節を読むマークの声は、乱れてふるえていた。

「『ところが、主が言われた、「わたしの恵みはあなたに対して十分である。わたしの力は弱いところに完全にあらわれる」。それだから、キリストの力がわたしに宿るように、むしろ、喜んで自分の弱さを誇ろう』」ここでふたたび間を置き、目を細め、顔をくしゃっとさせて泣くのをこらえた。頭をすばやく前後にふり、食いしばった歯のあいだから節の残りをしぼり出し、ひとことというごとに、完全に参りはしないという意志が勝利した。「『だから、わたしはキリストのためならば、弱さと、侮辱と、危機と、迫害と、行き詰まりとに甘んじよう。なぜなら、わたしが弱い時にこそ、わたしは強いからである』」

終えると、マークは重量挙げをくり返すときにやるみたいに息を強くはき出し、そして聖書を閉じて、つぎの瞬間には手からとり落とした。落下の速度はありえないほど遅く、撮影フィルムを編集して再現しているかのようだったけれど、床に当たる鋭い音が現実をつきつけ、可能な限り、大きく不快にひびいた。

リディアは得意の冷ややかさでこの場を収めようとした。「芝居がかる必要はどこにもありませんよ。腰をおろしてから、あなたが選んだ節について話しましょう」

けれどマークは芝居を終えておらず、てこでも座ろうとしなかった。「ぼくは選んじゃいない。きいてなかったの？　父さんが選んだんだ。もし『レビ記』第一九章二八節でとがめられていなかったら、ぼくの背中にタトゥーを彫ってたでしょうね。『死人のために身を傷つけてはならない。また身に入墨をしてはならない。わたしは主である』」

リディアは半立ちになり、マークを手ぶりで座らせようとした。「座って、マーク。じっくり話しましょう」けれど座る代わりに、ちいさな円の中央、「ちいさなたにの　おひゃくしょう」のお遊戯をするときの位置に来た。「父のお気にいりの節で、最高な部分を知ってます？」だれかが答えるのを待たずにいう。「〝キリストのため《for Christ's sake》（「お願いだから」という意味の慣用句）〟が入ってるんですよ。まさに」

マークはジャンピングジャックをはじめた。その場で。完ぺきなフォームで、頭の上で手をたたくジャンピングジャックをしながら叫ぶ。「わたしが弱い時にこそわたしは強いからである！　父のなかでは弱さは実際、強さに等しい。つまりぼくは十マーク力《りき》の強さがある。二十マーク！　八十五マーク！　ぼくの弱さが最強の男にしてくれる」

ジャンピングジャックを突然やめ、敏捷《びんしょう》にしゃがむと、軍隊の正確さで左右のてのひらを床に押しつけ、きゃしゃな足をうしろに突き出し、背中を水平にして腕立てふせをやりはじめた。つぎつぎに「キリストのため」と唱えながら、一回ごとに最初の位置に戻る。「キリストのため！　キリストのため！」

少なくとも五回やったところで、リディアがいった。「やめなさい、マーク。いますぐおやめなさい！」いい終えないうちに、マークがふせの位置のとき、右足を、黒いローファーをはいたその足を、マークのちいさな背中にまともにのせた。マークが腕をのばせない程度に体重をかけたようだった。そのままの姿勢でいう。「立ちあがって自制できるようになったら、足をどけます」

けれどそれからマークが八十五マーク力の強さで、彼がいったように、食いしばった歯のすきまからうなり、金切り声をあげながらひじをのばして床から体を離しはじめ、リディアは腰をずらして新しい位置に合わせようとしてバランスを失い、なんとか体勢を立て直し、足にさらなる体重をかけようとしたときには遅すぎた。マークがばか力を発揮して、すると果たせるかな、腕をまっすぐにのばしきり、リディアはこっけいにもマークの背中に足をのせつづけ、でもいまでは片足を岩か露頭にかけて写真に写る探検家みたいにみえた。

とはいえ腕をのばしきったところでマークは力つき、床に崩れおちると、すすり泣きはじめ、リノリウムに顔をうずめた。あらゆる音を立て、あらゆることばをはき、正確になんといったかわからないが、「ごめんなさい」を二、三度、それから「できない、できないよ」というのをきいた。リディアがとなりにしゃがみこみ、背中に手を置いたけれどもなでもさすりもせず、ただそこに置き、マークにではなくわたしたちみんなにいった。「部屋に行って、夕食までそこにいなさい。まっすぐ自分の部屋に行って、寄り道しない」

だれも動かないでいると「いますぐですよ、ぐずぐずしないで」それでわたしたちはそうした。自分のノートを持って、まだ床に突っぷして泣いているマークをじろじろみないふりを、おぼつかなげにした。みんなとドアに向かいながら、デインが椅子の横にくすぶって残ろうとしているらしいのに気がついた。けれどリディアがデインに首をふってみせると、わたしたちに加わり廊下に出た。部屋の外へ出るなりみんなは目を見開いて、たがいに顔を見交わし口をあんぐりさせた。ぞろぞろと自分たちの部屋まで歩いていったけれど、黙りこくり、だれもなんといえばいいのかわからず、もしくはたったいま起きたことをどう受けとめればいいのかわからなかった。

やがてスティーヴがぽつりといった。「きつかったな——どんなことよりきつかった」

「お前にとってきつかったのならマークにとってどれだけだったか考えてみろ」デインがきっとなってかみついた。「おれたちには関係のないことだ、ホモ野郎」

「なんだよ」とスティーヴ。「そんなつもりなんかないぞ」けれどデインはスティーヴを押しのけ、そのあとわたしたちのだれもなにもいわなかった。全員いわれたとおり、部屋に戻った。

＊　＊　＊

マークは夕食の席に現れなかった。そのころまでにほとんどの弟子は、なにが起きたか耳にしていて、マークが姿をみせるのを、だれもが待っているのがわかった。アダムがダイニングホールにひとりで歩いてきたとき、食べものに並ぶ列の一団と、すでに席についてマック・アンド・チーズのウィンナー添えに、グリーンビーンズと缶詰の洋ナシの夕食をはじめていた者たちが、これみよがしにちらっとみたり、ひそひそ話を交わしたりした。

「一から話してよ」わたしたちのテーブルについたアダムに、ジェーンがきいた。アダムのトレイには合成着色したオレンジのアイスクリームが三すくい、マカロニひと山、ひとくちサイズのピンクのウィンナーがのっている。

「知らないよ。なにかがあったことさえ知らなくて、福音のおつとめから戻ったらリックとリディアが部屋にいて、マークがふ抜けみたいになってて、完全に、まったくのゾンビ状態だった。ふたりがベッドのはしに座って、マークにほとんどおおいかぶさるようにしてあらゆるたわごとをはいてたけど、マークはおとぎの世界にいっちまってた。だからぼくは「だれがどうなってるのか教えてくれる?」ってきいたんだ。

「ふたりはマークになにをいってたの?」わたしがたずねた。

「いつものおためごかし。『だいじょうぶだ。きみは自分の罪に向きあっていて、それには勇気がいる。休んで祈りなさい』とかなんとか。どれもマークの耳には入っていなかった、少なくともぼくのわかる限りではね」アダムはテーブルについてから、ずっとフォークでマカロニをすくっていた。いつもなら、アダムがマック・アンド・チーズか、エルボー・マカロニを使った料理を食べるのをみるのが好きだった。永遠に時間をかけて食べる。フォークの歯の一本ずつにマカロニを刺して、ぜんぶで四つのちいさな円筒をくっつけあわせ、つぎにウィンナーのかけらに突き刺したのちに食べる。でもその夜は、アダムの食事作法への献身ぶりがわずらわしかった。

フォークにぜんぶのせ、ひとくちぱくりといく。「とにかくあまりきけなかったよ。部屋に入って二分後、リディアにスティーヴとライアンの部屋に行けっていわれて。でもそれからスティーヴにマークの怪力ショーの話をぜんぶきいた、あいつの話を信じていいのかわからないけど。マークはまじで、リディアを背中にのせたまま腕立てふせをやったの?」

「完全にのってたわけじゃないよ」とわたし。「でも片足をのせて、体重をかけてた」

「ぼくたちのグループには、そういう余興はいちどもない」ドラマがないのはジェーンのせいとでもいうように、彼女にしかめっ面をする。「側転かなんかできない?」またフォークにのせる。

「むかしは華麗なカニ歩きができたよ」ジェーンがいった。「反対側の床まで歩いていって壁をつたえた」

「そいつはいいな」

ふたりがいつもの調子でやりとりしてるだけなのはわかっていた。あらゆることを冗談にする。なぜならこの場所にいるのは最低で、いたくなんかないのだからすべてを笑いの種にしてしまえばいい、だってわたしたちはここを運営しているどのまぬけよりも賢いんだから。でもこんどの一件は——なぜだろう、たぶんわたしが現場にいあわせてマークをじかに、彼が自制心をなくすのを、床に突っぷしてすすり泣くのをみたからかも——自分たちのやりかたがかんに障り、たぶん少しむかつきもした。

「あと、ジャグリングもいけるよ」ジェーンが洋ナシの入っていたボウルを持って口もとで傾け、ワセリン色のジュースを飲んで口をぬぐってから「わかちあいのときに、どうやったら受けるかな?」

「たぶんジェーンが——」アダムがはじめたけれど、わたしが割って入った。

「こわかったよ」ふたりをみなかったけれど、ふだんより大きな声でいった。「完全にいっちゃってた。みるのがつらかった。最初はおもしろかったし、リディアが座らせられないのは傑作だった、でもマークが暴走しだしたら、もうぜんぜんおかしくなかった」

「少しはおかしかったはずだよ」ジェーンがいった。

「おかしくなかった」ジェーンをみていった。「同じ部屋にいて、目の前で起きたらおかしくない」

ジェーンがトレードマークの考えの読みとれないジェーン・フェイスをしたけれど、いまでは異議があるかいぶかしんでいるか、もしくはその両方だと解釈するようになった。

「意味はわかる」とアダム。「直接みたわけじゃないから、クレイジーすぎてまじめに受けとれないんだと思う」

「クレイジーだったよ。それにどシリアスだった」

ジェーンは食事のあいだ無表情をつらぬいたけれど、カニ歩きやジャグリングの話はもうしなかった。

そのあと自分の部屋で、バイキング・エリンが抱きしめてほしいというのでしてあげたけれど、べつに最悪な体験というわけでもなかった。実際、悪くなかった。それからマークのために祈るといいだして、いっしょにしたいかきかれ、わたしはうんといった。そしてそうした。それもやはりいい感じだった。たぶん、祈り自体のせいではそれほどなく、起きたことに対し、それなりの敬意をはらったからだと思う。とにかく、ただ単に冗談のタネにするよりもましだと感じた。

第十八章

翌日は、マークもアダムも朝の祈りに姿をみせなかった。朝食にも、授業時間の教室にも現れず、ふたりがどこにいるのか、だれも、なんの情報も持っていないらしく、ジェーンにしても例外ではなかった。昼食の時間にアダムをちらっとみかけたけれど、リックがアダムに腕を回し、オフィスに向かって廊下を足早に歩いていく途中で、とても声をかけられる雰囲気ではなかった。

面接の時間、スティーヴ、ヘレン、デインとわたしはリディアを待ったけれど、それまでそんなことはいちどもなかった。飲みもののカートは出ておらず、定位置の壁際に押しやられていた。照明すらなく、わたしたちのだれもつけなかったけれど、その代わり西側の大きな窓から射しこむ晩冬/早春の昼さがりの陽光がつくる、淡い平行四辺形のなかに座っていた。十分、おそらくは十五分、ことばすくなに待ち、するとリディアとリックのふたりがドアから入ってきて、わたしたちのちいさな円まで椅子を引きずってくると仲間に加わった。それからリックが入り口まで歩いて戻り照明のスイッチをつけ、蛍光灯がジジジと鳴ったあと部屋が一、二段明るくなった。

リックは椅子をひっくり返してカウボーイよろしくまたがり、体の正面に来たプラスチック製の椅子の背中を両手でたたいた。「きょうはつらい日だ」

それをきいたヘレンが泣きはじめ、うるさくも大げさでもないが大粒の涙がゆっくりほおをつたい、けれど鼻をすすりあげるものだからすぐに顔が汚れ、リディアが必需品のティッシュの箱をおそらくは二日つづけて渡した。きのうは実際にマークがティッシュを使うのをみたわけではないけれど。

「すみません」ヘレンが勢いよく鼻をかむ。「なんで泣いてるのかもわからない」

「いいんだ」とリック。「ちっとも構わない」けれどリディアはリックよりも構わないとはあまり考えていなさそうだった。「きのうの面接は、あなたがた全員にとって、たいへんつらかったと思います。それに夜は、自分たちだけでしのがなくてはならなかったことを謝ります。わたしたちはマークについてやらなければなりませんでした」

「やつはどこだ?」デインはいつもの間のびしたアクセントに、ほんのり毒をふくんだ声を出した。きのう廊下でスティーヴに突っかかったときほど憎々しげではなかったけれど。

「ボーズマンの病院にいます」リディアがいい、リックがリディアをとがめるようにみた。たぶん唐突すぎたせいだろう。それで、こうつけ加えた。「長引かせても意味がないでしょう」

「やすっぽい芝居の必要はない、ってか?」デインが小声でいったが、確実にリディアにきこえるほどには大きかった。

「ありません」とリディア。「そのとおりよ」

ヘレンがさらに激しくすすりあげ、すでにひざにティッシュの箱を抱えていたため、ひなぎくの花びらをちぎるようにつぎつぎに引き出し、片手いっぱいにして顔の正面に持っていくと全体をおおった。

「自殺を図ったんだろ?」デインがきいた。たぶん、わたしたちの大半がそう推測した、少なくともわたしは。デインはかぶりをふり、リディアに指を突きたてた。「部屋に来る前から、ろくなことにならないってわかってた」それは奇妙な融合だった。デインのアクセントの下にある、このしんらつさ。グループ面接のとき、四十代の三児の父親にジェッタの後部座席でファックさせ、ヤクを手に入れた話を（もちろん細部ははぶいて）したけれど、そのときでさえ彼のアクセント、ものいいのせいで、いつものように、キャンプファイヤーを囲んで話される物語みたいな、あるいは以前だれかべつのひとに起きたできごとみたいにひびいた。どこか覚めたその口調は、いまのデインからは消えていた。

リディアは質問に食いつかなかった。リックの答えを待ったが、リックはことばの選択に迷っているようにみえた。

やがて選び終えた。「いや、死のうとしたんじゃない。ぼくはそうは思わない。でもひどくケガをしてね」つづけて説明してもらえると思った。ほかのみんなもそうだったと思う。けれどつづかなかったとき、そしてリディアが割りこんではっきりさせようとしなかったとき、スティーヴがきいた。「その、事故にあったかなにかですか？」

リディアが「ちがう」といったのと同時にリックが「まあそうだ——ある意味」といった。

「どうしたら同時に〝ちがう〟のと〝そうだ〟が両立するんだ？」デインがきいた。「どう納得しろっていうんだよ？」

「すまない」とリック。「混乱させたな。つまり、マークのケガは事故だった。それが起きたとき、彼が自分を見失っていたという意味において」けれどいい終えるが早いか、リックはそんないいかたをした自分に腹をたてたようにみえた。ひどく秘密めかして、いつものリックのスタイルではない。それからこうつけたした。「いいかい、マークはきのう、とても混乱していた。いう必要はないな、きみたち全員いあわせていたから。ひどくたかぶって、精神的に苦しんでいた、そして体に傷をつけ、ぜんぶとりのぞこうとした」

「そんなことをしても逃げ道にはなりません」リディアの声は鋭く明瞭だった。「マークには効かなかったし、あなたたちにも効きません」

リック牧師がまた話しはじめ、リディアは腰を折られた。「重要なのは、マークを病院に連れていき、父親がすでにネブラスカから飛んできていっしょにいること、容態は安定していることだ。マークはだいじょうぶだよ」

「くそくらえ」デインがいった。両手で拳を握りしめ、ふとももを二回打ちつける。「あんたたちの話はまるでハムスターの回し車だ。マークはなにをしたんだ？　もし自殺じゃないならなんなんだよ？」

「叫んだり悪態をついても、気分がよくなりはしませんよ」リディアがいった。

デインがしんらつそうに鼻を鳴らす。「ほら、またまちがえた。よくなるんだな、これが。く、くそ、く、くそっていったとたんにスカッとくそったれ気分が爽快だ」

すでに空気が張りつめていたせいか、もしくはすでに興奮していたからか、その瞬間、ティッシュの山のうしろで、ヘレンがどうにもおさえられないというように奇妙なくすくす笑いをはじめた。おどろくほど少女っぽいくすくす笑いで、映画のなかでみかけるチアリーダーのようだった。「ごめんなさい」といって笑いつづける。「ごめんなさい、とまらないの」さらにくすくす笑う。

そのときリック牧師が椅子を前にすべらせ、その背後で立ちあがり、両手をたたいて、これじゃあ「らちがあかない」と宣言し、グループではなく短い個人面接をするから各自部屋に行き、リックかリディアがやってきて話をするまで待つように、ただしデインとヘレンは例外、ふたりはすぐにここではじめるから、といった。リディアはこの突発的な計画をまったく気にいらないというようにリックをみていたけれど、わたしは個人的に、ここから出られてうれしかった。

バイキング・エリンは夕食の当番に行っていて、そのためわたしが戻ったとき、部屋はからだった。室内は、冬の終わりに向けてときどき家のなかでするようなにおいがした。あまりに長いあいだ閉めきっていたときの、よどんだ空気みたいな、暖房器具のダクトが汚れたみたいなにおい。それで窓をほんのちょっと開け、新鮮な空気の流れの前に立っていたら、そのうち小刻みにふるえてきた。山の向こうで、怒った雲、黒ずんだ灰色の雲が湧いてきて、その大きなかたまりは、ルースおばさんが気合を入れた夜の外出から戻り、アイメイクを落としたあとの、マスカラとアイシャドーでべとつくコットンボールみたいな色をしていた。

デスクチェアに座って、うしろ足二本だけで支えるところまで倒し、机の角に片足をかけてバランスをとる。スペイン語の練習帳をやろうとしたけれど、マークが自分にしでかすあらゆるおそろしいことを考えるのにほとんどの時間を費やした。

リックかリディアか、ふたりそろって来るのかわからなかったため、三十分ばかりたって、リックだけが部屋の開いたドアをノックしたときはほっとした。「やあ、キャメロン。ちょっといいかな?」

それはおなじみのリック、お定まりのおしゃべりをしに立ちよっただけで、自分でわたしたちを部屋送りにしたのち、話す目的が明確にあるのではないかのようにふるまい、それでもリックの感じがいいのは否定しがたく、そんな声がけをされて好意を持たないのはむずかしかった。

リックがどこに座るのかわからなかったけれど、部屋の奥のわたしが座るところまで来るとわたしの肩を前に押し、強くこづいたひょうしに椅子がもとの位置に戻って空間があき、エリンの机から椅子を引いてきた。それはフレンドリーな、飾りけのない行為だった。

「そうやって座ると椅子の足が折れちまうぞ。少なくとも母がいつもそういってた」

「わたしのママも。でもまだ折れたことはないですね」

「いい指摘だ」それからむだ話はやめ、「それで、話したいことはなにかあるかい？」

「マークのことで？」

「マークのことで、きのうの集まりで、なんでもいい」

「マークはだいじょうぶなんですか？」

リックがうなずいて、髪の毛を耳にかけた。「そう思う。マークはひどく自分を傷つけた。重症だ。癒えるには長くかかる――あらゆることが癒えるには」

くわしく知りたくもあり知りたくもないこのおそろしいできことを、こんなふうに、遠まわしに話すのは無理だと感じた。聖書に出てくるような拷問をマークが自分に課す光景が頭に浮かびつづける。目をえぐり出し、手を突きさし、そして、知らずにいることでそれがやわらぎはしない。

「リックたちの目の前でやったんですか？」それは、いっそうおそろしい考えに思えた。マークがふたりにみせたがった、もしくはとり乱したあまり、ふたりがみているのがわからなかったなどという考えは。

「いや、自分の部屋にいた」

「そんなに心配だったなら、どうして彼をひとりにしたんですか？」べつに責めるつもりでたずねたのではない。けれどそうきこえ、後悔はしなかった。

「うまい答えがない」リックは両手をみつめた。片方の指をもう片方のてのひらに走らせる、ギター弾きのタコをなぞるように。「頭のなかで一日じゅうその質問をしていたのは、きみの声でもありえたな。ところがそれはぼく自身の声なんだ」

わたしは待った。リックも待った。それからリックがいった。「マークはほぼ落ちついていた。ぼくのオフィスから部屋に連れ戻したときは、すごく遅くなっていた。アダムは部屋で、もう寝ていた。リディアとぼくは、マークも同じく寝るだろうと思って疑わなかった」

わたしたちはふたりとも、さらに待った。話されていないすべてがそこで、わたしたちを待っていた。ふたりのまわりを回りながら。わたしはエリンと両親がオハイオ州の〈聖書ろう人形館〉で撮った家族写真をみつめた。三人ともTシャツのすそをカーキのショートパンツにたくしこみ、山上に立つモーゼの展示物の前でにっこり笑ってポーズをとっている。わたしは年じゅうこの写真をみつめていた。たいていは、なんて幸せそうにみえるんだろうと思いながら。そこにいられて、いっしょにいられて幸せ。でもいまは彼らの笑う口もとが、あまりにのびてはりついたようで、なんだか悲惨にみえた。メッキか、仮面をかぶせた笑顔のような、うまくいえないけれど。頭痛がする、エリン一家の引きのばした笑顔をみていると。わたしはリックをみかえした。「ほかになにをきけっていうんですか。なにが起きたかわたしたちに教えて話しあいたいのか、それとも話したくないのか、どっちなんですか。ぜんぶを話すつもりがないならこんなのはぜんぶ、うそっぱちじゃないですか」

「話すよ」リックがさらりといった。「きみが望むなら話そう。それは……」リックは間を置いて、笑顔としかめ面の中間のかたちにくちびるをゆがめた。「その、リディアとぼくはこれについて意見がちがう。でもきみたちみんなに正直に話すことが重要だとぼくは思う。正確になにが起きたかを学んで、うわさもゴシップもたたないように。けれどすごく生々しいんだよ、キャメロン」

「生々しいのは平気」

リックがうなずいた。「でも平気だからといって、それがきみにいいという意味ではない」

わたしとヘーゼルがビーチにいたとき、ヘーゼルがライフガードについて同じ理屈でわたしに警告しようとした記憶がよぎる。けれどわたしはいまでは年をとり、あのときといまとを隔てる数カ月の重みを感じもした。「正直になることが大切だってたったいまいったのに、もう撤回してる。デインは正しいよ——確かにハムスターの回し車みたいにしゃべってる」

リックはもう片方の耳に髪の毛をかけ、でもそんな必要はなかった。「デインはうまいことというよな?」

「ほらまた。ぐるぐるぐる」

「してない。少なくとも意図してやってはいない。ごめん、いうのがむずかしいんだよ」すばやく息を吸ってはく。「きのうの夜、マークはカミソリで数回性器を切った。それから傷に漂白剤をそそいだ」

「神さま」わたしはいった。リックはそのことばをきいても、またたきをしなかった。

「そのあと気を失って、床に落ちる漂白剤の容器の音をアダムがきいた。それともマークが床に倒れた音もいっしょにきいたかもしれない。アダムがぼくのところへ呼びに来て、それからぼくとケヴィンを手伝ってマークをバンにのせた。意識はほとんどなく、完全に支離滅裂だった。マークだよ、ぼくのいうのは」

「どうしてアダムはケヴィンを呼びにいかなかったの?」ケヴィンは大学生で、夜のみまわり要員のひとりだった。週に二、三日来るけれど、勉強時間中にやってきて普通は朝食までには帰るから、トイレに行くか、眠りが浅くて部屋をみまわっている彼に気がつくとき以外、ほとんどみかけなかった。いちど、消灯後にジェーンとアダムと落ちあおうとするところをつかまったけれど、部屋に連れ戻され、寝なさいといわれただけだった。規則違反をリックかリディアにいいつけられる心配は、まったくしなかった。

「アダムは彼をみつけられなかった。ケヴィンはキッチンでサンドイッチをつくっていて、すれちがったんだ。ケヴィンも今回のことをひどく深刻に受けとめている」

「救急車を呼ぶべきではなかったの？」どうして呼ばなかったのか、わたしはすでに知っていた。はるばる〈約束〉まで迎えに来るのを待つよりも、こっちから連れていくほうがずっと早い。けれどなにかいうことを考えつこうとしていた。ほかにどうしたらいいかわからなかったし、深刻そうな目つきでわたしをみているリックと、黙りこくって座っていたくなかった。

「時間がかかりすぎる。自分で連れていくほうが早かったんだ」

わたしはうなずいた。「そうですね。もちろん。考えてませんでした」

「いいんだ。ほんとうにききたいのはなに？」

アダムが目を覚まし、彼を目覚めさせた要因の、ラミネートに落ちるプラスチック容器の音、漂白剤の化学薬品のにおい、ボトムパンツをおろしたマークが床にのび、血まみれになっているおそろしい修羅場を目の当たりにしたアダムが、起きぬけの寝ぼけまなこで混乱している図を思い描いた。でもリックにいったのは「わからない」だった。それからもうしばらく待ち、リックが待ち、それからわたしはきいた。「アダムはだいじょうぶそう？」

リックはおかしな、悲しそうな顔をわたしに向けていった。「そう思うよ、ぜんぶを考えあわせれば。アダムはきみと話したいにちがいないね。折りあいをつけるには時間がかかるだろうし」

そこでわたしは爆発した。自分が秒読み状態だったとは感じていなくて、少なくとも自分では、そうとは考えていなかった。ただ麻痺して、とまどっているのだと思った。けれど「アダムは折りあいをつけるのに時間がかかる」とリックがいった直後、わたしは瞬間的にかーっとなり、リックに、そしてまぬけなこの場所、〈神のくそ約束〉に、くそ頭に来た。

「こんなこと、どうすれば折りあいがつくっていうの?」あまりに怒って涙も出ず、代わりに金切り声になり、とにかくのどの奥が焼けつくようだった。自分のこんな声はきらいだったけれど、わめきつづけた。「つまりさ、まじで、目が覚めたらルームメイトがペニスを血まみれにしてたんですよ? リディアはどんなワークシートを出すわけ? アダムは自分のくそ氷山に書きこんだらいい」わたしはすごく、すごく怒って、これまでの人生でこれほど怒ったことはいちどもなかった。わたしはただことばをまくしたてはじめた。なんだろうが手当たり次第、「あんたたちはここでなにをしてるかすらわかってないんでしょ? ただ行きあたりばったりにでっちあげてそれからこんどみたいなことが起きると答えを知っているふりをするけど実際にはわからなくてそんなのは完ぺきにくそみせかけ。どうとりつくろえばいいかわからないんでしょ。そういうべきだよ。ぼくたちはしくじったって」みたいなことを。ほかにもいった。自分がなにをいったかもわからず、わめいて怒ってただまくしたてた。

リックは悪態をつくのをやめろとも、そんなくそったれな態度を改めろともいわなかった。そんなことばづかいをリックはしないだろうけれどわたしの態度はまさにそれで、たとえいっていることが真実であっても、でもリックはリディアだったらするだろうやりかたで割って入りも飛びつきもしなかった。そしてそれはたいして意外じゃなかった。リックは冷静さを保つのがうまいからだ。リックがしたのは、そしてわたしがおどろいたのは、泣きだしたことだ。静かに、けれど顔をそむけず、椅子に座り、わたしと向かいあって泣いた。それがわたしの剣幕を静めた。ぴたりと収めた。それからこの事態をいっそう耐えがたくすることに、まだ泣きながら、リックがこういった。「なんと答えればいいのかいまはわからない、キャム。すまない」

リックはわたしをキャムと呼ばない。〈約束〉ではだれもそう呼ばないことになっていた。なぜならリディアによれば、「すでに中性的なわたしの名前を男性的に改変している」から。ときにはジェーンやアダムやスティーヴがそう呼ぶかもしれない。なぜならそれはただうっかり口がすべっただけで、でも彼らはリディアのまわりではいわないようにしていた。そしてリックはぜったいに、うっかりしなかった。

リックはほんとうにハンサムで、いまこのときの彼の顔はひどく美しかった。たぶんとてもおもろい状態だったせいだろう。よくわからないけれど、それは渦中にいるのが耐えがたい場面のひとつで、すべてがむきだしであけすけで感情にあふれ、そしていまでもまだうまく説明できないのだけれど、わたしは立ちあがって彼を抱きしめた。ぎこちなさすぎる抱擁になったのは、リックがまだ座って前かがみになっていたからで、わたしはかまわず抱きしめ、そしてそれから数秒後、リックが立ちあがり、わたしたちはそうやって抱きあい、いくらかぎこちなさが減った。

やがてリックが二、三歩あとじさり、けれどまだわたしの肩のあたりをつかんでいた。「これじゃああべこべだね。きみの気持ちをほぐしに来たのに」

「いいですよ。なんとなくよくなったし」

「きみには怒る権利があるし、それに今後ここでぼくらのしていることがどう変わっていくか、疑問に思う権利もある。でもいまぼくがきみにいえる最善のことは、キリストに導いてもらって答えをみつけようというだけだ。迷いを抱いたときは、彼に従うのがいちばんだ、そうだろ?」

「そうですね」といったが本気ではなかった。なぜなら、それはまさしくリックがわたしに答えようとこれっぽっちも努力しなかったから。なにも答えられないといい、泣きはじめ、疑念にかられ、確信がなくなったようにみえるリックは、わたしの気分をほぐすなんの助けにもならなかったからにほかならない。そのすべては、リック(とリディア)がやがてひねり出すはずの、なぜならキリストが「ふたりを導いたから」的な落としかたのどんなこじつけよりも、ずっと正直に思えた。そんな理由づけは、ただ悪化させるだけだ。

「とても意義深い時間だった」もういちどすばやく抱き寄せてから、わたしを解放した。「いっしょに体験してくれてありがとう。簡単なことじゃないのはわかってる」

「だれにとっても簡単じゃないですよ。わたしのほうがひどい思いをしたわけじゃない。わたしは床に倒れてるマークをみつけてないもの」

「ぼくに心を割ってくれたことを感謝してる。勇敢だった」

「ああ」とわたし。「どうでもいいです」たったいま起きたことを、もう話したくなかった。〈約束〉のいやなところだ。ただその場でなにかが起きて、わたしたちがふたりともそれに気づいた、それだけのことを、なぜくどくど蒸し返さずにいられないんだろう?

「なにかほかに、ぼくにたずねたいことはある?」リックがいった。

そしてとうとつに、つまりまったく予定外に、わたしはいった。「リディアはほんとうにリックのおばさんなんですか?」

リックはめんくらった顔をして、それから笑った。「そいつはやぶから棒だな」でもそれからこうつけたした。「実をいうと、ほんとうだ。ジェーンがきみにいったんだね？」

「そう。ここに着いた直後に。信じるべきかどうかわからなくて」

「これについては信じていいよ。リディアはぼくの母の妹だった」

「『だった』って、もうちがうんですか？」

「母は数年前に死んだんだ」

わたしはあいづちをうった。「ごめんなさい」リディアについて、ふたりについて、リックの亡くなった母親について、ききたいことがたくさんあったけれど、いまはふさわしいタイミングとは思えず、どちらにしろエリンが部屋に戻り、リックがいるのに気づかないままなにげなく歩いてきて、それからいった。「あ、すみません。終わったら戻ってきます」

リックがいった。「終わったよね？」

わたしはうなずいた。

リックはドアまで歩いていき、エリンに声をかけた。「ここにいなさい。ぼくはスティーヴのところへいかなきゃ」それからエリンの腰に片手を回してすばやく引き寄せ、「大変な一日だね」といった。

エリンはうなずいたけれど、平静を保った。

「二十分ほどしたら全員チャペルに集合だ」片手をドアの枠にかけ、もう片方につけているシンプルな腕時計をみていった。わたしの好きな、白い文字盤に、茶色と濃紺のキャンバス地のバンドのやつだ。

「そうなんですか？」

「そうだよ、リディアがキッチンに来てそういってた」とエリン。

リックをみると、うなずいてほほえみ、それからドアの枠を二度たたいて出ていった。

エリンはマークについて話したがり、わたしは話したくなかった。ベッドに潜りこんで服を着たまま寝てしまいたい。もっといいのは、ビデオデッキとビデオの山を手に入れて、つぎつぎにかけていきたかった。それに、エリンは部分的にききかじっただけで——マークが「自傷行為」をして、容態は安定していると耳にしただけだ。わたしはすきまを埋めてやらなかった。そのうち、ほかの弟子がするだろうから。もうその話をしたくなかった。

ところがそれが、その夜の残りをおおかた当てて行われたことだった。わたしたちはチャペルで即席の集会を開き、そこでマークのために祈り、彼の家族のために祈り、アダムのために祈った。集会がはじまる前に、アダムに個人的に声をかけることすらできなかった。それから、わたしたちのために祈った。つぎに、いいたいことがある者は全員発言する流れになり、ほとんど全員、わたしとジェーン以外が発言した。デインの順番になると、グループ面接のときよりかなり落ちついたようすだった。ずいぶんとおとなしく、もしや薬をもられたかなにかしたのではと勘ぐったけれど、リディアが秘密の鎮静剤を隠し持っているという考えはばからしく、同時にそうでもなかった。そのあとは自由時間になり、ところがカフェテリアにはスナックがあるきりで、夕食の用意がない。夕食当番の弟子たちが、食事をつくり終わる前に集会に呼ばれたためだ。リック牧師が〈エニス〉に行ってピザを買ってくることが、マークの個人的な悲劇の真の恩恵だった。だれかが、たぶんリディアが『サウンド・オブ・ミュージック』を娯楽室で流しはじめた。それは〈約束〉のビデオライブラリーにある娯楽映画三本のうちの一本で、でもわたしは没頭できなかった。赤い目やはれぼったい目をしたおおぜいの弟子たちといっしょにみて、息をしてカウチや床の上でもぞもぞ動かれては、無理だった。ジェーンとアダムとわたしは、そのうち申しあわせたように立ちあがって部屋を出たけれど、自分たちが一服しに行くのはわかっていた。口をきく必要さえなかった。上着をとって納屋に向かう。雪が降っていたけれどそんなに激しくはなく、おばあちゃんなら「しんしん降り積もるすてきな雪」と呼んだだろう。大きな雪のひらがゆっくり落ちてくる。地面にも、まだ冬のあいだに積もった分がかなり残っていて、けれど日中は早春の日射しを浴びてとけていき、固まった氷の表面がぬかるんで、道はとてもすべりやすかった。数メートル歩いたら盛大にひっくり返り、腰を地面に打ちつけてしまい、カーキパンツがたちまちぐっしょりになった。アダムがひじをつかんで引っぱりあげてくれた。「だいじょうぶかい、いだてん選手?」

わたしは笑った。「だいじょうぶ。アダムは?」

するとアダムがいった。「ましになった」腕をわたしのにからませ、そのまま歩きだす。いい感じだった。納屋は寒くてじめつき、干し草置き場はくさくてじめついていた。わたしたちは身を寄せあい、秋に持ちこんでおいた毛布の下に足を潜らせた。それに暗くもあり、一階でついている二、三個の電灯では、干し草の山まではほとんど届かない。わたしは頭痛がして、ぶつけた腰が痛くて、手は赤らんで寒かった。ちょっぴりみじめだった。三人とも、ちょっぴりみじめだった。

ジェーンが仕入れてきたマリファナたばこをしばらく回しのみし、会話は交わさず、あと二吸いもすれば完全に燃えつきるというところで、ジェーンがいった。「マークがひげを剃るなんて知らなかった」

「剃らないよ」アダムがジェーンからマリファナたばこをとり、細い指のあいだに優雅にはさむ。「あの子はすべすべだった。剃る必要がなかった。あれはシャワールームに置いていたぼくのかみそり。上等なやつで、使い捨てじゃなくて重たいんだ。去年父さんが誕生日のお祝いにくれた。ときどき足を剃るのに使ったけど、リディアがオンナオトコのパトロールをしているいまはやってない」ひとくち吸い、あまり酔いが回らないうちにはき出してすばやくいった。「二度と剃らないってわけじゃない。どこにあるかもわからないんだ。部屋掃除を手伝ったあと、リディアがきのうの晩持っていった」

「運が悪かったね」わたしがいった。

「まったく」ジェーンがいった。

アダムがうなずく。「そこらじゅう漂白剤につかってた。満タンだったんだと思う、床がくそみたいな湖になってた。たぶんまだ少し残ってるよ、ベッドの下とかに。音がして、なにか変だってわかって、それから漂白剤のにおいがして、でもそれは——起きぬけって、なにも頭に入ってこない感覚なの、わかるだろ——足を床に下ろしたら濡れてて、でも靴下の上からしみてくるみたいな濡れかただった」

ジェーンとわたしはただうなずきつづけた。なんていえるだろう？

アダムはマリファナたばこの最後の一服分をわたしにくれ、わたしはすることができたのをありがたく思いながら吸った。

「マークの服も漂白剤でびしょ濡れだった？」ジェーンがきく。「床に倒れたから」

「はだかだった」とアダム。「まっぱだかだった。電気をつけに行く途中マークにがっつりつまずいて、それからつけたら、つまり、なんかその、まずいってのだけわかった。うつぶせになってたからみえなかったんだ、ほら……」間を置いて、かぶりをふる。「マークのペニスが。〝ペニス〟っていえるはずなのに。くそ。

みえなくて、だからマークが自分になにをしたのかわからなかった。はだかで床に倒れてるってだけで、漂白剤のくそ池ができてて、四秒ぐらいかかってやっと、漂白剤に血がにじんでるのに気がついて、リックを呼びにいった。マークは漂白剤を飲もうとしたか、手首を切ったんだって思った。死んでるって思ったよ、でも。ほんとに死んだと思ったんだ。床の上で死んでるって」いいやめて、わたしたちふたりを代わる代わるみた。「まじでどうかしてたよな?」

「してないよ」とわたし。「ほかに考えようがある?」

「それ以外のこと」とアダム。「わからない」アダムは毛布の一カ所ほころんだところから糸を引っぱると、どんどんきつく指に巻きつけていき、血がとまって指先に明るい白のへこみと赤くふくれた部分ができた。

「きょう、マークの父親と話した。そのことはきいた?」

わたしたちは首を横にふった。

アダムは指に巻いた糸をゆるめた。いまでは完全に吸い殻になったマリファナたばこをわたしの手からとる。わたしはただ持っていただけだった。アダムは舌のはしに置いた。いつもそれをする。それからいった。

「病院に行きたかったけど、マークの父親がぼくらのだれも来てほしがらなかった。空港から着いたとたん、付き添っていたリックを追い返したんだ。でも病院からぼくに電話をかけてきて『マークにしてくれたことを感謝する。祈りのときにきみを思い出そう。きみもマークのために祈ってくれ』って、それだけ。一語一句、そういった」

「だけど、息子の状態を考えてやりなよ」ジェーンがいった。

「あの男が招いた結果だ」アダムがあざ笑う。立ちあがって、干し草の束をけっとばす。「あいつがここに送ったんだ、もし治らなければ男色家として地獄に落ちろといって。それで息子はがんばってがんばって、どうなった？　治らなかった、なぜなら治りようがないからだ。それで思った、問題の部分を切ってしまおう。名案だろ、父さん」

「そのとおり」とジェーン。「完全にしくじった。でもマークの父親はそういうみかたはしない。自分のしていることが、唯一息子を永遠の地獄落ちから救う方法だって頭から信じこんでる。地獄の業火から。完ぺきに信じてる」

アダムはあざけりつづけ、いまでは叫ばんばかりだった。「そうかい、いまここにある地獄から息子を救ったらどうなんだ？　いっそタマをちょん切っちまうほうが、ばかげたくそったれ信仰をどうしても体が裏切ってしまうよりもましだと考えるのは、地獄じゃないのか？」

「ああいう連中にとってはぜったいにちがう」ジェーンはまだとりすましていた。「それもすべて、救済のために支はらう代償なのさ。わたしたちは喜んではらうべきだって」

「ありがとう、賢母ジェーン」とアダム。「あなたの冷静なる考察はこんなときにとても力づけられるよ」

ジェーンが傷ついて顔をゆがめ、けれどすばやくぬぐい去る。でも、アダムの目にも入ったのがわかった。

「ごめん」といったから。

「いいよ。講釈をたれるつもりじゃなかった」

「そんなにすんなりいやみなやつになる許可証をくれないでくれよ」かがんで、ジェーンのほおにキスをする。「ルームメイトがアレをなくしたからって、即いやなやつにはならないぞ」

「なるなる。なんでもなりたいものになりなよ」

「宇宙飛行士になれる？」わたしのとなりに座り直し、毛布を自分のほうへ引っぱった。

「疑いの余地なく。誉れ高きニール・アームストロングにもなれる」

「それ、〝アームストロング〟がネイティブっぽくきこえるから選んだんだろ？」申しわけ程度の笑顔をみせる。

「わたしは〈約束〉に残らない」ぽつりとわたしがいった。実際、いいながら決めたのは確かだ。「残らない。出ていく」

「ぼくと宇宙飛行士になる？」アダムがきいた、わたしの頭のてっぺんにてのひらを置いて、自分の肩にわたしの耳がのっかるまで傾ける。「月に〈セブンイレブン〉第一号店を開こうぜ」両手で看板の輪郭を四角くなぞるジェスチャーをして、またたく照明のつもりで指を開いたり閉じたりした。「マリファナ・スラーピー（フローズン・ドリンク）をはじめました。期間限定。年齢制限あり」

「わたしは真剣だよ」ほんとうのところ、いえばいうほど真剣味が増していった。「出ていく方法は考える。そうしないとルースに来年度もここに戻されるんだ。そのつもりだってわかってる」

「もちろんそうなるね」とジェーンがいった。「全快して出ていったやつはだれもいない。出ていくのは、学費がはらえなくなるか卒業するかだ」

「もしくはマークか」わたしがいった。

「そう。もしくはマークか」

「まじで？」アダムがいった。「だれもプログラムに合格するとかしたことがないの？　脱ゲイになって、普通の高校に戻れないの？」

「まあ、ここは三年前にできたばかりだけど、知ってる限りはだれもいない」

「なぜなら不可能だから」わたしがいった。

「そして、変わったと証明できるテストなんて実際には存在しないから」ジェーンは道具を義足の空間に戻した。おかしなことに、ときどき存在を忘れてしまう――義足だってことをで、小部屋のことじゃない。それは決して忘れない。「態度は変えられるけど、リディアがぴったりはりついてなければ長つづきはしない。だいいち、それじゃあ自分が変わったことにはまったくならない、中身がって意味だけど」

「それだから出ていくの。それと、ほかのもろもろの理由。もうここにいたくない」

「のった」アダムが毛布をはねのけ、わたしはたちまち鳥肌がたった。「いますぐやろう、おしゃべりはやめ。ぼくがボニーできみがぼくのクライド」

「いっしょに行く」ジェーンが真剣そのものにいった。義足をほとんどつけ終えていた。「だけど全体的な計画をたてなきゃ。細部をつめる必要がある」

「レズビアンのカップルはこれだから」アダムがいった。「全体的な計画？　ぼくたちはテラスでも建てるの、それとも逃げるの？　いいから行こうよ。ぼくがバンの鍵を盗む――本気だ。いますぐやろう。朝までにはカナダに行ける、カナダ産のベーコンを食べ放題だ。これ、婉曲表現だよ、念のため」

「盗難車は国境の検閲でとめられる。もしとめられなくても、わたしたちは身分証を持ってないし、所持金もあまりない。カナダに知りあいはひとりもいない。わたしにはね」

わたしはアダム案に飛びついて、そうしたかった。アダムがいったように、いますぐ実行に移す。でもジェーンが指摘したことは真実だ。〈約束〉はわたしたち（取得している者）の運転免許証とそれ以外の身分証明書、もしくは書類のコピーを総務室の鍵つきファイルキャビネットにしまってある。

「じゃあ身分証明書をいますぐとりに行こう。それから出かける」

「だから計画が必要だっていってるの。これがまさしくその理由。わたしたちがみおとした細部で、つまずかないように」

ジェーンが話しているさいちゅうに、ごろごろというくぐもった音が遠くからして、もし納屋に歩いてくるときに雪が降っていなければ、雷だと思ったはずだ。

「そんなんじゃぜったいにやらない。座ってただえんえんと考えるだけで終わる。実行に移さない。だからこのまま行こうよ」

「どこへ?」

「どこでもいいだろ?　道々考えればいい」

「わたしだって行きたいよ」ジェーンがいった。「でもやるならちゃんとやろう。もしバンを盗んだら、二、三日でみつかってここに送り返される。それならやってなんの意味があるの?」

ジェーンがいい終わってすぐ、空にドラムロールがひびき、こんどは紛れもなく雷にきこえた。

「ゼウスが怒ってるぞ」アダムがもういちど立ちあがる。

「雷なの?」さらに雷が鳴り、前のよりも近くできこえた。山の天気の常で、嵐が急速に移動している。

「雷雪だ」ジェーンがいい、アダムが干し草用の熊手をしまっておく木製の重たい扉のところまで行った。開けるのにひと苦労している。前に試したときは蝶番《ちょうつがい》がさびかけていて、手をかけるたびに灰色の木片が植物のとげみたいに皮膚を突きさした。けれどアダムはとにかくやってみた。

「まだ雪は降ってる?」わたしは立ちあがって、アダムに加わった。

「もしそうなら、そいつは雷雪だよ」ジェーンがいった。

「きいたことないな」アダムといっしょになんとか扉を少し押し開く。ふたりの努力でボルトがきしり、わたしはちいさな古い木片に早くも指を刺された。

「めずらしいんだよ」ジェーンが立ちあがる。「コミューンに住んでいたときにいちどあった。カメラを持ってないなんて信じられない」

アダムとわたしは扉をじりじり開けていき、もう少し開いて、それからもうちょっと、やっとなんとか、ほぼ黒い空と黒い地面だけだったけれど外がみえるまでになった。ある箇所はほかよりも暗く、白い雪片は前よりずっと速い速度で降ってくる。ブリザードの速さで、暗闇を背に、真っ白にぼやけてみえた。

「やっぱり」ジェーンがわたしたちのうしろでいった。「雷雪だ」

「あーもう、わかったよ。〝雷雪〟っていうのやめろ」

けれどジェーンの主張はある意味正当化された。なぜならそのとき雷が炸裂したからで、大きくとどろく雷鳴とともに嵐が迫り、納屋の壁や体の奥深くにひびくたぐいの雷が落ち、すると稲妻が空をギザギザに渡り、心不全患者の心電図モニターのような軌跡を描いた。それからべつの閃光が地面に積もった雪に落ち、何万もの結晶をありえないほど明るく白く輝かせ、そのあと一帯はふたたび完全に暗闇に包まれた。そしてもういちど閃光が走り、さらに空気を切り裂く新たな爆音とともに、空からのスポットライトがぱっとともった。マツの木が一本、一瞬明るくなり、雪の重みでしなっているほれぼれするほどの高さの幹が、黒い無の空間に浮かびあがったかと思うと消え、するとどこかべつの、以前は闇だった地面のほかの部分がスポットライトに照らされ、その間にも雷は劇的な光景の背後で鳴りわたり、雪片が渦を巻いて舞い、どんどん激しくなって息苦しいまでの密度になった。わたしたち三人は、いっしょにぼう然と眺めた。おそらくいままでみたなかで、もっとも美しい光景だったように思う。

「カメラを持ってきてないなんて信じられない」ジェーンの声は、ほとんど敬虔《けいけん》ですらあった。

「写真に撮るのは無理だよ」とわたし。「撮ろうとしているあいだにみのがしちゃう」

「リックが帰ってきた」アダムの視線を追うと、ヘッドライトが目に入った。二個のかすかなオレンジ色の点が〈約束〉目指し、わたしたちのほうへ近づいてくる。

「いっしょに行きたい」ジェーンがわたしの手をとった。「本気だよ。なんでもする」

「わかった」

「きみたちふたりでいっしょに逃げて、ぼくを置いていかないよね」アダムが両手をわたしたちに巻きつける。「果たして実行する日が来るのか怪しいけど」

「行くよ」ジェーンがいった。

「計画はないけど」とわたし。「助けてくれそうなひとは何人かいる。たぶん、みつけられたら。でも、それだけ」マーゴットのことを考えていた。〈キャンプファイヤー・ガールズ〉のハンドブックにはさんで送ってきてくれたお金。大胆不敵なリンジーを考えた。それからモナ・ハリスが、ボーズマン近くで大学に行ってる。そしてなぜか、アイリーン・クロースンのことも考えた。でも理由はよくわからない。

「じゃあそのひとたちをみつけよう」ジェーンがいった。決然としたそのものいいが頼もしい。

「ぼくの驚異のルックスが役に立つ」とアダム。「それからぼくのユニークで複雑な性的役割への理解も。

なんなら謎めいた理解といってもいい」

「わたしはハッパを持ってる」ジェーンがいい、わたしたちみんなが笑った。なにかおそろしいものに直面して、勇気を奮い起こそうとしたときの笑いかたで。

ヘッドライトが大きくなって近づき、金属屋根のバンガローを過ぎて、いまではバンのずんぐりした長方形の車体が、雪をついてかろうじてみえた。リック牧師が雷雪をものともせずに、わたしたち疲れ切った弟子たちのため、ピザパイの山を持って帰ってくる。

「なかに入ったほうがいい」わたしがいった。「さがしに来られるまえに」

第十九章

マーク・ターナーは〈約束〉に戻ってこなかった。二週間たっても。一カ月が過ぎても。二度とふたたび。少なくともわたしがいるあいだは。リック牧師とアダムがマークの私物をまとめ、ネブラスカ州カーニーにいる彼のもとに送らなければならなかった。アダムは上等なカミソリをとり戻せずじまいだった。とり戻したいわけではないとアダムはいったけれど、〈約束〉から消えてしまった、マークのように。わたしたち三人がいずれそうなるように。

マークの「事件」——わたしとジェーンとアダム以外はみんながなんとなくそう呼びはじめたのだが、その直後、〈約束〉を調査しに、州から担当官が派遣されてきた。教室、寮、すべてを調査する。男はライセンス局の一部門につとめていた。そのあとさらに男二名と女一名がやってきた。女は深紫色のパンツスーツにゴールドと深紫のスカーフを巻いていて、ルースおばさんならそのとりあわせを「スマートで気の利いたコーディネート」と呼んだろうなと思ったのを覚えている。男たちはネクタイとジャケット姿で、全員が州当局かどこかの人間だった。彼らのおおかたはリックのオフィスに居座ったけれど、ひとりは弟子の全員と個別に、二十分程度会って話をした。わたしはエリンのあとに会ったものの、ようすをたずねる機会はなかった。教室の外の廊下で、すれちがっただけだ。役人はそこで一日店開きをしていた。

はじめに好感を持ったのは、男がきわめて型どおりで、一見、なんというかプロフェッショナルな態度、もしくは少なくともわたしをみくだすものいいをしたり、カウンセラーのようなふるまいをしなかったからで、それはたぶん、彼がカウンセラーじゃないからだ。自己紹介をしたけれど名前は覚えていない。確か児童家庭福祉局あたりの、ミスターなんとか。彼はありきたりな一連の質問からはじめた。「一日に食事は何度とる？　勉強には何時間使う？　教室と、それ以外では。勉強以外の活動をやり終えるのにどれくらい時間を割く？　活動はどの程度の指導を受けている？」つぎに、それほどありきたりではない質問をいくつかした。「夜間、寮の部屋で過ごして安全だと感じるかい？　職員か生徒仲間を脅威に感じる（男は〝生徒〟ということばを使った。〝弟子〟ではなく）ことは？　ここの責任者を信用する？」その質問への答えが、はじめて男の関心を引いた。

「あんまり」がわたしの返事だった。

彼は黄色いリーガルパッドに短くメモをとり、ほとんどわたしに目も向けず、定番の質問リストを単に読みあげ、それからあれやこれを走り書きしてはつぎに移った。けれどいま男は手をとめて、わたしをまっすぐみ、ペンを浮かせている。「ここの職員を信用していない？」

ああ返事をすることで、相手の反応を期待していたのだと思う。でも反応があり次第、どう返そうかおぼつかなくなった。「その、つまり、どう信用するの？　信用するってどういう意味？」

「信用というのは」男がこんなのは常識だ式に口をぱっくり開けて頭を上下させた。「信用とは、その人物と能力に信を置くこと。ここで生活しているあいだ、安全や防犯の面で彼らを信用しているかい？　きみの利益を第一に考えていると思う？」

わたしは肩をすくめた。「そういうのがまるっきり単純なことみたいにいいますね。白か黒かみたいというか」

「白か黒かだと思うがね。ひっかけ問題を出してるんじゃないんだ」忍耐を失いかけているのがわかった。それとも単に、わたしがあまり好きじゃないのかも。男がすごく毛深い耳をしているのに気がついた。そうなると、みないでいるのがむずかしい。耳の穴からみっしり毛がのぞき、外側にも生えている。

「もしここに住んでみたら、ちがって感じるかもしれませんよ」彼の耳をみていると、おさえのきかないくすくす笑いをはじめそうになる、グループ面接のヘレンみたいに。代わりにネクタイに集中した。ノートパッドより暗めの黄色だったが、たいして差はない。セルリアンブルーのアヤメの模様が一面についている。セルリアン。わたしはいまでもそのことばが好きだった。いいネクタイだ。すごくいい。

「いいネクタイですね」

男は首を曲げてみた。きょう、どのタイを選んだのか忘れたみたいに。たぶん忘れたんだろう。「どうも」と彼。「新品なんだ。妻が選んだ」

「それはすてきですね」すてきだった、ある意味。妻が黄色いネクタイを選んであげるのが、ごく普通に思えた。それがどんな意味であれ。普通。それは、〈約束〉に身を置いていないこと。少なくとも、その意味はある。

「そう、妻は服の流行に敏感でね」男はいった。それからここでわたしとしていることを思い出したらしい。ノートパッドに目を走らせてたずねる。「ここの職員を信用できないといった意味を、もう少しくわしく説明できるかね？」

こんどは、わたしの感情をくわしく説明しろと異口同音に迫るカウンセラーたちと同様にきこえた。本音をいう相手として彼を選んだ自分におどろく。本音をいったことにさえおどろいた。選んだのはたぶん、わたしがなにをいってもこの男は額面どおりに受けとめる必要があり、すごく潔癖でかたぶつにみえたし、それにまさしく彼の立場とその潔癖さのせいで偏見のない人間に、少しは思えたからだろう。

「リックとリディアと〈約束〉に関わるひとたちは全員、わたしたちのためになることをしていると考えてます、精神的にでもなんでも。でもそう考えるからといって、真実ってわけじゃない」

「あー、つづけてくれる？」

「終わりだけど」でもとにかくやってみた。「わたしがいってるのは、助けようとして、たまに相手を心底めちゃくちゃにしてしまうことがある、助けるはずの行為が実際は、混乱させるだけだからってことです」

「じゃあ、ここでの指導法は虐待だというのかね？」いけすかない口調だ。

「あのね、だれもわたしたちを殴ったりしませんよ。どなりつけもしない。そういうんじゃないんです」わたしはため息をついて、かぶりをふった。「あなたは彼らを信用するかってきいて、そりゃあ、幹線道路をバンで走るときは安全運転するって信用するし、毎週食料を買ってくるのだって信用してますよ、でも、わたしの魂にとってなにが最善かを実際に知っているなんて信用できないし、わたしを善良にして天国での居場所を保証してくれるだのなんだのも、信用しません」相手が理解していないのがわかった。それとも最初からしていないのかもしれない。わたしは不正確極まりない自分に腹をたてた。マークに借りがあるように感じたことを、だいなしにした。たとえ彼がそう思わなくても。たぶんそうは思わない。

「なんだかな」とわたし。「説明するのがむずかしいです。〈約束〉みたいな場所が必要だとさえまったく信用しませんね。というかわたしがここにいる必要性を、ううん、わたしたちのだれひとりここにいる必要性を信用しないし、なのにここにいることの意味自体、彼らのしていることが、わたしたちを救ってくれると信用することにかかっていて、それで、どうすれば『信用するか』という質問にイエスと答えられます?」

「できないだろうね」

もしかしたら脈があるかもと思い、いった。「あなたがここにいるのは、マークに起きたことのためだって知っているし」

ところがつづける前に、相手がいった。「ミスター・ターナーが自分にしたこと」

「え?」

「きみは『彼に起きたこと』といった。『彼になにかが『ただ起き』たりはしない。自分で自分を傷つけたんだ。ひどくね」

「そうです、この施設の管理下で」

「確かに」また、読めない口調でいった。「だからわたしが来た。ここの施設の運営者たちによる生徒のとり扱いを調査するためで、ここの施設の目的を調査するためじゃない。目的が虐待や放置をふくまない限り」

「でも、精神的な虐待もあるんじゃないですか?」

「ある」完ぺきなあいまいさで返した。「ここの職員から精神的虐待を受けていると感じるのかい?」

「信じらんない」両手を空中に広げながら、自分の行動をいちいちドラマチックに感じる。「いままでずっとその話をしてたじゃないですか――この場所のくそ目的がずばり自分自身を憎ませて、別人になるようにすることだって。わたしたちは自分たちを憎まなきゃいけないんだ、忌みきらわなきゃ」

「なるほど」と彼はいったが、全然飲みこめていないのがわかった。「ほかになにかある?」

「ないです。『自分を憎め』の部分がカバーしてると思います」

役人はわたしをどっちつかずにみて、なにをいうべきかさぐり、それから息を吸っていった。「結構だ。きみがいったことはわたしが書きとめ、正式に記録されるものと承知してほしい。また、当委員会に報告する」男はわたしが話しているあいだなにかを書きとめていたけれど、わたしがいったことをほんとうにきちんと記録していたなんて信じない。まったく、少なくともわたしがいったようには。

「そうですか。まあ、変えるには効果的なやりかたなんでしょうよ」いまではもう、この男を憎み、自分のことも少し――二、三の質問に正直に答えるだけで、なにかが変わると希望を持った自分を憎んだ。今回だけは、なにかが起きると。

「よくわからないな」男がいった。

そして、わたしのいいたいことを、相手がほんとうに理解していないのを信じた。全力で。けれどまた、とくに理解したいと思っていないのも信じた。なぜなら彼はたぶん、結局それほど偏見がないわけではないんだろう。そしてたぶんわたしのような人間、マークのような人間は、〈約束〉に押しこまれて当然だと信じてさえいるのだろう。もしくはどこかもっとひどいところに。そして、この男にすべてを説明することはできないとわかっていたけれど、自分の感情をうまくことばに変換できないのはわかっていたけれど、やってはみた。自分のためとマークのために。この男に理解させるためではなく。

「要するに、ここであのひとたちが教えていることは、彼らの信じていることは、もしわたしたちが信用しないなら、もし頭から疑うならお前は地獄行きだといわれ、お前の知りあいが全員お前を恥だと思うだけでなく、イエスさまそのひとがお前の魂を見捨てるといわれる。ところがもしマークみたいに、それをぜんぶ信じても、ほんとうに信じてさえも――イエスを信じ、このばかげた〈約束〉のシステムを信じても、それでもなお、そうしてさえもやっぱりじゅうぶんじゃない。なぜなら変えようとしているのは、変えようがないことだから。身長や耳のかたちやなにかみたいに。そうやって、この場所はわたしたちに刷りこむ、もしくは少なくとも確信させようとする。お前はこの先ずっと汚い罪びとになり、それは完全に自業自得で、なぜなら変わろうとする努力が足りなかったからだって。〈約束〉は、マークを確信させますよ」

「つまりきみは、マークがこのような行為におよぶと、職員は予測すべきだったと思うのかい？」またなにか書く。「警戒すべき兆候があった？」

そこでわたしは完全にさじを投げた。

「おおありですよ、聖書のいちばん意味不明な節を一言一句暗記したのがその兆候だったんだ」相手をまっすぐみつめて男と同じぐらい、自分の顔をからっぽにしようとした。「でもここ〈約束〉ではそれを進歩のサインとみなしてる。実際おどろきますね、弟子たちが全員手近な刃物で自分たちの性器を切りとってないなんて。たぶんわたしは自分の部屋に戻って、チャンスができ次第にやりますね」

これをきいて、役人の平板な顔が崩れたけれど、すばやくとりつくろった。「そんなに動転するとは遺憾だ」男はきみを動転させてすまなかったとはいわなかった。彼は自分の非を認めなかった。でもたぶん、それは正しい。厳密には彼のせいではない。

「動転してます。まさにいい得て妙です」

役人はそのあとほかの質問をし、それから二度ばかりわたしが受けていると感じた精神的虐待について特定させようとした。けれど彼の口ぶりからでさえ、すごくばからしく感じさせ、わたしはとってもひどい悪さをしたせいで与えられた適切な罰が気にいらずに、ぐずっている子どもみたいだった。わたしはひとことかふたことで答え、三分もしないうちに男はペンにふたをしてわたしに来てくれてありがとうといい、「スティーヴ・クロンプスをつぎによこしてくれ」と頼んだ。それでわたしはそうした。

この「事件」についてほかにどんな結果報告が州当局へ提出されたのかは知らないが、〈約束〉での変化がたいしてなかったことなら知っている。夜のみまわり係ケヴィンはくびになった、それがひとつ。交代要員のハーヴィは六十がらみの、もと〈ウォルマート〉警備員だ。ハーヴィはきしんだ音をたて、老人向けの黒いスニーカーをはいていて、およそ十五分ごとにハンカチに向かってすばやく三回鼻をかむ。もし夜間部屋の外にいるところをつかまったら、まちがいなくリックとリディアの知るところになる確信があった。それから、親または保護者にこの「事件」について連絡がいった。たぶん法で定められているのだろう。ルースは「そんなことが起きて」どんなに悲しんでいるか、長い手紙をわたしにしたためた。わたしが受けている扱いを疑うそぶりについてはなにも書かなかったし、非難したり、似たような運命がわたしに落ちる心配についてもなにひとつ書かなかった。ほかの子の両親も、似たような反応をした。だれも、わが子を〈約束〉から引きあげるなりなんなりはしなかった（まあ、マークの親はもちろんのぞいて）。その後の数週間、〈ワード・オブ・ライフ〉での校外礼拝に参加すると、わたしたちはさらに異質な罪びと集団になった。とはいえ事件の連想でなんとなく気味悪がられたわたしたちの栄光は急速にさめ、すぐにただのありふれた、性的倒錯者集団に戻った。

* * *

パパがむかし、モンタナにはふたつしか季節がないといっていたのを覚えている。冬と、道路工事だ。あれからたくさんのひとがそういうのを耳にしたけれど、やっぱりパパの使った表現だと思っている。わたしがうんとちいさいときに、パパがいっていたのを覚えていることば。どうしてみんながそんなことをいうのか、ちゃんとわかっていた。実際には愛してやまない州についての、たわいのない冗談だ。終わりがないように思えるモンタナの息づまるまでの冬の気候と、すぐそのあとにつづく夏の乾いた暑さとわずらわしさをいい表す、素朴な手段だった。そういった表現で、モンタナがいかに豊かな自然に恵まれているか、どれほどそれを——空、大地、気候、そのぜんぶを気にかけているかを要約していた（このいいまわしにはバリエーションがある。いわく、モンタナにはふたつしか季節がない。冬と森林火災。冬とそれ以外。狩りの季節と狩りの季節を待つ季節）。

けれども実際、一九九三年の西モンタナには春があったと断言できる。そして神に感謝した。わたしたちの脱出計画はそこにかかっていたからだ。三月半ばには、春の気配がした。あっちやこっちに少しずつ、そして五月の終わりを待たず、〈約束〉の建つ谷じゅうに広がった。はじめのうち、積もった雪が日中にゆるんでとけはじめ、夜にはまた凍り、つぎの日にくり返し、またくり返し、それから完全に地面の雪がとけてあらゆる道をどろどろにし、場所によっては水びたしになり、でもそれぐらいではアダムとわたしがトレイルランを再開する障がいにはならなかった。たとえスウェットを着て手袋をつけなければならず、ランの後半、寮に戻るのに前半のほぼ二倍かかり、その理由がスニーカーに重たい泥がごっそりこびりついて、足におもりをつけてるのも同然だったからだとしても。どの子の部屋の前をとおりかかっても、だれもが皆一様に窓を開けていて、さわやかな春のにおいが流れこんだ。湿った土と新緑と、形容しがたい冷たい山おろしのにおい。風は、窓からほど遠くない万年雪をかぶった山頂から吹いてきた。

最初のクロッカスが芽吹くころ——サマーキャンプ用のバンガローの背後には巨大なクロッカス畑があり、また、ちいさな黄色い花が毛足の長いじゅうたんのように、岩の割れ目からのぞいたり、納屋の周囲に沿ったりと、もっとも意外な場所に広がりだすころ——までには、ジェーンとアダムとわたしは逃げ出す時期を決めた。六月のはじめ、ボーズマンのライフゲート・クリスチャンスクールで試験を受けた直後、〈キャンプ・プロミス〉がはじまる前。わたしは授業より先に進んでいて、試験に受かれば単位を満たして十二年生になる。アダムも同じだ。けれどジェーンは卒業する。高校を修了する予定だった。正当な手段で成績証明書を手に入れるのが、ジェーンにはいちばん大事なことだった。

そのころはまだ計画の細部をつめている段階で、わたしたちの前にすべてがぼんやり不確かな状態で立ちはだかっていたけれど、ジェーンは期末試験が終わるまでは動かないように、わたしたちをはなから説得にかかっていた。そのことでアダムと口論になった。アダムはすぐにも出発したがり、六月ではぜったいに遅かった。

ジェーンとわたしの掃除当番がいっしょになったある朝、静かに話しあった。始終かびくさいシャワー室をみがきながら、ひそひそ話そうとしても声が反響する。個室は〈コメット〉クレンザーのにおいでつんとし、そのにおいをかぐたび、いまだにおばあちゃんがあの知らせをわたしに伝えたおそろしい夜のことを考えずにはいられない。代わりに意識を向けられる脱出計画があって、助かった。

六月まで待つ利点について、ジェーンがまたべつの指摘をしているさいちゅうに、わたしはいった。「期末試験のあとに行くのは構わない。いいと思う。理解した。でも、それならなんでわざわざわたしたちといっしょに逃げようとするの?」

「どういう意味、〝わざわざ〟って?」ジェーンは黄色いスポンジをふたりで使っているバケツに入れてしぼった。「キャムがわざわざ逃げようとするのと同じ理由だよ」

「つまりさ、ジェーンは卒業するじゃない。大学にあがれる。逃げる必要がないでしょ」

「まさか。わたしが十八歳になるのは八月。つまり、それまでは高卒の未成年で、まだ実質的にはママに保護される身分ってことだけど、ママがサマーキャンプのあいだはここに置いておきたがるのは保証してもいい。ママにとっては同じ屋根の下にいる時間が少ないほどいいんだよ」スポンジをふたたびつけてひねると、ぐしゃ、ぴしゃ、という音がした。「だいいち、わたしがほんとにボブ・ジョーンズ大学で高等教育を受けると思う? それとも、常に進取の気性あふれるテキサス州プレインビューのウェイランド・バプティスト大でさ?」

「くそみたいな学校に申請させられたからって、その学校に行く必要はないよ」ベサニーは福音派系大学のパンフレットやカタログの分厚いファイルを持っていて、卒業予定のジェーンともう二名の弟子は、その秋からの進学を申請したけれど、ジェーンによればそれはあくまで形式上であり、なぜならその手の大学は、学費をはらえて正真正銘の福音派信者かそのふりをする意思のある者ならばだれでも受け入れるからで、そして確かにその手の大学から合格通知が春いっぱいに山ほど〈約束〉に届き、一件も却下されなかった。

「もちろん必要はないよ。でもママたちはわたしがほんとうに行きたいと思う大学には申しこませてくれやしないし、いまではもうこの秋の入学申請には遅すぎる。どこかのコミュニティカレッジをみつけでもしない限りはね」ジェーンはずっとしゃがんだままスポンジをひたし、立ちあがったとき、悪いほうの足が痛むらしいのがわかった。腰を移動しつづけて体重がもう片方の足にかかるようにし、シャワー室の壁をスポンジで上下にこする。「笑っちゃうよ。リディアはケンブリッジで勉強したって話、したっけ？ なのにわたしたちに磔刑のキリスト大学に申請させても、素知らぬ顔を決めこんでる」

「あそこのフィールドホッケーチームはすごいってうわさだよ」

ジェーンがスポンジをわたしに投げつけた。狙いをそれてシャワー室から飛び出し、洗面スペースの壁にぐしゃっと音を立ててぶつかる。わたしがにやりとしてとりに行こうとすると、ジェーンが手を挙げて自分でとりに行った。

「大学に行きたいかさえわからない。しばらくは、世界じゅうを放浪したい気分」

「いいかもね。でもそれだったら、逃げ出す手間をかける必要はないように思うけど。『世界じゅうを放浪』しているあいだ、どっちみち母親と同居する計画じゃないんなら」

「まっぴらだよ」ジェーンがシャワー室に戻ってくる。「ママの完ぺきな、砂糖をまぶしたアメリカ郊外の生活に、わたしの居場所なんてないもの」

「だよね。だったら、母親と住むつもりも母親が行かせたがってる大学に行くつもりもないなら、そういえばいいじゃない。それで、母親が怒って二度と戻ってくるなっていったら、脱走するのと同じでしょ、どっちみち。つまりさ、アダムとわたしは、もし逃げなかったらここにもう一年行かされるのは確実。でもジェーンはちがう」

「わたしにいっしょに来てほしくないとかなにかなの？」ジェーンの声が、傷ついてきこえた。傷ついた口ぶりなんてまずしたためしのないジェーンにしては柄にもなく。「この足のせいで、ふたりの足手まといになるとでも心配してるの？」

「ちがう――まさか、ぜんぜんちがうよ」本気だった。「ただ、その必要もないのにやっかいな手段を選んでるみたいだから」

ジェーンはこするのをやめてそこに立ち、汚いスポンジから大きな水滴を、シャワー室のフロアタイルにしたたらせた。「キャムはやっかいな手段だと思うんだね。変だな、わたしは正反対だと思ってる。いつかママから逃げ出してやるってずっとずっと思いつづけてきた。だからよっぽど簡単に思えるね、こんな大胆な手段に出るほうが、ママが無視できない行為――仲間といっしょに大脱走――をするほうが、ことばでいうよりもね。何度も何度もいったさ、ママの生きかたはわたしのとはかけ離れてるって、ありとあらゆることばをつくして。だけどみたところ、歯牙にもかけてなかった」

「これならかけると思う？」

「すばらしいのは、結果がわかるころにはここにはいないってこと」ジェーンはジェーン・スマイルをした。「それに、このやりかたならキャムとアダムといっしょにできるだろ、ずっとひとりきりじゃなくて。少なくとも最初のうちは」

そこで計画がいきづまっていた。実行の時期について三人の意見がまとまったあとになっても。どこを、正確には目指すのか、そして目的地に着いたあと、どれだけのあいだいっしょにいるのか。最初アダムが考えていたのは、ただどこかへ三人全員で移動して、それから定かじゃないけど、住む家をみつくろうかなにかだったと思う。その線は魅力がないこともないとはいえ、わたしたちをさがしに来る人間がいることをジェーンが思い出させた。それにわたしたち三人は未成年で、なおまずいことに、ジェーンが十八歳になって晴れて成人したあかつきには、ふたりを家出幇助《ほうじょ》したとかなにかの容疑にかけられるおそれがあった。実をいえば、法律方面には三人ともいまいちうとく、とはいえ映画では、確かに悪党どもはどいつも逃げるときはべつべつに分かれ、ひとりがつかまったとしてもほかの全員がつかまらないようにしていた。三人は自分たちをある種、悪党と考えるのが気にいっていて、でも応援したくなるような、逃げ切ってくれと願うようなタイプの悪党だ。

しばらく人気のあった計画は、ボーズマンでミサに出かける途中に逃げ出す。たぶん、期末試験のすぐあと、ライフゲート・クリスチャンスクールからそのまま。けれどその場合、荷物を持ってくることは着替えすらほぼ不可能であり、施設の外へ出るときは常にリディアがわたしたちに目を光らせているのは、とりわけわたしのフェルトペン盗難未遂以来、いうまでもなかった。

アダムはいまだにバンを盗む案を推し、けれどジェーンとわたしで説得にあたり、盗難車は足がつくいちばんの早道だからと、こんどはしっかり納得させた。ついに、たとえジェーンの足を考慮に入れても、クロスカントリー・トレッキングが最善の方法だとのことで落ちついた。幸いわたしたち三人はアウトドア派で通っていたから、晩春の数週間ならハイキングの途中でまる一日実質〝消え〟ていたって怪しまれない。たぶん、キャンパスをあとにして六時間か七時間たたなければわたしたちをさがしに来るか、もしくはだれかをさがしにやらないだろうと見当をつけた。昼食はピクニックでとるといって朝早くたてば、おそらくもっと長い時間をかせげる。それに、ジェーンは常々自分で吹聴しているように、ほんとうに「自給自足タイプ」で、地図を読み、コンパスを使え、火を起こせた。

〈約束〉の半径二十五から三十キロ以内に、キャンプ場や登山口や観光客目当てのみやげもの屋が数十軒、ちいさい町すらも二、三あり、ルート次第ではもっとせまい範囲でみつかる。そういった場所ならどこからでもヒッピー大生を装い、ボーズマンまでヒッチハイクできるかもしれない。うまく装えると思った。とりわけ、ハイキングかキャンピング中の、ほんもののヒッピー大学生に出くわせれば。

「友だちをつくるのなんて楽勝だよ」アダムがいちどならずいった。「つまりさ、大麻を持っていくだろ。それは今年度最高の『お近づきのしるしおよび脱ゲイキャンプからの逃走幇助お礼』ギフトになる」

ボーズマンに着いたあとの計画は、もとスカンラン湖のライフガードでドック下のいちゃつき相手、モナ・ハリスの所在をつきとめる。少なくともわたしたちをひと晩かふた晩、寮の床にこころよく寝かせてくれるのをあてにしていて、そのあいだにつぎの手を考える。そこまでは計画をつめ終えたけれど、「つぎにどうするか」の部分で、ふたたびすごく迷った。わたしたちそれぞれが迷った。わたしはどうにかしてマーゴット・キーナンに連絡をとろうと考えていた。彼女にどこまで頼るか、またはなにを頼むかさえほんとうにはみえていない。けれどマーゴットは信用できると思えるおとなで、わたしを助け、口をつぐんでいてくれると信じられる人物だ。ジェーンは別れたもと彼女に電話するつもりでいる。クリスマスに超強力な大麻を買った〝悲劇の女性〟。その女性はまったく予測不能で、ボーズマンまで車で迎えに来てくれるか、それともあっちへ行っちまえというかはわからないという話で、けれど警察にわたしたちを通報される心配だけはないとジェーンは保証した。なぜならそれは「ヤクの売人の仁義に完ぺきにもとる」から。アダムはモナのところに身を寄せたあとにどうするかは未定だったが、気にしていないようだった。けれど、アダムがどんな予定を立てるにしろ、ボーズマンで三手に分かれる計画だ。少なくともしばらく、わたしたちが全員十八歳になるまでは。計画のこのくだり、べつ行動をとる部分は、どれほどばらばらで未完成で、実現の可能性がある意味信じがたいかに関係なく、考えると、とてつもなくさびしくなった。

＊＊＊

四月のはじめ、ジェーンが干し草置き場で一服している現場を押さえられた（アダムとわたしはたまたまいっしょじゃなかった。ふたりともゴミ係をしていた。運がよかった）。ちょうど個人面接が終わって夕食当番までには数分の余裕のあったジェーンは、一服か二服休憩しに納屋に行った。なぜならその日の午後はとてもいい天気で、春らんまんだったからだ。デイン・バンスキーも夕食当番で、遠くからジェーンのあとをつけてきたにちがいない。デインはマークの「事件」以来、おかしかった。怒りを監視行動に転じたらしく、けれど〈約束〉とその教えに逆らうのではなく、与《くみ》するため、〈約束〉の目的に協力するために。妙な雲ゆきだった。デインはヤクについてはちょっとした専門家だ。わたしの勘では、たぶんわたしたちが大麻を吸っていることはしばらく前から知っていて、けれどこの日を選んでリディアにご注進にいき、ジェーンのところへ連れてきた。ジェーンがいうには、「すてきなちいさなマリファナたばこをくわえていたら、最初にリディアの白い頭がみえて、それから顔がロフトのはしから飛び出してきた。実際にはしごをのぼってきたんだよ、わたしをつかまえるために。なかなかの身のこなしだった」

なかなかだろうとどうであろうと、ジェーンはわたしが〈約束〉にいるあいだにみたどんな罰より重い罰を与えられた。自由時間はすべて監視つきか室内の勉強時間にふり替えられた。装飾と手紙の特権は、悪名高い「追って沙汰があるまで」とりあげられた。親に通報された。そして最悪なことに、リックかリディアとの個人面接を毎日義務づけられ、たぶんリディアとになる。リックは〈約束〉と、自分が主役のサクセスストーリー『フリー・フロム・ザ・ウェイト』ビデオシリーズ両方の宣伝旅行中だった。

そうなると、アダムとわたしは食事のときか、監督つきの活動か、授業か教会の礼拝時にしかジェーンと会えなかった。それでもリディアがときどき来て、わたしたちと同じテーブルで食べるか同じ会衆席に座り、そっちをみなくても意識させる氷の目つきで監視されつづけた。ちいさな四角に折りたたんでひそかに回しあったメモと、すきをみてはやりとりした短文で知ったのは、ジェーンは納屋に隠した大麻をいくつかリディアに引き渡してお茶をにごし、あわよくばそれがぜんぶで、隠し場所はそこだけだと信じこませようとした。義足の隠し場所は、みつからずにすんだ。その心配はしていない。そして最高なのは、アダムとわたしが大麻仲間だと口を割らなかったことで、デインがもしわたしたちのことを知っていたとしても、彼もまたいわなかった。知っていたとわたしはにらんでいる。

「これ以上ないぐらい間の悪いタイミングで罰をくらったよな」ある日の朝食、まだ列に並んでいるリディアがスクランブルエッグの容器からいちばん水っぽくない部分を選り分けて自分の皿にすくっているすきをみて、アダムがいった。

「それどころか神さまのお導きだよ」ジェーンがすばやく返す。「最高のタイミングだもの」盗みぎきされていないかまわりをみまわしたけれど、弟子の大半はまだホールに来てもおらず、もしくは食べものにかぶさって半分寝ていた。どちらにしろ、ジェーンはもっと声を落とした。「総務室から身分証を手に入れるめどがまだつかない。それには最低ひとりが福音のおつとめ係にならなきゃいけないけど、三人ともいまは候補からはずれてる。わたしはこの罰を利用して、デイン・バンスキーをまねるつもり」

「はい？」わたしより先に、アダムがいった。

「来月はリディアのいいつけをぜんぶ、守るふりをする」ジェーンの目がいたずらそうに輝く。「完ぺきにね。あんたたちふたりもそうすべきだよ。でもあからさまにはできない、心変わりのきっかけが必要になる」

「どういう意味かわからない」アダムがもういちどわたしの代わりにいった。「デインはふりなんか、なにもしてないぞ」

「あいつは逃げる算段はしてないかもしれないけれど、べつに信仰に目覚めたわけじゃない。マークを心変わりのきっかけにして、行きすぎだ献身を手はじめに、リディアにとりいった。わたしは大麻でつかまったから、個人面接のとき、大麻愛についてすごく正直に話した——正直ってのは、大麻を吸うのは性的背徳への重い罪悪感と向きあうためだってリディアにいったってこと」

「それで実際に効き目があるの？」わたしがきいた。

ジェーンがうなずく。「みた限りじゃね。つまり、リディアに本音で話したことはそれまでいちどもなくて、向こうはそれを知っていて、だからふたりのあいだに光明が差したって当然思いこむ。でもまだ序の口。わたしが泣き出すまで、みてなって」

「ぼくは個人面接で泣いたことあるよ」アダムがいった。

「もちろんそうでしょ、疑いなく」

「あー、デリケートで悪かったな、鉄の女め」アダムがすねてみせた。

リディアはいまのところエリンになにか話しかけていたけれど、トレイは埋まり、紅茶をそそいだカップを持っていた。すぐにもこっちにやってくるはずだ。

「どれくらいそれらしいふりをできるか自信ないな」とわたし。「すぐにリディアに見抜かれそう」

「たとえそうでも、どうしてそうしてるかまではわからない。いまは三人がつるんでいないほど、〈約束〉に真剣にとりくんでるようにみえるほど、有利だと思う。きょうを犠牲にし、あしたに報われる」

「げ、胸くそ悪い」アダムがいった。「早くもリディアみたいだ」

「よかった、そこがポイントだから」

そのあとリディアがわたしたちの席に座り、みんなはリディアの話に調子をあわせた。内容はひとつも覚えていない。

＊＊＊

それから数日とたたない個人面接中、わたしの態度が変わるきっかけとして、完ぺきな郵便物を受けとった。とはいえ最初からそれがはっきりしていたわけではない。つまり、受けとったときに「すごい、これでリディアをお涙頂戴話で操れる」とは考えなかった。なりゆきで、そういう展開になった。

受けとった郵便は、おばあちゃんがタイプでつづった三ページ分の手紙（そのうち一ページはルースからの手書き）で、ルースがNF腫瘍でつらい思いをして、切除する予定の手術がキャンセルになったいきさつが説明してあった。腫瘍はクリスマス以降ずっと、とりわけクリスマス直後、どうみてもだれもが「憂慮すべき」と呼ぶ大きさに育ち、いまではルースが背中にこぶを背負っているのが歴然となった。もはや服の下に隠せおおせなくなっていた。それに痛みも出て、ルースを疲れさせ、こぶは要するにダニか回虫のように養分を吸いとり、そのためミネソタ州での手術を二週間ほど早めて「この憎たらしいやつを切るために」、レイとおばあちゃんでミネアポリスに連れていった。ところが案に反し、なにもかもがまずい展開になった。

リディアは個人面接のはじめに封書をくれ、いまだに弟子の郵便物はすべて開封し調べたのち本人に引き渡すため、あらかじめ内容を知っていた。ふだんは面接の終わりに渡すか、土曜日に部屋に配って回るのが常だから、なにかがおかしいのは手渡された時点でぴんと来た。それからリディアがいった。「いま読んで、必要なら話しあいましょう」それで、わたしは実際、なにが書かれているのかちょっと心配になった。

手紙のなかで、おばあちゃんはミネアポリスへの旅と病院についてこまごまと書き、また「すごく豪華な面会棟」と、そこには古いタイプライターが置いてあり、それは「子どもが遊べるように」だろうとおばあちゃんは推測し、けれど座って、わたし宛てのこの手紙をタイプして、まだ打てるかどうか試そうと決めたと説明していた。「ジェシカ・フレッチャーになったみたい。覚えているだろ、『ジェシカおばさんの事件簿』の主人公」

手術の話自体、ほんとにめちゃくちゃだよ。ここの執刀医は腫瘍の頭だけをとって（ほぼ一ポンド半！）そのあとルースおばさんの脊髄にそれ以上近づく危険はおかさないって決めた（最初はそうするって話だったのに）。それに手術中にたくさん血を失って、それも心配だ、わかるだろうけど。緑色の服（質問したら〝スクラブ〟というらしい）を着た医師たちがフットボールチームかねってぐらいいるのに、ルースの背骨に手をつけるのが正解だと思う先生はひとりもいなかった。だから、いまは腫瘍のいちばん大きな部分はなくなってる。だけど全員、お医者のチーム全員が、これはただの急場しのぎで、腫瘍はまた育つ、まだ根もと（もしくはなんて呼ぼうが）は手つかずだからって断言するんだ。医師たちは切った腫瘍で生検を進め、結果は良性だった（それはいいこと――癌《がん》じゃないっていう意味だよ）。でもルースのふとももから細胞を少しとって（前にそこにもあったのを覚えているかい）、そしたらそいつは悪性（悪い種類）で、それでルースに放射線治療をしてふとももののがん細胞を殺した。それから、胃にももうひとつ腫瘍ができていた。これは背中のやつみたいにかたくはなく、でもすごく大きいのが新たに出てきたって説明された。そんなわけで、ミネソタに来てひとつ切除したら、こんどは処置が必要なべつの問題がいくつもできた。どう思う？　わたしにいわせりゃめちゃくちゃだ。ルースはミネソタにもう二週間入院して放射線治療を受けたりなんなりをして、それから家に戻ったあともやっぱりしばらく寝ていないといけない。ルースがその命令をちゃんと守るとは思わないがね（でもそうすべき！）。レイはマイルズシティの家に戻る、仕事があるから。けれどわたしはルースといっしょに残ってついててやる。わたし、ふたりとも、お前がここにいてくれたらいいのにってつくづく思ってるよ、はねっ返り。

ルースのいい分（わたし向けの）。

ポストおばあちゃんがだいたい説明してくれたと思います。おばあちゃんが有能なタイピストだったなんて意外じゃない？　わたしはだいじょうぶだとだけ伝えたくて。疲れてるけど気持ちはしっかりしてるし、手術で好転してると思う。わたしが期待したとおりではなかったとしてもね。先生が再増殖について話されたのはきいたけれど、医者がすべてを知っているわけではないし、わたしの感触ではこの先十年か二十年、またはもっと長く、この大きさのままじゃないかと思ってる。永遠にかも……もう長いあいだ背中のこれは変わりなく居座っていて、それを思えばこのままかもと願うのはそうばかげてもいないと思っています。足の腫瘍については放射線治療できれいさっぱりとりのぞけるでしょう。

おばあちゃんがここにいっしょにいてくれてありがたいわ。ふたりであなたのことを毎日話していま す。あなたがいなくてさみしい。お祈りのとき、自分の分に加えてわたしの回復も祈ってくれればうれしいわ。そして、わたしがまだあなたのために祈っているのを知ってほしいの、キャメロン。とてもとてもあなたを愛しています。

両方の手紙を読み終えて封筒にしまうと、リディアがいった。「おばさんの病気を知って残念に思います。前からだったの？」

わたしはリディアが「おばさんの病気を知って」といったのは、ちょっとちがうと思った。ほんとうにいうべきなのは「わたしはあなたの手紙を開けてあなたのおばさんの病気についてぜんぶ読んだ」なのに。でもわたしがいったのは「そうです、でもいつもはこんなじゃありません。普通はほんの少し育って、数年ごとにとりのぞけばだいじょうぶだったんです。こんなに悪くなったのははじめてだと思います」だった。「癌の一種なのかしら？」癌について話すときにある種のひとがいつもするように、ひそひそ声できく。

「NFはちがいます。神経に腫瘍ができる遺伝的な病気で——そんなにくわしくありませんが、癌とはちがいます。でももしそれがあると、癌になる可能性が増えて、それがおばさんの足の腫瘍に起きたんだと思います」

「心配でしょうね」

「はい」わたしはすばやくいった、なぜならそれがわたしが示すべき反応だから、ルースとわたしのあいだになにがあったとしても、やはりわたしが示したいと感じるべき反応で、でもそれは本心ではない。ルースを心配「しなかった」のではない。つまり、ルースに病気になってほしいとか、もっと癌が育ってほしいとかなんとかを望みはしなかった。けれどおもに考えたのは、ミネソタの大きな病院にいるおばあちゃんのことだ。緑色の、始終ぴかぴかに消毒された病院の長い廊下をふらふら歩き、カフェテリアに行って自分とルースの軽食用に、おばあちゃんが好きな種類のちょっとした食べもの、クリームパイや、大きなサラダバーから選んだのを買う。ルースの部屋のテレビで探偵もののドラマをみるけれど、おばあちゃんには音量が低すぎてききとれない。なぜならルースが寝ているからで、そのあと、べたべたして混みあった待合室でタイプライターをかしゃかしゃかしゃ打ってわたしに手紙を書く。そこではみんなが疲れてみえ、実際に疲れている。おばあちゃんがスープのボウル二個をのせたトレイを運び、エレベーターにのってルースの階まであがっていくさまを思い描くと、病院のベッドに寝ているルースを想像するより悲しくなった。実際に病気なのはルースだというのに。

リディアがなにかいっていたが、きき逃したにちがいない。なぜなら「いまそうしたい?」とたずねかけ、わたしはきき返さなければいけなかったから。「なにを?」

リディアはくちびるを突き出して、それからいった。「病院のおばさんに電話したいかときいたのです。したいならできますよ。いまいったように、番号はわかりますから」

「そうしたいです」リディアと総務室まで歩いていきながら、おばあちゃんと話ができるように、おばあちゃんがギフトショップをうろついていたり、空気を吸いに外に出ていないようにと願った。

おばあちゃんは外に出ていなかった。ナース・ステーションのジュディが個室につないでくれたあと、「もしもし」といったのはおばあちゃんだった。

おばあちゃんと電話で最後に話したのがいつだったか、思い出せない。ママとパパが死ぬ前なのは確かだ。ときどき、週末にビリングスのおばあちゃんに電話した。でもそんなにひんぱんではない。ふだんはおばあちゃんがわたしたちに会いに来るか、わたしたちがおばあちゃんを訪ねた。前に「涙がこみあげてきた」とだれかがいうのをきいたか読んだかしたことがあるけれど、自分がいちどでもそんな感覚を持ったことがあるとは思わない。泣きはじめる前に、泣きそうだと感じるようなことはなかった。けれどそれも、おばあちゃんが電話に出るまでの話だ。わたしは書類と油性マーカーと郵便切手ののりの、いかにもそれらしいにおいのする総務室に立ち、リディアがすぐうしろに控えているのを意識した――番号を打ってくれたあと、電話の内容を、とりあえずはわたしの発言内容を監視するためにうしろにはりつき、それからおばあちゃんの声がミネアポリスの病室からして、でもそれは過去からの声のようでもあった。わたしの過去から、もはやわたしではなくなり二度とは戻らないわたしに向かって、おばあちゃんの声が話しかけている。そうしたらみごとと、目からくそったれの涙がこみあげてきた。こみあげるのを感じた。なにもなかったのに、あふれてきて、だからわたしは口を開く前に息を吸わなければならなかった。「わたしだよ、おばあちゃん。キャメロン」

感動の出だしにつづいて電話で実際に交わした内容は、たいしておもしろくもない。おばあちゃんがわたしからの電話にとても興奮しているのが伝わり、案の定カフェテリアのおいしい食事について話し、それから病院の庭に植えられた美しいピンク色の花の木が、名前は知らないけれど「くしゃみの原因にまちがいない」とまくしたて、つぎに電話を回されたルースは疲れてきこえ、でもつとめて明るい声を出してげっそりした声をきかせまいとしているらしく、そうしなかったときよりかえって具合が悪そうにひびいた。ルースとわたしはあまり長くは話さなかったものの、すぐよくなるように願う、おばさんのことを思っていると伝えた。それは本心だった。

電話を切ったあと、リディアは手ぶりで回転椅子にわたしを座らせ、自分は部屋の反対側の回転しないデスクチェアに座ったけれど、部屋がせまいためにふたりの距離はひどく接近し、鼻づらをつきあわせて向かいあう。リディアはしばらくわたしに考えさせるためかなにかで間をとり、それからいった。「それで、どうでしたか」

「変でした」

それからリディアがいった。「面接で、あなたのそのことばづかいに関するわたしの意見は知ってるでしょう。あいまいすぎます。意味のないことばだわ。具体的にいいなさい」

それでいちどだけ、わたしは具体的にいった。完全に、かつ徹底して具体的に、そのときその瞬間に考えたことを、正直にはき出した。「どうしてかはわかりません、でもおばあちゃんたちと話しているあいだ、病院の一室にいるところを想像してました。それはおかしくない、ですよね。でも実際にふたりのいる病院じゃないんです、だってわたしは行ったことがないのに、どんなようすか知りようがないじゃないですか。ふたりがいる場所として想像しつづけたのは、実をいうとマイルズシティの廃病院です。〈聖ロザリオ〉って名前なんだけど、ほんとに、いまこのときだって、ルースの部屋にいるおばあちゃんを思い浮かべようとすると、汚れて薄暗い廃病院の〈聖ロザリオ〉が出てくるんです。つまり、その映像を変えようと思えば変えられはします。たぶん、もっと正確に、ちゃんと動いてる機械とかいろんなのを置いて、でも心のままに思い浮かべると、その場所になるんです。〈聖ロザリオ〉にいるふたりがみえる」

「それはなぜだと思いますか?」

「さあ」

「なにか思い当たるはずですよ」

「あそこでたくさんの時間を過ごしたからかも。実際にやってる病院とかに行くよりも。それに、記憶にこびりつく場所だから」

「でもそこに行くのは禁じられていましたね?」リディアは自分のノートのまっさらなページをめくったけれど、それは面接のときにはめったに起きない。わたしたちがあまり実のある話をしなかったせいだ。

「そう。不法侵入してました」

面接時間に〈聖ロザリオ〉の話をしたのはそれがはじめてというわけではない。もちろん、ジェイミーととり巻きとの「不健康な友情」の話題におよび、リディアはそれを、「ティーンエイジの一部の男子がやる無鉄砲な行為を不適切にまねたがる」わたしの欲求だと形容した。それはわたしの「まちがった性自認」の一部でもある。また、わたしの未成年飲酒(それは〝無鉄砲な行為〟の範疇《はんちゅう》に入る)にも軽く触れ、そしてやがて、リンジーとわたしのあいだに起きたこと、その廃病院で、はじめて経験したことに話はおよんだ。けれどリディアが興味を示したのは、その午後と、そのあと数回の個人面接でわたしにそういったのは、わたしがひとどおりの罪を経験したこの場所を、おばさんの病気に関して感じている罪悪感と悲しさに結びつけたことだ。リディアによれば、わたしには課題がたくさんあり、進歩は「そのつながりを理解し、掘り進んで白日のもとにさらし、真剣に向きあうことによって」なされる。

わたしは心理学の知識はあまりない。最近、〈約束〉を離れてから二、三かじりはしたと思う。けれどわたしにそれが適用されたとき、個人面接かグループ面接を受けていたとき、どこで宗教の部分が終わり、どこから心理学の部分がはじまるのかわからなかった。少なくとも、リディアがショーを仕切っているときは。リック牧師のときも、「性自認」や「真因」などの心理学用語をときどき使ったかもしれない。けれど大半は「罪」や「悔い改め」や「服従」などの聖書のことばを好み、それだって権威をちらつかせて話すべきときだけで、ほんとうにはあまり使われなかった。リックはおもに、きき役専門だった。ところがリディアの場合、ぜんぶごっちゃにして、聖書からの一説のあとにＮＡＲＴＨ（アメリカ同性愛研究・治療協会）から引っぱってきた活動をやらせた。もしくは「罪は罪」だとわたしたちに思い出させ、そのあとでわたしたちの罪に関連した「偽の自己承認行動」について話す。もしその目的が、サポート面接でわたしたちが受ける処置を疑問に思わせないためだとしたら、正確にはなにを疑問に思うべきか、なにに異議を唱えるべきか――リディアが引用しているのは聖書なのか心理学なのか不明のため――実際に見当がつかず、それはある意味成功していた。けれどわたしたちを操る手段として、組織だっていると、計画が練られているとは必ずしも思えない。実のところ、そこは開拓時代の西部であり、彼らは出たとこまかせに適当にでっちあげていただけだと思う。つまり、彼らに待ったをかける存在がだれかいただろうか？　いまならば、このことばを知っている。「疑似科学《スードサイエンス》」。なかなかしびれることばだ。「ス」を二回発音するところが気にいっている。でもあの日、リディアと総務室にいたわたしは「疑似科学」ということばを知らず、もし知っていたとしても使いはしなかった。わたしのつまずいた「成長サイクル」について、どうして罪びととなり〈約束〉に籍を置くはめになったのかについて、なにか意義深い発見の一歩手前に来ていると、リディアが考えたのがうれしかった。わたしはリディアにそう信じこませた。それは、わたしたち三人の脱走を早めるために、うまく管理されたようにみせるべきだとジェーンがいい張るからだけでなく、「もしほんとうに〈約束〉をこれっきり、永遠に去り、二度とふり返らないのであれば、たぶん来月いっぱいばかりをこの場所に、ここのやりかたに、実際に委ねるべきではないか」と思ったからでもある。降参するのではない、それはちがう。それに、指をパチンと鳴らして信仰と献身のひとに早変わりしようとしたのでもない。わたしは決して、マークにはならないとわかっていた。そんな能力もなければ、そのような育ちでもなく、またはそのふたつの組みあわせでもなんでもない。でももしリディアに正直になれれば、腹を割って、そして彼女の問いに完全にぜんぶ答えれば、そうすればたぶん、自分についてなにかしら理解できるかもと考えた。「どうとでもなれ」、それが基本的にわたしが考えていたことだ。どうとでもなれ。

第二十章

電話の使用をリディアに許されて一週間ばかり過ぎたころ、ベサニー・キンブルス＝エリクソンがすごい掘り出しものの本を持ってきた。ぱっとみ、そうは思わないだろう。わたしがそう思わなかったのは確かだ。雑誌の『ナショナルジオグラフィック』ほどの厚さで、ぺらぺらした紙の表紙はかびと地下室のにおいがし、タイトルの上にコーヒーじみの輪ができている。タイトルは『山が落ちた夜　モンタナ州イエローストーンを襲った地震の記録』。著者はエド・クリストファーソンという男性で、一九六〇年に自費出版されたときの価格は一ドルだったらしい。なぜ知っているかというと、黒い太字のレタリングで表紙の下にこう書いてあったからだ。「ONE DOLLAR」。でも三十三年後のいま、ベサニー・キンブルス＝エリクソンは年にいちど教会の駐車場で開かれる〈ワード・オブ・ライフ〉の慈善バザーで、わずか二十五セントをはらって入手した。そのささいな事実に、みず知らずのひとながらエド・クリストファーソンに同情した。

「となりのテーブルに移動したら、本が入った箱のいちばん上にのっていたの」わたしにくれたあと、ベサニーはたぶん十回はそうくり返した。「いちばん上。ちまたで起きる奇跡のひとつよ、ほんとうに。だって、バザーに本の入った箱がどれだけあったかわかる？　百個はあった。ほんとよ、まじめな話。しかもその半分もわたしはみてないのに」

ベサニーは偶然のできごとを説明するときに〝奇跡〟ということばを使いすぎるきらいがあり、いま話している奇跡がどんな種類かをはっきりさせるために〝ちまたで〟を潜ませたとしても、やっぱりわずらわしい。それで、ベサニーがこの本を発見した事実についてわたしが思ったのは、「また単なる偶然が、奇跡に祭りあげられたぞ」だった。確かに最初はそう思った。つまり、なにも〝奇跡〟呼ばわりしなくたって、完ぺきなタイミングでみつけてくれたベサニーに感謝はできる。

少し前、ライフゲート・クリスチャンで受ける期末試験に向けて順調に準備の進んでいる弟子は、わたしもふくめ、幅広いテーマから個別プロジェクトを選んでとりかかっていいことになり、モンタナ州の歴史も選択肢のひとつだった。それを選ぶだけでも博物館の仕事をしていたママに近づけたように感じたけれど、クエイク湖にしぼって調査しようと決めた。湖のなりたち、それに事実と一般に広まっている話とにくいちがいがないか、すっかり調べあげる。だからベサニーの発見は、まさにうってつけのタイミングだった。

プロジェクトを抱える弟子はボーズマン公共図書館にすでにいちど連れていってもらい、今月中にもういちど行ける。けれどそのときはベサニーが本を持ってくる前で、まだエド・クリストファーソンの本に出会っていなかった。実際、図書館で過ごした四時間のほとんどを『ボーズマン・デイリー・クロニクル』紙のマイクロフィルム・アーカイブをみて費やした。地震の目撃証言を読み、記事に添えられた粒子の粗い写真に目を細めてたくさんの時間を過ごし、ページボーイの髪型をして〈キャンプファイヤー・ガールズ〉のTシャツを着たママを想像しようとした。自家用車の後部座席に座り、となりにはルースがいる。地震の翌朝、ウィントンのおじいちゃんが運転し、ウィントンのおばあちゃんは助手席からふり返り、数分ごとに娘のようすを確かめ、車内は重苦しさと、地震の被害が最悪だった地帯から逃れたと知った喜びで満たされている。けれど、ほかのひとたちはちがう——被害者数の正式な発表はまだだったが、ほかのキャンプ客たちがそれほど幸運に恵まれなかったのは確実だ。

地震のために何度も回り道をしてビリングスの家に帰る長くて暑い道すがら、後部座席に座るママがなにを感じたか、けんめいに想像しようとした。ママのお父さんの首が緊張で張りつめ、ラジオの波長があったときはどの局も地震速報をえんえんと流し、ガソリンスタンドで買ったジンジャーエールのびんはふとももものあいだで汗をかいてぬるまり、ママは最初のひとくちのあとはもうのどを通らず、キーナン一家のことを思うと、死んでいるのはほぼ確実で、それが真実だとしたら、後部座席にのほほんと座ってジンジャーエールを飲むなんて、どうしてできるだろう？　あの日のママを想像しているうち、いつしかアイリーンとのお泊まりをクロースンさんに中断されたあの晩――おそろしく、果てしなくつづくかに思えた道のりを走ってマイルズシティに戻り、おばあちゃんから両親の事故の知らせをきいた、あの晩の記憶に切り替わっていた。想像から記憶へ、車にのっている子ども時代のママからトラックにのったわたしへの切り替えはいつの間にか起き、一種の条件反射だと思うけれど、なにが引き金になったのだろう？　ひび割れた、モンタナの暑い夏のアスファルトを転がるタイヤの音を思って？　走行中の車のなかで、口に出されずに終わったことば？　罪悪感？　わからない。すると、ベサニーがわたしに本を持ってきた。『山が落ちた夜』の本を。

その本には、すべてがあった。グラフと表、マディソン峡谷地震地帯全体がのっている厚紙の折りこみ地図一面に、おかしなちいさい手書きのシンボルがちりばめられ、たとえばふたつのパラシュートが表しているのは、山火事の消火活動に招集された森林消防パラシュート降下隊員だ。火事の火もとは、地震を生きのびたものの、車を失い、キャンプ場へ来るのに通った道路さえ落ちてなくなったせいで、救助を呼ぶためにキャンプ客があげたのろしだった。

また、目をこらさなくてすむ鮮明な写真も、おびただしいほどある。ひっくり返ったキャデラックと、それが走っていた、いまではおばあちゃんのくだけた無糖ワッフルみたいにひび割れ分断された、幹線道路。ヘブゲン湖を囲むまたべつの幹線道路は、文字どおり虚無に、湖中に崩れ落ち――あら不思議、タネも仕掛けもないのに消えちゃいました。シャツのすそをスラックスからはみ出させた男たちが、包帯をしたひとびとを担架にのせて、急いで運んでいる。野次馬たちが被害をみに集まり、大きなテールフィンのついた車が、無事だった幹線道路のわきに列をなす。「避難する家族」とキャプションをつけられた写真では、一家全員がパジャマ姿でバージニアシティの通りを歩いている。白いバスローブを着たおばあさんはいちばん下の子どもの手を引き、影の薄い母親は子猫を抱いて、胸もとで腕を組んだ長女はカメラ目線は避けているものの内気そうな笑みを浮かべて横を向き、ブロンドのクルーカットにはだしの長男はレンズに向かってにっこりしている。写真に父親の姿はない。写真を撮っているのが父親なのかもしれない、でもちがうかも。わからない――キャプションはなにも語らない。

けれどそれとはべつの写真があった。ベサニーが使ったことば、〝奇跡〟について改めて考えなおさせ、また脱走計画の仕上げにひと役買った一枚が。本自体といっしょだ。最初はなにも特別にみえない。写真のほとんどを占めるのは二個の巨岩で、キャプションによれば、地震で崩落して小型テントを押しつぶし、「ビリングスのデイヴィッド・キーナン（十四歳）の命を奪った」。だが「奇跡的に」キャンプ場で一家が座ったピクニックテーブルの食べものは難をまぬがれ、大きいほうのテントも無傷で残った。ピクニックテーブルが手前にあり、そのすぐ背後にそびえたつ岩は、なにかの加減で動きをとめ、すんでのところで被害が広がらずにすんだ。

「デイヴィッドの両親と妹は無事」、とキャプションに書かれている。わたしは授業中に本を読んだときに写真に目を通し、それから最後までページをめくり、自分の部屋に本を持って帰りさえし、一日をいつもどおり、というか半日を過ごしてから、やっとその名前、デイヴィッド・キーナンが記憶から呼びさまされ、体がふるえた。

洗濯室でくたびれたバスタオルをたたんでいるとき、はっとなり、乾燥機のドアを開けたまま、引き出されるのを待っているまるまったタオルと、洗濯機に入れてもらうのを待っているさらなるタオルの山を放り出し、すぐさま本に戻った。デイヴィッド・キーナンは、マーゴットのお兄さんだ。デイヴィッド・キーナンは、ビリングスの〈第一長老派教会〉の食料庫でママにキスをした。本は机の上にのっていて、手にとるが早いかページをくり、目的の写真を二度通りすぎて両手がふるえた。それからページに行きついた。その写真をみるのは、マーゴットの記憶、完全に個人的であるべき記憶を目のあたりにするみたいだった。テーブルの上にはマーゴットの家のコップと皿、たぶんホットドッグバンズの袋が入った段ボール箱、手づくりチョコチップクッキーの容器、スモアの材料。スモアが一九五九年ごろにあったとしてだけれど、定かではない。お兄さんが死んだとき、マーゴットは写真には映っていない大きいほうのテントにいた。安全に。写真のクレジットは、「アメリカ農務省林野部」と記されている。赤の他人が、一家の悲劇をスナップ写真に撮った。マーゴットはあのテーブルとあの大岩を、ほぼ正確に思い出すのにたぶん写真を必要とはしないだろうとわたしは思い、けれど**一ドル**の本に映っているこの写真の存在を、知っているのだろうかと首をひねった。そしてもちろん、わたしは自分の親と、クエイク湖転落死の写真が何点も出まわっているのでは、と勘ぐった。湖から引きあげられる車。車から回収される両親の遺体。父の財布とママのパースから引き抜かれた身分証。たぶんそういう写真がたくさん警察にファイルされ、新聞記事に添えられ、わたしがみることのないまま存在するかもしれず、そしてそのことを考えるとわたしは――ふたりが死んでからはじめて――クエイク湖に行って、自分の目で確かめたくなった。〈キャトルマンズ〉の夜、マーゴット・キーナンにはこういった――チェリーがふたつのった、どピンクのシャーリー・テンプルをあいだにはさんで――クエイク湖に行きたいとはぜったいに思わない、と。マーゴットはそれで構わないといった。いつか気が変わるかもしれないとさえいわなかった。そんなとき、おとなは決まってそういうのだが。マーゴットはただ受け流した。でも、いまはもっぱらこの本の、あの写真のせいで、わたしは決心をひるがえした。それに湖は事実上すぐそばに、確実にハイキングで行ける距離にある。もし地図を読め、コンパスを使えて火を起こせる人物をだれか知っているとすれば。そしてわたしはそのだれかさんをよく知っていた。

写真を調べたつぎの日に、わたしがしたのは〈約束〉の図書館に行き、二番目の本棚のいちばん下から分厚い辞書をとり出してきて〝奇跡〟の項を引くことだった。確かに、語義のひとつは「自然の、または科学の法則」にはない「神のみわざ」について述べてあり、例文には「墓のなかからよみがえりし奇跡」と書かれている。思ったとおり、その語義はわたしが直面したこの状況に限っては重すぎる。けれど、つぎの語義――「歓迎すべき結果を招く、かなりありえないか、とほうもないようなできごと・進捗または成果。」――はずっとしっくりきた。脱走計画が成功するかどうかはまだわからない。「歓迎すべき結果」であるクエイク湖にたどりついたとしても。けれどベサニーのみつけた本、それからわたしがみつけた写真、それから被害がなかった食べものにつけられたキャプションの「奇跡的」ということばづかい。このすべてを「かなりありえないか、とほうもないできごと」と呼ぶのに異論はない。はがゆいのは、ベサニー・キンブルス＝エリクソンに、今回に限り、ちまたの奇跡説が当たっているかもしれないと教えてあげられないことだ。

＊　＊　＊

「きょうは、あなたがベッドの下に置いたカッテージチーズの容器について話しましょうか？」五月の初頭、リディアが個人面接のはじめに切りだした。

「はい」リディアに容器のことがバレていても、とくにおどろきはしなかった（もちろんバレている）。おどろいたのは、そもそもあれを隠していたことに関し、なんらかの罰のかたちでそれまでに持ち出されずにいたこと。わたしたちは、個人面接を納屋からあまり遠くないピクニックテーブルでやっていた。戸外のサポート面接はめったにない。リディアが担当のときはとくに。けれど、この日はそれまでで最高にうららかな陽気で、気温は摂氏二十度近くあり、どこもかしこもどうかと思うほどのまばゆい日光におおわれ、リディアでさえ戸外の誘惑に勝てなかった。たぶんここのところ面接中、熱意あふれる態度でわたしが臨んでいるのも手伝ったと思う。

「なぜわたしがいままでそのことに触れなかったのか不思議に思っているでしょうね」ホワイトブロンドの髪を、水泳帽のきつさまでうしろにまとめあげた頭の上に、リディアは手をかざした。

「知ってるのかどうかわからなかったんだと思います」

「百も承知だったでしょうに」ちいさな黒い虫をノートではらう。「あなたはどうみても、少しも隠そうとはしていませんでした。室内検査のときにみつかるのはわかっていたはずです。それはつまりみつけてほしかったということよ」

「ドールハウスの〈約束〉版になると思って」それは完全にほんとうだった。病院に電話したとき以降、面接でいったすべてがそうだ。やってみると、この完ぺきにまじりけのない本心うちあけ作業は、その前にやっていたのがなんであれ、ずっと少ない労力ですんだ。

「満足できましたか?」ドールハウスについては実際、個人面接一回まるごととグループ面接で少し、話しあったことがある。

「いいえ、あんまり。ドールハウスみたいに没頭できたためしがありませんでした。最後に触ったのは……」いいよどむ。いつだっただろう。かぶりをふる。「いつだったか覚えてもいません」

リディアはたいてい持ち歩いている手帳を開いたが、それは学習ノートではなかった。ちいさな、革の一種にみえる黒い表紙の手帳だ。革なのかも。二、三ページめくったとき、スケジュール帳か日記なのがみてとれた。ページごとに日付がついている。「休暇から戻ったとき」ページに目を落として、ペンでなぞる。「翌週、部屋の立ち入り検査をするとあなたは追加を――」

「クリスマスの電球三つ」わたしがあとを引きとった。「そうだ、忘れてました。レイが屋根にかけたんだけど、クリスマスイブにコードがゆるんで風に飛ばされたんです」

キッツキが近くでけたたましい音をたてた。というか、近くにきこえたのは確かだ。ふり向いて、姿をさがす。針葉樹ではない樹木はまだ葉をつけてなくて、けれど枝は明るい緑色の芽でおおわれ、かんだあとのスペアミントガムのかたまりをそこらじゅうにくっつけたみたいだった。鳥はみあたらなかった。ふり返ったとき、つぎの質問に移る前にまだじゅうぶん答えていないときの目つきで、リディアがみつめていた。

「おばあちゃんとわたしは音が気になって外に出たんです。はためいていたときに電気がついてたのがおもしろかった」こういうやりかたで説明すると、あのときの記憶をだいなしにしているような気がするけれど、リディアは例の目つきをつづけた。「でも、あとでレイが固定し直しました」

リディアがペンでピクニックテーブルをこつこつたたく。「それで、どういう経緯でその電球三個を手に入れて、ベッドの下にわざわざ隠した容器に入れたんですか、すでに装飾特権は与えられているのに」

「ライトをぜんぶおろしたとき、一本電気が切れたのがあって、それで電球三個をとってからコードを捨てました」リディアが浮かべているにやついたような顔をみるまでもなく、声に出していうだけでばからしく思えた。

「じゃあ、あなたがおばあさんとみたコードでさえないかもしれないのね」

「そう、たぶんちがいます。確かじゃないけど」

「それでもその三個の電球をとる衝動にかられ、荷物に隠して、〈約束〉のあなたの部屋まではるばる持って帰り、そのあとカッテージチーズの容器の内側にのりづけた」

「そう。そのとおりのことをしました」

「あなたがそうしたのはわかっています、キャメロン。ですがそれは、ただの順序の羅列です。わたしたちが理解しようとしているのは、なぜあなたがそんなことをしたかです。どうしてあなたはそのような行為をつづけているのか」

「そうですね」その日、わたしはえび茶色のセーターを着ていた。平日のため下は制服で、とつぜんすごく暑くなった。

もしくはとつぜん暑くなったのではなく、セーターと長そでのシャツの組みあわせが暑すぎることにたったいま気がつき、それでわたしはセーターを胸もとまで引っぱりあげはじめ、あごを引いて、両腕を半分あげたおかしなかっこうでセーターのすそを両手でつかみ、ひじを耳もとまで突き出したところでリディアがいった。「やめなさい、いますぐ」

「は?」わたしは手をとめたが、おかしな位置を保った。

「他人の目の前で、公共の場が着替え室みたいに服を脱がないの」

「ただ暑いだけです」わたしはセーターをもとに戻した。「下にシャツを着てます」またセーターを、こんどは片手で持ちあげてもう片方の手でシャツを指した。

「シャツを下に着ていようとなかろうと関係ありません。服を一枚でも脱ぎたいと思ったら、そのときは席をはずして人目のないところでお脱ぎなさい」

「わかりました」あてこすりたいところを完ぺきにおさえる。なぜならそれについてもすでに何回か話しあっていたから。「暑いのでセーターを脱ぎたいんですが。席をはずしてもいいですか?」

リディアは腕時計をみた。「面接が終わるまで、不快でもがまんできるでしょう。終了後好きなように部屋に戻ってひとりになってからセーターを脱ぎなさい」

「わかりました」

リディアはいつもこうだった。つまり、わたしが彼女に対して素直になるほど、模範的な患者なりなんなりになればなるほど冷ややかになり、わたしの口から出るものほぼすべてと言外の行動の少なくとも半分を正した。だが実をいえば、リディアのほとんどたえまない叱責《しっせき》は、かえってリディアに好意を抱かせた。なぜかというと、無数の規則と規範をつかさどるリディアが、そのすべてを自分の私生活に適応するのを目にすると、彼女がもろくて弱くみえ、規則のすべてはたえず保護される必要があり、それはリディアがみせたがっている印象とは対極にあったからだ。わたしがはじめてここに着いたときに抱いた印象、全知全能の印象とは。

「つづけてもいいかしら?」リディアがきいた。

「どうぞ」

「よろしい。妨害工作をしてこの話題を避けてほしくありませんから」

「そんなこと全然してません」

わたしを無視し、裁定をつづける。わたしたちの面接がはじまるずっと前に練習していたくさいが、しょっちゅうあることだった。そういった裁定をくだすとき、リディアがなにをいっているのかいつも理解できるわけではないにしろ、果たしてそれが意味を持つのかどうかもわからなかった。「興味深いのは」とリディア。「そういった断片的なものを盗むパターンを、あなたが積み重ねている点です。だいたいにおいて、あなたが犯した罪を思い出させるものをね。ものを盗むこと自体が罪です、もちろん。ですがそれらはしばしば、あなたがしてきたさまざまな、無軌道な行為の記念品になっています。すなわち、あなたの罪のトロフィーね」

「電球はちがいます」

するとリディアがいった。「邪魔しないで」それからしばらく口をつぐみ、まるでさらなる口出しをされるのががまんできないかのようだった。それから息を吸っていう。「わたしがいったように、それらの品すべてが直接あなたの罪深い行いに関係しているのではないにしろ、大半は少なくとも、問題のある関係を持った相手との経験にまつわるものです。まずものを集めてつぎに飾りつけるのは、相手との関係と行為の両方に感じている罪の意識と居心地の悪さを、コントロールしようとしているのだと思います」つづける前にノートを参照し、もういちど手を髪の毛に走らせる。リディアの声はものものしい演説口調で、まるで手持ちのテープレコーダーに話しかけているようであり、ピクニックテーブルの反対側に座る人間、告発しようとしている相手に向けてではなかった。「それら罪深い経験の数々はつまるところ、あなたのなかでしっくりこず、むなしく抵抗を試み、かたい表面にそういう小ものをのりづけして固定することでコントロールし、それによって罪悪感をコントロールしようとしている。もちろんこの方法はうまくいかず、あなたはそれをすでにわかっている。たやすくみつかるとわかっている場所を選んでカッテージチーズの容器を隠すのが、そのひとつ。ですが装飾特権をもらい、もはや禁じられてはいないのに隠しつづける行為こそ、助けを求める声にほかなりません。容器を単に、机の上に置いておくこともできた。隠すという行為で、重要性を持たせようとしたのです。あなたがサポート面接で進歩をみせていることに、わたしはまったくおどろいていません。容器に手をつける機会がどんどん減ってきている」

「そのことは考えませんでした」考えなかったし、それがわたしを不安にさせた。もしかしてリディアは正しいのかも。ドールハウスのようには、カッテージチーズの容器に入れこんだことはなかったとしても。

「ずばり」めったにみせない、ほんもののリディア・スマイルを顔に浮かべる。「それを捨てるころあいだと思いますよ。本日。第一に」

「そうします」そして、部屋に戻り次第そうした。くそセーターを脱いだあとで。

• • •

ジェーンの判断で、没収をまぬがれた大麻を吸うために集まったことはあれからいちどもなく、アダムといっしょのトレイル・ランニングもやめ、ほかの人物と同席しない限り、三人で食事をともにとることもなくなった。リディアはこれはとてもいいことだ、なぜなら三人のあいだの「好ましからぬ絆」にずいぶん前から気づいていたからといった。

わたしたちはおもにメモを回しあうか、バンにのりこむときに廊下に集まる時間とかを最大限利用して、意思の疎通を図った。脱走ルートの条件としてクエイク湖に行く必要がある理由を説明するのはこの方法ではむずかしかったけれど、いつもよりずっと長めのメモをやりとりしたすえ、ジェーンとアダムは、わたしのちまたで起きる奇跡が、奇跡行きのコースをたどるゴーサインを出してくれた。二度目のボーズマン図書館訪問のとき、ベサニーの本からとった折りたたみ地図をジェーンにこっそり渡し、在館中に「個人学習」のため、クエイク湖付近のハイキングコースがのっている、より最近の地図を調べてコピーしさえした。調べものは、ダイクっぽい司書に手伝ってもらった。つんつんにたてた髪、耳たぶのふちにつけた何個ものピアス、〈ビルケンシュトック〉のクロッグサンダル。司書はわたしがただ友だちとキャンプでもしに行くと思ったようだ。当たらずとも遠からずかも。両親の事故の記事もさがした。ざっくりした報道と湖の地図からガードレールを突き破った場所を推しはかるのはむずかしかったが、だいたいの目星はついた。

〈約束〉に戻る道すがら、バンの後部座席でジェーンにコピーをすべらせる。ジェーンはわたしたちのメリウェザー・ルイス（アメリカの探検家）だからだ、とどのつまり。ジェーンはわたしの責任で集めてほしい備品のメモをそっとよこした。礼拝堂の備品箱からろうそくを三本。同じ箱からブックマッチ。キッチンから使い古しの缶切り——缶切りは何本かあるけれど、さびているのが一本あって、ほかのみたいに紛失しても惜しまれない。保存のきく食べもの類。保管のほうは、リディアの立ちいり検査好きを考えると難問そうだ。アダムからもリストが来た。それらの品を秘密裏に集めて隠す（『アラバマ物語』のブー・ラドリーばりに、湖に行く道からあまり遠くない木の幹の、腐ってほらになった部分を利用した）と、自分を重要人物で有能な人間のように感じてすごく気分がよかった。木の幹に突っこんでおいたビニール袋に、なにかほかのものをつけたしていくごとに味わうちょっとしたスリルは、こたえられない。そういったちいさな行為が、以前にはなかった現実味を脱走計画に与えた。

六月が刻々と近づいてくる。試験の直前、おばあちゃんとルースにもういちど電話する許可をもらった。ふたりはマイルズシティに戻っていた。ルースの放射線治療は終了したが、ひどいやけどを負い、その部分を一日に二度きれいにして包帯をとりかえなければならず、そのため仕事に復帰できずにいた。「いまのところはね」疲れきっているのをとりつくろうため、ルースは明るいつくり声でいった。「でもゆっくり休めるのはいいわ」

「生の肩ロースみたいにみえる場所が体にできてるんだよ」電話を代わったとき、おばあちゃんがいった。「おもてには出さないけど、あれは相当痛いね」おばあちゃんにしてはめずらしく声をひそめ、さらに、ふだんは大きな結び目をつくってからまっているキッチンの長い電話コードをのばし、その手の話ができるぐらいルースから歩いて離れた。「放射線治療の効き目がちゃんとあったのかどうかも確かじゃないんだよ。医者はまだ断定してくれない。『わかりません。結果を待たないと』っていいつづけるばっかりさ」

「ルースおばさんは、おばあちゃんがそばにいてくれてぜったいうれしいよ」

「ルースをかいがいしく世話してるのはレイさ。わたしはただ話し相手になって、食べさせてやってるだけ。

わたしはね、夏休みにお前がいないってことにまだなじめないんだよ」

「わたしも」

そのあとはみんなで、おばあちゃんとルース、それにレイまでいっしょに〈約束〉までわたしに会いに来る計画（許可ずみだった）を話しあった。七月四日の週末。その日がママとパパの命日に近いことも理由だ。

「ルースの体調次第だけど」とおばあちゃん。「でももしルースがだめでも、わたしだけでグレイハウンドバスにのって、お前の学校のようすをみにいこうかね」

うその返事をできる自信がなかったから、こういった。「ああ、うん」

おばあちゃんが受話器にちょっとせきこんでみせる。「お前がどう思うかわからないけどね、はねっ返りや。でも考えておいてくれ。ルースと話したんだけど、みんなでクエイク湖までドライブに行って、ピクニックをするのはどうだろうね。ルースは実質そこからすぐそばで、概してきれいな場所だっていってた」

「ほんとにすぐ近くだよ」

「どんなあんばいだろうね？　ことしの夏は、お前とわたしで墓参りに行けないだろ」

「それでもわたしの分も行ってくれる？　花も供えて、でもユリはだめ」

「ぜったいするよ。お前はわたしが質問したことを考えときなさい。そっちに行くまでまだたっぷり時間があるから」

愛してるとさよならをたがいにいいあったあと、おばあちゃんが受話器を揺らしながらキッチンへ歩いて戻り、切るのをきいていた。なにかをいった、たぶんルースに向かって、でもはっきりとはききとれない。

「あの子はだいじょうぶそう」とか、「すべて順調」とか、「うまくいっているよ」的な。つぎにわたしが電話をかけるのは、いつなのだろう。そしてどこからだろう。そしてなんていうのだろう。

＊＊＊

期末試験の週、わたしは同じ夢をパターンを変えて、ほぼ毎晩みていた。夢のなかではベサニー・キンブルス＝エリクソンとわたしが最終的には教室でふたりきりになり、ベサニーが〝奇跡的〟にみつけた新しい本をみせてくれるけれど、やっぱりそれも、クエイク湖の本だった。ベサニーはわたしのとなりにかがみこんでページをぱらぱらめくり、髪の毛がわたしの顔をかすめ、ふたりはすごく、すごく接近し、山が崩れ落ち、水をせきとめる写真をいっしょにのぞきこむ。そしてベサニーがなにか質問をするとくちびるがあまりにわたしの横顔に近づいたため、ことばがわたしのほおをしめらせ、ふたりがキスをせずにいられるはずもなく、キスをして、それからベサニーがわたしをリードして椅子から立ちあがらせると、勉強机の上にあおむけに寝かせ、ふたりの体重が本にかかり、わたしの背中にくいこんで……。

毎晩、その時点でなんとか目を覚ます。意志の力のみで目を覚ましたと思っていた。闇のなかで目を開け、汗をかきシーツを握りしめ、体はうずうずほてり、わたしのぜんぶが目覚めまいとふんばり、リディアが正しいかどうか、罪深い衝動が過ぎ去るまでもちこたえられるかどうかやってみようという意志に背く。ベッドのなかでじっと横たわり、筋肉を緊張させ両手を上がけの上に出し、夢にふたたび落ちまいと、切りあげた時点のつづきに戻るまいと、細胞のありったけで集中した。そしてうまくいった。リディアは正しい。眠りに戻ったとき、それはちがう夢のなかか、もしくはまったくみない。けれどつぎの朝、罪を克服したようには、神に近づいたとかそういうふうには感じず、ただ自分が示した自制心を内心誇りに思った。自分を駆りたてて走ったり泳いだりするときに感じるのと同じ誇りと自制心。その手の自制心、もしくは禁欲に中毒になるひとの気持ちもわからなくはない。何度も何度もくり返せば、あたかもほかの者よりも清く、もしくは正しく生きているようにみえる。リディアが規則すべての遵守に執着するのも同じで、規則が古くなれば新たに規則をひねり出し、聖書の一節をこじつけて正当化する。

リディアには、夢のことをいっていない。一夜限りのことだと考え、つぎの夜に舞い戻ってきたときは、きのうの時点で相談しておくべきだったように思え、それから自分で対処できると決めた。ただの夢だし、自分の感情の問題だ、リディアなしで解決できる。

けれど、それから目覚めない夜が来た。夢のなかのベサニーが、手をわたしのフランネルのスカートの下に入れ、そのときに目が覚めていたのかどうかもわからないが、自分の名前をきいた。夢ではないかたちで、そして、それからまたきこえた。

「キャメロン?」

目を開けたとき、エリンがそこにいた。エリンの顔がわたしの顔のとなりにあり、暗くてぼやけているものの、エリンの見開いた目がわたしの目のあまりにそばにあり、おどろきの叫び声をあげるとエリンがささやいた。「しーっ、静かに。ごめん、ごめんね。わたしだよ」

「なんなのよ?」という自分の声も鋭くひびいてきこえる。起きぬけの開口いちばん、暗い部屋のなかで。エリンはベッドのわきで床にひざまずいており、X指定のベサニーの世界から目覚めたばかりだったため、その近さを、パーソナルスペースを侵された以上に感じた。なんだかエリンまでが夢のなかにいたみたいに。

「たくさん声を出してた」わたしの胸を、毛布の上からなでさするようにしている。「ベッドから声をかけたけど、とまらなかった」

「ええ?」自分が赤面したとわかる。暗闇でも、半分まだ眠っていて、数センチと離れていないエリンのど、アップから回復できなくても。エリンがベッドに入る前にうがいをするマウスウォッシュの〈スコープ〉と、毎晩足とひじにぬるピンク色の容器に入った〈ジョンソン&ジョンソン〉のベビーローションのにおいがする。

「きのうの夜とおとといも——寝ごとで起こされた。だから呼びかけたんだよ」

「知らなかった」エリンから顔をそむけ、壁に向けたけれど、完全にではない。「もう平気だから」平気じゃなかった。うずうずして興奮し、この会話が邪魔をして、それを静めるための集中ができずにいた。

「なんの夢をみてたの?」エリンは動かず、ベッドに戻らず、規則に従い、完ぺきをよそおい、でもその場にいつづけ、わたしの上から手をどかしもせず、けれどなでるのはやめていた。

「覚えてない」壁に向かっていう、わたしの氷山に。「こわい夢」

ほんのしばらく、エリンはなにもいわなかった。でもそれから静かに、でもきっぱりと、「ちがうね」。

「そうだったよ」とにかく離れてほしくて、自分のツインベッドのマットレスへ戻ってほしかった。「いっしょにみてたわけ?」

「夢をみてるキャメロンの寝ごとをきいてた。こわがってる声じゃなかった」

「なんなのよ」わたしは怒ったように腹ばいにひっくり返り、うとましがっているのをみせようとした。枕に顔をうずめて、そこからいった。「ベッドに戻ってよ。夢ポリスじゃあるまいし。まじで」

エリンは動かなかった。代わりにいった。「『ベサニー』っていってた——何度か」

「どうでもいい」まだ枕でくぐもる声でいった。

「その声ときたら――」

「どうでもいい」顔を向けてエリンをまともにみて、夜のこんな時間に賢明とはいえない大きな声でいった。「どうでもいい。どうでもいいってば。もうやめてよ」

「やめない」エリンがいった。それから体をすり寄せてキスをした。真っ暗な部屋、大きく動く必要はなく――顔はすでに近くにあり――それでもやはりだいたんな動き、思いきった行動で、そのためにぎこちなかった。わたしのくちびるを半分はずし、下くちびるをちょっとと、あごの上のへこみに当たった。わたしはすぐにはキスし返さなかった。びっくりしすぎた。ひるんで、わずかに顔をそむける。エリンは手をわたしのほおに置き、彼女の厚い、やわらかな指で、ピンクのベビーローションのさらに強いにおいをさせてわたしの顔を自分に向け直し、くちびるをエリンのくちびるへ向け、そしてもういちど。こんどはずっといい。わたしのくちびるをすぐみつけたせいもあるけれど、予想もしていたから。ふたりはそのキスをたがいにわかちあい、そのままエリンがひざだちの体勢からわたしの上になる。

エリンはコーリー・テイラーじゃなかった。前に経験ずみで、相手は女の子なのがわかった。わたしは着古した〈ファイヤーパワー〉Tシャツにフランネルのパジャマパンツをはいていた。Tシャツはぶかぶかの、XXLサイズのあまりもので、体を潜りこませた袋みたいにたれさがり、でもエリンは二回たぐり寄せたあと、器用に脱がせた。手をパンツのひもにかけたとき、エリンのTシャツのすそを持ちあげたら、わたしの手をちょっとだけこづいて押しやる。

わたしは再度ためした。シャツの背中側をあげ、まんなかまでいったところでエリンが手を回してわたしの手をとり、自分のわきに戻すとエリンの手でくぎづけにした。「いいから。わたしにまかせて」

そうさせた。エリンの指はほどほどにやわらかいのとほどほどにかたいのとの両方で、ベサニー・キンブルス＝エリクソンとの夢の前戯のあとではあまり時間はかからなかった。

バイキング・エリンとわたしは、一年近く同じ部屋に住んでいる。たがいのさまざまな状態を数限りなくみていたし、エリンの枕みたいな肩を知っていた。そばかすがあり、たいていピンク色に染まっている。厚くはあっても、おどろくほど筋肉質な足。まるみのある、青白い腹。ちいさな（サイズ六の）足、薄茶色の濡れ髪と〈パートプラス〉のシャンプーのにおい、乾くと半分種になったタンポポ色に変わる髪。けれどそのぜんぶを知っても、エリンと寝るのはどんな感じだろうなんて思ったためしがなかった。エリンはすごく、なんというか、すごくバイキング・エリン、わたしのルームメイトだ。いま、暗がりのなか、わたしの夢の余波のなか、いっしょに横たわり、手がわたしのなかにあるエリンは、なぜかまったくべつのエリンだった。

筋肉がゆるんで呼吸が普通に戻ったあと、わたしの体は満たされしっとりする、あの感覚におおわれた。エリンはわたしにキスを許し、わたしは下から上の体勢になった。でも手を腹の下にはわすと、シャツのときみたいにわたしをとめた。「いい、いいの。わたしはいいから」

「やらせて」エリンの手から自分のをどかそうとしたけれど、しっかり押さえられている。

「もうしたから」

「なにを？」

「キャメロンが夢みてるあいだ――」エリンはいいよどみ、横を向いた。「いいたくない、恥ずかしい」

「ううん、すばらしいよ」

エリンが笑った。「すばらしくないよ」

「そんなことない。すごくすばらしい」本気だった。わたしに向けた首すじにキスしようとしたら、エリンが引いた。

わたしは少し円を描くように動き、わたしの下でエリンが少し動いて押し戻すのを感じたけれど、それから声がした。「やめて。おりて」

「本気？」

「ベッドに戻る」

「いまこの状況で？」

「いつみまわりがのぞきに来るかわからない」

わたしはエリンに逆らって動きつづけ、シャツのすそをふたたびあげた。「もうみまわりなんかしてないよ」

「してる」エリンがわたしを押しのけて壁際へどかし、わたしは抵抗しなかった。「リディアが火曜日の午前一時ごろにのぞいた」両足を床におろす。それから立ちあがり、肩を引くと一イニング投げたみたいにさすった。

「なんで知っているの？　寝ないの？」

「キャメロンみたいには寝ない」エリンはかがんでわたしにもういちどキスをするか、またはさよならなり、ありがとうなり、たったいま起きたことにけりをつけるための、あらたまった行動をしなかった。ベッドを出てしまったいまは、気まずく、ふたりの親密な交わりは、帳消しになった。

「まあ、エリンの夢はわたしのよりおもしろくないのかもね。それで起きてて、わたしのをまたぎきしなきゃいけないんだ」

エリンは半笑いし、いつものくすくす笑いとはちがう、なにかちがう笑いかたをした。自分のベッドに入る。ふたりのあいだにいまでは奇妙な空気が流れ、ベッドとベッドの二・五メートルのあいだには、スカンランの飛びこみ地点の底ほども深い溝があいている。わたしたちは何分も何分もその奇妙な空気のなかに横たわり、気温が不安定な春先にやるように、寝返りをうち、足をけった。

そのうち、エリンが口をきいた。「だれにもいっちゃだめだよ、キャム」

「いわないよ」

「いまのはさっぱり忘れたいから」わたしにいっているのか自分にいいきかせてるのか、どっちつかずな感じでいった。「夫と女の子がふたりほしい。ほんとにほしいんだ。そう望むのが普通だからじゃなくて」

「知ってる。信じる」

「キャムが信じるのは関係ない。キャムが信じるからって真実に近づくわけじゃないし。わたしがそう感じるから真実なの」

わたしはなにもいわなかった。

わたしたちはもうしばらく無言でいた。どうやらエリンは寝たらしいと思ったら、声がした。「いつかこうなるって思ってた」

「わたしは思わなかった」

「キャムはわたしのことをそういう目でみてないから」声がひどく悲しそうだった。ふたりでいっしょにやったことが、三十分もたたずに、はずみ（とわたしは思う）でセクシーでまさにわたしが必要としたものから、険悪でかさばる、ひどいお荷物になった。

たぶんエリンを笑わせられると思い、少なくとも気分を明るくできると思い、それでいった。「前から怪しんでたんだけど。タンディ・キャンベルのビデオがそんなに好きなのは、彼女にお熱だから？　あのひと、ちょっとホットだよね」

「その話はしない。たがいの同性への興味をそそのかすべきじゃない」

「うそでしょ？」まじめにわからなかった。

「もうぜんぜん話したくない。寝たいの」

「なにそれ。わたしは寝てたんだよ。エリンに起こされたんじゃない」

　エリンはなにもいわなかった。わたしは相手に怒っていることをわからせるときの、気にさわる、重たいため息を二回ついた。エリンはまだ口をつぐんでいる。もう少し待っても、まだ沈黙していた。そのうちこんどはほんとうに寝たと納得して、わたしも寝入りそうになる。

　でもそれからエリンが、きこえるかきこえないかの声でいった。「タンディ・キャンベルはタイプですらないよ」

　わたしは笑顔になり、でもエリンの発言を宙ぶらりんにしておきたくて返事をしなかったため、向こうはわたしがきいたかどうか、わからなかった。

＊　＊　＊

　個人研究を終えた者は、弟子全員の前で成果を発表した。わたしはプレゼン用に、写真と地図を使った大きくてださいコラージュをつくり、入念に調べ、データと事実はしっかり頭に入れてきた。七十代の未亡人、グレース・ミラーの話をした。ミラーさんは地震のあと、ボートで家に帰らなければならなかった。ヘブゲン湖に浮かんでいたからだ。そして家に着くと「シンクのすぐわきにあるキッチンカウンターの上に、まだ自分の入れ歯がのっている」のをみつけた。みんながくすくす笑った。リディアもだ。リヒター・スケール七・三の地震は、ヘブゲン湖の水を高さ九メートルの壁となるまでせりあげ、マディソン渓谷に流れこむと、ロック・クリークキャンプ場を直撃した。同時に文字どおり、山の半分——八千万トン分の岩——が時速百六十キロで谷に崩れ落ち、流れをせきとめた。キャンプ場はあっという間にクエイク湖へと早変わりする。わたしの説明は当意即妙。拍手喝采を受けたけれど、発表のあいだじゅう、ジェーンとアダムをいちどもみないようにした。

二日後、わたしたちはライフゲート・クリスチャンで期末試験を受けた。ヤマがみごとに当たり、想定外の問題はなし。そのあとみんなで〈パーキンズ〉へパイを食べに行った。わたしはストロベリーとホイップクリームのパイを食べた。おばあちゃんを思い出す。午後三時ごろの客席はまばらで、少数の老人がブリッジに興じ、レストランによくある没個性の茶色いコーヒーマグがそれぞれの前に置かれていた。ビジネスマンがひとり、ボックス席でスープを飲み、ネクタイは肩にかけていた。移動で服がしわくちゃになった家族づれの母親が、グラスホッパーパイとチェリーパイを持ち帰り用に注文している。となりに座るヘレンのおしゃべりで気が散って、なかなかパイに集中できない。きょうは木曜日だった。わたしたちは土曜日の朝、朝食後にたつ予定だ。試験が終わった直後の週末は自習時間もなく、全員参加のグループ活動といえば食事、おつとめ、日曜の〈ワード・オブ・ライフ〉での礼拝だけで、礼拝にわたしたち三人の参加する予定はない、首尾よく行けば。わたしたちのだれも、錠のかかったファイルキャビネットの身分証には手を出せなかったけれど、構わない——計画を実行に移す。

「身分証を使えば、どうせ足がつきやすくなる」ジェーンが理由をつけた。「だから当面空の旅はしない、それだけだよ」わたしたちはそれ以外の、ジェーンが要求した物資をぜんぶ集めた。わたしのブー・ラドリーのほらは満杯だった。地図もある。さらに、計画がある。そのときが来た。

リディアはすでに、三人の遠出を承認していた。近所の牧場のいちばんはずれにあるアメリカシラカンバの林までハイキングに行き、ピクニックをする。そこには巨大な木の幹でできた「テーブル」がふたつの石の上にのっていて、大きな石の座席も四脚そろっていた。リック牧師が以前わたしたちの何人かを連れてきてくれたことがある。リディアはジェーンに、大麻を吸った罰はとり消さないが、期末試験が終わり、個人面接の進展ぶりをねぎらう意で、週末は猶予期間にすると告げた。「ドアの外から出ていけるならなんでもいいさ」ジェーンはその日の朝、ライフゲート・クリスチャンに来る途中でわたしにささやいた。「〝リディア法〟が有効なのも、もう長くない」

〈パーキンズ〉のトイレの前でエリンが出てくるのを待つあいだ、わたしはまったくの思いつきで、公衆電話のわきにケーブルからぶらさがっている電話帳をめくった。モナをさがしたけれど、なにかみつかるとは期待せずに当たっていたら、みつけた。ウィローウェイ在住と記載されているモナ・ハリスがいる。モナは寮生だといっていたように思うけれど、ぜったい確実ってわけじゃない。引っ越した線もありうる。電話帳からモナの番号がのっているページを破いた。大きな音はたてず、紙自体は薄くて、廊下にはキッチンの出入り口もあり、給仕係がでんぷん質の食べもののトレイや、汚れた食器のトレイ、使用ずみのナプキンをせわしなく運んでいた。だれにも気づかれなかった。ページをちいさな長方形に折りたたみ、スカートのウエストバンドの内側に差しこむ。

エリンがバスルームから出てきた際は、たがいに変な調子だった。エリンはドアを開けておいてくれたけれど客席のほうをじっとみすえてわたしの顔を避け、わたしはすれちがいざまに軽くうなずいただけだった。ふたりのあいだで起きたことを、あれから話しあっていない。どちらもひとことも口にしていなかった。過去二日間、会話自体あまりしていない。ふたりとも勉強で忙しく、わたしはプレゼンの準備もあった。とはいえふたりのあいだの沈黙は日程のせいではなく、暗黙の了解事項、より安易な対処法の産物だった。

トイレに入ると電話帳のやすっぽい黒インクを落とすため、せっけんで手を二度洗いしなければならなかった。洗いながら自分の手がふるえていることに気づいたけれど、おどろきはしない。一週間ずっと、電気が走ったみたいにぴりぴりしっぱなしだった。

テーブルに戻る途中、もういちど公衆電話の前を通るとき、『フリー・フロム・ザ・ウェイト』講演会の仕事で離れているリック牧師を思った。日曜の夜、彼が受けるはずの電話のことをずっと考えていた。どこにいるのか、クリーブランドかアトランタかタラハシーか。いろんな状況のその瞬間を想像した。ときには教会や貸し会議室で、正装し、にこやかな〈エクソダス・インターナショナル〉のファンの大集団を前にしている。そこでのリックは、高級なスーツを着ていた。〈讃美の門〉に来て信徒に話したときに着た、実年齢より上ではなく下にみえる、少年が背のびしてドレスアップしているみたいにみえるスーツ。そのパターンでは、例の心のこもったリック牧師の語り口で、性的な罪の暗闇から逃れてキリストの光のなかに入る話をしているところに邪魔が入る。部屋の隅にいる女性がリックを手招きするか、あるいは靴をこつこつ鳴らしながら男が歩みより、手で口もとをおおいなにかをささやくかメモを手渡し、すばやく読んだリックが聴衆にわびて、緊急の連絡が入ったので受ける必要があると断る。リディア、警官、またはだれであれ、電話相手との会話を、リックを講演に呼んだ教会関係者や〈エクソダス〉公認の脱ゲイ仲間がみまもり、だれもが心配そうな顔をたがいにみあわせ、それから通話中のリックの反応をうかがい、リックが受話器を戻し、〈約束〉で起きたばかりのゆゆしき事態の全容について説明するのを待ちうける。

また、電話がかかってきたときにひとりでホテルの部屋にいるリックも想像した。ときにはそこは、ホテルとはほど遠い、トラックの停留所と終夜営業のダイナーにはさまれた、みすぼらしい、以前にみた三流犯罪映画に出てくるようなモーテルの一室で、ヤクの売人や売春婦が潜伏し、窓の汚れたカーテンを透かしてお約束のネオンサインがまたたき、天井のしみからバスルームの備品まわりのさび、はだしで歩くのは遠慮したいじゅうたんまで、すべてが薄汚れている。このパターンで鳴る電話は、よくある例の気色悪い肌色、ベージュとまではいかなくても茶色でもない色で、ちっちゃな、リンリンいう音が部屋にひびき、リックは無視できない。リックがそんな部屋に泊まるわけがまずないのを知っていた。予算がかつかつの活動とはちがう。『フリー・フロム・ザ・ウェイト』は、ふところの豊かな後援者がついていて、でもときどきわたしはリックをその部屋に置く。頭のなかで、なんにせよ。

いちばんひんぱんに想像するのは、空港そばに建つ特徴のないホテルにいるリックだ。こぢんまりしたロビー、朝食用のバー、無料サービスの新聞、それからたぶん、チェックインするときにスナックをもらう。テレビをつけているが音量はおさえ、チャンネルは意外にも、MTVかHBOで、ナイトスタンドにはふたを開けたボトル入りの水が置いてある。おそらくは早くもちいさな白のボクサーとTシャツ姿になってくつろいでいると、電話が、こんどのは黒くてもっとモダンな、赤いメッセージライトの点灯するタイプが、静かな電子的な呼び出し音をひかえめにたてる。翌日のためにシャツにアイロンをかけていたリックは、ゆっくり時間をかけてそれをハンガーに戻し、それから歩いていって受話器をとりあげ「もしもし」という。ベッドのはしに腰かけ、事情をきく。ジェーン・フォンダ、アダム・レッドイーグル、キャメロン・ポストが夕食当番の時間になってもハイキングから〈約束〉に戻ってこない。六時少し過ぎ、リディア・マーチと近隣の牧場主がオフロード車にのり、三人がピクニックをした場所に行くルートをあらかたまわる。牧場主は目的地から一キロ半ほど手前で車をとめ、急すぎ、障がい物だらけの小道をそれ以上先へは進めず、徒歩に切りかえる。弟子たちはピクニックエリアにみあたらず、手がかりはない。午後の七時半までには警察に届け出がある。警察は林野部に連絡をとる。また、まだみつからない弟子たちの家族にも連絡が行く。

リックが電話のやりとりをどう終えるのかは想像しなかったし、きいた内容への返事もちゃんと考えなかった。リックのハンサムな顔がおどろきから恐怖と心配に変わり、とくに、ホテルの部屋にひとりでいるパターンでは、脱走がリックに与える影響、意味を思って同情した。とはいえとりやめるほど、かわいそうには思わなかった。

＊　＊　＊

金曜日、リディアと最後の個人面接をした。リックのオフィスわきのせま苦しい打ちあわせスペース、八月にはじめて自分専用の氷山を紹介されたのと、同じ部屋だ。窓のさんに飾られたにおいがきついクチナシは、ぶかっこうなシダにとりかえられた。それ以外、部屋は変わっていない。前回の個人面接でとりあげたのは、「レンタルした映画への執着を通しての、罪深いのぞき趣味への傾倒」について、「両親の死のトラウマと罪悪感を無視するため」に自分があみ出し、不首尾に終わった「もう一つのメカニズム」についてだった。わたしたちはそこからはじめた。ここ数週間そうしたように、あけすけになろうとした。ところが、バイキング・エリンとわたしがなにをしたか、エリンがわたしになにをしたか、リディアに話したいという奇妙な衝動に駆られた。わたしはその告白衝動をわきに押しやり、リディアが知りたがっていることを話した。R指定の映画でみたセックスシーンについて、何度もくり返しみて、ひとコマごと、映像と音にわれを忘れ、自分の部屋で黙々と、「背徳的な同性愛行為」について独学したあらましについて。けれど、エリンの経験を話したい衝動が戻ってくる。「いってしまえ、いってしまえ、いってしまえ」。なにもいえないのはわかっていた。もし話したら、つぎの日のハイキングをリディアはぜったいに許さない。許すわけがない。そのあと脱走プランは長いあいだ延期になり、たぶんあんまり長すぎて、もういちど各要素をひとつにまとめることは、もう決してできなくなる。けれど結果がわかっているからといって、バラしたい欲求はなくならなかった。すごく冷静に、座ったままこう切りだす。「あのう――いうべきだと思うことが、このあいだ実は起きたんです。バイキング・エリン、知ってますよね、わたしのルームメイト。ベサニー・キンブルス＝エリクソンと、すばらしいセックスをする夢をみていたときに彼女がわたしを起こして、わたしのベッドに潜りこんで、いかせてくれたんです。きいてください。エリンは手なれてました、あれのやりかたに。プロでしたよ。完ぺきなタイミングなんです」

もちろんいいはしない。いつもどおりの面接をつづけ、けれどそのうち――どんな質問からそこに行きついたのかもよくわからない——リディアがいった。「この先へ進むにあたり、いまのあなたの罪深いアイデンティティをかたちづくるうえで、あなたのご両親が演じた役割を認識し、白日のもとにさらけ出すために、なおいっそうの努力が必要になります。適切で神意にかなうジェンダーおよび性的関心に関するあなたの混乱に、おふたりの死がいかに貢献したかを探求することで、ある程度の進歩はありました。けれどそれではじゅうぶんではありません。あなたのジェンダー問題はそれよりもっと早く、あなたのご両親の手によってはじまっています。あなたのごく最近の罪深い行為に集中することは、複雑な構図の一部を掘りさげたにすぎません」

リディアはまだ話を終えていない、それはわかったけれど、口をはさんだ。「わたしの選択は自分で決めたことで、両親が決めたのではありません」

少しだけおどろいた表情がリディアの顔に浮かんだけれど、たいしたことはなかった。「そうです、あなたがそれを認めたのをうれしく思います。けれどもとをただせば、両親の庇護下にある子どものときに受けた扱いと期待が、いまのあなたのくだす選択の大きな要因になっているのです」リディアは間を置き、テーブルの上に両手でティピーをつくった。「あなたがこの道をたどりはじめたのは、あなたのご両親がご存命のあいだでした。それを認めなければ、前に進めません」

「認めてます」自分の手でティピーをつくり、わざとリディアに、わたしが彼女をまねているとわからせる。「アイリーン・クロースンにキスをしたのは、両親の事故の『前日』でした。事故の日は『一日じゅう』、わたしはもういちどキスをしたくて、そしてその夜しました。父と母が死ぬ前に自分がした選択の意味を、知らないと思うんですか?」これはぜんぶ、前に話したことだ。けれどこういうかたちで、考えると恥でぎゅっとなるできごとを、順に並べたてていったためしはない。

リディアがわたしに笑いかけた――真の笑顔で、とがめだてる笑顔のときは、もっとしかめ面に近くなる。でもこれは実際の、ほんものの笑顔で、そしてこういった。「あなたはあなたの罪を、ご両親の記憶を守る一種のカバーとしておふたりの死にかぶせた。あなたがアイリーンと犯した罪に対し、神が罰を与えたのだと強く思いこみ、それ以外の考えをしめ出してしまった。そしてそのためにご両親はもはやあなたにとって、一個の人間ではなくなった。単に、神があなたに教えをたれる偉大な計画のあやつり人形になった」リディアはここで間をとり、わたしが彼女の角ばった顔をまっすぐみて、けわしい眉の下に居座る目をのぞきこんでいることを確認した。わたしがそうするまで待ち、それからいった。「自分をそれほどの重要人物にするのはおやめなさい、キャメロン・ポスト。あなたは罪を犯した、あなたは罪を犯しつづけ、あなたの心のなかで罪を犯している。神の子らひとりひとりと等しく。あなたは彼らより良くも悪くもありません。あなたのご両親は、あなたの罪のせいで死んだのではないのです。おふたりにその必要はありません。イエスさまがすでにあがなわれているのですから。もしあなたがこれを認められないなら、そしてあなたがつくり出したかたちではなく、おふたりが何者かを思い出せないなら、それではあなたは癒やされないでしょう」

「努力してます」

「わかっています、でももっと努力しないとだめ。もっと努力するころあいです」リディアは腕時計をみた。

「きょうはこれで終わります。感想は?」

「つぎに進むべき準備はできてると思います」それは正直な答えだった。

リディアは明確にしろとは要求しなかった。ただこういった。「よろしい。それは心強いですね。行動で示すよう願いますよ」

＊＊＊

その夜、アダム、ジェーンとわたしはあくる朝の承認ずみ〝ハイキング〟の準備のため、弁当をつくっていた。おたがいにあまり話はしなかった。自分たちが計画にのっとってしていることを、やり遂げようとしていることを、よくわきまえていたからだ。加えて、わたしたちはキッチンにいて、だからだれがいつ、ふらりとやってくるかわからない。現にスティーヴが二回現れ、いちど目はベビーキャロットの袋をとりに、二度目はピーナッツバターをとりに来た。

「あした、いっしょに行こうかな」ニンジンをピーナッツにつけて、くちゃくちゃいわせながらスティーヴがいった。「その岩にはどれぐらいで行けるんだい？」

「遠いよ」サンドイッチを袋に入れ、プラスチック製のクリップを閉めながら、ジェーンが完ぺきな冷静さを保っていった。「午前中いっぱいかかる。来るんなら朝早くに出るよ」

わたしもジェーンぐらい落ちついてみえるよう願ったけれど、トレードマークの赤面が出るのを心配した。スティーヴに背を向けていたアダムは、ジェーンとわたしにびっくりまなこをむいている。

「そうか。どうしようかな。リディアが午後、希望者をボーズマンに連れていくってきいた。決まりじゃないけど。それまでに戻れると思う？」

「まさか」アダムがいった。「かすりもしない」

「だよな」ピーナッツバターのふたをねじって閉める。「夏休みに、とにかくまた行くんだよね?」

「もちろん」とジェーン。「リックは毎年そこにみんなを連れてく」

「それまで待ってから行こうかな」スティーヴはわたしが洗っていたブドウの房から片手分もぎとって、歩いて出ていった。

スティーヴが廊下を歩いていくのを確認するまで、だれもなにもいわなかった。

「あいつは気が変わるかも、ころっと」アダムがいった。「したくをして、外に現れるかも」

「現れないよ」ジェーンがいった。

「現れるかもしれない。わからないぞ。そしたらぼくたちはおしまいだ」

わたしはかぶりをふった。「もしスティーヴが来たら、なにが起きてるか教えないで、ただ計画どおりにすればいいよ。あの子は岩がどこにあるか知らない。そっちに向かってないこともわからない」

アダムが目を回した。「ぼくたちがテーブルのかっこうをした岩には永遠に行かないって、気がつくかもしれない」

すると、ジェーンがにっこりした。「だろうね。でもそのときにはもうずいぶん距離をかせいでる。それからこっちがしてることを話して、もし戻りたいならひとりで戻らないといけず、わたしたちは反対方向に行く」

「そんなに簡単にはいかないよ、森のなかに突っ立って、『きいておどろけ! ぼくたちは脱走するぞ』みたいには」

「ほんとにそうなるかどうか、まあ待つしかないんじゃない、どうせあいつは来ないよ」

「来るかも」

ジェーンがもろ手を上にあげた。「なんだってありえるよ。スティーヴが現れるかもしれない。リディアが許可をとり消すかもしれない。アダムがドアを出たところで足を折るかもしれない」

「それでもアダムは行くのをやめませんでした」わたしがいった。アダムが笑い、ジェーンも笑った。

「計画はしっかり練った」とジェーン。「あとはもう、実行あるのみだ」

そのあとわたしたちは部屋まで歩いて戻った。おやすみをいう。普通にふるまおうとした。エリンは本を読んでいたので、わたしも読むふりをした。二度ばかり、エリンにメモを残すことを考え、でもしないと決めた。わたしたちはだれも、自分たちの行為を説明するなにも置いていかない。やがてエリンが明かりを消して、それでわたしも消した。わたしは実際、ぐっすり寝入った。それに、すぐに眠れた。それが意味するところはよくわからない。

・・・

あくる日、朝食をとるときダイニングホールにスティーヴの姿は影もかたちもなかった。卵料理を食べ、皿を洗う。弁当とバックパックを持った。ひんやりするけれど晴れた日で、明るくてハイキングびよりだった。ひとつの手順ごとに、カメラのフィルムを巻くみたいに、計画が前にかちりと進む。かちり、かちり、かちり、かちり。そして、わたしたちは小道に出て歩きはじめた。

第二十一章

　クエイク湖は、全長約九・五キロだ。ところどころ突き出している岩や森を避けて折れたり曲がったりし、青く波だつ幅の広い場所もあれば、せまくて暗く、いつもかげになっている場所もある。わたしたちは主要道路の国道二八七号線は使わない。それは湖の一部を抱えるようにして回りこみ、森のなかへ落ちこんだあと、ふたたびせりあがりながら湖へ出て、頼りにならないガードレールがみえ隠れするころに傾斜を増し、カーブはせまくきつくなる。けれど湖畔におりる道を歩きながら、濃い茂みごしに、国道とガードレールがかいまみえた。谷間の向こう側まではあまり見通しがきかない。湖をはさんで距離がありすぎ、それでもわたしたちのいる位置からの角度と太陽のきらめき具合によっては、ガードレールの支柱についた反射材が、カメラのフラッシュのようにときおり光った。

「目的地に少しは近づいたと思う?」ジェーンがわたしの肩ごしにきいた。息を切らしている。三キロほど前(これまでに二十二キロほど踏破した)から義足の拘束が痛みだし、でもいたわるように歩いて不平はあまりこぼさず、わたしたちをしょっちゅうとめて休むこともなかった。

「わからない。地図でみたときはそうみえたけど。でもどれだけ遠いとしても、ここまで湖の近くに来たのははじめてだよ」

「だけど、長いあいだ待ってついに来たんでしょ」とジェーン。「正しい場所じゃなくちゃ」

「いったんとまって、また確認する?」アダムがジェーンのうしろからきいた。

「いい――これであってると思う」自分とふたりにいいきかせる。

わたしたちがハイキングしている下り坂はときどき急になり、マツの葉が厚く敷きつめられた地面はすべりやすかった。いちどといわず、わたしは足の置きどころを見誤ってマツの葉サーフィンをしてしまい、岩かシダにぶつかるか、木の枝に手をかけてとまった。ひとつにはジェーンの足のため、ひとつにはこのあたりの地形のため、渓谷に入り次第湖へ向かうもっともなだらかなルートを選び、直行しているとはいいがたくても、おおぶりなジグザグ道をあらかたハイキングしてきた。ついに湖がみえてくると、一刻も早く着きたくなり、そのため地面をみつめて足場を選ぶのに忙しく、湖そのものには目を向けていなかった。

でも、やがてアダムがきいた。「あの木立はほんとうに水のなかにあるのかな、それとも目の錯覚?」

三人は立ちどまって湖をみた。ほんの数本、上のほうに太い枝を残すのみの、幹だけになった木々が水のなかから突き出ている。地震と洪水で置いてけぼりにされた、ちいさな林だ。

「木の幽霊みたい」ジェーンがいった。

「ガイコツの木だね」とわたし。「木の遺骨だ」

「気味悪いな」アダムがいった。

ジェーンがうなずく。「まさしく」

「両親の死亡記事に、似たような写真がのってた」わたしの頭にあったのは、ショットの大部分を破れたガードレールが占める写真だった。車が突き破ったあと、曲がって湖の上にたれさがった、まるでしおれたようにみえる金属。けれど湖の一部が手前に写り、そこに、奇妙な、棒みたいな木々が生えていた。

「じゃあ、ここがその場所だ」ジェーンがいった。

「わからない。湖じゅうが前は森だったから、ああいう木立はたくさんあるかも」

「ここであってると思う」とアダム。「ここがその場所だよ」

谷底深くにいたため、もう事実上夜だった。少なくともそう感じた。沈みゆく太陽が高い岸壁の向こうから申しわけ程度の明かりを投げかけ、はるか上空を照らしているものの、まわりの地面はどんどん暗くなっていった。こんな場所にいると、樹木にそよぐ風の息を、やすっぽいホラー映画に出てくる幽霊のささやき声にとりちがえてしまいそうで、けれどもなぜかもう、ぜんぜんやすっぽくはないのだ。

近づくほど、ガイコツ林の奇妙さが増してみえる――湖のその部分の中央を過ぎたあたりで、たいていの木はよじれるか曲がるか、漂白されてざらつき、けれど地震以来の長い年月、水がどんどん流れこんで周囲に腰をすえ、根をひたして成長をさまたげても倒れはしなかった。いまだに水からそびえたち、巨人族が置いていったねじれた杖みたいな姿をさらしている。もしくはよりおそろしくも、さらにでかい巨人にほふられた巨人の骨みたいな。

「みえない巨人の名前、なんていうんだっけ？」肩ごしにきいた。いまではもう湖が遠くにあるとはいえず、沈黙を破って緊張を追いはらいたかった。

「B　F　G《ビッグ・フレンドリー・ジャイアント》？」ジェーンがいった。「透明だとは思わないけど」

「ちがう、アダムにきいたの」ふり返ってアダムをみる。「ラコタ族の巨人って、だれだったっけ――うんとむかしはみえてたけど、いまはみえなくなったやつ。水に囲まれた山に住んでる」

「ヤタだよ。なんでさ、ヤタをみたの？」アダムはまわりの森をさがすふりをした、心配そうに。

足もとをみなかったため、わたしはよろけた。つんのめり、けれどジェーンがバックパックをつかんで立たせてくれた。三人はもういちど立ちどまり、わたしは体勢を立て直した。

「だれがバービーの足をしてるって?」ジェーンが笑う。

「猫なみの反射神経に感謝」バックパックを背負い直し、ジェーンに引っぱられたストラップをほぐした。

アダムがまたきいた。「それで、なんでヤタのこと知りたいの?」

わたしは湖のほうへうなずいてみせた。「あの木をみていたら、巨人の杖を連想したんだ」

「いいね」そういって、ジェーンがポラロイドをとり出した。カメラを持ってきているのをうれしく感じた。それを手にしているジェーンをみると、なんだか気がやすまる。いつも持ち歩いている愛用品。わたしたちは歩きつづけた。

「それはありえる線だな」とアダム。「ここはヤタのテリトリーでもおかしくない。ヤタは儀式好きなんだ。キャムがやるのはそれだろ?」

「さあね。このうえ神秘的な巨人のプレッシャーまで与えないでよ」

「与えてないよ」

湖にはたいして岸辺がなく、少なくともわたしたちが歩いているあたりにはなかった。波打ち際に、崩落した岩と、波に洗われ、なめらかにすり減った灰白色の小石の薄いかけらが散らばるぐらい。わたしは一メートルばかり手前で立ちどまり、黙ってたたずんだ。ジェーンとアダムがわたしの両わきに来た。ふたりはわたしをみて、顔をそむけ、またみかえし、たぶんわたしがバックパックから、形見的ななにかをとり出すのを待っている。わたしがすっかり計画ずみだとふたりの考える、葬式タイプの重要な儀式に誘われるのを。わたしは湖面をみつめつづけた。ふたりはわたしをみつづけた。

「きれいだね、でも――」ジェーンがいいかけて、口ごもる。

「気味が悪い、でしょ?」わたしがいった。

「ちょっとね」わたしの手を握る。「あの木のせいだ、きっと」

「木だけじゃない」アダムがいった。「あらゆる種類のパワフルなエネルギーがここにはある。落ちつかないか、なにかなんだ」

「やり残したことがあるみたいな」ジェーンが指に力をこめる。

わたしはガイコツ林を観察し、何年も湖のなかでもちこたえている根の強さと深さに思いをはせた。みんながわたしを待っているようだった、自分をふくめて。「まだどうするか決めてない。一、二分考えさせて」

「わたしたち三人にはもういくらでも時間はあるみたいだから」とジェーン。「好きなだけ使いなよ」

アダムが両眉をあげたけれど、たぶんわたしをおもんぱかって、おどろいた感情をあらわにするのはおさえた。「いまごろ、ぼくたちをさがしてるって思わない?」静かにジェーンにきく。

ジェーンがかぶりをふった。「思わない。ほんとに。でもたとえそうだったとしても、この場所からはじめたりはしないよ。ピクニックしていたはずのところから広げていくだろうし、それはここから五十キロ近く離れたガラティン国立森林公園のなかだもの」ジェーンはポラロイド写真を撮り、それから銀色の斑点がある黒い大岩に座って、義足をはずした。

アダムは地面にかがみこんでなめらかな石をみつくろった。拾った石を選ぶようすから、飛び石だとわかる。平らで、だいたいてのひらサイズ。両手いっぱいに集めると、なめらかな水面にひとつ飛ばそうと腕を引き、放ろうとした瞬間に、動きをとめて固まった。

アダムがわたしをみる。「飛び石しても構わない？　この場を冒瀆するみたいなことはしたくない」

「うん、構わないよ」わたしはアダムの手にした石をみた。だめというべきだろうか――石が湖の水面をはねる音を、ほとんどおびえながら待ちうける。

アダムはまた腕を引いて、こんどはそこで再度少しとまったあと、石をぜんぶ、地面に落とした。ぽとぽとと、すばやくしたたり落ちる。

「あとでやるよ。飛び石をする時間じゃなさそうだから」ジェーンのそばに座り、ふたりはわたしがそのために来た用事にとりかかるのを待っていたけれど、そうではないふりをしようとした。

そのとき、湖に入ろうと決めた。この瞬間まで、決心がつかなかった。ぼんやりとこの場所を訪れることを考えるとき、夢想するときは、岸辺にいる自分しかいつもみえない。夢想のなかの岸辺はもやがかかり、もやのうずまく夢バージョンのいちばんの中心はわたしがここへたどり着いたことにあり、着いたときになにをするかはなぜかもう決まっていて、着いたという事実ほど重要でもなかった。けれどいま、スニーカーのつま先に湖のしぶきを浴び、たったふたりの見物人を、なにもない自然のなかだというのになぜだか息苦しく感じ、わたしは水に入らなければいけないと悟った。湖のふところ深くへ。

「わたし、湖に入る」肩を揺すってバックパックをジェーンのかたわらに落とし、長そでTシャツを頭の上まであげるとそれも脱ぎ捨て、そうやって本気のほどを、ひるがえしはしないと三人全員が確信できるようにした。ブラとジーンズ姿でそこに立つと、肌に触れる空気が冷たくて気持ちよかった。

「氷の冷たさだよ」ジェーンがバックパックをあさる。「でもタオルを持ってきた。念のために」引っぱり出してわたしに手渡す。「水着を着るの？」

「置いてきちゃった。なんでだろう。二着とも余裕で入るのに」

ハイキングに出るとき、注意を引きたくなくて、各自、所持品や必需品は通学用サイズのバックパック一個のみに入れて持ってきた。それに、部屋が調べられたとき、すぐにではなくても、ぜんぶが基本的にそのままあるようにみえるほうがいいだろうと考えた。けれどわたしの水着がなくなっていることに、だれが気づくだろう？　もしくは一着だけ持っていったとして？　一着だけ。二着を迷った——両方ともドレッサーの右上の引き出しに入っている——金曜日の面接のあと、バッグにものをつめながら。バイキング・エリンは福音のおつとめに行っていて、部屋はからだった。むかしの水泳チームの水着と、赤いライフガード水着の忘れがたい思い出を反すうし、それから置いていくことにした。へまをしたみたいだ。まずい決心のせいで、わたしはいま、ジェーンの前に水着なしで立っている。水着は軽くてかさばらず、ある時点でふたたび入り用になるのは目にみえていた。いまみたいに。胃がぐるぐるする感じを覚える。なにか大事なことを決めるにあたり、ひとつまぬけな判断をしたと悟り、重大な決断ごとに自分がくだす数多くのまぬけな判断の、それが最初のひとつにすぎないかもしれず、そしてまぬけな判断のすべてが積み重なったとき、重みの下で全体が粉々になる最初の兆候なのだろうかと気に病むときの感覚。「なんてまぬけなんだろ」

ジェーンがわたしのバックパックに手をのばした。「水着の必要はないよ」わたしに集めるようにいったろうそくをとり出す。「くよくよすんな」義足の小部屋に手を突っこんで、ライターをとる。

「ふたりとも、ありがとう」いまでは空気が冷たくなり、ふるえ声になった。「ここに連れてきてくれて」

「火を起こしとく」アダムがいった。「水からあがってきたときのために」アダムはわたしのむきだしの肩に一瞬だけ手を置き、それから歩いて通りすぎ森のなかへ枝を集めに行った。ジェーンはわたしたちがくすねてきた食べもので食事のしたくをはじめ、ふたりともちょっとした仕事で忙しそうにした。「もうぜんぶ脱いじゃう」ジェーンにいって、かかとをもう片方のスニーカーで踏んで脱ぐ。ルースが靴を「だめにするよ」といつもいっていたとおりのやりかたで。

前は白かったけれどいまは薄汚れたコットンの靴下をはいたわたしの足に、ジェーンがうなずいてみせる。わたしは脱ぎつづけ、ジーンズのボタンをはずし、下におろして脱ぎ、目下の作業の重みでふだん感じる自意識から解放されていた。

ジェーンがライターの火をつけてろうそくをともした。「賢明だよ、水から出てきたときどっちみち下着を乾かさなきゃいけないし、時間がかかるかも。手足をこすってあたためたくはないだろ」ジェーンはろうそくを石ころだらけの地面に置くと、安定するまでねじこみ、つぎのをともした。「『こすって、あたためる』って惹かれることばだけど」

「ひとつもらえる？」頭をろうそくのほうに傾けて、オレンジ色の炎がはねてなびきはしても、ともりつづけるようすをみた。それは、映画『ベスト・キッド』のワンシーンを思い起こさせた。たぶん二作目、ミスター・ミヤギがダニエルさんを故郷の沖縄に連れていくと、神聖な儀式が行われ、村人たちが漁港から海にランタンを浮かべて流す。上下するちいさな明かりが、水面に反射する。美しい場面だった。たとえ、ピーター・セテラの歌がバックに流れていようとも。

「持っていく？　ペンライトのほうがよければどこかに持ってるよ」ジェーンがバックパックのフロントポケットをまさぐる。

「いや、ろうそくがいい。まず消えるだろうけど」

「たぶんね」といいつつ三つ目のろうそくをともし、ともかくわたしにくれた。

わたしは下着から出てそれを受けとり、なめらかなろうそくにしがみついたけれど、寒さで全身に鳥肌がたった。ろうそくを引き寄せ、クリスマスイブの合唱少女みたいに胸の前に掲げる。ちいさなともしびが、ちいさな点ほどのあたたかみを放ち、それを肌に感じたかった。

ジェーンはわたしをみないふりはしなかった。渓谷の暗闇のなかで生っ白いはだかをさらし、ふるえ、ろうそくのまたたく炎で顔を照らされたわたし、これまでの人生でずっとそうだったように、ものごとをだいなしにするのをおそれているわたしを。みないふりをしないジェーンを愛した。わたしの目をみていう。

「キャムならできるよ。アダムとここで待ってる」

「わたしがしてるのってなんなんだっけ?」

「キャムはもうわかってる。わかってないって思ってるだけ、でもわかってる。そのためにここまで来たんだから」

わたしはうなずいたけれど、ジェーンがいうほど自分が知っているという確信はなかった。

とはいえ、はじめはつま先だけ、つぎに足を冷たい水に入れ、ゆっくりゆっくり、数センチ、また数センチと慣らしていくようなまねをするほどばかじゃなかった。この夜、この湖に慣れる望みはない。せいぜい耐えるしかできることはなかった。一歩ずつ入り、ずんずん進む。湖底は岩でごろごろしたところもあれば、厚い粘土質のところもある。石炭の上を歩くのはこんな感じだろうか、もし石炭と灰が進むほどに密になり、一歩ごとに燃えながら足をせりあがってくるとすれば。大きな歩幅で水中を十歩も進むと腰骨まで水につかり、冷たさのあまり体じゅうから呼吸がぜんぶ吸いとられた。わたしはろうそくの炎に集中し、息を吸いながら三つ数え、ふたたび三つ数えながらはき出した。耳のなかで血がどくどくいい、かき氷を食べたときの頭痛に似たものがこめかみを脈うった。あのガイコツ林に行きつきたいなら、泳がなければいけない。

右手でろうそくを持ち、体より上にあげ、水面から遠ざけた。ひざを曲げてあお向けになり、必要以上に水面を揺らしてしぶきをあげないようにする。わたしを揺らす焼けつくような水に身をまかせ、完全にあお向けになって浮かび、顔は天を向き、足はジェーンとアダムが火を起こしている岸に向けた。ろうそくはいまだともり、手のなかでわたしの上にある。おろす途中、親指から手首にろうがつたった。瞬時に固まる。ろうそくの底をへそのすぐ上に置いて、なにかしっかりとした、地面に固定されたもののように両手でまわりを押さえた。マストや旗竿みたいに。腹のなかで心臓が鳴りひびき、ふるえ、張りつめた呼吸のたびにろうそくは傾くけれど、またたきつづける。

体が緊張したがっていた。そうやってわたしの生存を第一に優先させ、どれだけこの水の冷たさが危険なのかを教え、水から出なきゃだめだと、慣れるのを拒んだ。首の筋肉が、ピアノかトラクターか、なにか重たいものを引っぱるケーブルのように張りつめている。歯を食いしばるのをやめられなかった。かかとをのぞいて水から出した足が、変な位置でのび縮みした。〈ファイヤーパワー〉のみんなと老人ホームでキャロルを歌ったときにみかけた、すごく年とったひとの足みたいだ。ろうそくの炎に集中して筋肉を弛緩させ、水に自分を委ね、つかの間好きにさせる。

呼吸のコントロールができるようになると、右手をろうそくから離し、水をかいて前に進み、よじれた足を、よじれた木々と、その向こうの、両親の車が飛び出したアーチを描く崖っぷちと道路に向けた。たぶん、一分半もかからずにちいさな林につき、けれど腕と肩がそのころには痛みだした。両手でろうそくを握り直してふたたび呼吸に集中する。渓谷の向こうのどこか遠くにそびえる握りこぶしのような山なみから風が吹いてきて、わたしは首を持ちあげ、マツの木を抜け斜面を転げ落ち、湖面を渡ってこっちへやってくるのをみた。風がガイコツの林をなぶり、ぎいぎい鋭い音をたてる。風はまた、ろうそくを吹き消した。というか、そうみえた。完全に消え、黒い芯がむきだし、でもそれからまた火がともった。そのままともりつづける。

頭痛のせいで全身が痛んだ。歯まで痛い。目を開けて、それから体を傾けて腰を落とし、あお向けを崩すのに必要なことをぜんぶした。最初に足、つぎに胴、それから顔を水面のすぐ下に潜らせ、ろうそくを握りしめ、上にあげつづけている両手以外の皮膚を、水の薄い膜ですべておおう。ふたたび木のきしる音がきこえたけれど、雑音にふたをするさざ波の水の層が心地いい。わたしは両親を思い浮かべた。最初にママ、それからパパを、いっしょではなくべつべつに、ふたりの顔を、体を、部屋に入ってくる歩きかたを、新聞を手にし、コーヒーをかき混ぜて入ってくる姿を想像する。むずかしかったけれどできるだけ努力した。必要なときは頭をあげ、くちびるを突き出して空気を吸ってからふたたびさげ、両親に戻る。ママが博物館のなにかの配置に首をひねっている。パパが尻ポケットに入れていた青いハンカチでひたいをぬぐう。ママは果物ナイフを手に、野菜を切る方法をわたしに教えている。パパはいつもの道を走り、片手をハンドルに巻きつけるようにかけている。

ぜんぶをだいなしにしたように感じた。とうとう実行に移し、いざここに来てみると、なにをすればいいのか、もしくはどうやるのか、あるいはどう感じるべきなのかわからない。わたしの持ちネタはなんの役にもたたなかった。映画の引用句も、ジョークも使えない。いまここで、やらなくてはならなかった。わたしはやりとげたかった。水面から頭をもたげる。

「ママ、パパ」自分の声が奇妙にきこえる。湖に属し、わたしのではないかのように。それともたぶん、声に出して話している内容が、湖に属しているのかも。こんなふうにママとパパに呼びかけたのは、もうずいぶんむかしだ。ふたりに話しかけるのがなんだか気恥ずかしい。ひとりきりなのに、当人以外だれもきいていないのに。でもわたしは決めた、恥ずかしくてもいいんだと、正しくさえあると、それで、先をつづけた。「映画とかでみたくだらないことはいくらでも覚えているのに、覚えているべきだと思うふたりのことは覚えてないよ」

少し考えてから、またしゃべる。「前はここに来て、どんなに悪いと思っているか、ずっと話したかった」息を吸って、それからひと息にいった。「アイリーンにキスしたことじゃなくて、ママたちが知らずにすんだのを、バレずじまいで安心したのを、死んじゃったせいで。そんなのはぜんぜんナンセンスだってわかってる。死んだらどっちみちぜんぶわかるから。だよね？　でも、それでもほっとしたの」

山なみのひとつに、とつぜん、完ぺきな黄色い長方形が四つ現れた。樹木の暗さにまぎれていたバンガローの窓に、電気がまたたいてついた。窓の内側にたたずむひとたちを想像する。外を眺め、山腹からふもとの湖をみおろし、不審に思う。わたしのろうそくがひとつ——それともあんなに遠くからだと、湖に明かりが映りこんで、ふたつにみえるだろうか。どうしてかはわからないが、窓際のそのひとたちといっしょにいたいと強く願った。

わたしは話をつづけた。「わたしのせいで事故が起きたとは思わない。もう思わない、だからそのために来たんじゃない。いまわたしが願うのは、ふたりともひとりの人間で、わたしの親としてだけの存在じゃないと、死ぬ前に理解していたかったってことだと思う。ちゃんと理解していれば、つまりリディアがいうみたいに、わたしがこうなったのを非難したくてっていうんじゃなくて。でもそれでもやっぱり、ふたりをひとりの人間として知っていたらよかったのにって思う。わたしは知らなかったし、そっちがわたしを知っていたかどうかもわからない、ふたりの娘だという以上にね、つまり。たぶん、ママたちが生きているときは、わたしはまだわたしになっていなかった。いまだになっていないかも。とうとうそうなったとき、どうやってそうだとわかるのかもわからない」わたしはろうそくをちょっぴり傾け、すると芯のまわりのとけたろうがこぼれてわたしのこぶしにしたたり落ち、最初は透明で、そのあとすぐに固まってわたしの肌をつたう白い川になった。ろうがだくだくなだれとなってわたしの手のはしから出て湖のなかへ進入し、そのとたんに魔法みたいに浮かぶちいさな水玉模様となり、穴あけであけた紙くずの、ろう版を連想させた。

水玉のひとつがろうそくの明かりの先に流れていくのを眺め、それから話しつづける。「ふたりがわたしを〈約束〉に送るか、それともそれに似た場所に、もしくは実際には送らなかったとしても、そうしたいと思ったのかはわからない。でもママたちはいなくなって代わりにルースがいて、だけどそれがわたしに対してふたりのしたいことだとルースにいわれたとき、わたしは信じなかった。たとえ真実だとしても、一生それを大事に信じていなきゃいけないとは思わない。意味が通るかな？　それは真実かもしれない、もしふたりがいまのわたしを知ったなら。でも、その機会はなくなったんだから、真実だったかもしれない部分はぜんぶ、消してしまえるよね？　これがなんらかの理屈にあうといいんだけど。肝心なのは、ふたりが死んでから起きたことのほとんどすべてが、ふたりがわたしの両親でラッキーだったって確信させたってこと。たったの十二年間だったけれど、ふたりが生きていたときに、ちゃんとわかっていなかったとしても。だからここに来て、いまはそれを知ってるっていいたかったんだと思う。それからふたりを愛してるって。たぶん気づくのがちょっと遅すぎたようにきこえるかもしれないけど、それか、じゅうぶんじゃなかったりとか。でもそれが、わたしが確かだっていえることなの」わたしは水のなかでそのまま少し、回転した。円を描き、早くも遅くもなく、片手で周囲をかいて。「岸に戻ったあと、なにが起こるかは知らない。たぶんふたりは知ってるよね——ふたりのいるところがどういうしくみなのかわからないけど。なにがみえるのか。ふたりにはぜんぶみえてるって思うのが好き。それと、この先に待つのがなんであれ、つまずきませんように、少なくともあんまりたくさんは」わたしは話しやめた。いうことはもう、なにもない。ことばにできることはなにも。けれどわたしは回りつづけた。とうとうこの場所にやってきた。これまでのわたしの人生のすべてがなにかしら、どういうはずみか、そうであるべきではないものもひっくるめ結びついた場所に、そしてわたしはそれにひたりたかった。だからそうした。ひとしきり回転しつづけていたら、めまいがしてきた。回ったため以上のせいでめまいがした。わたしは凍えていた。だから終わりにした。

どう終えようか、どうすれば終わったと感じるのかわからない。それで、ひとつ思いついた気の利いたことをした。映画のトリック。ろうそくを吹き消す。それはすごく、なんというか、たぶんいかにもなことであっても、それでもやっぱりいい感じだったし、けりをつける行為にふさわしいと感じた。そのあと、岸に向かって泳いだ。いまの体力でそんなことができると思いもよらないほど泳いだ。強く速く、筋肉がこわばって協力しようとせず、それでも無理やりやらせた。右手には、ろうそくを持ちつづけた。水を下にかくたびに沈んだけれど、離しもせず、速度をゆるめもしなかった。岸のぎりぎり近く、ひざが湖底をこすってやめざるをえなくなるまで泳ぐ。

アダムが水のなかにばしゃばしゃ入ってきて、靴を濡らしながらわたしのひじをつかんですばやく引きあげた。まるで前に何度もやったみたいに、手際よく。ジェーンがアダムのうしろから現れ、両腕を広げ、明るい縞のビーチタオルをあいだにたらした。わたしの体を包む。それからふたりがわたしの両脇に来て、岸まで歩かせた。岸は黒々と、どこまでもつづいていた。けれどもたき火が待っていた。ささやかな晩さんが、毛布の上にのっていた。岸辺の先には、全世界があった。森の先、山なみのこぶしの先、その先、先、先に、水面下ではなく、世界はその先にあり、わたしを待っていた。

謝辞

どうかというほど長くなります。ご容赦ください。車内のエアコンがたいして用をなさないほど蒸し暑いある日、わたしのなみはずれて優秀な代理人（まだ実際にわたしの担当になる前の）ジェシカ・レーゲルをリンカーンからオマハへ送る道すがら、キャメロン・ポストの物語を不器用にかいつまんで話したら、なぜだか大いに買ってくれました。ガソリンがなくなりそうになって給油のためうろうろするうち、いささか道に迷いはしましたが、この短い旅にはじまったジェシカの励ましと、本書への助言と献身は、それ以来はかりしれないほどわたしと本書の力になってくれました。同様に、編集のアレッサンドラ・バルザーの熱意と優しさには、大恩あるのみです。アレッサンドラはこの小説にはなにが最善かをあらゆる段階において理解していただけでなく、わたしがその理由を理解する手助けをしてくれました。また、サラ・サージェントにもお礼を――実をいえば、バルザー&ブレイチーム全員のために、わたしのラブトレインを一車両まるごと貸し切ってあります。

洞察と忍耐と時間を提供してくださった、ホフストラ大学のエリック・ブロガー、ジュリア・マーカス、ポール・ジマーマンら、教師と指導者のかたがたに無限の感謝を――いちはやい励ましと、その後数年にわたるサポートとウィットをありがとう、ポール。また、ロングアイランド（ホフストラ大学）の荒野にやってきたモンタナのぽっと出に、すぐに門戸を開いてくれたジーナ・クランス・グットマン――あなたのサポートなしにはRAトレーニングの一年目、およびウルシ攻撃に耐えられませんでした。まだ名前はなかったけれど、キャメロンがうぶ声をあげたのは、モンタナ大美術学修士課程におけるダンジー・セナの小説ワークショップにおいてであり、当初は短編だったこの作品を長編に仕上げるよう励まされました。また、ミズーラ（モンタナ大）ではジル・バーグマン（と〝もの書き女〟の面々）、ジュディ・ブラント、ケイシー・チャールズ、ディアドラ・マクナマー、それからすばらしい助言をくれたブレイディ・ユーダル、いつも寛大だったデブラ・マグパイ・イーリングらの学友に恵まれました。最近では、ネブラスカ大リンカーン校（UNL）のクリエイティブライティングの博士課程にて、アメリア・M・L・モンテス、グウェンドリン・フォスター、ジョニス・エイジー、そして教壇に立つこつについて多くをご教授くださった、わたしの知るなかでいちばん全方位的にクールな人物であるバーバラ・ディバーナードらとともに働き、学ぶ栄に浴しました。この小説を当初から応援してくれた、底なしに落ちついて賢いジュディス・スレイター。ほぼかんぺきなギャグのタイミングを持ち、ファラフェルに一家言あり、そもそもUNLに来たいと思った原因のジェラルド・シャピロ。軽妙洒脱なティモシー・シャファートは、わたしのもっともばかげた質問（しかもたくさん）にいつも最高の答えをくれるとともに、一九七〇年代ポップ・カルチャーに関する彼の資料カタログはつきない喜びをくれました。

それぞれ才能があり、ユーモアのある友人たちにとても感謝しています。多くは作家で、全員から刺激をもらっています。ローズ・バンチはわたしの草稿にキラキラする恐竜ステッカーを貼ってくれ、それは最高にポジティブな反応でした。ケリー・グレイ・カーライルは泳ぐ前とあとに本書の件でたくさんの時間を割いてくれ、ひとを励ますプロでした。キャリー・シパーズは第一稿を読んで編集し、賢明な意見と賢明な質問をくれ、数週間、数カ月後でもこまごました点まで覚えていて、わたしの読者になってくれたのを誇りに思います。九〇年代ミュージックの同好の士であるマイク・ケリーには、やっと本書の前半を書き終えた段階で目を通してもらい、早く後半を読ませろとせがまれました。アダム・パーケニングは、たぶんぜったいに自分ではみないであろう映画の必要な知識を、ぜんぶ教えてくれました。レベッカ・ロタートはわたしがオマハを訪ねるお気にいりの理由で、自身が執筆中の小説をさっさと書き終える必要あり（オホン）。ずば抜けた芸術家で、ウェブデザイナーのマーカス・テクトマイヤー。不条理なほどスタイリッシュでチャーミングなベン・シュヴレットは、大学でわたしに起きた最高のふたつのうちのひとつで、いつでもいちばんお気にいりのゲイです。

わたしの家族であるダンフォース家、ローエンドーフ家、フィネマン家、エドセル家に愛と感謝を。とりわけ兄のウィリアムと姉のレイチェルに。姉さんの拷問のような『スリラー』実験は、結果的にはおそらく害よりは益になりました（たぶんね、でもまだ確信するには時期尚早）。また、世界とそのなかにあるものぜんぶについて好奇心を育ててくれ、わたしの道を行くにあたり、愛とサポートをくださった両親に深く感謝します。

最後に、そしてなによりも、多すぎて挙げきれない理由によって、エリカに愛と感謝を。この小説の執筆にはなにも関与していないと、あなたがみんなにいってるのを知っています。そしてそれは厳密には真実だけれど、わたしがこの本を書けたのは、一から十までぜんぶあなたのおかげです。

・・・

キャサリン・ハヴィランド・アン・エリザベス・メアリー・ヴィクトリア・ベイリー・ウッズをしのんで。

友人のなかで、最高にして最長の名前の持ち主であるだけでなく、真の友人、もっとも誠実な友人であり、もっともすばらしき想像力の持ち主でした。

訳者あとがき

みなさま、エミリー・M・ダンフォース著『ミスエデュケーション』の邦訳版をお届けします！

本国アメリカでは二〇一二年に出版され、アメリカ図書館協会がすぐれたヤングアダルト小説のデビュー作品に贈るウィリアム・C・モリス・デビューアワードの最終候補に残るなど、高い評価を受け、二〇一八年にはクロエ・グレース・モレッツ主演で映画化もされました。映画もまた、サンダンス映画祭にてグランプリを受賞しています。日本では映画のDVDがひと足お先に発売され、二〇二〇年になってネットフリックスでも配信されたので、もうご覧になっているかたもいらっしゃるでしょう。

『ミスエデュケーション』は、〝ビッグスカイ〟モンタナ州はカウガールの町、マイルズシティではじまります。時代は、まだインターネットなんて影もかたちもなかった、古き良き（？）一九八九年。主人公のキャメロン（キャム）・ポストはわんぱくな十二歳の女の子です。親友のアイリーンとは大のなかよしですが、なんでも競いあうライバルでもあり、「橋から川に飛びこめ」だの「道路標識をとってこい」だの、たがいに相手に無理難題をふっかける〝挑戦ごっこ〟をしかけてばかり。そんな暑い暑い夏休みのある日、アイリーンの農場の納屋で、アイリーンがキャムに挑戦をしかけます。「わたしにキスできる？」と……。

原書で四八五ページもある（一時は八五〇ページあったそうです！）本書は、女の子に惹かれる女の子、キャメロンの十二歳から十七歳までの成長を三部構成でていねいに、いきいきと描きます。十二歳の夏休み二日間を描いた第一部、アイリーンとキスをしたつぎの日に両親を交通事故で失い、ポストおばあちゃんとルースおばさんと暮らすことになった中学・高校時代の第二部、そしてレズビアンであることがおばさんにばれ、ほとんど強制的に送りこまれた同性愛矯正施設に舞台を移しての第三部——同性愛矯正施設というのは、キリスト教系の施設で、「罪深い」同性愛者を「治療」して「神の意に添う」異性愛者にすることを目的としています。そのような施設の存在さえ、はじめてきいたという読者のかたもおられると思いますが（いま現在も全米にあります）、人里離れたモンタナの山中に建ち、学校も兼ねた問題の施設〈神の約束〉で一体どんな治療が施されているのか、キャメロンといっしょに体当たりでさぐっていく第三部こそが本書最大の呼びものといってもよく、映画化に際してもそこに焦点を当てた内容になっています。とはいえ、第一部、第二部ともにそれぞれ違った魅力があり、ひとつぶで三度おいしいキャラメルのような（マイルズシティ風にいえば、ライムとグレープとチェリー、三色の〝墓場スノーコーン〟のような）小説といったほうが、より的を射た評価といえるでしょう。

幼いながらもアイリーンと友情以上の感情を意識しあったとたん、両親が事故で亡くなり、それを女の子とキスした自分のせいのように感じて封印した、はかない初恋。競泳のライバル、リンジーとのひと夏の火あそび。そして、「たったひとりの運命の相手」、ロデオ大会の準クイーンにして〝ムービーナイトの女王〟コーリーへのおさえきれない思い――。キャメロンの恋は、いつも決まって暑い暑い夏に燃えあがります。なぜなら、マイルズシティの爆弾娘（古い）は夏を「目いっぱいまんきつしている」から……。

また、〈神の約束〉で出会い、（大麻を通じての）深い友情で結ばれていくアダムとジェーン・フォンダ（本名！）は、キャメロンが恋する三人の女の子以上に個性あふれ、ある意味重要な存在となります。アダムはネイティブアメリカンの〝ウィンクテ〟（ウィンクテがなにかは、本文をお読みください！）、ジェーンはアイダホ州のコミューン育ちで、自分で育てた大麻を義足の秘密の小部屋に隠し持つ、自給自足を信条とするしっかり者。もし矯正施設に入るなら（いや、イヤですけど）、アダムとジェーンのいる施設がいいです。

謝辞、および二〇一二年の原書出版時にウェブマガジン『Slate』に掲載された著者インタビューによれば、美術学修士号とクリエイティブライティングの博士号を持ち、現在はロードアイランド大学で文学を教えるダンフォースがこの小説を書きはじめたのは、まだ修士号取得前の二〇〇五年のことでした。最初は青春小説を書きたいと思ったそうです。そんなとき、両親に無理やり転向療法プログラムを受けさせられたティーンエイジャーの存在を知り（当時、人権侵害を訴える声が本人の周囲であがり、ちょっとした騒ぎになったようです）、キャメロンの物語にからめてみようと、取材を進めたのだとか。新型コロナウイルスの影響でなにかと窮屈なライフスタイルを強いられているきょうこのごろ、厳しい規則とスケジュールにしばられて、移動と行動の自由を奪われた施設での寄宿生活の一端なりと想像するのは、そう難しくないはずです。

キャメロンの物語はあくまでフィクションですが、マイルズシティで生まれ育ったダンフォースの実体験がずいぶんと織りこまれ、文章のはしばしにモンタナ愛が伝わってくるディテールにみちた風物やできごとの描写は、本書を読むもうひとつの大きな楽しみになっています（実際、ダンフォースは大学時代の夏休みにライフガードもしていたそうです。ご両親はいまだに中央通りに住んでいらっしゃるとか）。キャメロンが水泳の練習にはげむ人工湖のスカンラン、悪ガキ仲間ジェイミー（いいやつ！）としのびこむ廃病院〈聖ロザリオ〉、モンタナ州未曾有の大地震でできたというクエイク湖、キャメロンの通うカスター高校、ママやアイリーンと『フォエバー・フレンズ』をみて、コーリーと通いつめたモンタナ・シアター、ジェイミーのバイト先〈タコ・ジョンズ〉、ランチドレッシングのおいしい〈ベン・フランクリン〉、全米（全世界?）的に有名なロデオ大会〈バッキング・ホース・セール〉……みんなみんな、実在します！モンタナ州を訪れたことがなくても、読み終えるころにはすっかりマイルズシティ育ち気分になること請けあいです（おかげで夕焼け空をみるたび、「あ、〈ペプトビスモル〉色の雲！」と思ってしまうではないですか）。いっぽう、〈神の約束〉は架空の同性愛矯正施設ですが、もと同性愛者のヒップな校長リック牧師の造形については、まったくのフィクションではなく、本書にもちらっと出てくる実在の団体〈エクソダス・インターナショナル〉の代表や、主人公がキャメロンと似たような状況に陥る映画『ある少年の告白』（こちらは自伝をもとにした映画）に出てくる〈Love in Action〉という矯正施設の代表などが、やはり、のちに実は同性愛者だ（った）とカミングアウトし、同胞に精神的苦痛を与えたとして謝罪した実例がいくつかあり、個人の性的指向に信仰がからむこの問題の根深さというか、ねじれぐあいを感じさせます。ちなみに、〈エクソダス・インターナショナル〉は二〇一三年に解散しました。アメリカでは、矯正療法を非合法にする州も、少しずつですが増えているようです。

物語の最後で、映画には出てこない、とある「寄り道」をキャメロンがします。長年水泳で鍛えた（&映画ファンの）キャメロンらしい決着のつけ方で、うなってしまいますが、でも、やっぱりキャメロンと仲間たちのその後について、気にならないといえばうそになります。はたして、三人のたてた計画は、うまくいったのでしょうか？　ミステリーファンの変わりものおばあちゃんや、善意と信仰心にあふれすぎて空転するルースおばさん、悪友ジェイミー、ぬるま湯リック校長と氷のリディア教頭（映画では、この人が出ている映画なら品質はまず安心、のジェニファー・イールがクールに演じます）、そして堕ちた学園の女王コーリーのその後は？　残念ながら、いまのところ続編の予定はなさそうですが、二〇二〇年の十月、ハロウィーンの季節には、ダンフォース二作目の小説『Plain Bad Heroines』が出版になります。女学校と映画界を舞台にしたゴシックホラー・コメディという設定をきいただけで、なんともわくわくしてきませんか（ジョー・ヒル［スティーヴン・キングの息子で、やっぱり『NOS4A2―ノスフェラトゥ―』などの小説を出している人気ホラー作家］らが、早くも大絶賛を寄せています）!?

ところで、『ミスエデュケーション』の邦訳版は、クラウドファンディングによって出版が実現しました。大阪大学サイバーメディアセンターの教授であり、物理学者（&テルミン奏者）の菊池誠氏が、映画の評判を耳にして興味を覚え（さてはモレッツファン？）、（日本公開はされなかったため）原作小説を読んで「これは日本で出版すべきだ！」とツイッターでなにげにつぶやかれたのがそもそものきっかけで、その声に応え、サウザンブックス社がプロジェクトを立ちあげたという次第です。ファンディング期間中はハラハラドキドキの展開でしたが、最後に怒濤の追いあげがあり、みごと！　実現にいたりました。応援・ご支援くださったみなさま、どうもありがとうございました。予定よりお届けできる時期が遅くなってしまってごめんなさい。ウイルスのせいということにしておいてくださいね。どうか楽しんで読んでくださいますように。それから、すばらしい本に携わる機会をくださった八尋さま、サウザンブックス社の古賀さま、編集の宮崎さま、校閲の山縣さまの各氏に、心よりお礼を申しあげます。

二〇二〇年八月　LAX発羽田行きの機上にて
（五年ぶりの日本だ！）　有澤真庭

| 著者プロフィール |

エミリー・M・ダンフォース emily m. danforth

モンタナ州マイルズシティに生まれ育つ。モンタナ大学で創作文学の美術学修士号、ネブラスカ大学リンカーン校でクリエイティブライティングの博士号を取得。同大学の〈ネブラスカ・サマー・ライターズ・コンフェレンス〉ではアシスタント・ディレクターをつとめた。ダンフォースはロードアイランド大学にてクリエイティブライティングおよび文学課程を教え、『The Cupboard』の共同編集人でもある。本書はダンフォースのデビュー作となる。著者のウェブサイトは、www.emilymdanforth.com

| 訳者プロフィール |

有澤真庭 ありさわ まにわ

千葉県出身。アニメーター、編集者等を経て、現在は翻訳家。主な訳書に『アナと雪の女王』『キングコング 髑髏島の巨神』『自叙伝 ジェームズ・T・カーク』(竹書房)、『スピン』(河出書房新社)、『いとしの〈ロッテン〉映画たち』(竹書房より近刊)、字幕翻訳に『ぼくのプレミア・ライフ』(日本コロムビア)がある。

ミスエデュケーション

2020年11月6日　第1版第1刷発行

著者　エミリー・M・ダンフォース
訳者　有澤真庭
発行者　古賀一孝
発行　株式会社サウザンブックス社
〒151-0053 東京都渋谷区代々木2丁目23-1
http://thousandsofbooks.jp

装画　森 千章
装丁・本文デザイン　atelier yamaguchi（山口吉郎、山口桂子）
校閲　山縣真矢（ぐび企画）
編集　宮崎綾子
印刷・製本　シナノ印刷株式会社

Special thanks　Tsunefumi.U、松中 権、山内 尚、松村拓海、新垣 瀬梨菜、獅堂ライチ

落丁・乱丁本は交換いたします

ISBN978-4-909125-22-4　C0097